SENDEROS 4

Spanish for a Connected World

Boston, Massachusetts

On the cover: The Castle, Mayan ruins of Tulum, Yucatan, Mexico

Creative Director: José A. Blanco
Executive Vice President and General Manager of K12: Vincent Grosso
Editorial Director: Harold Swearingen
Editorial Development: Diego García, Jaime Patiño
Project Management: Rosemary Jaffe, Adriana Lavergne
Rights Management: Jorgensen Fernandez, Annie Pickert Fuller, Kristine Janssens, Juan Esteban Mora
Technology Production: Sergio Arias, Lauren Krolick
Design: Paula Díaz, Radoslav Mateev, Gabriel Noreña, Andrés Vanegas
Production: Oscar Díez, Sebastián Díez, Andrés Escobar, Adriana Jaramillo, Daniel Lopera, Daniela Peláez

Level 4 Student Text ISBN: 978-1-54335-819-3
Level 4 Teacher's Edition ISBN: 978-1-54335-820-9

1 2 3 4 5 6 7 8 9 TC 27 26 25 24 23 22

Printed in Canada.

SENDEROS 4

Spanish for a Connected World

Table of Contents

Table of Contents

Consulta

The Spanish-Speaking World

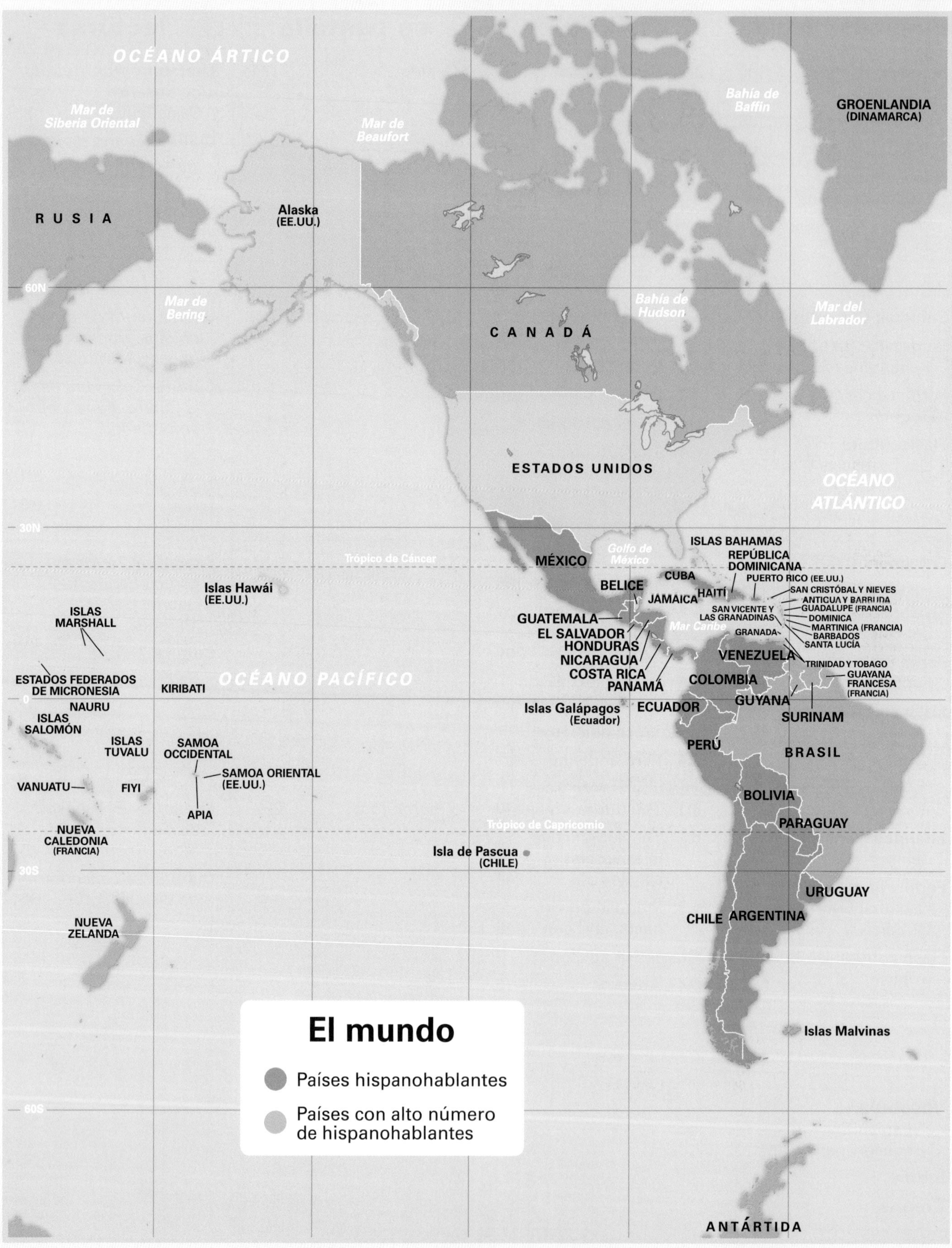

OCÉANO ÁRTICO
Mar de Siberia Oriental
Mar de Beaufort
Bahía de Baffin
GROENLANDIA (DINAMARCA)
RUSIA
Alaska (EE.UU.)
60N
Mar de Bering
Bahía de Hudson
Mar del Labrador
CANADÁ
ESTADOS UNIDOS
OCÉANO ATLÁNTICO
30N
Golfo de México
Trópico de Cáncer
ISLAS BAHAMAS
REPÚBLICA DOMINICANA
MÉXICO
CUBA
PUERTO RICO (EE.UU.)
Islas Hawái (EE.UU.)
BELICE
JAMAICA
HAITÍ
SAN CRISTÓBAL Y NIEVES
ANTIGUA Y BARBUDA
GUADALUPE (FRANCIA)
SAN VICENTE Y LAS GRANADINAS
DOMINICA
MARTINICA (FRANCIA)
BARBADOS
SANTA LUCÍA
ISLAS MARSHALL
GUATEMALA
EL SALVADOR
Mar Caribe
GRANADA
HONDURAS
NICARAGUA
VENEZUELA
TRINIDAD Y TOBAGO
COSTA RICA
GUAYANA FRANCESA (FRANCIA)
ESTADOS FEDERADOS DE MICRONESIA
KIRIBATI
OCÉANO PACÍFICO
PANAMÁ
COLOMBIA
0
NAURU
Islas Galápagos (Ecuador)
ECUADOR
GUYANA
SURINAM
ISLAS SALOMÓN
ISLAS TUVALU
SAMOA OCCIDENTAL
PERÚ
BRASIL
SAMOA ORIENTAL (EE.UU.)
VANUATU
FIYI
APIA
BOLIVIA
PARAGUAY
Trópico de Capricornio
NUEVA CALEDONIA (FRANCIA)
Isla de Pascua (CHILE)
30S
URUGUAY
NUEVA ZELANDA
CHILE
ARGENTINA
Islas Malvinas
60S
ANTÁRTIDA
El mundo
Países hispanohablantes
Países con alto número de hispanohablantes

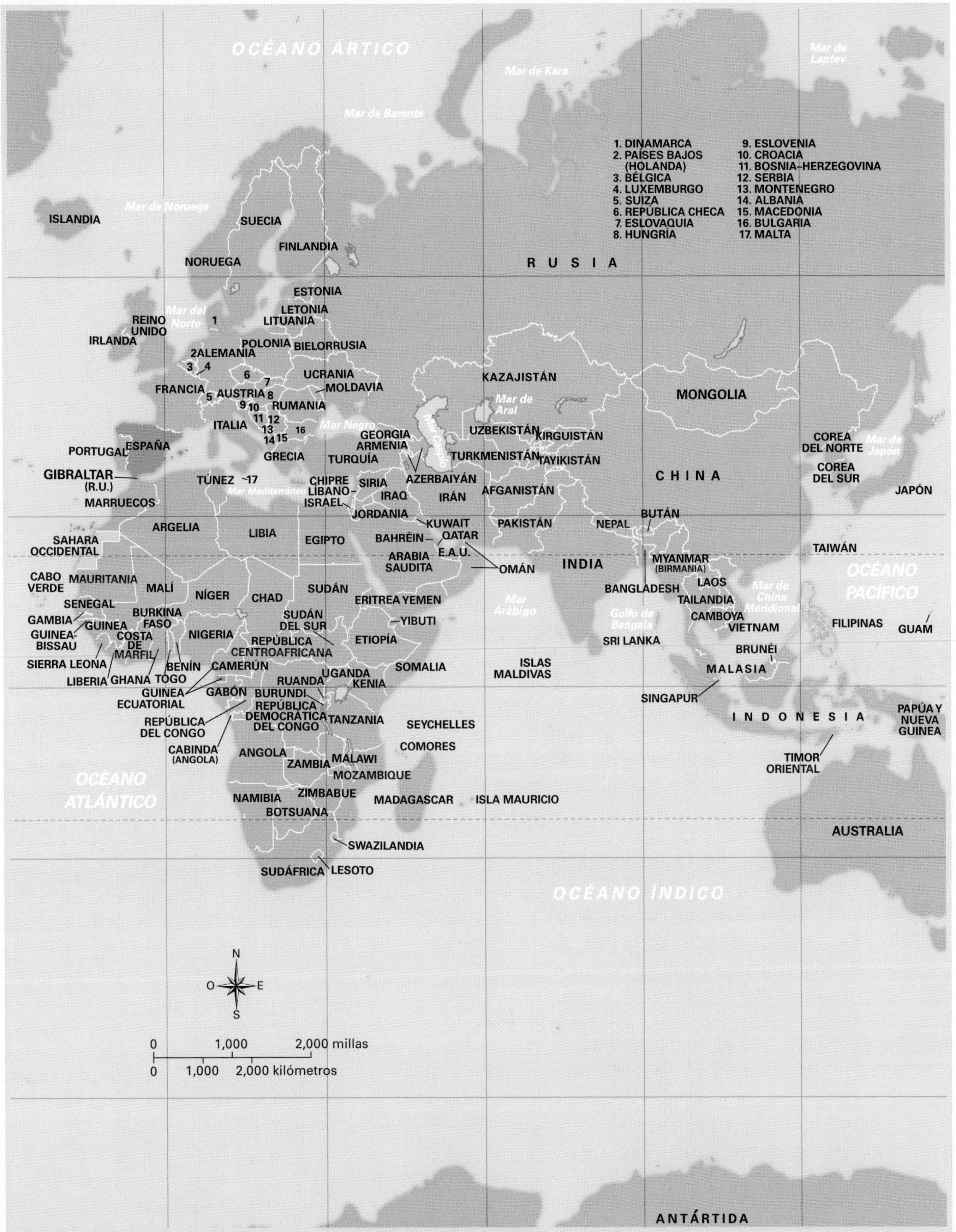

OCÉANO ÁRTICO
Mar de Kara
Mar de Laptev
Mar de Barents
1. DINAMARCA
2. PAÍSES BAJOS (HOLANDA)
3. BÉLGICA
4. LUXEMBURGO
5. SUIZA
6. REPÚBLICA CHECA
7. ESLOVAQUIA
8. HUNGRÍA
9. ESLOVENIA
10. CROACIA
11. BOSNIA-HERZEGOVINA
12. SERBIA
13. MONTENEGRO
14. ALBANIA
15. MACEDONIA
16. BULGARIA
17. MALTA
ISLANDIA
Mar de Noruega
SUECIA
FINLANDIA
NORUEGA
RUSIA
ESTONIA
LETONIA
LITUANIA
REINO UNIDO
Mar del Norte
IRLANDA
POLONIA
BIELORRUSIA
ALEMANIA
UCRANIA
MOLDAVIA
FRANCIA
AUSTRIA
RUMANIA
KAZAJISTÁN
MONGOLIA
Mar de Aral
ITALIA
Mar Negro
GEORGIA
ARMENIA
UZBEKISTÁN
KIRGUISTÁN
PORTUGAL
ESPAÑA
GRECIA
TURQUÍA
Mar Caspio
TURKMENISTÁN
TAYIKISTÁN
COREA DEL NORTE
Mar de Japón
COREA DEL SUR
GIBRALTAR (R.U.)
TÚNEZ
CHIPRE
SIRIA
AZERBAIYÁN
CHINA
JAPÓN
Mar Mediterráneo
LÍBANO
IRAQ
IRÁN
AFGANISTÁN
MARRUECOS
ISRAEL
JORDANIA
BUTÁN
ARGELIA
LIBIA
KUWAIT
PAKISTÁN
NEPAL
SAHARA OCCIDENTAL
EGIPTO
BAHRÉIN
QATAR
TAIWÁN
ARABIA SAUDITA
E.A.U.
OMÁN
INDIA
MYANMAR (BIRMANIA)
OCÉANO PACÍFICO
CABO VERDE
MAURITANIA
MALÍ
NÍGER
SUDÁN
BANGLADESH
LAOS
Mar de China Meridional
SENEGAL
CHAD
ERITREA
YEMEN
Mar Arábigo
TAILANDIA
GAMBIA
BURKINA FASO
SUDÁN DEL SUR
YIBUTI
Golfo de Bengala
CAMBOYA
GUINEA
FILIPINAS
GUAM
GUINEA-BISSAU
COSTA DE MARFIL
NIGERIA
REPÚBLICA CENTROAFRICANA
ETIOPÍA
VIETNAM
SRI LANKA
BRUNÉI
SIERRA LEONA
BENÍN
CAMERÚN
SOMALIA
ISLAS MALDIVAS
MALASIA
LIBERIA
GHANA
TOGO
RUANDA
UGANDA
KENIA
GUINEA ECUATORIAL
GABÓN
BURUNDI
SINGAPUR
REPÚBLICA DEMOCRÁTICA DEL CONGO
TANZANIA
SEYCHELLES
INDONESIA
PAPÚA Y NUEVA GUINEA
REPÚBLICA DEL CONGO
COMORES
CABINDA (ANGOLA)
ANGOLA
ZAMBIA
MALAWI
TIMOR ORIENTAL
OCÉANO ATLÁNTICO
MOZAMBIQUE
NAMIBIA
ZIMBABUE
MADAGASCAR
ISLA MAURICIO
BOTSUANA
AUSTRALIA
SWAZILANDIA
SUDÁFRICA
LESOTO
OCÉANO ÍNDICO
N
O
E
S
0
1,000
2,000 millas
0
1,000
2,000 kilómetros
ANTÁRTIDA

Mexico

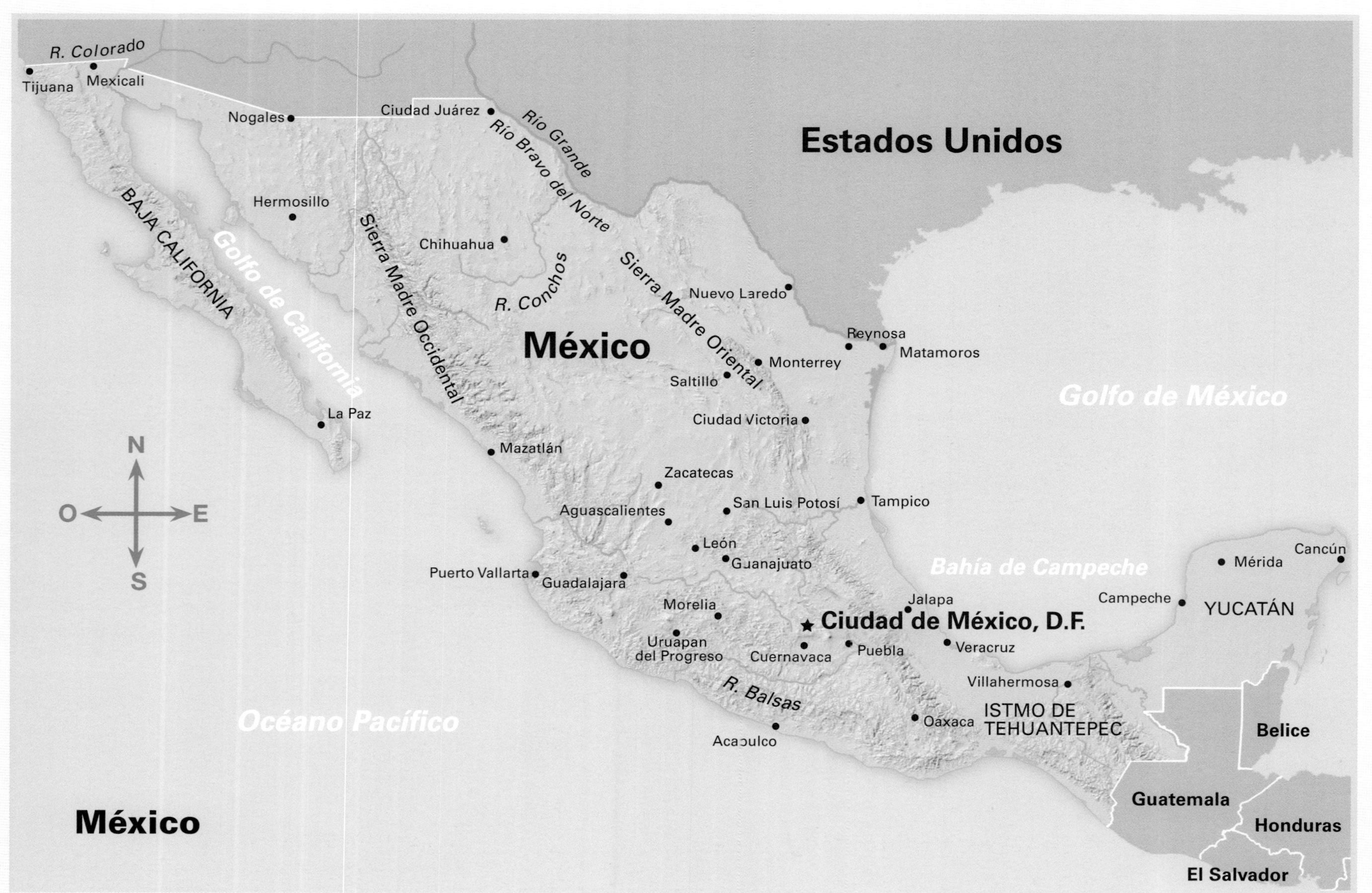

R. Colorado
Tijuana
Mexicali
Nogales
Ciudad Juárez
Río Grande
Río Bravo del Norte
Estados Unidos
BAJA CALIFORNIA
Golfo de California
Hermosillo
Sierra Madre Occidental
Chihuahua
R. Conchos
Sierra Madre Oriental
Nuevo Laredo
Reynosa
Matamoros
México
Monterrey
Saltillo
Golfo de México
La Paz
Ciudad Victoria
Mazatlán
N
O
E
S
Zacatecas
Aguascalientes
San Luis Potosí
Tampico
León
Guanajuato
Puerto Vallarta
Guadalajara
Bahía de Campeche
Mérida
Cancún
Campeche
YUCATÁN
Morelia
Jalapa
Ciudad de México, D.F.
Uruapan del Progreso
Cuernavaca
Puebla
Veracruz
Villahermosa
R. Balsas
Océano Pacífico
Oaxaca
ISTMO DE TEHUANTEPEC
Belice
Acapulco
Guatemala
Honduras
El Salvador
México

Central America and the Caribbean

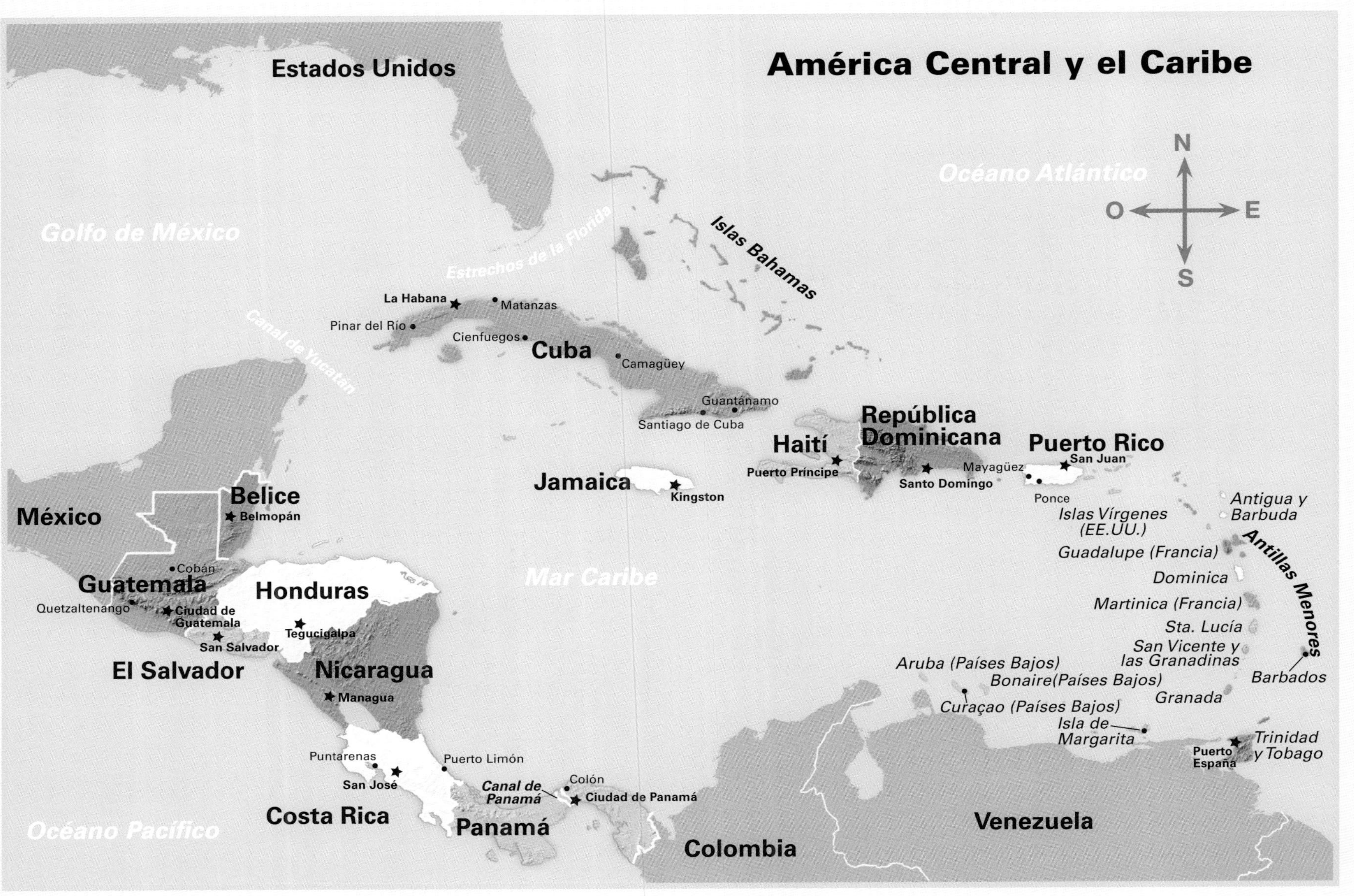
América Central y el Caribe
N
O
E
S
Estados Unidos
Golfo de México
Océano Atlántico
Estrechos de la Florida
Canal de Yucatán
Islas Bahamas
La Habana
Matanzas
Pinar del Río
Cienfuegos
Cuba
Camagüey
Guantánamo
Santiago de Cuba
República Dominicana
Haití
Puerto Príncipe
Santo Domingo
Puerto Rico
San Juan
Mayagüez
Ponce
Jamaica
Kingston
México
Belice
Belmopán
Cobán
Guatemala
Quetzaltenango
Ciudad de Guatemala
Honduras
Tegucigalpa
San Salvador
El Salvador
Nicaragua
Managua
Mar Caribe
Islas Vírgenes (EE.UU.)
Antigua y Barbuda
Antillas Menores
Guadalupe (Francia)
Dominica
Martinica (Francia)
Sta. Lucía
San Vicente y las Granadinas
Barbados
Aruba (Países Bajos)
Bonaire(Países Bajos)
Curaçao (Países Bajos)
Granada
Isla de Margarita
Puerto España
Trinidad y Tobago
Puntarenas
San José
Puerto Limón
Canal de Panamá
Colón
Ciudad de Panamá
Costa Rica
Panamá
Océano Pacífico
Colombia
Venezuela

South America

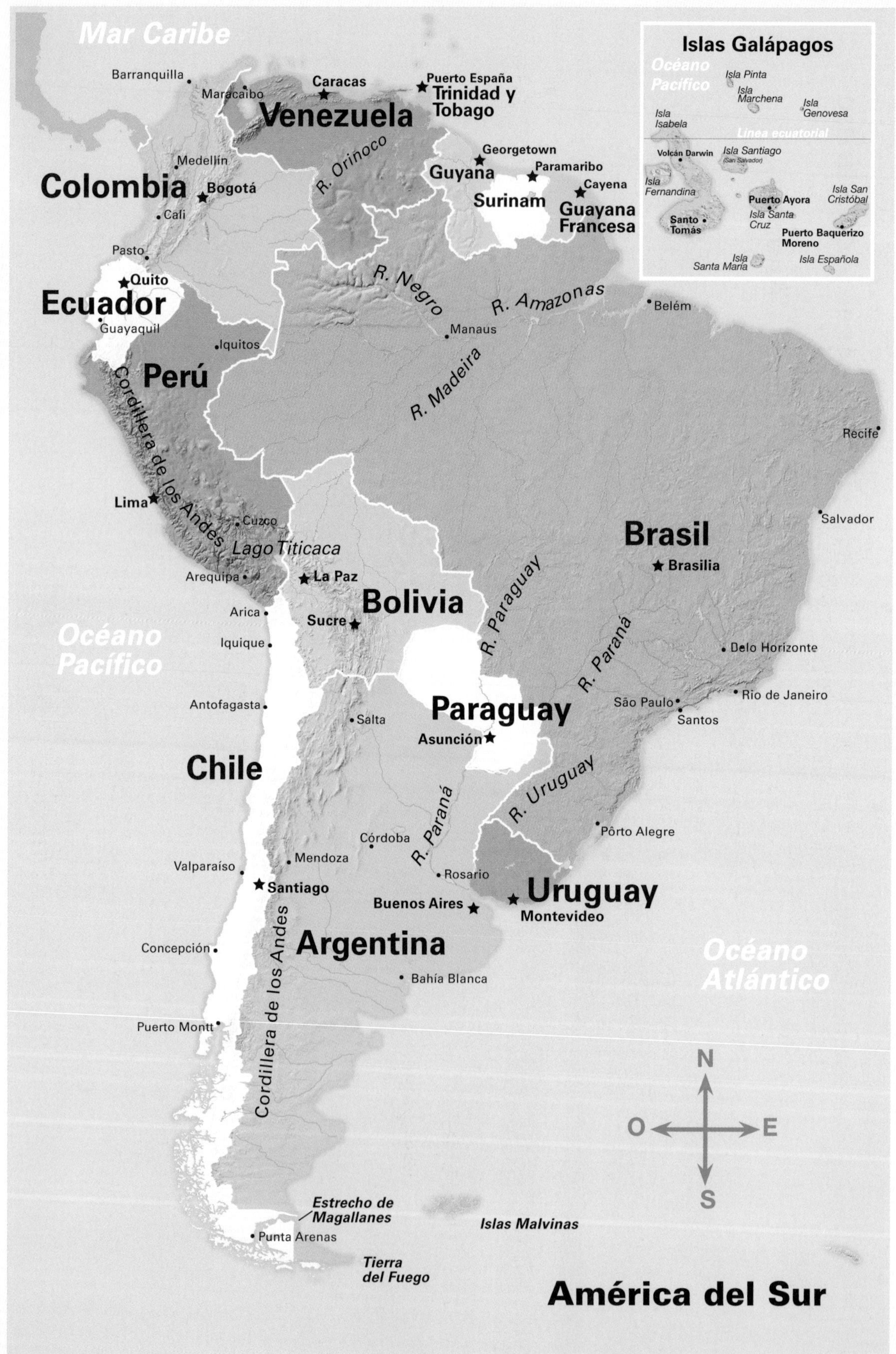
Mar Caribe
Barranquilla
Maracaibo
Caracas
Puerto España
Trinidad y Tobago
Venezuela
R. Orinoco
Georgetown
Guyana
Paramaribo
Cayena
Surinam
Guayana Francesa
Medellín
Colombia
Bogotá
Cali
Pasto
Quito
Ecuador
Guayaquil
Iquitos
Perú
R. Negro
R. Amazonas
Manaus
Belém
R. Madeira
Recife
Cordillera de los Andes
Lima
Cuzco
Lago Titicaca
Arequipa
La Paz
Bolivia
Brasil
Brasilia
Salvador
Arica
Sucre
R. Paraguay
R. Paraná
Océano Pacífico
Iquique
Belo Horizonte
Río de Janeiro
São Paulo
Santos
Antofagasta
Salta
Paraguay
Asunción
Chile
R. Uruguay
Pôrto Alegre
Córdoba
R. Paraná
Mendoza
Valparaíso
Rosario
Santiago
Buenos Aires
Uruguay
Montevideo
Concepción
Argentina
Bahía Blanca
Océano Atlántico
Puerto Montt
Cordillera de los Andes
N
O
E
S
Estrecho de Magallanes
Islas Malvinas
Punta Arenas
Tierra del Fuego
América del Sur
Islas Galápagos
Océano Pacífico
Isla Pinta
Isla Marchena
Isla Genovesa
Isla Isabela
Línea ecuatorial
Volcán Darwin
Isla Santiago
(San Salvador)
Isla Fernandina
Puerto Ayora
Isla San Cristóbal
Santo Tomás
Isla Santa Cruz
Puerto Baquerizo Moreno
Isla Santa María
Isla Española

Spain

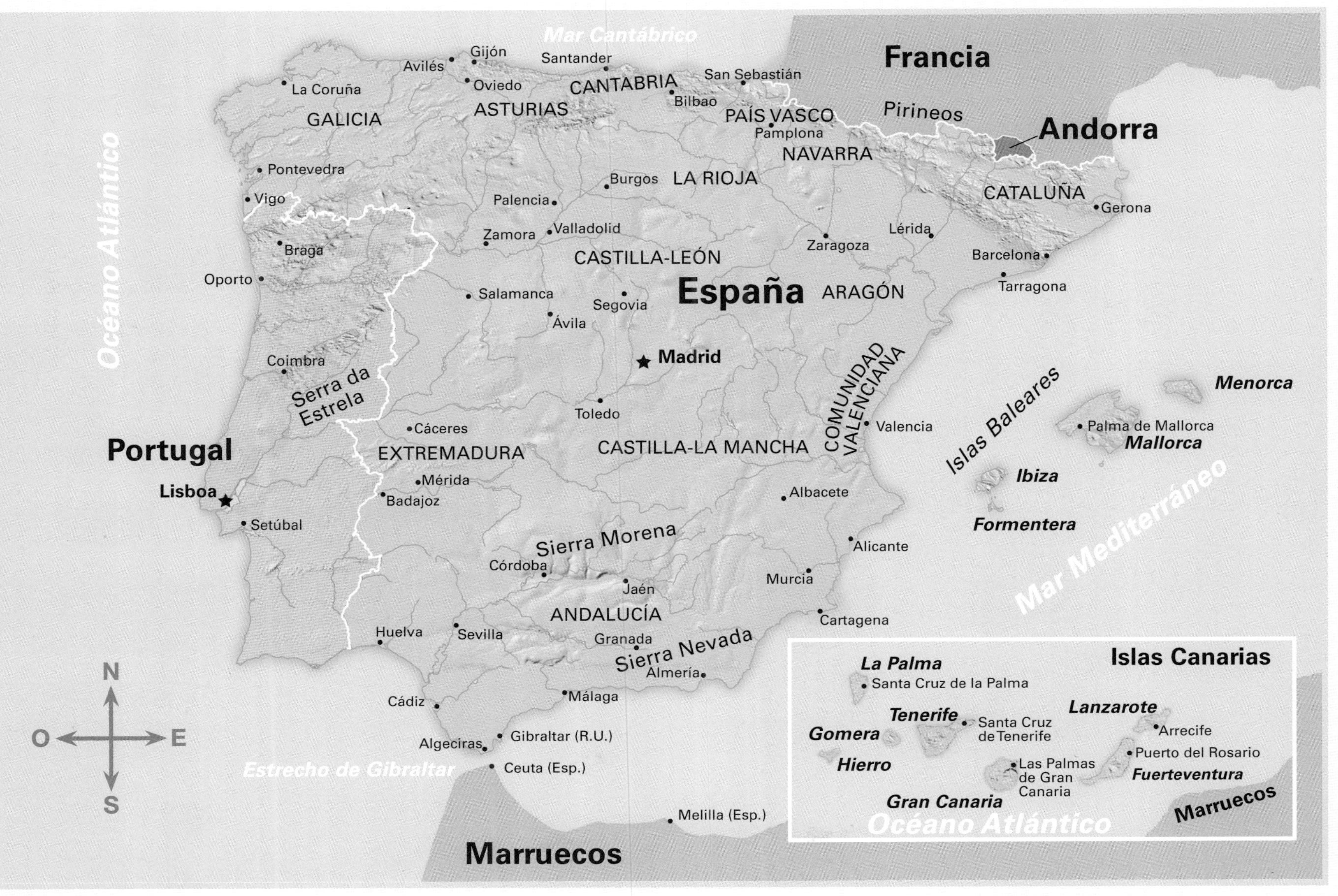

Mar Cantábrico
Francia
Andorra
Pirineos
Océano Atlántico
Portugal
Lisboa
España
Madrid
Marruecos
Estrecho de Gibraltar
Mar Mediterráneo
Islas Baleares
Menorca
Palma de Mallorca
Mallorca
Ibiza
Formentera
GALICIA
ASTURIAS
CANTABRIA
PAÍS VASCO
NAVARRA
LA RIOJA
CATALUÑA
ARAGÓN
CASTILLA-LEÓN
CASTILLA-LA MANCHA
COMUNIDAD VALENCIANA
EXTREMADURA
ANDALUCÍA
Sierra Morena
Sierra Nevada
Serra da Estrela
La Coruña
Pontevedra
Vigo
Braga
Oporto
Coimbra
Setúbal
Avilés
Gijón
Oviedo
Santander
Bilbao
San Sebastián
Pamplona
Burgos
Palencia
Valladolid
Zamora
Salamanca
Ávila
Segovia
Toledo
Cáceres
Mérida
Badajoz
Zaragoza
Lérida
Barcelona
Tarragona
Gerona
Valencia
Albacete
Alicante
Murcia
Cartagena
Córdoba
Jaén
Granada
Almería
Málaga
Sevilla
Huelva
Cádiz
Algeciras
Gibraltar (R.U.)
Ceuta (Esp.)
Melilla (Esp.)
Islas Canarias
La Palma
Santa Cruz de la Palma
Tenerife
Santa Cruz de Tenerife
Gomera
Hierro
Gran Canaria
Las Palmas de Gran Canaria
Lanzarote
Arrecife
Puerto del Rosario
Fuerteventura
Marruecos
Océano Atlántico
N
O
E
S

Fotonovela video program

The Main Characters

Learn more about the characters you'll meet in the **Fotonovela**:

Lorenzo Solís is the head of the Solís family. He is a botany professor at the University of Oaxaca, and his passion is to take care of the cacti he has around the house.

Rocío Solís is a dedicated student of medicine, and the eldest among the three Solís siblings. She is always eager about things and is prone to overreact.

Marcela Solís is a history student at the local university and drives a taxi. She also loves to sing.

Manuel Solís is the youngest of the three siblings. He is about to graduate high school, but has not chosen what to study in college.

Ricardo Hernández just moved to Oaxaca, and studies engineering. He designed and flies a drone he built himself. He really likes Marcela.

Lupita has been the Solís' family maid for almost 20 years. Her relationship with Lorenzo and his children is very close, as if they are her family members.

Patricia is an art student, and best friends with Marcela.

Chente (Vicente) is a guitarist in a mariachi band, and Patricia's boyfriend. He also studies engineering in the University of Oaxaca with Ricardo.

Doctora Hernández is a physician. She treats patients at the local hospital.

The Story

The **Fotonovela** video is a 12-episode story about a not-so-typical family set against the unique background of Oaxaca, Mexico, a World Heritage Site. Cultural elements and stunning aerial footage drive the fast-paced storyline. Humor and dramatic tension, along with many surprising twists and turns, promise to keep you engaged and give you a sense of modern, day-to-day life in Mexico. The behind the scenes photos below show the video crew in action.

Flash cultura video program

The dynamic **Flash cultura** video provides an entertaining and authentic complement to the **El mundo hispano** section of each lesson. Correspondents from various Spanish-speaking countries report on aspects of life in their countries, conducting street interviews with residents along the way. These episodes draw attention to the similarities and differences between Spanish-speaking countries and the U.S., while highlighting fascinating aspects of the target culture.

Film Collection

The ***Senderos*** Film Collection contains the short films and documentaries by Hispanic filmmakers that are the basis for the **En pantalla** section of every lesson. These award-winning films offer entertaining and thought-provoking opportunities to build your listening comprehension skills and your cultural knowledge of the Spanish-speaking world.

Film Synopses

Lección 1 *Café para llevar* (España) A man and a woman run into each other long after they broke up. Will their love be rekindled?

Lección 2 *El dorado de Ford* (Argentina) Two men embark in an adventure to catch a legendary fish.

Lección 3 *Di algo* (España) A young blind woman falls in love with a man based on his voice. The only problem is that she has never heard him in person... just on a recording.

Lección 4 *Ayúdame a recordar* (España) A woman believes that the best place for her sick father is a nursing home, but she changes her mind when she realizes how important his relationship with his grandson is.

Lección 5 *La autoridad* (España) A family is stopped by Spanish police while driving home from a vacation in Morocco.

Lección 6 *Playa del Carmen: Tiburón Toro* (México). A group of professional divers tell us about their face-to-face encounters with sharks in the waters of Playa del Carmen, Mexico.

Online Content

Each section of your textbook comes with resources and activities on the ***Senderos*** online content. You can access them from any computer with an Internet connection. Visit vhlcentral.com to get started.

My Vocabulary	→	**CONTEXTOS** Listen to audio of the **Vocabulary**, and practice using Flashcards and activities that give you immediate feedback.
Video: *Fotonovela*	→	**FOTONOVELA** Follow the unpredictable events in the life of a family from Oaxaca, Mexico. Watch the **Video** again at home to see the characters use the vocabulary in a real context.
Reading **Additional Reading** **Video: *Flash cultura***	→	**EL MUNDO HISPANO** Explore cultural topics through the ***Entre culturas*** activity or **reading** the ***Más cultura*** selection. Watch the ***Flash cultura*** again outside of class to reinforce your understanding.
Explanation **Tutorial** **Diagnostics** **Remediation Activities**	→	**ESTRUCTURA** Review the **Explanation** or watch an animated **Tutorial**, and then play the games to make sure you got it. Complete the Diagnostic ***Recapitulación*** to see what you might still need to study. Get additional **Remediation Activities**.
Video: Short Film	→	**EN PANTALLA** Viewing and understanding films created by and for native Spanish speakers is a true test of your progress in learning Spanish. Work through the pre- and post-viewing activities and watch the **film** as many times as you need to understand the dialogue, plot, and cultural aspects offered by each film.
Audio: Dramatic Recording **Audio: Synced Reading**	→	**LECTURAS** A dramatic audio recording accompanies all of the selections in the **Literatura** section, and each **Cultura** reading is provided as a synced audio reading. Improve your comprehension of native speakers as you read along with the audio. Or, see how much you can understand when listening with your book closed.

Icons

Familiarize yourself with these icons that appear throughout ***Senderos***.

ones
ales

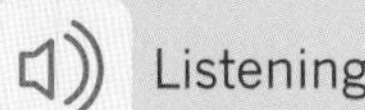

Listening

The listening icon indicates that audio is available. You will see it in the lesson's **Contextos** and **Lecturas** sections.

Pair Activities

Two heads indicate a pair activity.

Video

This icon indicates that there is a video available for this activity.

B. Ahora suma (*add up*) los puntos. ¿Cu
Comenta tu resultado y tu opinión co
6 Problemas y consejos
A. En grupos de cuatro, elijan una de est
situación. ¿Cómo son los personajes?
¿Cómo empezó la situación? ¿Cómo p
1. Son buenos amigos, pero discute

Group Activities

Three heads indicate a group activity.

Com
4 ¿Qué sabes de tus compañeros?
opciones y contesten con una explic
MODELO soñar con / hacer alg
—¿Sueñas con hacer

Partner Chat/Virtual Chat Activities

Two heads with a speech bubble indicate that the activity may be assigned as a Partner Chat or a Virtual Chat activity online.

The Spanish-Speaking World

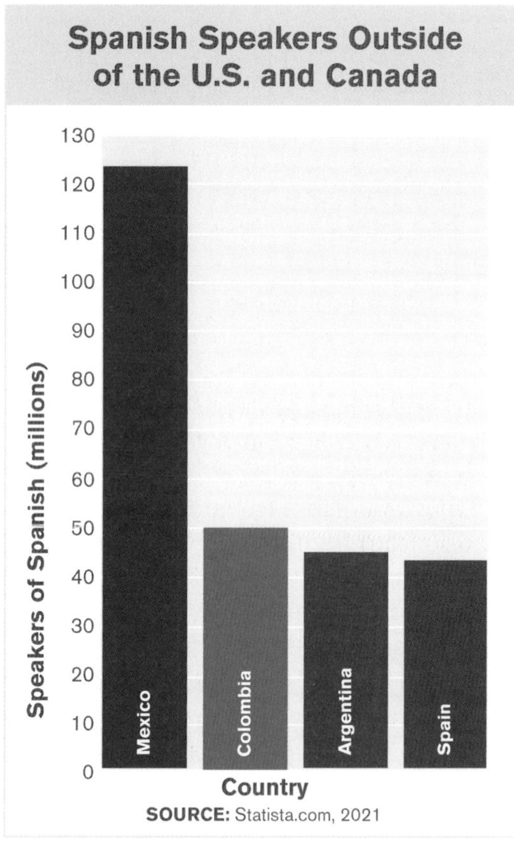

Do you know someone whose first language is Spanish? Chances are you do! More than approximately forty million people living in the U.S. speak Spanish; after English, it is the second most commonly spoken language in this country. It is the official language of twenty-two countries and an official language of the European Union and United Nations.

The Growth of Spanish

Have you ever heard of a language called Castilian? It's Spanish! The Spanish language as we know it today has its origins in a dialect called Castilian (**castellano** in Spanish). Castilian developed in the 9th century in north-central Spain, in a historic provincial region known as Old Castile. Castilian gradually spread towards the central region of New Castile, where it was adopted as the main language of commerce. By the 16th century, Spanish had become the official language of Spain and eventually, the country's role in exploration, colonization, and overseas trade led to its spread across Central and South America, North America, the Caribbean, parts of North Africa, the Canary Islands, and the Philippines.

Spanish in the United States

1500
1600
1700
16th Century
Spanish is the official language of Spain.
1565
The Spanish arrive in Florida and found St. Augustine.
PEDRO MENENDEZ DE AVILES.
1610
The Spanish found Santa Fe, today's capital of New Mexico, the state with the most Spanish speakers in the U.S.

Spanish in the United States

Spanish came to North America in the 16th century with the Spanish who settled in St. Augustine, Florida. Spanish-speaking communities flourished in several parts of the continent over the next few centuries. Then, in 1848, in the aftermath of the Mexican-American War, Mexico lost almost half its land to the United States, including portions of modern-day Texas, New Mexico, Arizona, Colorado, California, Wyoming, Nevada, and Utah. Overnight, hundreds of thousands of Mexicans became citizens of the United States, bringing with them their rich history, language, and traditions.

This heritage, combined with that of the other Hispanic populations that have immigrated to the United States over the years, has led to the remarkable growth of Spanish around the country. After English, it is the most commonly spoken language in 43 states. More than 12 million people in California alone claim Spanish as their first or "home" language.

You've made a popular choice by choosing to take Spanish in school. Not only is Spanish found and heard almost everywhere in the United States, but it is the most commonly taught foreign language in classrooms throughout the country! Have you heard people speaking Spanish in your community? Chances are that you've come across an advertisement, menu, or magazine that is in Spanish. If you look around, you'll find that Spanish can be found in some pretty common places. For example, most ATMs respond to users in both English and Spanish. News agencies and television stations such as **CNN** and **Telemundo** provide Spanish-language broadcasts. When you listen to the radio or download music from the Internet, some of the most popular choices are Latino artists who perform in Spanish. Federal government agencies such as the Internal Revenue Service and the Department of State provide services in both languages. Even the White House has an official Spanish-language webpage! Learning Spanish can create opportunities within your everyday life.

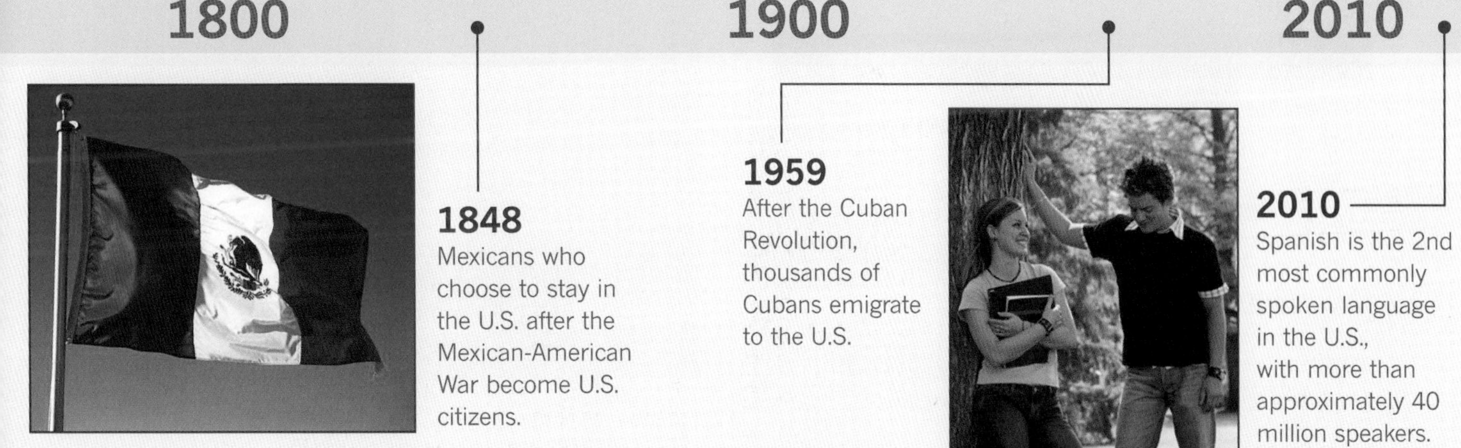

1848
Mexicans who choose to stay in the U.S. after the Mexican-American War become U.S. citizens.

1959
After the Cuban Revolution, thousands of Cubans emigrate to the U.S.

2010
Spanish is the 2nd most commonly spoken language in the U.S., with more than approximately 40 million speakers.

Why Study Spanish?

Learn an International Language

There are many reasons to learn Spanish, a language that has spread to many parts of the world and has along the way embraced words and sounds of languages as diverse as Latin, Arabic, and Nahuatl. Spanish has evolved from a medieval dialect of north-central Spain into the fourth most commonly spoken language in the world. It is the second language of choice among the majority of people in North America.

Understand the World Around You

Knowing Spanish can also open doors to communities within the United States, and it can broaden your understanding of the nation's history and geography. The very names Colorado, Montana, Nevada, and Florida are Spanish in origin. Just knowing their meanings can give you some insight into, of all things, the landscapes for which the states are renowned. Colorado means "colored red;" Montana means "mountain;" Nevada is derived from "snow-capped mountain;" and Florida means "flowered." You've already been speaking Spanish whenever you talk about some of these states!

State Name	Meaning in Spanish
Colorado	"colored red"
Florida	"flowered"
Montana	"mountain"
Nevada	"snow-capped mountain"

Connect with the World

Learning Spanish can change how you view the world. While you learn Spanish, you will also explore and learn about the origins, customs, art, music, and literature of people in close to two dozen countries. When you travel to a Spanish-speaking country, you'll be able to converse freely with the people you meet. And whether in the U.S., Canada, or abroad, you'll find that speaking to people in their native language is the best way to bridge any culture gap.

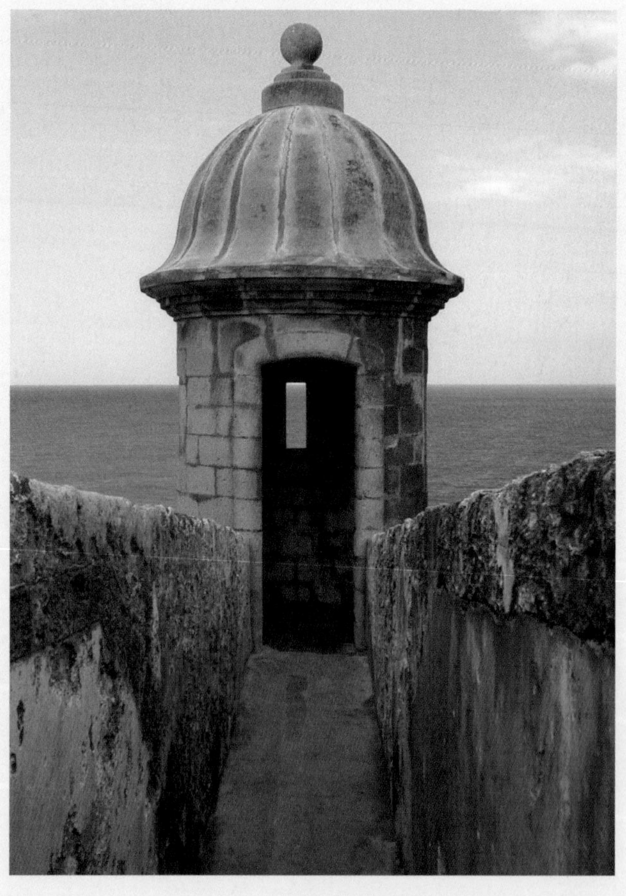

Why Study Spanish?

Explore Your Future

How many of you are already planning your future careers? Employers in today's global economy look for workers who know different languages and understand other cultures. Your knowledge of Spanish will make you a valuable candidate for careers abroad as well as in the United States or Canada. Doctors, nurses, social workers, hotel managers, journalists, businessmen, pilots, flight attendants, and many other professionals need to know Spanish or another foreign language to do their jobs well.

Expand Your Skills

Studying a foreign language can improve your ability to analyze and interpret information and help you succeed in many other subject areas. When you first begin learning Spanish, your studies will focus mainly on reading, writing, grammar, listening, and speaking skills. You'll be amazed at how the skills involved with learning how a language works can help you succeed in other areas of study. Many people who study a foreign language claim that they gained a better understanding of English. Spanish can even help you understand the origins of many English words and expand your own vocabulary in English. Knowing Spanish can also help you pick up other related languages, such as Italian, Portuguese, and French. Spanish can really open doors for learning many other skills in your school career.

How to Learn Spanish

Start with the Basics!

As with anything you want to learn, start with the basics and remember that learning takes time! The basics are vocabulary, grammar, and culture.

Vocabulary | Every new word you learn in Spanish will expand your vocabulary and ability to communicate. The more words you know, the better you can express yourself. Focus on sounds and think about ways to remember words. Use your knowledge of English and other languages to figure out the meaning of and memorize words like **conversación, teléfono, oficina, clase,** and **música**.

Grammar | Grammar helps you put your new vocabulary together. By learning the rules of grammar, you can use new words correctly and speak in complete sentences. As you learn verbs and tenses, you will be able to speak about the past, present, or future, express yourself with clarity, and be able to persuade others with your opinions. Pay attention to structures and use your knowledge of English grammar to make connections with Spanish grammar.

Culture | Culture provides you with a framework for what you may say or do. As you learn about the culture of Spanish-speaking communities, you'll improve your knowledge of Spanish. Think about a word like **salsa**, and how it connects to both food and music. Think about and explore customs observed on **Nochevieja** (New Year's Eve) or at a **fiesta de quince años** (a girl's fifteenth birthday party). Watch people greet each other or say good-bye. Listen for idioms and sayings that capture the spirit of what you want to communicate!

Teenagers celebrating at a **fiesta de quince años.**

Listen, Speak, Read, and Write

Listening | Listen for sounds and for words you can recognize. Listen for inflections and watch for key words that signal a question such as **cómo** (*how*), **dónde** (*where*), or **qué** (*what*). Get used to the sound of Spanish. Play Spanish pop songs or watch Spanish movies. Borrow books on CD from your local library, or try to visit places in your community where Spanish is spoken. Don't worry if you don't understand every single word. If you focus on key words and phrases, you'll get the main idea. The more you listen, the more you'll understand!

Speaking | Practice speaking Spanish as often as you can. As you talk, work on your pronunciation, and read aloud texts so that words and sentences flow more easily. Don't worry if you don't sound like a native speaker, or if you make some mistakes. Time and practice will help you get there. Participate actively in Spanish class. Try to speak Spanish with classmates, especially native speakers (if you know any), as often as you can.

Reading | Pick up a Spanish-language newspaper or a pamphlet on your way to school, read the lyrics of a song as you listen to it, or read books you've already read in English translated into Spanish. Use reading strategies that you know to understand the meaning of a text that looks unfamiliar. Look for cognates, or words that are related in English and Spanish, to guess the meaning of some words. Read as often as you can, and remember to read for fun!

Writing | It's easy to write in Spanish if you put your mind to it. And remember that Spanish spelling is phonetic, which means that once you learn the basic rules of how letters and sounds are related, you can probably become an expert speller in Spanish! Write for fun—make up poems or songs, write e-mails or instant messages to friends, or start a journal or blog in Spanish.

Tips for Learning Spanish

Practice, practice, practice!

Seize every opportunity you find to listen, speak, read, or write Spanish. Think of it like a sport or learning a musical instrument—the more you practice, the more you will become comfortable with the language and how it works. You'll marvel at how quickly you can begin speaking Spanish and how the world that it transports you to can change your life forever!

- Listen to Spanish radio shows. Write down words that you can't recognize or don't know and look up the meaning.
- Watch Spanish TV shows or movies. Read subtitles to help you grasp the content.
- Read Spanish-language newspapers, magazines, or blogs.
- Listen to Spanish songs that you like—anything from Shakira to a traditional mariachi melody. Sing along and concentrate on your pronunciation.

- Seek out Spanish speakers. Look for neighborhoods, markets, or cultural centers where Spanish might be spoken in your community. Greet people, ask for directions, or order from a menu at a Mexican restaurant in Spanish.
- Pursue language exchange opportunities (**intercambio cultural**) in your school or community. Try to join language clubs or cultural societies, and explore opportunities for studying abroad or hosting a student from a Spanish-speaking country in your home or school.
- Connect your learning to everyday experiences. Think about naming the ingredients of your favorite dish in Spanish. Think about the origins of Spanish place names in the U.S., like Cape Canaveral and Sacramento, or of common English words like *adobe, chocolate, mustang, tornado,* and *patio.*
- Use mnemonics, or a memorizing device, to help you remember words. Make up a saying in English to remember the order of the days of the week in Spanish (L, M, M, J, V, S, D).
- Visualize words. Try to associate words with images to help you remember meanings. For example, think of a **paella** as you learn the names of different types of seafood or meat. Imagine a national park and create mental pictures of the landscape as you learn names of animals, plants, and habitats.
- Enjoy yourself! Try to have as much fun as you can learning Spanish. Take your knowledge beyond the classroom and find ways to make the learning experience your very own.

Acknowledgment

On behalf of its authors and editors, Vista Higher Learning expresses its sincere appreciation to the many instructors and teachers across the U.S. who contributed their ideas and suggestions. Their insights and detailed comments were invaluable to us as we created ***Senderos***.

About the Author

José A. Blanco founded Vista Higher Learning in 1998. A native of Barranquilla, Colombia, Mr. Blanco holds degrees in Literature and Hispanic Studies from Brown University and the University of California, Santa Cruz. He has worked as a writer, editor, and translator for Houghton Mifflin and D.C. Heath and Company, and has taught Spanish at the secondary and university levels. Mr. Blanco is also the co-author of several other Vista Higher Learning programs: **Vistas, Panorama, Aventuras,** and **¡Viva!** at the introductory level; **Ventanas, Facetas, Enfoques, Imagina,** and **Sueña** at the intermediate level; and **Revista** at the advanced conversation level.

In-depth reviewers

Patrick Brady
Tidewater Community College, VA

Christine DeGrado
Chestnut Hill College, PA

Martha L. Hughes
Georgia Southern University, GA

Aida Ramos-Sellman
Goucher College, MD

Reviewers

Jaclyne Ainlay
Tower School, MA

Jacklyn Alvarez
Snake River High School, ID

Hilda Ávalos
Paloma Valley High School, CA

Melissa Badger
New Albany High School, IN

Delia Bahena
Chino Hills High School, CA

Mary Jo Baldwin
Mullen High School, CO

Darren Belles
Foresthill High School, CA

Susan Bennitt
Hopkins School, CT

Tania Berkowitz
Severn School, MD

Sara Blanco
Holmes Junior High
Cedar Falls School District, IA

Melissa Blazek
Paloma Valley High School, CA

Scott Boydston
Heritage High School, CA

Heather Bradley
Floyd Central High School, IN

Florencia Bray
St. Pius X Catholic School, TX

Jaclyn Browning
Gateway High School, PA

Alexandra Byers
Lakeridge Junior High, OR

Lee-Anne Calhoon
Pleasant Valley High School, CA

Mary Carmignani
Burr Ridge Middle School, IL

Jane Chambers
Thetford Academy, VT

Pamela Chovnick
Kettle Run High School, VA

Debbie Cullum
Grapevine High School, TX

Cecilia de Lankford
River Oaks Baptist School, TX

Sharon Deering
Arlington Independent School District (AISD), TX

Cristina Deirmengian
Episcopal Academy, PA

Betty Díaz
Crete Middle School, NE

Kathleen Eiden
Academy of Holy Angels, MN

Sam Eisele
Harrisburg High School, SD

Reviewers (continued)

Lisa Evonuk
Lake Oswego High School, OR

Yvette Fisher
Sierra High School, CA

Alejandra Galeano
Desert High School, CA

Martha Galviz
Kittatinny Regional High School, NJ

Mariella Garay
Perris Union High School District, CA

Carita García
Laguna Beach High School, CA

Maria Gernert
Wyomissing Area Junior Senior High School, PA

Sharon Gordon-Link
Del Oro High School, CA

Adrián Gutiérrez
Lindsay High School, CA

Jacqueline M. Gutiérrez
IC Catholic Prep, IL

David Hamilton
Harrisburg High School, SD

Daniel Hanson
Manteca High School, CA

Martha Hardy
Laurel School, OH

Amanda Howard
Mallard Creek High School, NC

Johanna Hribal
New Albany High School, KY

Gabriela F. Irwin
River Oaks Baptist School, TX

Ciro Jiménez
Bishop O'Connell, VA

Norma Jovel
Ramona Convent Secondary School, CA

Nora Kinney
Montini Catholic High School, IL

Dina Knouse
Albuquerque Academy, NM

Amie Kosberg
Marymount High School, CA

Deinorah Kraus
Lynn Classical High School, MA

Traci Lerner
Woodward Academy, GA

Deborah Lewicki
Highland Park High School, IL

José B. López
Dawson School, CO

Shelly D. Loyall
North Oldham High School, KY

Susan Loyd-Turner
Westover School, CT

María F. Maldonado
Albuquerque Academy, NM

Michael Mandel
H-B Woodlawn Secondary Program, DC

Wuiston A. Medina Rodríguez
Bruns Academy, NC

Griselda Mercedes
Lynn Public Schools, MA

Sandra Meyer
South Meck High School, NC

Anita Minguela
Kennesaw Mountain High School, GA

Kelly Nalty
Lake Oswego High School, OR

Jason Nino
Waddell Language Academy, NC

Beatriz O'Connell
Paloma Valley High School, CA

María Olivas
Denair High School, CA

Isaac Ortiz
Anderson High School, CA

Diana Page
The Potomac School, VA

Marino Perea
Bishop Kelly High School, ID

Sherrill Piazza
Middletown High School North, NJ

James Poleto
Clearfield Area Junior Senior High School, PA

Michelle Popovich
Pratt High School, KS

Natalie Puhala
Gateway High School, PA

Araceli Qualls
St. Joseph Central Catholic High School, WV

Cori Quick
Isbell Middle School, CA

Kathleen Ramirez
Charlotte Catholic High School, NC

Samuel Ramírez
Santa Paula High School, CA

Dina Reece
Carroll County High, VA

Scott Rowe
Seabury Academy, KS

Christine D. Ruvalcaba
Saint Bonaventure High School, CA

Xochitl Safady
River Oaks Baptist School, TX

Will Salzman
Bullis Charter School, CA

Acknowledgment

Jessica Schriever
Chaska High School, MN

Daniel Shannon
The Potomac School, VA

Joan Smith
Concord Christian School, TN

Maria Elena Sonnekalb
Arlington Public Schools, VA

Alyssa Stern
Fox Valley Lutheran High School, WI

Jaqueline Sullivan
St. Joseph High School, CT

Macarena Teixeira
Avenues: The World School, NY

Denise Troha
Notre Dame Cathedral Latin, OH

Virginia Vinales
A.J. Dimond High School, AK

Angela Wagoner
Crete High School, NE

Anna Walcutt
Tower School, MA

Ruth Ward
Auburn Middle School, VA

Stephanie Wittie
Clearfield Area Junior
Senior High School, PA

Scott Wood
Snake River Junior High School, ID

Christina Ziegler
David W. Butler High School, NC

Stephanie Zinzun
Perris High School, CA

A primera vista

- ¿Qué lugar se representa en la foto?
- ¿Qué crees que hay en su interior?
- ¿Qué crees que hacen las personas que entran a ese lugar?
- ¿Te gustaría visitarlo? ¿Por qué?

Essential Questions

1. ¿Qué influencia tiene la geografía en la cultura de un lugar?
2. ¿Qué retos enfrentan los habitantes del campo y la ciudad en los diversos países?
3. ¿A qué retos se enfrentará la humanidad en las próximas décadas?

Lección preliminar

Can Do Goals

By the end of this lesson I will be able to:

- Read an article about food and nutrition
- Listen to a report on cities in the 21st Century
- Communicate with a potential employer
- Discuss current events and present the news
- Talk about plans for my next vacation

Also, I will learn about:

Culture
- Female artists with Hispanic roots in the U.S.
- Colombian artist Nadín Ospina

Una joven extranjera disfruta el trabajo comunitario con niñas y niños mexicanos.

Práctica:
Hablar una segunda lengua es útil para prestar servicios de voluntariado.

¿En qué servicios de voluntariado participan los jóvenes de tu comunidad?

Objetivo comunicativo: Leer un artículo sobre nutrición

1.1 The present progressive

The present progressive consists of the present tense of the verb *to be* and the present participle of another verb (the *-ing* form in English).

Rosa **está comprando** frutas.
Rosa is buying fruit.

Estamos comiendo más verduras.
We are eating more vegetables.

- The present participle of regular **-ar, -er,** and **-ir** verbs is formed as follows:

infinitive	stem	ending	present participle
hablar	habl-	-ando	hablando
comer	com-	-iendo	comiendo
escribir	escrib-	-iendo	escribiendo

- When the stem of an **-er** or **-ir** verb ends in a vowel, the present participle ends in **-yendo: leer: leyendo; oír: oyendo; traer: trayendo**.

- Several verbs have irregular present participles. Some examples are **ir: yendo; poder: pudiendo; venir: viniendo**.

1.2 The present perfect

The present perfect is used to talk about what someone *has done*. In Spanish, it is formed with the present tense of the auxiliary verb **haber** and a past participle.

Present indicative of *haber*

Singular forms	Plural forms
yo he	**nosotros/as** hemos
tú has	**vosotros/as** habéis
Ud./él/ella ha	**Uds./ellos/ellas** han

Tú no **has aumentado** de peso.
You haven't gained weight.

Muchos inmigrantes **han venido** al país.
Many immigrants have come to the country.

- The past participle does not change in form when it is part of the present perfect tense; it changes in form only when it is used as an adjective.

Clara **ha abierto** las ventanas.
Clara has opened the windows.

Las ventanas están **abiertas**.
The windows are open.

Práctica

1 **La salud** La clase de español de Camila está organizando "La semana de la salud" en su escuela. Completa las oraciones con el presente progresivo de los verbos entre paréntesis.

1. Raúl y Teresa __________ (buscar) información sobre estilos de vida saludables.
2. Yo __________ (leer) un artículo sobre frutas y verduras populares en nuestra región.
3. Luis __________ (escribir) un artículo para el periódico escolar.
4. Todos __________ (hacer) carteles informativos.
5. El equipo de vóleibol __________ (organizar) un torneo para toda la escuela.

2 **Preguntas** Completa las respuestas con el presente progresivo de los verbos de la lista.

arreglar buscar descargar jugar ver

1. ¿Qué están haciendo las chicas en el estadio? __________ al fútbol.
2. ¿Qué estás haciendo en la biblioteca? __________ un libro de matemáticas.
3. ¿Qué están haciendo tus tías en el centro comercial? __________ una película.
4. ¿Qué está haciendo Rafael en el garaje? __________ su bicicleta.
5. ¿Qué está haciendo Jorge con su teléfono inteligente? __________ una aplicación.

3 **Cambios** Completa el párrafo con el presente perfecto de los verbos de la lista.

llegar mejorar traer ver

En mi ciudad ha habido muchos cambios en las últimas décadas. Por ejemplo, cada vez (1) __________ más inmigrantes de otros países que (2) __________ muchas de sus costumbres y tradiciones. Recientemente, yo (3) __________ frutas y verduras nuevas en el supermercado local, que vienen de otras partes del mundo. Creo que con sus aportes los inmigrantes (4) __________ la oferta de productos naturales en mi región.

Antes de leer

4 **La salud** Las siguientes palabras se encuentran en la lectura. Escribe cada palabra frente a su definición.

consumir	economista	población
crecer	mercado	verdura

1. ______: espacio para vender y comprar productos
2. ______: planta, usualmente de color verde, que se puede comer
3. ______: especialista en economía
4. ______: tomar un alimento
5. ______: conjunto de personas de una comunidad
6. ______: aumentar de tamaño

Después de leer

5 **¿Cierto o falso?** Indica si lo que afirman las siguientes oraciones es **cierto** o **falso**. Corrige las oraciones falsas.

1. El artículo se basa en suposiciones de la señora Cook.
2. Los hispanos y asiáticos tienden a consumir más grasas y carbohidratos.
3. Los inmigrantes hispanos y asiáticos están teniendo una influencia positiva en la alimentación de la población estadounidense.
4. Hace veinte años, los consumidores estadounidenses experimentaban más con la alimentación.
5. La transformación demográfica ha generado cambios en la alimentación de los estadounidenses.

Leamos

Inmigrantes diversifican el mercado de frutas y verduras

Extensión Cooperativa de la Universidad de California

DAVIS (UC) – La fisonomía° de los mercados locales ha cambiado en los últimos veinticinco años. Cada día hay más frutas tropicales, como papaya y mango, así como una gran variedad de verduras poco conocidas pero muy apreciadas° por los [inmigrantes] [...].

Roberta Cook, economista agrícola° de Extensión Cooperativa de la Universidad de California, ha hecho investigaciones sobre las nuevas tendencias alimenticias° de los estadounidenses; estas revelan° que el creciente° número de inmigrantes hispanos y asiáticos, grupos que tienden a° consumir más frutas y verduras, está generando cambios positivos en la población en general, tales como:

- Un sector importante de la población ha aumentado su consumo° de frutas y verduras,
- El mercado de frutas y hortalizas° frescas se ha diversificado°, y
- El consumidor° estadounidense está más dispuesto° que hace veinte años a experimentar con nuevos sabores.

"Algunas frutas tropicales como papaya, piña y mango, que en el pasado tenían un nivel de consumo muy bajo en los Estados Unidos, actualmente mantienen una demanda mucho mayor; esto se debe° en parte a los cambios en la población del país. Ahora tenemos más hispanos y asiáticos y ellos consumen más frutas y verduras, y su influencia se está extendiendo a la población en general", señala la especialista en economía agrícola. [...]

Cook menciona a la manzana y al plátano como dos frutas que consumen bastante los estadounidenses, pero añade° que su consumo no ha crecido en los últimos veinte años. En cambio la demanda de otros alimentos tropicales como el aguacate y la papaya, antes prácticamente desconocidos° en los mercados locales, está creciendo muy rápidamente.

Los cambios en la alimentación son, en parte, producto de la transformación demográfica que se ha visto en el país. Hace dos décadas, los latinos conformaban° el 7 por ciento de la población; ahora son 50 millones, y representan el 16 por ciento de los 310 millones de habitantes en la nación. [...]

fisonomía *characteristics* **apreciadas** *valued* **agrícola** *agricultural* **tendencias alimenticias** *food trends* **revelan** *reveal* **creciente** *growing* **tienden a** *tend to* **consumo** *consumption* **hortalizas** *vegetables* **diversificado** *diversified* **consumidor** *consumer* **dispuesto** *willing* **se debe** *is due* **añade** *she adds* **desconocidos** *unknown* **conformaban** *made up*

Objetivo comunicativo: Escuchar un informe sobre las ciudades del siglo XXI

2.1 The subjunctive

The subjunctive can be used in adjective clauses to express uncertainty.

- The subjunctive is used in an adjective clause that refers to a person, place, thing, or idea that either does not exist or whose existence is uncertain.

  Quiero vivir en **esta ciudad** que **está** frente al mar.
  I want to live in this city that is on the ocean.

  Quiero vivir en **una ciudad** que **esté** frente al mar.
  I want to live in a city that is on the ocean.

- When the person, place, thing, or idea is clearly known, certain, or definite, use the indicative.

  Tengo **un amigo** que **vive** cerca de mi casa.
  I have a friend who lives near my house.

- The subjunctive is commonly used in questions when the speaker is trying to find out information. If another person knows the information, the indicative is used.

  — ¿Hay un parque que **esté** cerca de aquí?
  Is there a park near here?

  — Sí, hay un parque que **está** muy cerca de aquí.
  Yes, there is a park very near here.

2.2 Past participles

Use past participles in verb tenses like the present perfect or as adjectives.

- In Spanish, regular **-ar** verbs form the past participle with **-ado.** Regular **-er** and **-ir** verbs form the past participle with **-ido** (**bailar → bailado; comer → comido; vivir → vivido**).

- Some past participles have an irregular form.

abrir	**abierto**	morir	**muerto**
decir	**dicho**	poner	**puesto**
describir	**descrito**	resolver	**resuelto**
descubrir	**descubierto**	romper	**roto**
escribir	**escrito**	ver	**visto**
hacer	**hecho**	volver	**vuelto**

- Past participles can be used as adjectives, often with the verb **estar**. They must agree in gender and number with the nouns they modify.

  La mesa está **puesta**.
  The table is set.

  Hay letreros **escritos** en español.
  There are signs written in Spanish.

Práctica

1 **Escoger** Completa estas oraciones con la forma correcta del indicativo o del subjuntivo de los verbos entre paréntesis.

1. Se necesita un asistente que (1) ________ (hablar) español.
2. Buscamos a una persona que (2) ________ (tener) experiencia.
3. Conozco a un estudiante que (3) ________ (hablar) tres idiomas.
4. Luis quiere ir al restaurante que (4) ________ (estar) en la esquina.
5. Necesitamos un empleado que (5) ________ (hacer) los informes.
6. Fuimos a la tienda que (6) ________ (vender) ropa importada.

2 **Preguntas** Contesta estas preguntas con un(a) compañero/a. Respondan afirmativamente con oraciones completas.

MODELO —¿Hay por aquí cerca un restaurante que venda hamburguesas?
—Sí, el restaurante El Corral vende unas hamburguesas deliciosas.

1. ¿Conoces a alguien que hable francés y alemán?
2. ¿Conoces una librería que venda libros baratos?
3. ¿Conoces algún lugar donde arreglen zapatos?
4. ¿Hay una frutería cerca de tu casa?
5. ¿Hay algún banco que esté cerca de la escuela?

3 **Preparativos** Túrnense con un(a) compañero/a para hacerse estas preguntas sobre los preparativos (*preparations*) de un viaje. Respondan afirmativamente usando el participio pasado.

MODELO —¿Compraste los pasajes de avión?
—Sí, los pasajes ya están comprados.

1. ¿Confirmaste las reservaciones para el hotel?
2. ¿Firmaste tu pasaporte?
3. ¿Lavaste la ropa?
4. ¿Pagaste todas las cuentas?
5. ¿Hiciste las maletas?

Vocabulario útil

abordar *to address, to tackle*
actual *current*
acuñar / acuñado/a *to coin / coined (a word)*
alcalde *mayor*
auspiciada *supported; favored*
cambio climático *climate change*
consenso *agreement*
desarrollo *development*
invernadero *greenhouse*
fase *phase*
juvenil *youth (adj.)*
mediados *half-way through, mid-*
retos *challenges*

Después de escuchar

4 **Completar** Completa las oraciones utilizando las palabras de la lista de **Vocabulario útil**.

1. En la conferencia se van a (1) ________ los siguientes temas: salud, educación y empleo.
2. Los asistentes a la conferencia no se han puesto de acuerdo. No hay (2) ________ en tres puntos de la agenda.
3. El clima del planeta ha cambiado mucho debido al efecto (3) ________ por acumulación de gases en la atmósfera.
4. Los principales (4) ________ que deben superar las ciudades del siglo XXI son: el empleo, la seguridad y el transporte público.
5. Uno de los problemas que más les preocupa a los alcaldes es la seguridad y el desempleo (5) ________.

5 **Nota de radio** Con un(a) compañero/a, hagan una lista de los principales retos de su ciudad y otra lista con las posibles soluciones. Luego, graben una nota de radio en la que hablen de los retos y las soluciones. Presenten su grabación a la clase.

MODELO —En nuestra ciudad hay mucha contaminación.
—Debemos establecer programas de reciclaje y controlar la emisión de los gases de efecto invernadero.

Escuchemos

Las ciudades del siglo XXI

Escucha el informe de Radio ONU sobre los retos para las ciudades del siglo XXI. Luego elige la mejor respuesta para cada pregunta.

1. La locutora (*announcer*) menciona dos grandes retos de los próximos años. ¿Cuáles son?
   a. un nuevo modelo de ciudad y el efecto invernadero
   b. el desempleo y el cambio climático
   c. la urbanización y la industrialización
   d. el desempleo y la industrialización
2. ¿Qué generan los grandes centros urbanos, en relación con el cambio climático actual?
   a. el 70% de los gases de efecto invernadero
   b. el 60% de los gases de efecto invernadero
   c. el 70% del desempleo juvenil
   d. el audio no menciona este dato
3. Según el audio, ¿cuál es el cargo de Joan Clos?
   a. exalcalde de Barcelona
   b. exalcalde de Roma
   c. director ejecutivo de ONU-Hábitat
   d. entrevistador de Radio ONU
4. Según Joan Clos, ¿Qué tipo de urbanización se requiere ahora?
   a. una urbanización que sea como la del siglo XX
   b. una urbanización que cambie el modelo actual
   c. una urbanización que mejore la industrialización
   d. una urbanización que genere desempleo
5. Según el audio, ¿cuál es uno de los problemas que genera la crisis económica?
   a. el desempleo juvenil
   b. el efecto invernadero
   c. la urbanización
   d. todas las anteriores

Objetivo comunicativo: Dar mi opinión sobre la obra de algunos artistas latinos

En detalle

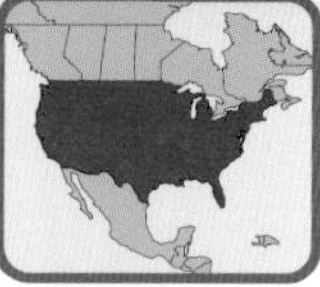

ESTADOS UNIDOS

ARTISTAS LATINAS en Estados Unidos

Con sus raíces° culturales, los artistas plásticos de origen hispano han enriquecido° el arte y la cultura de Estados Unidos.

En el siglo XX, muchos artistas hispanoamericanos vivieron en Estados Unidos durante algún tiempo, o bien pasaron largas temporadas° en ciudades del país, donde exhibieron sus obras y compartieron sus opiniones, sus estéticas y su trabajo con artistas estadounidenses en galerías, escuelas y universidades. Nombres como Diego Rivera y Frida Kahlo de México, Eugenio Granell de España, o Raúl Martínez de Cuba han dejado su huella° en el arte estadounidense.

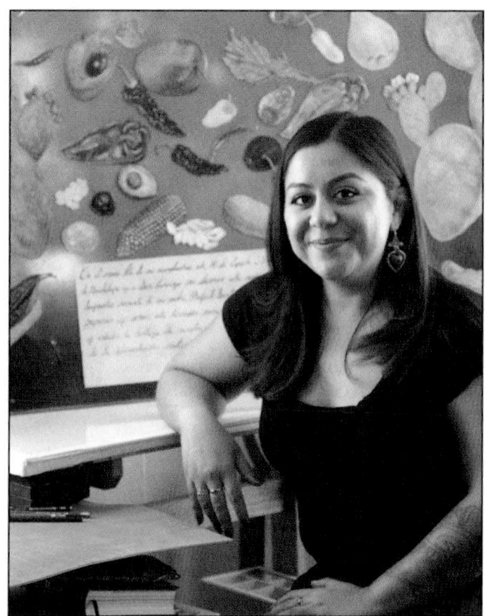

Linda Lucía Santana

En el siglo XXI esta influencia continúa, con nuevas generaciones de artistas nacidos por fuera de Estados Unidos, o cuyos padres han emigrado al país. En particular, las mujeres artistas con raíces hispanoamericanas han hecho un aporte° invaluable al arte plástico actual.

Entre las artistas latinas que viven en Estados Unidos resaltan° Natalia Anciso, una artista chicana-tejana que explora la historia de los tejanos en la frontera entre México y Estados Unidos; Yelitza Díaz, venezolana radicada° en Carolina del Sur, que explora las diferentes técnicas de la cerámica para crear interesantes figuras humanas, Nanibah Chacón, artista mexicana radicada en Albuquerque, Nuevo México, que recrea la ilustración de los años cuarenta y cincuenta, o Linda Lucía Santana, también mexicana, que ilustra las canciones populares mexicanas, conocidas como corridos, inspirada por el realismo mágico. ■

Museos de arte latinoamericano en Estados Unidos

- Museo de Arte Latinoamericano (MOLAA). Ubicado en Long Beach, California, está dedicado al arte latinoamericano moderno y contemporáneo.
- Museo Alameda. Ubicado en el corazón de San Antonio, Texas, atrae alrededor de 400.000 visitantes al año.
- Colección de Arte Latino del Smithsonian American Art Museum. Fundado hace casi cuarenta años, expone el arte latinoamericano desde el período colonial hasta el presente.

raíces *roots* **enriquecido** *enriched* **temporadas** *periods (of time)* **huella** *footprint* **aporte** *contribution* **resaltan** *stand out* **radicada (en)** *residing*

PERFIL

NADÍN OSPINA

El artista colombiano Nadín Ospina nació en Bogotá en 1960. A inicios de los noventa, los medios de comunicación lo consideraron un artista revelación, y los que afirmaron que su trabajo permanecería en el tiempo no se equivocaron. Lleva 35 años expresándose en las diferentes formas del arte; es escultor, pintor, un poco músico y realizador audiovisual.

Sus obras se nutren° de elementos de la cultura popular y generalmente son críticas; es imposible hablar de él sin recordar a la familia de Homero Simpson y a Mickey Mouse y a sus amigos tallados° en piedra al mejor estilo del arte precolombino. Esa es su manera de hacer referencia a la cultura latinoamericana tan influenciada por la estadounidense.

Las obras de Nadín Ospina son expresión del intercambio de ideas que caracteriza a nuestra época. El carácter híbrido de sus obras pone en evidencia la constante redefinición de las culturas locales como consecuencia del auge° de las redes de comunicación y de los intercambios económicos y culturales mundiales.

“Pienso en la obra como un todo, como una experiencia multimedia. Mi proceso creativo parte de espacios vacíos° que lleno con volúmenes coloridos.” (Nadín Ospina)

ENTRE CULTURAS

¿Cuáles son los/las artistas latinos/as más importantes de principios del siglo XXI?

Investiga sobre este tema en Internet.

nutren *feed* **tallados** *carved* **auge** *rise* **vacíos** *empty*

¿Qué aprendiste?

1 **Artistas latinas en Estados Unidos** Completa las siguientes oraciones con una de las palabras de la selección.

1. El artista Raúl Martínez es originalmente de nacionalidad ________.
2. El aporte de los artistas hispanoamericanos al arte estadounidense ha sido ________.
3. Nanibah Chacón está radicada en Albuquerque, pero tiene ________ mexicanas.
4. La técnica favorita de Yelitza Díaz es la ________.
5. Linda Santana ilustra unas canciones populares llamadas ________.

2 **Nadín Ospina** Indica si las siguientes afirmaciones son **ciertas** o **falsas**. Corrige las oraciones falsas.

1. Nadín Ospina tiene 35 años de vida artística.
2. Uno de los materiales que usa Ospina es la piedra.
3. A Ospina nunca le ha interesado la música.
4. Las figuras de Nadín Ospina imitan el arte precolombino.
5. Las obras de Ospina expresan la influencia del arte precolombino en la cultura estadounidense.

3 **Opiniones** En parejas, discutan estas preguntas.

1. ¿Cómo fue la influencia de los artistas latinos en Estados Unidos en el siglo XX? ¿Y cómo es esa influencia en el siglo XXI?
2. De los/las artistas mencionados/as aquí, ¿cuál te parece más interesante? ¿Por qué?
3. Si fueras artista, ¿qué tema(s) te gustaría representar en tus obras? ¿Por qué?

Objetivo comunicativo: Comunicarme por escrito con un posible empleador

3.1 The future

In Spanish, the future is a simple tense that consists of one word.

Future tense	
estudiar	estudiaré, estudiarás, estudiará estudiaremos, estudiaréis, estudiarán
aprender	aprenderé, aprenderás, aprenderá aprenderemos, aprenderéis, aprenderán
recibir	recibiré, recibirás, recibirá, recibiremos, recibiréis, recibirán

- All verbs have the same endings in the future tense, and all endings have a written accent except **nosotros/as**.

  ¿Cuándo **recibirás** el ascenso?
  When will you receive the promotion?

- For regular verbs, add the endings to the infinitive. For irregular verbs, add the endings to the stem.

decir	dir-	diré	saber	sabr-	sabré
hacer	har-	haré	salir	saldr-	saldré
poner	pondr-	pondré	tener	tendr-	tendré
querer	querr-	querré	venir	vendr-	vendré

- The future may be used in the main clause of sentences in which the present subjunctive follows a conjunction of time.

  Cuando llegues a la oficina, hablaremos.
  When you arrive at the office, we will talk.

3.2 The conditional

The conditional tense expresses what you *would do* or what *would happen* under certain circumstances.

- The conditional tense endings are the same for all verbs, both regular and irregular. For regular verbs, add the appropriate endings to the infinitive (**comer: comería, comerías, comería, comeríamos, comeríais, comerían**).

- For irregular verbs, add the conditional endings to irregular stems.

INFINITIVE	STEM	CONDITIONAL
decir	dir-	diría
hacer	har-	haría
poder	podr-	podría
poner	pondr-	pondría
haber	habr-	habría

Práctica

1 Completar Completa las oraciones con la forma apropiada del futuro de los verbos de la lista.

comenzar	hacer	tener
haber	ir	vivir

1. El lunes yo (1) ________ un examen.
2. ¿Cuándo (2) ______________ tú y yo las tareas?
3. Si no ahorramos agua, pronto no (3) ________ ni una gota.
4. Pronto yo (4) __________ mis clases de piano.
5. ¿Dónde crees que tú (6) ________ en 20 años?
6. Ricardo (7) ________ al concierto el lunes.

2 Planes Andrea quiere encontrar un empleo y le está contando algunos planes a su mejor amiga. Repite lo que dice, usando el tiempo futuro.

MODELO Voy a escribir mi currículum mañana.
Escribiré mi currículum mañana.

1. Voy a consultar los anuncios laborales.
2. Voy a leer los anuncios todos los días.
3. Voy a practicar la entrevista de trabajo con Arturo.
4. Luis va a leer mi currículum y me va a dar recomendaciones.
5. Ana me va a presentar a una tía suya que es gerente de una compañía.

3 ¿Qué harías? En parejas, pregúntense qué harían en estas situaciones. Utilicen las palabras del recuadro.

aconsejar	decir	llamar
buscar	explicar	preguntar

1. A tu mejor amiga le acaban de ofrecer el trabajo de sus sueños, pero ella lo rechazó.
2. En una entrevista de trabajo te preguntan por qué deberían contratarte a ti.
3. Tienes una cita muy importante a las 8 a.m. al otro lado de la ciudad y te despiertas a las 7:50 a.m.
4. Estás escribiendo tu trabajo final para una clase y tu computador de repente se descompone. No tienes copia de tu trabajo.

Preparación

4 **El trabajo** Completa las oraciones con las palabras.

ascenso	beneficios	profesión
aspirantes	currículum	teletrabajo

1. Te sugiero que a la entrevista lleves una copia impresa de tu ________.
2. En la entrevista de trabajo puedes preguntar por el salario y los ________.
3. Alicia recibió un ________. A partir del lunes será la gerente.
4. Ricardo trabaja como profesor, pero es contador de ________.
5. Había otras tres personas en la entrevista. Conmigo, éramos cuatro ________.

5 **Definiciones** Escribe la palabra que se está describiendo.

aspirante	entrevista	salario
consejera	entrevistador	teletrabajo

1. hombre que le hace preguntas a un/a aspirante a un empleo: ________
2. cantidad de dinero que recibe un empleado por su trabajo: ________
3. persona que quiere ser elegida para un empleo: ________
4. mujer que escucha los problemas de las personas y les ofrece orientación: ________
5. trabajo que se realiza de manera remota utilizando medios digitales: ________

6 **Los empleos** Enumera la siguiente lista de beneficios laborales de **1** (más importante) a **6** (menos importante). Luego, comparte tus opiniones con dos compañeros/as. Explica tus respuestas.

_____ el salario
_____ el número de días de vacaciones
_____ las posibilidades de ascenso
_____ tener buenos compañeros/as de trabajo
_____ tener un(a) buen(a) jefe/a
_____ tener un teletrabajo

Escribamos

Una carta En un sitio en Internet, acabas de encontrar un anuncio sobre un empleo que te llama la atención. El anuncio dice que los aspirantes que quieran más información deben escribirle una carta a la gerente, la señora Gómez. Escríbele una carta a ella para pedirle información sobre el empleo y solicitarle una entrevista.

Utiliza el condicional en tu carta, con expresiones de cortesía como **me gustaría..., podría usted..., sería posible....** Recuerda que te debes dirigir a la señora Gómez con la forma de **usted**. Estos son algunos temas sobre los que le puedes preguntar:

- las habilidades requeridas
- el salario
- los horarios de trabajo
- los beneficios

Estimada señora Gómez,

Acabo de enterarme en el sitio _____ que su compañía está ofreciendo el puesto de _____ y me gustaría hacerle algunas preguntas sobre el trabajo. En primer lugar, quisiera saber...

Un mensaje electrónico Después de pasar el proceso de selección en la empresa de la señora Gómez, te acaban de ofrecer el puesto que tanto querías. Le escribes un mensaje electrónico a tu amigo Jorge para contarle todo sobre tu empleo.

Utiliza el tiempo futuro en tu mensaje. Dile a tu amigo cuándo empezarás a trabajar, cuánto ganarás, dónde trabajarás o quién será tu jefe. Termina tu correo haciéndole algunas preguntas sobre lo que hará en los próximos días y si pueden encontrarse para celebrar.

De: mateo25@tucorreo.com
A: jorgeavelez@tucorreo.com
Tema: Sobre la oferta de trabajo

Hola, Jorge:

Imagínate que me ofrecieron el puesto del que te hablé la otra vez, ¿recuerdas? ¡¡¡Estoy súper feliz!!! Empezaré a trabajar el próximo lunes. Te cuento que tendré...

Objetivo comunicativo: Hablar sobre noticias de actualidad

4.1 *Si* clauses

Si (*If*) clauses describe a condition or event upon which another condition or event depends. Sentences with **si** clauses also have a main (or result) clause.

- **Si** clauses can speculate or hypothesize about what *would happen* if an event or condition *were to occur*.

  Si **vieras** el noticiero, **estarías** mejor informado.
  If you watched the TV news, you would be better informed.

- **Si** clauses can also describe what *would have happened* if an event or condition *had occurred*.

  Si **hubiera sabido** que estabas en casa, te **habría llamado.**
  If I had known that you were home, I would have called you.

- **Si** clauses can also express conditions or events that are possible or likely to occur.

  Si **puedes** venir, **llámame.**
  If you can come, call me.

4.2 The subjunctive with doubt, disbelief, and denial

The subjunctive is required with expressions of doubt, disbelief, and denial.

- The subjunctive is always used in a subordinate clause when there is a change of subject and the expression in the main clause implies negation or uncertainty.

Here is a list of some common expressions of doubt, disbelief, or denial.

Expressions of doubt, disbelief, or denial	
dudar	*to doubt*
negar (e:ie)	*to deny*
no creer	*not to believe*
no estar seguro/a (de)	*not to be sure*
no es cierto	*it's not true/certain*
no es seguro	*it's not certain*
no es verdad	*it's not true*
es imposible	*it's impossible*
es improbable	*it's improbable*

Dudo que el comité **resuelva** el problema.
I doubt that the committee will solve the problem.

No es verdad que ella **estudie** biología.
It's not true that she studies biology.

Práctica

1 **Completar** Completa las oraciones con las frases.

no sabré qué hacer	**dile que me llame**
perderá muchos votos	**habrías visto a María**
saldrá del campeonato	**ya sería médico**

1. Si el candidato no hace una buena campaña, __________.
2. Si hubieras llegado más temprano, __________.
3. Si Ramiro hubiera estudiado medicina, __________.
4. Si nuestro equipo pierde este partido, __________.
5. Si no hablo con Rafael hoy, __________.
6. Si te ves con Jimena esta tarde, __________.

2 **Soluciones** En grupos pequeños, recomienden soluciones para algunos de los siguientes temas sociales, utilizando cláusulas con **si**. Compartan y discutan sus propuestas con toda la clase.

MODELO
— Si las empresas generaran más fuentes (*sources*) de empleo, habría menos desempleo.
— Si la semana pasada se hubiera anunciado el desastre con tiempo, se habrían evitado muchas muertes.

el crimen	**las elecciones**
el desempleo	**los derechos humanos**
el racismo	**los desastres naturales**
el sexismo	**los políticos**

3 **La actualidad** ¿Qué opinas de la situación social actual? Escribe 5 opiniones usando el subjuntivo y expresiones de duda o negación. Comparte tus opiniones con la clase.

MODELO
— No creo que las industrias generen más empleo.
— Es improbable que la desigualdad se reduzca pronto.

Preparación

4 **Completar** Completa las oraciones con las palabras.

deber	elecciones
derechos	encuestas
discurso	impuestos

1. Esperamos que el gobierno reduzca los ________.
2. El día de las ________ los ciudadanos votan.
3. En una democracia, votar se considera un ________ de los ciudadanos.
4. La estación de radio emitió el ________ del candidato presidencial.
5. Los activistas sociales luchan por los ________ de los ciudadanos.
6. Las ________ sirven para conocer las opiniones de los ciudadanos.

5 **Definiciones** Escribe la palabra que se está describiendo.

desempleo	elecciones	huelga
desigualdad	encuestas	prensa
ejército	guerra	reportaje

1. falta de puestos de trabajo: ________
2. período en que los empleados no trabajan para defender sus derechos: ________
3. confrontación entre los países con el uso de armas: ________
4. grupo de soldados: ________
5. falta de oportunidades iguales para todos los ciudadanos: ________
6. informe de un periodista sobre un tema específico: ________

6 **Categorías** Escribe dos o tres ejemplos de cada una de estas categorías de palabras.

1. desastres naturales: ________________
2. medios de comunicación: ________________
3. políticos: ________________
4. problemas sociales: ________________

Hablemos

Una entrevista Utiliza el siguiente cuestionario para entrevistar a uno/a de tus compañeros/as. Puedes añadir otras preguntas si lo consideras necesario. Toma nota de sus respuestas para compartirlas con toda la clase.

1. ¿Qué medio de comunicación prefieres para mantenerte informado/a?
2. ¿Cuáles son las noticias que más te interesan (política, deportes, sociedad, cultura)?
3. ¿Con qué frecuencia lees el periódico?
4. ¿Con qué frecuencia ves los noticieros / oyes las noticias en la radio?
5. ¿Crees que votar es importante? ¿Por qué?
6. En tu opinión, ¿cuáles de estos problemas son los que más afectan a nuestro país? Explica.
   a. el desempleo
   b. la discriminación
   c. el crimen
   d. la corrupción
   e. otro(s) (¿Cuáles?)

Un noticiero estudiantil En grupos pequeños, sigan estos pasos para hacer un noticiero sobre su escuela.

- Decidan qué secciones tendrá el noticiero.
- Elijan un(a) "experto/a" en cada una de las secciones, que se encargará de redactar una noticia para su sección, incluyendo una imagen.
- Reúnan los artículos de todas las secciones y léanlos en voz alta.
- Presenten el noticiero ante la clase.

En sus noticias, incluyan oraciones con **si** y el subjuntivo estudiado en esta lección.

Una noticia Busca en la prensa una noticia de actualidad en algún país hispanoamericano y preséntala ante la clase. Antes de tu presentación, escribe una lista de vocabulario nuevo y compártela con tus compañeros para que puedan entender mejor.

Objetivo comunicativo: Hablar sobre mis planes para las próximas vacaciones

Descripción

En grupos de tres o cuatro, escriban una conversación de un grupo de compañeros/as que están charlando entre clases sobre sus planes para las próximas vacaciones. Por coincidencia, todos van a hacer viajes de ecoturismo. Presenten sus conversaciones a la clase.

Paso a paso

1 Decidan a qué lugar va a viajar cada integrante del grupo y hagan una investigación preliminar sobre el lugar. Pueden elegir alguno de estos sitios:

- Caño Cristales (Colombia)
- las Cataratas del Iguazú (Argentina y Brasil)
- la Isla del Coco (Costa Rica)
- las islas Galápagos (Ecuador)
- Laguna Colorada (Bolivia)
- el Salto Ángel (Venezuela)

2 Redacten la conversación, incluyendo una descripción del lugar que cada quien va a visitar. Háganse preguntas mutuas sobre sus viajes. Recuerden usar los temas repasados en esta lección.

MODELO — **Pasaremos** las vacaciones en una cabaña frente a la montaña.
— **Si** tenemos suerte, **podremos** ver tortugas gigantes.
— ¡Mis maletas ya están **hechas**!

3 Lean su conversación para prepararla con antelación. Mientras cada quien lee su parte de la conversación, los demás le hacen comentarios constructivos.

Evaluación

Al presentar la conversación del grupo ante la clase, serás evaluado/a con base en los siguientes criterios. Usa esta lista de chequeo para verificar que estás bien preparado/a para la presentación:

- Usas el vocabulario apropiado.
- Te refieres adecuadamente a cosas que pasarán en el futuro.
- Te expresas con claridad, usando pronunciación y entonación adecuadas.
- Participas activamente haciéndoles preguntas a tus compañeros/as.

Descripción

En grupos de tres o cuatro, preparen una campaña para promover hábitos saludables en su escuela. Cada miembro del equipo debe elegir un tema y preparar una breve presentación usando ayudas visuales.

Paso a paso

1 Decidan qué tema va a presentar cada miembro del equipo y hagan una investigación preliminar. Pueden elegir alguno de estos temas:

- buenos hábitos de salud y alimentación
- buenos hábitos de higiene
- el deporte y la actividad física
- el manejo del estrés y la ansiedad

2 Cada integrante del equipo escribe un guión de su presentación, incluyendo la descripción de las mejores prácticas en el tema elegido. Asegúrense de usar los temas repasados en esta Lección Preliminar, como el presente progresivo, el presente perfecto, el subjuntivo o las cláusulas con *si*.

MODELO **Hemos hecho** un plan de actividad física para toda la clase. Los jóvenes **nos estamos alimentando** muy mal. Es necesario **que mejoremos** nuestros hábitos alimenticios. **Si** nos alimentamos mejor, vamos a tener una mejor salud.

3 Preparen sus presentaciones leyéndolas en grupo. Mientras cada integrante lee su parte de la presentación, los demás le hacen comentarios constructivos. Diseñen carteles atractivos sobre los temas para apoyar sus presentaciones y para después exhibirlos en la escuela como parte de su campaña.

Evaluación

En tu presentación serás evaluado/a con base en los siguientes criterios. Usa esta lista de chequeo para verificar que estás bien preparado/a para la presentación:

- Usas el vocabulario apropiado.
- Ofreces consejos útiles y relacionados con el tema que elegiste.
- Utilizas los temas gramaticales repasados en esta lección.
- Te expresas con claridad, usando pronunciación y entonación adecuadas.
- Utilizas ayudas visuales para apoyar tu presentación y tu campaña.

A primera vista

- ¿Cuál será la relación de estas dos personas?
- ¿Crees que se llevan bien o mal? ¿Por qué?
- ¿Cómo crees que se sienten?
- ¿De qué estarán hablando?

Essential Questions

1. ¿Cómo nos comunicamos y relacionamos en los entornos familiares, comunitarios y laborales?
2. ¿Cómo construimos y mantenemos relaciones significativas y duraderas?
3. ¿De qué manera afecta la cultura las relaciones personales?

1 Las relaciones personales

Can Do Goals

By the end of this lesson I will be able to:

- Talk about feelings and relationships
- Describe people's personalities
- Talk about how I and other people feel
- Talk about people, states, and situations in the present
- Say what people are doing at specific times

Also, I will learn about:

Culture
- Love and friendship celebrations in Spanish-speaking countries
- The personal life of Chilean-American writer Isabel Allende
- Relationships in Spanish-speaking countries and in the U.S.
- Places to hang out with friends and meet people in Madrid, Spain
- The career of Sonia Sotomayor, Associate Justice of the Supreme Court of the United States

Skills
- Reading: Recognizing personification and metafiction in a literary selection
- Speaking: Using the "quick questions" technique to meet new people
- Writing: Expressing opinions and giving advice

Lesson 1 Integrated Performance Assessment
Context: You want to participate in a contest to win a five-day trip to Santiago de Chile. In your entry, you compare Pablo Neruda's ***Poema 20*** to a song you like.

Vecinos charlando desde sus balcones en Barcelona, España

Práctica:
Los vecinos en los países hispanos suelen tener relaciones cercanas.

¿Cómo son las relaciones de los vecinos en tu comunidad?

Las relaciones personales

La personalidad

autoritario/a *strict*
cariñoso/a *affectionate*

celoso/a *jealous*
cuidadoso/a *careful*
falso/a *insincere*
gracioso/a *funny; pleasant*

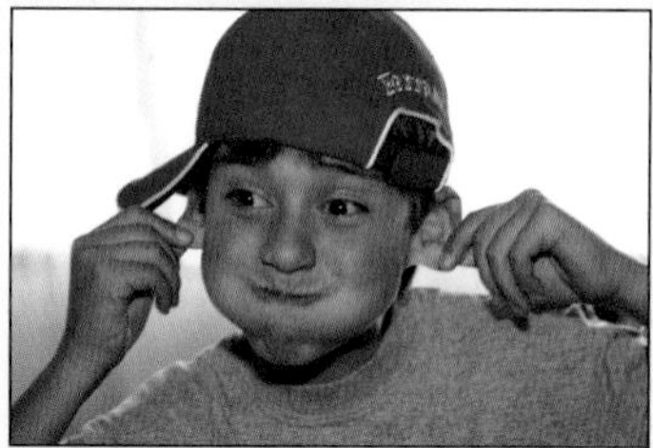

inseguro/a *insecure*
(in)maduro/a *(im)mature*
mentiroso/a *lying*
orgulloso/a *proud*
permisivo/a *permissive*
seguro/a *sure; confident*
sensato/a *sensible*
sensible *sensitive*
tacaño/a *stingy*
tímido/a *shy*
tradicional *traditional*

Los estados emocionales

agobiado/a *overwhelmed*
ansioso/a *anxious*
deprimido/a *depressed*
disgustado/a *upset*

emocionado/a *excited*
preocupado/a (por) *worried (about)*
solo/a *alone; lonely*
tranquilo/a *calm*

Los sentimientos

Carlos es un chico muy tímido, **tiene vergüenza de** hablar con los demás. Pero **se siente** seguro cuando habla con su amiga Marisa porque ella lo **aprecia** mucho.

adorar *to adore*
apreciar *to think highly of*
enamorarse (de) *to fall in love (with)*
estar harto/a (de) *to be sick (of)*
odiar *to hate*
sentirse (e:ie) *to feel*
soñar (o:ue) (con) *to dream (about)*
tener celos (de) *to be jealous (of)*
tener vergüenza (de) *to be embarrassed (about)*

Las relaciones personales

Llevan más de cincuenta años de casados. Dicen que los secretos de un buen **matrimonio** son la **confianza** y el **cariño**.

el/la amado/a *loved one*
el ánimo *spirit*
el cariño *affection*
la cita (a ciegas) *(blind) date*
el compromiso *commitment*
la confianza *trust; confidence*
el desánimo *the state of being discouraged*
el divorcio *divorce*
la pareja *couple; partner*
el sentimiento *feeling*

atraer *to attract*
coquetear *to flirt*
cuidar *to take care of*
dejar a alguien *to leave someone*

discutir *to argue*
educar *to raise; to bring up*
hacerle caso a alguien *to pay attention to someone*
impresionar *to impress*
llevar... años de (casados) *to be (married) for... years*
llevarse bien/mal/fatal *to get along well/ badly/terribly*
mantenerse en contacto *to keep in touch*
pasarlo bien/mal/fatal *to have a good/bad/ terrible time*
proponer (matrimonio) *to propose (marriage)*
romper (con) *to break up (with)*
salir (con) *to go out (with)*
soportar a alguien *to put up with someone*

casado/a *married*
divorciado/a *divorced*
separado/a *separated*
soltero/a *single*
viudo/a *widowed*

Práctica

1 Escuchar

A. Después de una cita con Andrés, Paula le cuenta todo a su mejor amiga, Isabel. Escucha la conversación y decide si las oraciones son **ciertas** o **falsas**. Corrige las falsas.

1. Después de la cita con Andrés, Paula está muy emocionada.
2. Según Paula, los dos se llevan mal.
3. Paula dice que Andrés es feo e inseguro.
4. Paula quiere salir otra vez con Andrés.

B. Ahora escucha la conversación entre Andrés y su mejor amigo, José Luis, y decide si las oraciones son **ciertas** o **falsas**. Corrige las falsas.

1. Según Andrés, Paula y él lo pasaron bien.
2. Andrés piensa que Paula es demasiado tímida.
3. Andrés quiere salir otra vez con Paula.
4. Andrés tiene celos porque José Luis quiere salir con Paula.

C. En parejas, imaginen que José Luis decide llamar a Paula y que Andrés decide llamar a Isabel. Inventen una de estas dos conversaciones telefónicas y compártanla con la clase.

2 Analogías Completa cada analogía con la palabra apropiada.

autoritario	cuidadoso	mentiroso
casados	discutir	romper con
cita	gracioso	tranquilo

1. estresado : ansioso :: falso : ______
2. generoso : tacaño :: permisivo : ______
3. divorcio : divorciados :: matrimonio : ______
4. amar : odiar :: salir con : ______
5. cariño : cariñoso :: cuidado : ______
6. disgustado : contento :: emocionado : ______
7. casados : boda :: novio : ______
8. casados : divorciados :: llevarse bien : ______

Práctica

3 **Definiciones** Indica las palabras que corresponden a cada definición.

___ 1. Compromiso entre dos o más personas sobre el lugar, la fecha y la hora para encontrarse.
___ 2. Que sufre de tristeza o desánimo.
___ 3. Enseñar a una persona a comportarse según ciertas normas.
___ 4. Prestarle atención a alguien.
___ 5. Conjunto formado por dos personas o cosas que se complementan o son semejantes como, por ejemplo, hombre y mujer.
___ 6. Estimar o reconocer el valor de algo o de alguien.

a. apreciar
b. cita
c. cuidar
d. deprimido/a
e. discutir
f. educar
g. hacerle caso
h. pareja
i. viudo/a

4 **Contrarios** Mauricio y Lucía son gemelos, pero tienen personalidades muy distintas. Completa las descripciones con el adjetivo correspondiente.

MODELO **Mauricio siempre es muy seguro, pero Lucía es...** insegura.

1. Mauricio es sincero, pero Lucía es...
2. Lucía es muy generosa con su dinero, pero Mauricio es...
3. No sabes lo sociable que es Mauricio, pero Lucía es muy...
4. Lucía es permisiva con sus hijos, pero Mauricio es...
5. A Mauricio le gusta estar con gente, pero Lucía prefiere estar...
6. Todos piensan que Lucía es moderna, pero Mauricio es...
7. Lucía se porta (*behaves*) como un adulto, pero Mauricio es muy...
8. Mauricio es muy modesto, pero Lucia es muy...
9. Mauricio es muy..., pero Lucia es muy...
10. A Mauricio le gusta..., pero Lucia prefiere...

Comunicación

5 **¿Cómo eres?** Trabaja con un(a) compañero/a.

A. Contesta las preguntas del test.

	Sí	A veces	No
1. ¿Te pones nervioso/a cuando estás con otras personas?			
2. ¿Te incomoda expresar tus emociones?			
3. ¿Te parece difícil iniciar una conversación?			
4. ¿Te ponen nervioso/a las citas a ciegas?			
5. ¿Te sientes inseguro/a cuando te critican?			
6. ¿Tienes vergüenza de hablar en público?			
7. ¿Piensas mucho antes de tomar una decisión?			
8. ¿Piensas que, si eres muy simpático/a, las personas pueden creer que eres falso/a?			
9. ¿Piensas que coquetear es inmaduro?			
10. ¿Te llevas bien con las personas muy tímidas?			

Clave

Sí	=	0 puntos
A veces	=	1 punto
No	=	2 puntos

Resultados

0 a 3	Eres muy introvertido/a.
4 a 7	Tiendes a ser introvertido/a.
8 a 11	No eres ni introvertido/a ni extrovertido/a.
12 a 16	Tiendes a ser extrovertido/a.
17 a 20	Eres muy extrovertido/a.

B. Ahora suma (*add up*) los puntos. ¿Cuál es el resultado del test? ¿Estás de acuerdo? Comenta tu resultado y tu opinión con tu compañero/a.

6 **Problemas y consejos**

A. En grupos de cuatro, elijan una de estas situaciones. Inventen más detalles para describir la situación. ¿Cómo son los personajes? ¿Dónde se encuentran? ¿Desde cuándo se conocen? ¿Cómo empezó la situación? ¿Cómo pueden resolverla?

1. Son buenos amigos, pero discuten mucho. Quieren llevarse mejor y evitar problemas.
2. Tienen un buen matrimonio, pero cuando ella está hablando él no le hace mucho caso. A ella esto le parece una falta de respeto.
3. Su madre es muy autoritaria. Durante la semana no deja que sus hijos salgan por la noche. Los viernes y sábados, ellos tienen que estar en casa antes de las diez.
4. Tiene celos de su hermano, porque él es muy seguro y gracioso. Se siente muy tímido/a e inmaduro/a.
5. Se quieren, pero discuten por cualquier cosa.

B. Ahora, escriban un breve correo electrónico en el que el personaje describe su problema y le pide consejos a un(a) amigo/a. Lean el mensaje a la clase para que sus compañeros ofrezcan sus consejos.

PUEDO hablar sobre mis sentimientos y mis emociones con otras personas.

FOTONOVELA

Objetivo comunicativo: Describir a los personajes de la Fotonovela

En el video...

Vas a conocer a la familia Solís, de Oaxaca, México, compuesta por Lorenzo, un profesor viudo, sus hijos Rocío, Marcela y Manu, y Lupita, la criada. Además vas a conocer a sus amigos, Patricia y Chente, y a un nuevo amigo muy especial, Ricardo. En este episodio verás cómo inicia la historia.

1

ROCÍO ¡Estoy ansiosa!

MANU ¡Ahí viene! ¡Está entrando!

TODOS JUNTOS ¡Sorpresa!
(*Cantan.*) Éstas son las mañanitas que cantaba el rey David, a las muchachas bonitas se las cantamos así. Despierta, Marce, despierta...

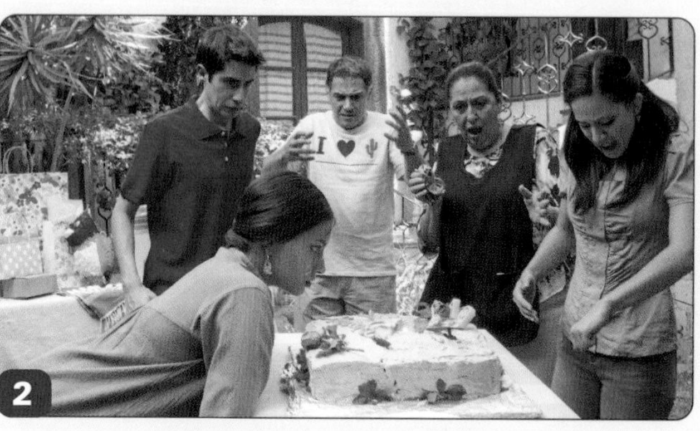

2

MARCELA Gracias. Éste es mi primer cumpleaños desde la muerte de mi mami.

PATRICIA Bueno, a pedir un deseo.
Algo cae del cielo cuando Marcela va a soplar la vela.

ROCÍO *¡Manu!*

LUPITA ¿Qué es eso?

MANU ¡Es un dron!

4

MARCELA Tantos cumpleaños que habrá hoy en Oaxaca y vienen a estrellarse en el mío.

ROCÍO ¡Marcela! El espía.

MARCELA ¿Qué espía?

ROCÍO ¡El del dron!

MARCELA ¿Qué pasa con él?

ROCÍO Está aquí.

5

CHENTE ¡Ricardo!

LORENZO ¿Se conocen?

CHENTE Sí. Acaba de mudarse a Oaxaca.
Estudia ingeniería en la uni.
(*A Ricardo*) El señor Solís. Es profesor de botánica.

RICARDO *Mucho gusto, soy Ricardo.*

Personajes

MANU

ROCÍO

MARCELA

PATRICIA

LORENZO

LUPITA

CHENTE

RICARDO

AMIGO DE CHENTE

LUPITA Diga.

RICARDO Hola, señora. Quería saber si vio un pequeño dron que cayó por aquí.

MANU ¿Tú construiste el dron?

RICARDO Sí.

MANU ¿Dónde se enciende?

RICARDO Acá.
Las hélices esparcen pastel y todos terminan cubiertos.

LORENZO Ella es Marcela, la cumpleañera.

RICARDO Felicidades.

Expresiones útiles

Talking about inherent qualities

Éste es mi primer cumpleaños...
This is my first birthday...

¡El cielo es el límite!
The sky's the limit!

¿Qué es eso?
What's that?

Es un dron.
It's a drone.

No seas tímida, hija.
Don't be shy, daughter.

El señor Solís es profesor de botánica.
Mr. Solís is a botany professor.

Ella es Marcela.
This is Marcela.

Talking about emotions and temporary states

¡Estoy ansiosa!
I am anxious!

Estoy muy emocionada de...
I am very touched by...

¡Está acá!
He's here!

Talking about actions in progress

¡Está entrando!
She's coming in!

¡Nos están espiando!
Someone is spying on us!

Additional vocabulary

el/la cumpleañero/a *birthday boy/girl*
el deseo *wish*
encender *to turn on*
el/la espía *spy*
espiar *to spy*
estrellarse *to crash*
la muerte *death*
volador(a) *flying*

Comprensión

1 **¿Cierto o falso?** Decide si estas oraciones son **ciertas** o **falsas**. Corrige las falsas.

Cierto	Falso	
☐	☐	1. Rocío está muy tranquila cuando espera a Marcela.
☐	☐	2. La familia y los amigos de Marcela le preparan una fiesta sorpresa de cumpleaños.
☐	☐	3. Cuando Marcela está pidiendo un deseo, un dron cae del cielo.
☐	☐	4. El dron es de uno de los amigos de Marcela.
☐	☐	5. Marcela abre la puerta para ver quien está tocando.
☐	☐	6. Ricardo está espiando a la familia Solís con su dron.

2 **Descripciones** Selecciona el personaje al que se refiere cada descripción.

CHENTE LORENZO LUPITA

MAMÁ DE MARCELA MANU ROCÍO

1. Es hermano de Marcela y Rocío.
2. Trabaja de criada en casa de los Solís.
3. Es profesor de botánica.
4. Toca la guitarra.
5. Murió hace menos de un año.
6. Es muy dramática.

3 **Preguntas**

A. Contesta las preguntas con oraciones completas.

1. ¿Por qué Marcela está tan emocionada por este cumpleaños en particular?
2. ¿Dónde cae el dron?
3. ¿Por qué piensa Rocío que los están espiando?
4. ¿Qué pasa cuando Ricardo enciende el dron?
5. Al final del episodio, ¿cuáles son los sentimientos de Ricardo hacia Marcela? ¿Y los de Marcela hacia Ricardo?

B. Ahora, compara tus respuestas con las de un(a) compañero/a. ¿Coinciden?

Ampliación

4 **Adivinar** En parejas, describan la personalidad de dos personajes de la fotonovela sin mostrarle a su compañero/a. Después, túrnense para leer cada descripción y adivinar de qué personaje se trata.

MODELO
ESTUDIANTE 1 Es una persona muy sensible y cariñosa. Se emociona fácilmente.
ESTUDIANTE 2 ¡Es Marcela!
ESTUDIANTE 1 ¡Sí! ¿Cómo es tu personaje?...

5 **Continuación** En parejas, dramaticen una posible continuación de la conversación entre Marcela y Ricardo al final del episodio.

MODELO
ESTUDIANTE 1 (En el rol de Marcela) ¿Es la primera vez que usted vuela ese dron?
ESTUDIANTE 2 (En el rol de Ricardo) No. Lo tengo hace muchos meses, ¿por qué?
ESTUDIANTE 1 (En el rol de Marcela) Pues porque no sabe cómo controlarlo.

6 **Apuntes culturales** En parejas, lean los párrafos y contesten las preguntas.

Centro de la ciudad de Oaxaca

Estado de Oaxaca, México

La familia Solís vive en la ciudad de Oaxaca de Juárez, capital del estado de Oaxaca. Ubicado en el suroeste del país, Oaxaca es un estado multicultural en el que conviven quince grupos étnicos, y que atrae cada año a miles de turistas por su arquitectura, sus zonas arqueológicas y sus mercados de artesanías.

Las mañanitas

Familiares y amigos cantan "Las mañanitas" a Marcela en el día de su cumpleaños. Esta canción es tradicional de México y se les canta en los cumpleaños a personas de cualquier edad. En otros países, como en Colombia, se les canta principalmente a las quinceañeras. Ha sido interpretada por artistas destacados, como los mexicanos Pedro Infante y Jorge Negrete.

Pedro Infante

El cactus: planta nacional de México

En varios lugares de la casa de los Solís hay cactus. El cactus, como símbolo de México, se remonta a la época prehispánica. La leyenda de la fundación de México dice que los aztecas, después de viajar cientos de años, se establecieron en el lugar que hoy se conoce como Tenochtitlán, donde vieron un águila sobre un cactus, devorando una serpiente. Dicha escena está representada en la bandera nacional de México.

1. Cuando visitas un lugar nuevo, ¿prefieres ir con un guía (*guide*) turístico en un viaje planeado o prefieres explorar y descubrir cosas por ti mismo/a? ¿Cuáles son las ventajas (*advantages*) y las desventajas (*disadvantages*) de los viajes planeados?
2. ¿Conoces la canción de "Las mañanitas"? ¿Qué canciones tradicionales forman parte de tu cultura?
3. ¿Qué tradiciones siguen tu familia y amigos para celebrar los cumpleaños?
4. ¿Alguna vez has comido cactus? ¿Con qué otros símbolos asocias México? ¿Por qué?

PUEDO describir las personalidades de los personajes de la Fotonovela.

Objetivo comunicativo: Hablar sobre celebraciones de amor y amistad en mi cultura y en otras

En detalle

ESPAÑA

AMOR Y AMISTAD EN LOS PAÍSES HISPANOS

Casi todos los países hispanohablantes celebran una versión del Día de San Valentín, pero en cada país tiene un nombre diferente y se festeja en fechas distintas. Además, las costumbres para su celebración son diferentes en cada nación. Aunque en España se celebra el día de San Valentín el 14 de febrero, en varias regiones del país también se festeja el día de San Jorge, que tiene lugar el 23 de abril. Dado que coincide con el día del libro (porque en esa fecha se conmemora la muerte de dos grandes escritores, uno español, Miguel de Cervantes Saavedra, y otro inglés, William Shakespeare), ahora es una costumbre que, además de rosas rojas y dulces, entre los amigos y los enamorados se regalen libros. En México se expresa el amor entre novios o esposos regalando rosas y chocolates el 14 de febrero, y para los amigos se estableció que el 30 de julio sea el Día Internacional de la Amistad. En Bolivia, el Día del Amor y la Amistad es el 21 de septiembre. Esta fecha coincide con el comienzo de la primavera y tradicionalmente las parejas de novios intercambian flores, regalos y tarjetas. En algunos países, como Colombia y Paraguay, se tiene la costumbre de jugar "amigo secreto" unos días antes de la fecha de celebración. El juego consiste en repartir° de manera secreta los nombres de los participantes, quienes anónimamente se envían dulces durante esos días. El día del "descubrimiento", los grupos de amigos se reúnen y cada quien revela quién era su amigo secreto y le entrega un regalo. ■

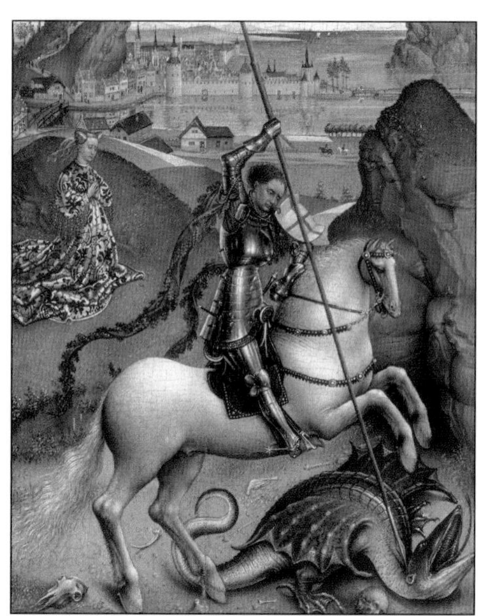

San Jorge y el dragón
Rogier van der Weyden (1399/1400–1464)

Amor y amistad en América Latina

- En los países centroamericanos se llama "Día del Amor y la Amistad" o "Día del cariño", y también se festeja el 14 de febrero.
- Colombia: El "Día del Amor y la Amistad" se celebra el tercer sábado de septiembre con intercambio de dulces y regalos. Antes se llamaba el "Día de los Novios".
- Uruguay: El "Día de los Enamorados" se celebra el 21 de septiembre. Desde hace unos años también se celebra el Día de San Valentín el 14 de febrero.

repartir *to distribute*

ASÍ LO DECIMOS

Las relaciones

chavo/a (Méx.)
enamorado/a (Pe.) | *boyfriend/girlfriend*

amorcito
cariño
cielo | *dear, honey*

estar de novio(s)
estar en pareja con (Esp.) | *to be dating someone*

ponerse de novio/a (con) *to start dating someone*
estar bueno/a *to be attractive*

EL MUNDO HISPANOHABLANTE

Las relaciones

Tendencias

- Aunque en la mayoría de los países hispanos ya no hay reglas fijas, es costumbre que el hombre invite° en los primeros encuentros.
- En los Estados Unidos, cada vez más latinos participan en citas rápidas° para encontrar pareja.

Costumbres

- En Oaxaca, México, las bodas tradicionales duran tres días; el primer día se celebra la unión civil, el segundo día se lleva a cabo la boda religiosa y la fiesta con banquete, y el tercer día continúa la fiesta con música tradicional hasta el amanecer.
- En algunos pueblos de México, como Zacatecas, es costumbre que las mujeres y los hombres solteros vayan a caminar solos o en grupos alrededor de la plaza los domingos. Las mujeres y los hombres caminan en dirección contraria para poder observarse mutuamente.

invite *pays* **citas rápidas** *speed dating*

PERFIL

ISABEL Y ROGER

La escritora chilena Isabel Allende y el abogado estadounidense Roger Cukras se conocieron en 2016 y desde entonces viven un romance apasionado que comenzó por correspondencia. Mientras iba en su carro hacia Boston, Roger quedó cautivado luego de escuchar por la radio una entrevista a Isabel y decidió escribirle. Según ella, él "Escribió un correo, y otro, y otro, a mi oficina. Al tercero, le contesté yo misma porque lo acompañó de un ramo de flores°". Después de cinco meses de intercambiar° mensajes todos los días, Isabel aprovechó° un viaje de trabajo para ver a Roger. "Ahí, en cinco minutos, se armó la cosa°", dice Isabel. Roger también cree que fue inesperado° encontrar una relación tan significativa a los 75 años. Ambos quieren vivir un amor intenso pero maduro: "Soy brutalmente independiente y privada para muchas cosas.", comenta Isabel. Al igual que ella, Roger valora° la independencia. Por ello seguirá trabajando como abogado desde San Francisco y viajará de vez en cuando a Nueva York, donde tiene su bufete°. Los dos están poniendo a prueba su nueva relación. "No hay amor sin riesgo", dice Isabel, quien dedicó a Roger su novela *Más allá del invierno*.

> "Echo de menos la familia y el idioma, el sentido del humor, porque nadie me tiene que explicar un chiste en Chile, mientras que acá no los entiendo." (Isabel Allende)

ramo de flores *bouquet of flowers* **intercambiar** *exchanging* **aprovechó** *took advantage of* **se armó la cosa** *it all began* **inesperado** *unexpected* **valora** *values* **bufete** *law offices*

¿Qué aprendiste?

1 **¿Cierto o falso?** Indica si estas afirmaciones son **ciertas** o **falsas**. Corrige las falsas.

1. El día de San Jorge y el día de San Valentín se celebran el 14 de febrero.
2. Es común que el día de San Jorge las personas se regalen libros.
3. El Día del Amor y la Amistad en Bolivia coincide con el inicio del invierno.
4. En Uruguay hay dos fechas para celebrar las relaciones amorosas.
5. Durante el juego de amigo secreto, tú puedes elegir quién será tu amigo/a secreto/a.

2 **Diferencias** Con un(a) compañero/a, creen un diálogo con la siguiente situación y preséntenlo a la clase.

ESTUDIANTE 1 Tú eres un(a) estudiante de un país hispanohablante y te encuentras de intercambio en la escuela. Le cuentas a tu nuevo/a compañero/a (Estudiante 2) sobre la celebración de amor y amistad en tu país (incluyendo fechas, costumbres y el juego de amigo secreto).

ESTUDIANTE 2 Tú eres un(a) estudiante local y le haces preguntas a tu compañero/a (Estudiante 1) sobre la celebración de amor y amistad en su país.

3 **Completar** Completa las oraciones.

1. Roger Cukras se sintió ________ por Isabel después de escucharla en la radio.
   a. agobiado b. tacaño c. cautivado
2. Tanto Isabel como Roger están ________ por su independencia
   a. celosos b. solos c. preocupados
3. En Mexico se utiliza la palabra ________ para decir *novia*.
   a. enamorada b. chiquilla c. chava
4. Actualmente, es popular para los latinos en los EE.UU. participar en citas ________.
   a. rápidas b. a ciegas c. en Internet

4 **Preguntas** Contesta las preguntas.

1. ¿A qué grupo étnico o cultural pertenece tu familia? ¿Tienes amigos de otros países u otras culturas? Si no los tienes, ¿te gustaría tenerlos? ¿Por qué?
2. ¿Qué ventajas puede ofrecer una amistad intercultural? ¿Qué desventajas presenta?
3. En tu opinión, ¿cuáles son las cualidades más importantes que debe tener un(a) amigo/a? ¿Qué cualidades te importan menos? ¿Por qué?

5 **Opiniones** En parejas, escriban cuatro ventajas y cuatro dificultades de las relaciones entre personas de distintas culturas.

PROYECTO

Buscar un amigo virtual

Siempre te ha interesado conocer a personas de otra cultura. Imagina que decides buscar un(a) amigo/a virtual para intercambiar mensajes electrónicos por Internet. En tus descripciones, usa el vocabulario de la sección **Contextos** y el vocabulario aprendido en esta sección. Tu perfil debe incluir como mínimo:

- una descripción de cómo eres
- una descripción de lo que buscas en un(a) amigo/a
- una explicación de por qué te interesa conocer a alguien de otra cultura
- otra información que consideres importante

PUEDO hablar sobre celebraciones de amor y amistad en mi cultura y en otras.

Objetivo comunicativo: Identificar lugares de encuentro de las parejas en Madrid, España

Las relaciones personales

¿No es ideal utilizar el tiempo libre para encontrarse con amigos, familiares, parejas...? Los lugares donde puedes reunirte a hablar o comer se vuelven especiales porque forman parte del placer de compartir el tiempo con tu gente. En este episodio de **Flash cultura**, te llevamos a visitar los lugares de encuentro de Madrid.

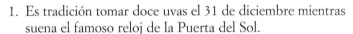

VOCABULARIO ÚTIL

el amor a primera vista *love at first sight*
el callejón *alley*
la campanada *tolling of the bell*
datar de *to date from*
el pasacalles *marching parade*
el pendiente *earring*
el punto de encuentro *meeting point*
la uva *grape*

1 **Preparación** Responde estas preguntas: ¿te reúnes con tus amigos? ¿Cuáles son los lugares donde te encuentras habitualmente con ellos? ¿En qué momentos del día y la semana pueden verse? ¿Por qué?

2 **Comprensión** Indica si estas afirmaciones son **ciertas** o **falsas**. Después, en parejas, corrijan las falsas.

1. Es tradición tomar doce uvas el 31 de diciembre mientras suena el famoso reloj de la Puerta del Sol.
2. La Plaza Mayor es la plaza más conocida y se encuentra en el Madrid Moderno.
3. En la confluencia actual de las calles Toledo y Atocha, se celebraban antiguamente partidos de fútbol.
4. El barrio de La Latina se caracteriza por callejones estrechos, plazoletas, cafés y bares de ambiente muy dinámico.
5. Ninguno de los entrevistados cree en el amor a primera vista.
6. En El Rastro puedes comprar ropa, pendientes, cuadros, etc.

3 **Expansión** En parejas, contesten estas preguntas.

1. Imagina que estás en Madrid. ¿Cuál de los lugares mostrados prefieres para comer algo o pasear? ¿Por qué?
2. ¿Estás de acuerdo con las personas que creen en el amor a primera vista o con las que no creen? Justifica tu respuesta.
3. ¿Qué opinas de la descripción de los domingos en Madrid?

PUEDO mencionar lugares de reunión de las personas en Madrid, España, y las actividades que se pueden hacer allí.

Corresponsal: Miguel Ángel Lagasca
País: España

(En la Plaza Mayor) los niños juegan, las madres conversan°, los padres hablan de fútbol y política, los jóvenes se juntan, las parejas se miran a los ojos y los turistas admiran el espectáculo°.

La Latina, así como la Plaza Mayor y Puerta del Sol, pertenecen al llamado Madrid Antiguo.

Siempre los celos son una parte importante de la relación, sobre todo cuando se está empezando.

conversan *chat* **espectáculo** *show*

1.1 The present tense

Regular *–ar*, *–er*, and *–ir* verbs

- The present tense (**el presente**) of regular verbs is formed by dropping the infinitive ending **–ar, –er**, or **–ir** and adding personal endings.

The present tense of regular verbs

	hablar *to speak*	**beber** *to drink*	**vivir** *to live*
yo	hablo	bebo	vivo
tú	hablas	bebes	vives
Ud./él/ella	habla	bebe	vive
nosotros/as	hablamos	bebemos	vivimos
vosotros/as	habláis	bebéis	vivís
Uds./ellos/ellas	hablan	beben	viven

- The present tense is used to express actions or situations that are going on at the present time and to express general truths.

¿Te **mantienes** en contacto con tus primos?
Do you stay in touch with your cousins?

Sí, los **llamo** cada semana.
Yes, I call them every week.

- The present tense is also used to express habitual actions or actions that will take place in the near future.

Mis padres me **escriben** con frecuencia.
My parents write to me often.

Mañana les **mando** una carta larga.
Tomorrow I'm sending them a long letter.

Stem-changing verbs

- Some verbs have stem changes in the present tense. In many –**ar** and –**er** verbs, **e** changes to **ie**, and **o** changes to **ue**. In some –**ir** verbs, **e** changes to **i**. The **nosotros/as** and **vosotros/as** forms never have a stem change in the present tense.

Stem-changing verbs

e:ie	**o:ue**	**e:i**
pensar *to think*	**poder** *to be able to; can*	**pedir** *to ask for*
pienso	puedo	pido
piensas	puedes	pides
piensa	puede	pide
pensamos	podemos	pedimos
pensáis	podéis	pedís
piensan	pueden	piden

TALLER DE CONSULTA

MANUAL DE GRAMÁTICA
Más práctica

Gramática adicional

¡ATENCIÓN!

Subject pronouns are normally omitted in Spanish. They are used to emphasize or clarify the subject.

¿Viven en California?

Sí, ella vive en Los Ángeles y él vive en San Francisco.

¡ATENCIÓN!

Jugar changes its stem vowel from **u** to **ue**. As with other stem-changing verbs, the **nosotros/as** and **vosotros/as** forms do not change.

jugar
juego, juegas, juega, jugamos, jugáis, juegan

• • • •

Construir, destruir, incluir, and **influir** have a spelling change and add a **y** before the personal endings (except the **nosotros/as** and **vosotros/as** forms).

incluir
incluyo, incluyes, incluye, incluimos, incluís, incluyen

Irregular *yo* forms

- Many **–er** and **–ir** verbs have irregular **yo** forms in the present tense. Verbs ending in **–cer** or **–cir** change to **–zco** in the **yo** form; those ending in **–ger** or **–gir** change to **–jo**. Several verbs have irregular **–go** endings, and a few have individual irregularities.

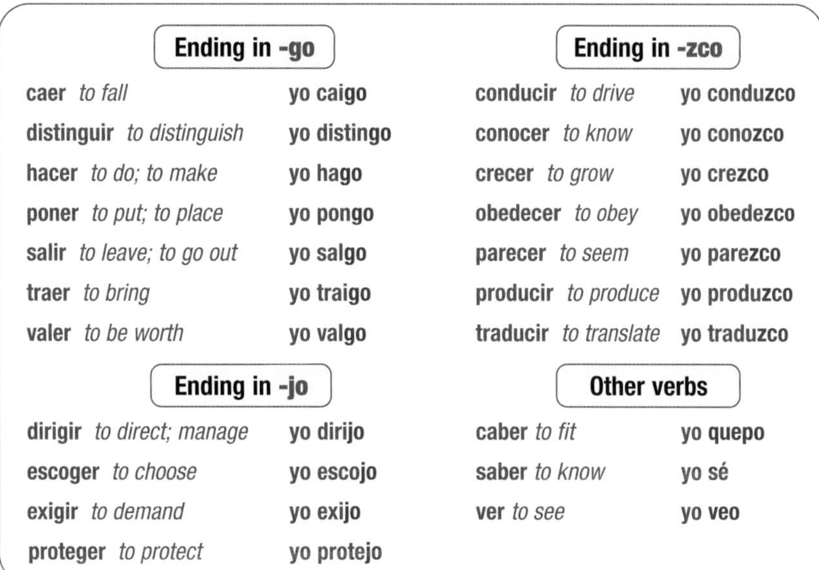

Ending in -go		Ending in -zco	
caer *to fall*	**yo caigo**	**conducir** *to drive*	**yo conduzco**
distinguir *to distinguish*	**yo distingo**	**conocer** *to know*	**yo conozco**
hacer *to do; to make*	**yo hago**	**crecer** *to grow*	**yo crezco**
poner *to put; to place*	**yo pongo**	**obedecer** *to obey*	**yo obedezco**
salir *to leave; to go out*	**yo salgo**	**parecer** *to seem*	**yo parezco**
traer *to bring*	**yo traigo**	**producir** *to produce*	**yo produzco**
valer *to be worth*	**yo valgo**	**traducir** *to translate*	**yo traduzco**

Ending in -jo		Other verbs	
dirigir *to direct; manage*	**yo dirijo**	**caber** *to fit*	**yo quepo**
escoger *to choose*	**yo escojo**	**saber** *to know*	**yo sé**
exigir *to demand*	**yo exijo**	**ver** *to see*	**yo veo**
proteger *to protect*	**yo protejo**		

- Verbs with prefixes follow these same patterns.

reconocer *to recognize*	**yo reconozco**	**oponer** *to oppose*	**yo opongo**
deshacer *to undo*	**yo deshago**	**proponer** *to propose*	**yo propongo**
rehacer *to re-make; re-do*	**yo rehago**	**suponer** *to suppose*	**yo supongo**
aparecer *to appear*	**yo aparezco**	**atraer** *to attract*	**yo atraigo**
desaparecer *to disappear*	**yo desaparezco**	**contraer** *to contract*	**yo contraigo**
componer *to make up; to fix*	**yo compongo**	**distraer** *to distract*	**yo distraigo**

Irregular verbs

- Other commonly used verbs in Spanish are irregular in the present tense or combine a stem change with an irregular **yo** form or other spelling change.

dar *to give*	**decir** *to say*	**estar** *to be*	**ir** *to go*	**oír** *to hear*	**ser** *to be*	**tener** *to have*	**venir** *to come*
doy	digo	estoy	voy	oigo	soy	tengo	vengo
das	dices	estás	vas	oyes	eres	tienes	vienes
da	dice	está	va	oye	es	tiene	viene
damos	decimos	estamos	vamos	oímos	somos	tenemos	venimos
dais	decís	estáis	vais	oís	sois	tenéis	venís
dan	dicen	están	van	oyen	son	tienen	vienen

¡ATENCIÓN!

Some verbs with irregular **yo** forms have stem changes as well.

conseguir (e:i) → **consigo** *to obtain*

corregir (e:i) → **corrijo** *to correct*

elegir (e:i) → **elijo** *to choose*

seguir (e:i) → **sigo** *to follow*

torcer (o:ue) → **tuerzo** *to twist*

Práctica

TALLER DE CONSULTA

MANUAL DE GRAMÁTICA
Más práctica
1.1 The present tense, p. A4

1 **Un apartamento infernal** Miguel tiene quejas (*complaints*) del apartamento donde vive con su familia. Completa la descripción de su apartamento. Puedes usar los verbos más de una vez.

caber	estar	ir	ser
dar	hacer	oír	tener

Mi apartamento (1) ______ en el quinto piso. El edificio no (2) ______ ascensor y para llegar al apartamento, (3) ______ que subir por la escalera. El apartamento es tan pequeño que mis cosas no (4) ______. Las paredes (*walls*) (5) ______ muy finas. A todas horas (6) ______ la radio o la televisión de algún vecino. El apartamento sólo (7) ______ una ventana pequeña y, por eso, siempre (8) ______ oscuro. ¡(9) ______ a buscar otro apartamento!

2 **¿Qué hacen los amigos?** Escribe cinco oraciones usando los sujetos y los verbos de las columnas.

Sujetos	Verbos	
los malos amigos	apreciar	exigir
nosotros/as	compartir	hacer
tú	creer	pedir
un(a) buen(a) amigo/a	defender	prestar
yo	discutir	recordar

1. ______________________________
2. ______________________________
3. ______________________________
4. ______________________________
5. ______________________________

3 **La verdad** En parejas, túrnense (*take turns*) para hacerse las preguntas.

MODELO **Luis: llegar temprano a la oficina / dormir hasta las 9:00**
—¿Luis llega temprano a la oficina?
—¡Qué va! (*Are you kidding?*) Luis duerme hasta las 9:00.

1. Ana: jugar al tenis con Daniel / preferir pasar la tarde charlando con Sergio
2. Felipe: salir a bailar todas las noches / tener clase de química a las 8:00 de la mañana
3. Jorge y Begoña: ir a la playa / querer viajar a Arizona
4. Dolores y Tony: comer muchas hamburguesas / ser vegetarianos
5. Fermín: pensar viajar a México con su amigo Mario / no pasarlo bien con él

Comunicación

4  **¿Qué sabes de tus compañeros?** En parejas, háganse preguntas basadas en las opciones y contesten con una explicación.

MODELO **soñar con / hacer algo especial este mes**

—¿Sueñas con hacer algo especial este mes?

—Sí, sueño con ir al concierto de Wisin & Yandel.

1. pensar / realizar este año algún proyecto
2. decir / mentiras
3. acordarse / de tu quinto cumpleaños
4. conducir / estar muy cansado
5. reír / mucho con tu familia
6. dar / consejos (*advice*) sobre asuntos que / no conocer bien
7. venir / a clase tarde con frecuencia
8. escoger / el regalo perfecto para el cumpleaños de tu novio/a
9. corregir / los errores en las composiciones de tus compañeros
10. traer / un diccionario a la clase de español

5  **Escena de telenovela** Trabajen en grupos de tres o cuatro para representar una discusión familiar que va a formar parte de un episodio de una telenovela popular. Preparen la discusión con las frases de la lista.

(no) apreciar	(no) hacerle caso a alguien	(no) soportar a alguien
(no) cuidar la casa	llevarse bien/mal/fatal	tener celos (de)
estar harto/a (de)	(no) mantenerse en contacto	tener vergüenza (de)

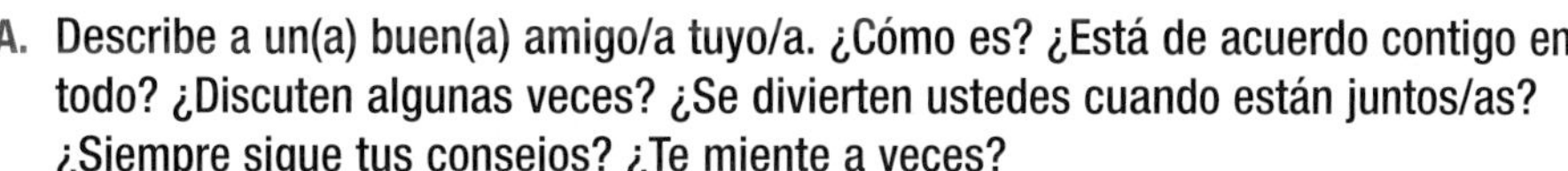

6 **¿Cómo son tus amigos?**

A. Describe a un(a) buen(a) amigo/a tuyo/a. ¿Cómo es? ¿Está de acuerdo contigo en todo? ¿Discuten algunas veces? ¿Se divierten ustedes cuando están juntos/as? ¿Siempre sigue tus consejos? ¿Te miente a veces?

B. Ahora, comparte tu descripción con tres compañeros/as. Juntos/as, escriban una lista de cinco cosas que los buenos amigos hacen con frecuencia y cinco cosas que no hacen casi nunca. ¿Coincidieron los grupos en las acciones que eligieron?

PUEDO describir a un(a) amigo/a y hablar de las actividades que acostumbramos hacer.

1.2 *Ser* and *estar*

¡El cielo
es el límite!

Estoy muy
emocionada de ver
a mi familia...

¡ATENCIÓN!

Ser and **estar** both mean *to be*, but they are not interchangeable. **Ser** is used to express the idea of permanence, such as inherent or unchanging qualities and characteristics. **Estar** is used to express temporality, including qualities or conditions that change with time.

Uses of *ser*

Nationality and place of origin	Mis padres **son** argentinos, pero yo **soy** de Florida.
Profession or occupation	El señor López **es** periodista.
Characteristics of people, animals, and things	El clima de Miami **es** caluroso.
Generalizations	Las relaciones personales **son** complejas.
Possession	La guitarra **es** del tío Guillermo.
Material of composition	El suéter **es** de pura lana.
Time, date, or season	**Son** las doce de la mañana.
Where or when an event takes place	La fiesta **es** en el apartamento de Carlos; **es** el sábado a las nueve de la noche.

Uses of *estar*

Location or spatial relationships	La clínica **está** en la próxima calle.
Health	Hoy **estoy** enfermo. ¿Cómo **estás** tú?
Physical states and conditions	Todas las ventanas **están** limpias.
Emotional states	¿Marisa **está** contenta con sus clases?
Certain weather expressions	¿**Está** nublado o **está** despejado hoy en Toronto?
Ongoing actions (progressive tenses)	Paula **está** escribiendo invitaciones para su boda.
Results of actions (past participles)	La tienda **está** cerrada.

Ser and *estar* with adjectives

- **Ser** is used with adjectives to describe inherent, expected qualities. **Estar** is used to describe temporary or variable qualities, or a change in appearance or condition.

¿Cómo **son** tus padres?
What are your parents like?

La casa **es** muy pequeña.
The house is very small.

¿Cómo **estás**, Miguel?
How are you, Miguel?

¡**Están** tan enojados!
They're so angry!

- With most descriptive adjectives, either **ser** or **estar** can be used, but the meaning of each statement is different.

Julio **es alto**.
Julio is tall. (that is, a tall person)

Dolores **es alegre**.
Dolores is cheerful. (that is, a cheerful person)

Juan Carlos **es** un hombre **guapo**.
Juan Carlos is a handsome man.

¡Ay, qué **alta estás**, Adriana!
How tall you're getting, Adriana!

El jefe **está alegre** hoy. ¿Qué le pasa?
The boss is cheerful today. What's up with him?

¡Manuel, **estás** tan **guapo**!
Manuel, you look so handsome!

- Some adjectives have two different meanings depending on whether they are used with **ser** or **estar**.

ser + [*adjective*]	**estar + [*adjective*]**
La clase de contabilidad **es aburrida**. *The accounting class is **boring**.*	**Estoy aburrida** con la clase. *I am **bored** with the class.*
Ese chico **es listo**. *That boy is **smart**.*	**Estoy listo** para todo. *I'm **ready** for anything.*
No **soy rico**, pero vivo bien. *I'm not **rich**, but I live well.*	¡El pan **está** tan **rico**! *The bread is **delicious**!*
La actriz **es mala**. *The actress is **bad**.*	La actriz **está mala**. *The actress is **ill**.*
El coche **es seguro**. *The car is **safe**.*	Juan no **está seguro** de la noticia. *Juan isn't **sure** of the news.*
Los aguacates **son verdes**. *Avocados are **green**.*	Esta banana **está verde**. *This banana is **not ripe**.*
Javier **es** muy **vivo**. *Javier is very **sharp**.*	¿Todavía **está vivo** el autor? *Is the author still **living**?*
Pedro **es** un hombre **libre**. *Pedro is a **free** man.*	Esta noche no **estoy** libre. ¡Lo siento! *Tonight I am not **available**. Sorry!*

TALLER DE CONSULTA

Remember that adjectives must agree in gender and number with the person(s) or thing(s) that they modify. See the **Manual de gramática, 1.4**, p. A7, and **1.5**, p. A9.

¡ATENCIÓN!

Estar, not **ser**, is used with **muerto/a**.

Bécquer, el autor de las *Rimas*, está muerto.
Bécquer, the author of Rimas, *is dead.*

Práctica

TALLER DE CONSULTA

MANUAL DE GRAMÁTICA
Más práctica
1.2 **Ser** and **estar**, p. A5

1 **La boda de Emilio y Jimena** Completa cada oración de la primera columna con la terminación más lógica de la segunda columna.

1. La boda es ____
2. La iglesia está ____
3. El cielo está ____
4. La madre de Emilio está ____
5. El padre de Jimena está ____
6. Todos los invitados están ____
7. El mariachi que toca en la boda es ____
8. En mi opinión, las bodas son ____

a. de San Antonio, Texas.
b. deprimido por los gastos.
c. en la calle Zarzamora.
d. esperando a que entren la novia (*bride*) y su padre.
e. contenta con la novia.
f. a las tres de la tarde.
g. muy divertidas.
h. totalmente despejado.

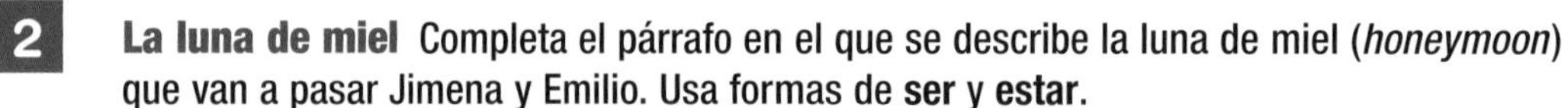

2 **La luna de miel** Completa el párrafo en el que se describe la luna de miel (*honeymoon*) que van a pasar Jimena y Emilio. Usa formas de **ser** y **estar**.

Emilio y Jimena van a pasar su luna de miel en Miami, Florida. Miami (1) ______ una ciudad preciosa. (2) ______ en la costa este de Florida y tiene playas muy bonitas. El clima (3) ______ tropical. Jimena y Emilio (4) ______ interesados en visitar la Pequeña Habana. Jimena (5) ______ fanática de la música cubana. Y Emilio (6) ______ muy entusiasmado por conocer el parque Máximo Gómez, donde las personas van a jugar dominó. Los dos (7) ______ aficionados a la comida caribeña. Quieren ir a todos los restaurantes que (8) ______ en la Calle Ocho. Cada día van a probar un plato diferente. Algunos de los platos que piensan probar (9) ______ el congrí, los tostones y el bistec de palomilla. Después de pasar una semana en Miami, la pareja va a (10) ______ cansada pero muy contenta.

Comunicación

3 **Entrevistas**

A. En parejas, usen la lista como guía para entrevistarse. Usen **ser** o **estar** en las preguntas y respuestas.

origen	estudios actuales
nacionalidad	sentimientos actuales
personalidad	lugar donde vive/trabaja
personalidad de los padres	actividades actuales
salud	

B. Cambien de pareja y cuéntenle a su compañero/a lo que descubrieron (*found out*) sobre el/la compañero/a entrevistado/a.

4 **¿Dónde estamos?** En grupos de cuatro, elijan una ciudad en la que supuestamente están de viaje. Sus compañeros deberán adivinar de qué ciudad se trata. Pueden elegir una de las ciudades de las fotos u otra ciudad.

Buenos Aires, Argentina

Quito, Ecuador

Madrid, España

Lima, Perú

San José, Costa Rica

México, D.F., México

1. Hagan cinco afirmaciones sobre la ciudad elegida usando **ser** o **estar** para dar pistas (*clues*) a sus compañeros.
2. Si las pistas no son suficientes, sus compañeros pueden hacer preguntas con **ser** o **estar** cuya respuesta sea **sí** o **no**.
3. Algunos temas para las afirmaciones o para las preguntas pueden ser: características generales de la ciudad, ubicación, comidas típicas, actividades que se pueden hacer, historia, arquitectura, etc.

PUEDO entrevistar a un(a) compañero/a para preguntarle su estado, su origen y lo que hace.

Objetivo comunicativo: Hablar sobre lo que hacen las personas en momentos específicos

1.3 Progressive forms

The present progressive

- The present progressive (**el presente progresivo**) narrates an action in progress. It is formed with the present tense of **estar** and the present participle (**el gerundio**) of the main verb.

Manu **está cantando.**
Manu is singing.

¡Nos **están espiando**!
Someone is spying on us!

Lupita **está abriendo** la puerta.
Lupita is opening the door.

¡Ahí viene!
¡Está entrando!

¡ATENCIÓN!

When progressive forms are used with reflexive verbs or object pronouns, the pronouns may either be attached to the present participle (in which case an accent mark is added to maintain the proper stress) or placed before the conjugated verb. See **2.1 Object pronouns,** pp. 70–71 and **2.3 Reflexive verbs,** pp. 78–79 for more information.

Se están enamorando.
Están enamorándose.
They are falling in love.

Te estoy hablando.
Estoy hablándote.
I am talking to you.

• • • •

Note that the present participle of **ser** is **siendo**.

- The present participle of regular **–ar**, **–er**, and **–ir** verbs is formed as follows:

INFINITIVE		STEM		ENDING		PRESENT PARTICIPLE
bailar	▶	**bail–**	+	**–ando**	▶	**bailando**
comer	▶	**com–**	+	**–iendo**	▶	**comiendo**
aplaudir	▶	**aplaud–**	+	**–iendo**	▶	**aplaudiendo**

- Stem-changing verbs that end in **–ir** also change their stem vowel when they form the present participle.

***-ir* stem-changing verbs**

Infinitive	Present Participle
decir	diciendo
dormir	durmiendo
mentir	mintiendo
morir	muriendo
pedir	pidiendo
sentir	sintiendo
sugerir	sugiriendo

- **Ir**, **poder**, **reír**, and **sonreír** have irregular present participles (**yendo**, **pudiendo**, **riendo**, **sonriendo**). **Ir** and **poder** are seldom used in the present progressive.

Marisa está **sonriendo** todo el tiempo.
Marisa is smiling all the time.

Maribel no está **yendo** a clase últimamente.
Maribel isn't going to class lately.

- When the stem of an **–er** or **–ir** verb ends in a vowel, the **–i–** of the present participle ending changes to **–y–**.

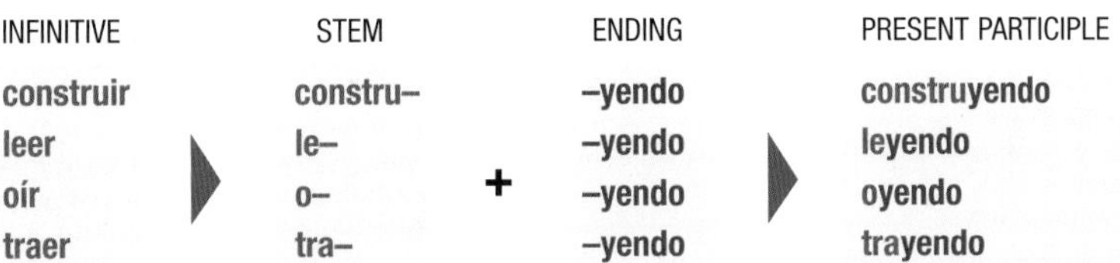

INFINITIVE	STEM		ENDING	PRESENT PARTICIPLE
construir	**constru–**	+	**–yendo**	**construyendo**
leer	**le–**	+	**–yendo**	**leyendo**
oír	**o–**	+	**–yendo**	**oyendo**
traer	**tra–**	+	**–yendo**	**trayendo**

- Progressive forms are used less frequently in Spanish than in English, and only when emphasizing that an action is *in progress* at the moment described. To refer to actions that occur over a period of time or in the near future, Spanish uses the present tense instead.

PRESENT TENSE	PRESENT PROGRESSIVE
Lourdes **estudia** economía en la UNAM. *Lourdes is studying economics at UNAM.*	Ahora mismo, Lourdes **está tomando** un examen. *Right now, Lourdes is taking an exam.*
¿**Vienes** con nosotros al Café Pamplona? *Are you coming with us to Café Pamplona?*	No, no puedo. Ya **estoy cocinando**. *No, I can't go. I'm already cooking.*

Other verbs with the present participle

- Spanish expresses various shades of progressive action by using verbs such as **seguir, continuar, ir, venir, llevar,** and **andar** with the present participle.
- **Seguir** and **continuar** with the present participle express the idea of *to keep doing something*.

Emilio **sigue hablando**.
Emilio keeps on talking.

Mercedes **continúa quejándose**.
Mercedes keeps complaining.

- **Ir** with the present participle indicates a gradual or repeated process. It often conveys the English idea of *more and more*.

Cada día que pasa **voy disfrutando** más de esta clase.
I'm enjoying this class more and more every day.

Ana y Juan **van acostumbrándose** al horario de clase.
Ana and Juan are getting more and more used to the class schedule.

- **Venir** and **llevar** with the present participle indicates a gradual action that accumulates or increases over time.

Hace años que **viene diciendo** cuánto le gusta el béisbol.
He's been saying how much he likes baseball for years.

Llevo insistiendo en lo mismo desde el principio.
I have been insisting on the same thing from the beginning.

- **Andar** with the present participle conveys the idea of *going around doing something* or of *always doing something*.

José siempre **anda quejándose** de eso.
José is always complaining about that.

Román **anda diciendo** mentiras.
Román is going around telling lies.

¡ATENCIÓN!

Other tenses may have progressive forms as well. These tenses emphasize that an action was/will be in progress.

PAST (pp. 112–123)
Estaba marcando su número justo cuando él me llamó.
I was dialing his number right when he called me.

FUTURE (pp. 240–243)
No vengas a las cuatro, todavía estaremos trabajando.
Don't come at four o'clock; we will still be working.

Práctica

TALLER DE CONSULTA

MANUAL DE GRAMÁTICA
Más práctica

1.3 Progressive forms, p. A6

1 **Una conversación telefónica** Daniel es nuevo en la ciudad y no sabe cómo llegar al estadio de fútbol. Decide llamar a su exnovia Alicia para que le explique cómo encontrarlo. Completa la conversación con la forma correcta del gerundio (*present participle*).

ALICIA ¿Aló?

DANIEL Hola Alicia, soy Daniel; estoy buscando el estadio de fútbol y necesito que me ayudes... Llevo (1) ____________ (caminar) más de media hora por el centro y sigo perdido.

ALICIA ¿Dónde estás?

DANIEL No estoy muy seguro, no encuentro el nombre de la calle. Pero estoy (2) ____________ (ver) un centro comercial a mi izquierda y más allá parece que están (3) ____________ (construir) un estadio de fútbol. (4) ____________ (hablar) de fútbol, ¿dónde tengo mis boletos? ¡He perdido mis entradas!

ALICIA Madre mía, ¡sigues (5) ____________ (ser) un desastre! Algún día te va a pasar algo serio.

DANIEL ¡Siempre andas (6) ____________ (pensar) lo peor!

ALICIA ¡Y tú siempre estás (7) ____________ (olvidarse) de todo!

DANIEL ¡Ya estamos (8) ____________ (discutir) otra vez!

2 **Organizar un festival** En parejas, pregunten y respondan qué está haciendo cada uno de estos personajes. Túrnense.

MODELO **Elga Navarro / descansar**

—¿Qué está haciendo Elga Navarro?
—Elga Navarro está descansando en una clínica.

3. Elga Navarro / descansar

1. Juliana Paredes / bailar

2. Emilio Soto / casarse

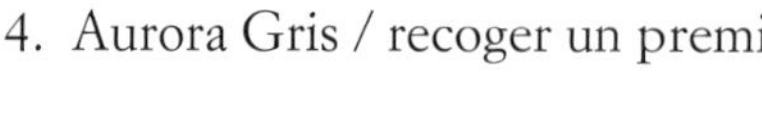

4. Aurora Gris / recoger un premio

5. Héctor Rojas / jugar a las cartas

Comunicación

3 **Una cita** En parejas, representen una conversación en la que Alexa y Guille intentan buscar una hora del día para reunirse.

ALEXA ¿Nos vemos a las diez de la mañana para estudiar?
GUILLE No puedo, voy a estar durmiendo. ¿Qué te parece a las 12?

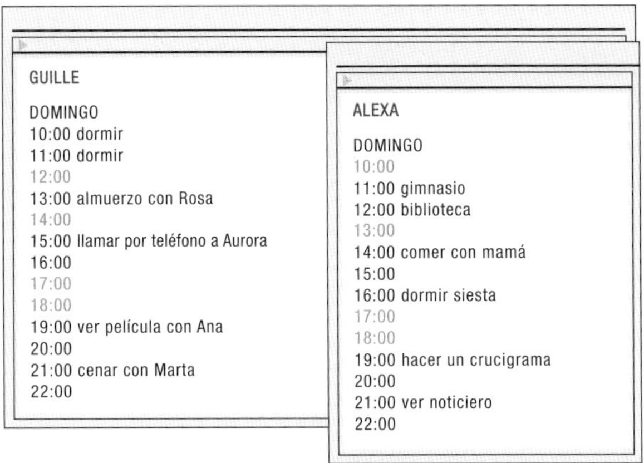

GUILLE

DOMINGO
10:00 dormir
11:00 dormir
12:00
13:00 almuerzo con Rosa
14:00
15:00 llamar por teléfono a Aurora
16:00
17:00
18:00
19:00 ver película con Ana
20:00
21:00 cenar con Marta
22:00

ALEXA

DOMINGO
10:00
11:00 gimnasio
12:00 biblioteca
13:00
14:00 comer con mamá
15:00
16:00 dormir siesta
17:00
18:00
19:00 hacer un crucigrama
20:00
21:00 ver noticiero
22:00

4 **Síntesis** Tu psicólogo utiliza la hipnosis para hacerte recordar los momentos más importantes de tu pasado. En parejas, dramaticen la conversación entre el doctor Felipe y su paciente, utilizando verbos en el presente y el presente progresivo. Elijan una situación de la lista o inventen otro tema. Sean creativos.

MODELO

DR. FELIPE Estás volviendo al momento de conocer a tu primer amor. ¿Qué están haciendo?
PACIENTE Estoy caminando por la calle… una mujer preciosa me está saludando…
DR. FELIPE Muy bien, muy bien. ¿Y qué estás pensando? ¿Cómo te sientes?
PACIENTE Estoy pensando que esto es el amor a primera vista. Me siento… ¡Ay, no! Me estoy cayendo en medio de la calle, ¡enfrente de ella!

tu primer amor	**el nacimiento de un(a) hermano/a**
un viaje importante	**el mejor/peor momento de tu vida**

PUEDO hablar sobre lo que hacen las personas en momentos específicos.

Objetivo comunicativo: Analizar los sentimientos y reacciones de los personajes de un corto

Antes de ver el corto

CAFÉ PARA LLEVAR

país España
duración 13 minutos
directora Patricia Font
protagonistas Alicia, Javi, Alma

Vocabulario

de vez en cuando *every once in a while*
echar de menos *to miss someone*
¡Enhorabuena! *Congratulations!*
la época *season*
la imprenta *printer*
liado/a (inf.) *busy*
¡Quién lo iba a decir! *Who would have thought!*
un rato *a while*
se me da bien… *I am good at…*
Te lo mereces. *You deserve it.*
tener prisa *to be in a hurry*
el/la trotamundos *globetrotter*

1 Diálogo Ana acaba de llegar a casa de Eva. Completa el diálogo con palabras y expresiones del vocabulario.

EVA ¿Dónde estabas? Llevo (1) ____________ llamándote.
ANA Perdona, estoy (2) ____________ buscando vestidos de novia.
EVA ¿Vas a casarte? (3) ____________ ¿Y te vas a Texas con Andrés?
ANA Sí, a Texas. (4) ____________, con lo poco que me gusta el calor.
ANA ¡Ay, qué lejos, te voy a (5) ____________!
EVA ¡Me alegro por ti, Ana! Y además (6) ____________, Andrés es genial.
ANA Sí, y le encanta viajar. Él es todo un (7) ____________. Por cierto, necesito ropa adecuada para el calor.
EVA ¿Te ayudo a buscar? A mí (8) ____________ vestir a los demás.
ANA Bueno, tengo que ir a la (9) ____________ a encargar las invitaciones.
EVA Ah, pues debes (10) ____________, la imprenta cierra a las ocho.

2 Sentimientos En parejas, observen los fotogramas y comenten los sentimientos que expresan los rostros de estos dos personajes.

MODELO **Columna 1:**
ELLA: Parece graciosa y contenta.
ÉL: Parece estar feliz.

1	2	3

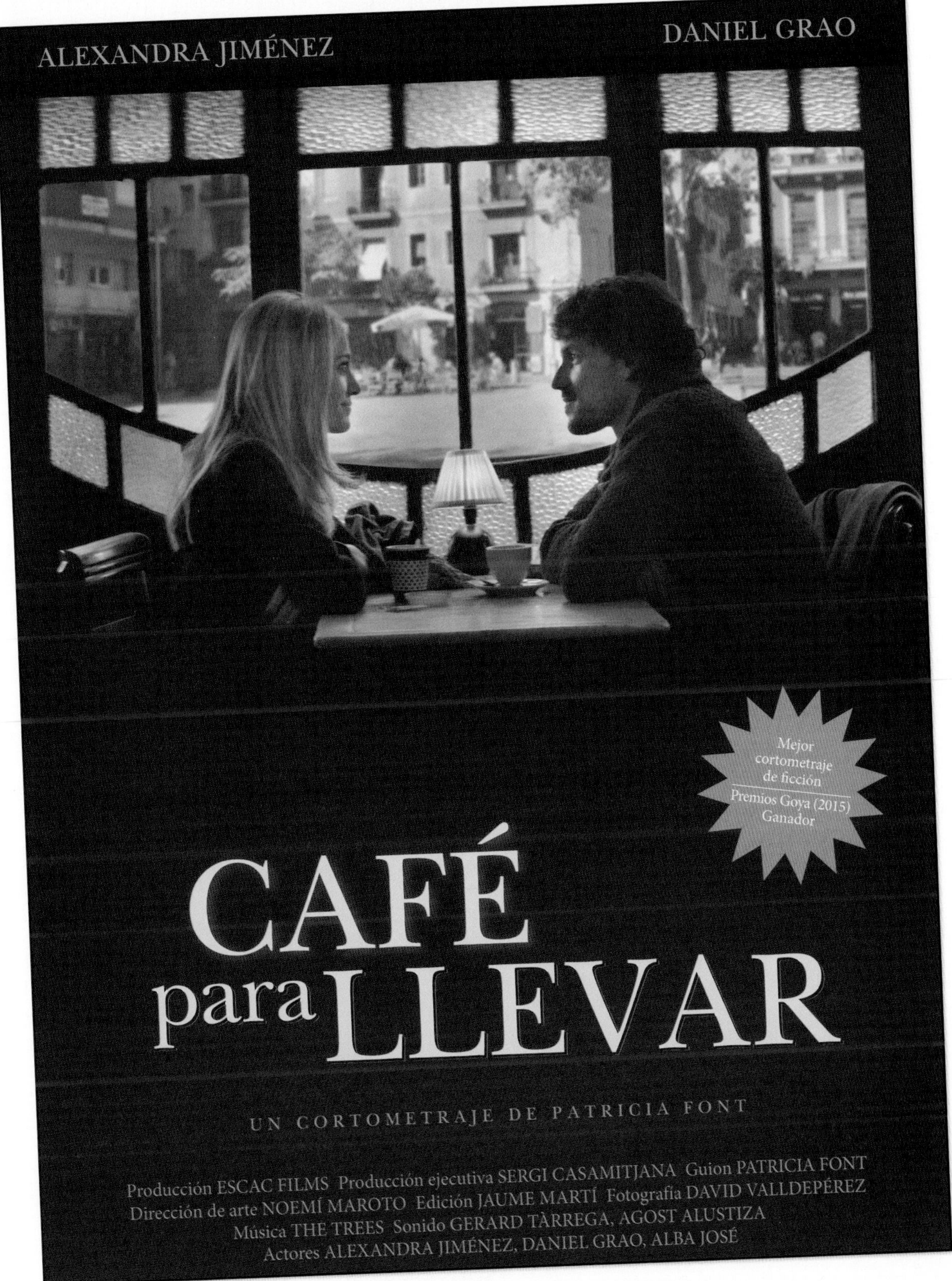
ALEXANDRA JIMÉNEZ
DANIEL GRAO
Mejor cortometraje de ficción
Premios Goya (2015) Ganador
CAFÉ para LLEVAR
UN CORTOMETRAJE DE PATRICIA FONT
Producción ESCAC FILMS Producción ejecutiva SERGI CASAMITJANA Guion PATRICIA FONT
Dirección de arte NOEMÍ MAROTO Edición JAUME MARTÍ Fotografía DAVID VALLDEPÉREZ
Música THE TREES Sonido GERARD TÀRREGA, AGOST ALUSTIZA
Actores ALEXANDRA JIMÉNEZ, DANIEL GRAO, ALBA JOSÉ

Escenas

ARGUMENTO Alicia y Javi se encuentran dos años después de haber terminado su relación. Los dos han conocido otras personas en este tiempo. ¿Renacerá el amor entre ambos?

JAVI Sí, ya me han dicho que te casas. Enhorabuena.
ALICIA Gracias. Me voy corriendo que tengo mucha prisa.

JAVI ¿Por qué no te tomas ese café conmigo?
ALICIA Bueno.

JAVI Bueno, estuve un año dando vueltas por el mundo y cuando volví a mi casa no tenía nada. Necesitaba trabajar.
ALICIA ¡Pues quién lo iba a decir!
JAVI Eso no es todo. He dejado de fumar.

ALICIA ¿Y de dónde es?
JAVI De Buenos Aires.
ALICIA ¿Pero se ha venido a vivir aquí, por ti?
JAVI Sí.

(*Alma saluda desde la ventana.*)
ALMA Hola.

JAVI Alicia...
(*Javi y Alicia se abrazan.*)

Después de ver el corto

1 Comprensión Contesta cada pregunta con una oración completa.

1. ¿Por qué se conocen Javi y Alicia?
2. ¿Qué tiene tan ocupada a Alicia?
3. ¿En qué trabaja Javi?
4. ¿Qué ha pasado en la vida laboral de Alicia?
5. ¿Quién es Marcos?
6. ¿Qué hizo Javi después de separarse de Alicia?
7. ¿De dónde es la novia de Javi?
8. Javi le dice a Alicia que tiene algo que contarle, ¿qué es?

2 ¿Qué piensas? En parejas, respondan las preguntas.

1. ¿Cómo crees que se sintió Javi cuando se vieron Alma y Alicia?
2. ¿Qué pensó Alma al ver a Alicia y a Javi juntos?
3. ¿Qué les deseó Alicia a Javi y a Alma? ¿Por qué

3 Reproches En parejas, comenten sobre el rompimiento de Alicia y Javi. Respondan las preguntas.

1. ¿Quién creen que tuvo la culpa de que rompieran Alicia y Javi? ¿Por qué?
2. ¿Cuál de los dos personajes crees que tomó las mejores decisiones en su vida? ¿Por qué?
3. ¿Quién crees que se reprochó más la pérdida del otro? ¿Alicia o Javi? ¿Por qué?
4. ¿Crees que Alicia hace lo correcto casándose con Marcos? ¿Por qué?

4 Puntos de vista En parejas, lean estas dos reseñas ficticias de la película. Elijan una y defiéndanla.

A

"En *Café para llevar*, Javi representa al típico hombre inmaduro que toma las decisiones equivocadas en su juventud y luego mira atrás con melancolía. Alicia, sin embargo, es madura y trabajadora. La película es real como la vida misma". Juana de Mier, *El faro de Cartagena*

B

"*Café para llevar* es otro ejemplo de cómo las mujeres tratan de controlar la vida de los hombres. Primero, Alicia intenta que Javi abandone sus sueños; luego, tiene que trabajar con su padre para mantener a su nueva familia. ¡Pobre Javi!" – Miño Meilán, *La voz de Santiago*

PUEDO analizar los sentimientos y reacciones de los personajes de un corto.

Objetivo comunicativo: Hablar sobre las características del cuadro *Los enamorados*

"La única fuerza y la única verdad que hay en esta vida es el amor."

José Martí

Los enamorados, 1923
Pablo Picasso, España

Interpretar En parejas, contesten estas preguntas.

1. ¿Qué ven en el cuadro?
2. Según los detalles de la pintura, ¿dónde les parece que están los personajes?
3. ¿Cuál es la relación entre los personajes del cuadro y qué sucede en el momento que retrata el pintor?
4. ¿Qué estado de ánimo imaginan en la pareja de este cuadro?
5. En su opinión, ¿qué emociones provoca el artista en los observadores del cuadro?

PUEDO conversar con un(a) compañero/a sobre un cuadro de un artista español reconocido.

Antes de leer

Poema 20

Sobre el autor

Ya de muy joven, el chileno Ricardo Eliécer Neftalí Reyes Basoalto —el nombre que sus padres le dieron a **Pablo Neruda** (1904–1973) al nacer— mostraba inclinación por la poesía. En 1924, a sus veinte años, publicó el libro que lo hizo famoso: *Veinte poemas de amor y una canción desesperada.* Además de poeta, fue diplomático y político.

El amor fue sólo uno de los temas de su extensa obra: también escribió poesía surrealista y poesía de temática histórica y política. Su *Canto general* lleva a los lectores en un viaje por la historia de América Latina, desde los tiempos precolombinos hasta el siglo XX. En 1971, recibió el Premio Nobel de Literatura.

Vocabulario

el alma *soul*	**el corazón** *heart*
amar *to love*	**la mirada** *gaze*
besar *to kiss*	**el olvido** *oblivion*
contentarse con *to be satisfied with*	**querer (e:ie)** *to love; to want*

Poema Completa este poema con las opciones correctas.

Quiero (1) ________ (besarte/amarte) porque te (2) ________ (quiero/olvido),
pero tú te alejas y desde lejos me miras.

Mi (3) ________ (corazón/olvido) no (4) ________ (quiere/se contenta)
con una (5) ________ (alma/mirada) triste.

Entonces me voy y sólo espero el (6) ________ (corazón/olvido).

Conexión personal Responde estas preguntas: ¿Has estado enamorado/a alguna vez? ¿Te gusta leer poesía? ¿Has escrito alguna vez una carta o un poema de amor?

Análisis literario: la personificación

La personificación es una figura retórica (*figure of speech*) que consiste en atribuir cualidades humanas a seres inanimados (*inanimate objects*), ya sean animales, cosas o conceptos abstractos. Observa estos ejemplos de personificación: *me despertó el llanto* (crying) *del violín; tu silencio habla de dolores pasados*. En *Poema 20*, Pablo Neruda utiliza este recurso en varias ocasiones. Mientras lees el poema, prepara una lista de las personificaciones. ¿Qué cualidad humana atribuye el poeta al objeto?

Audio: Dramatic reading

POEMA 20

Pablo Neruda

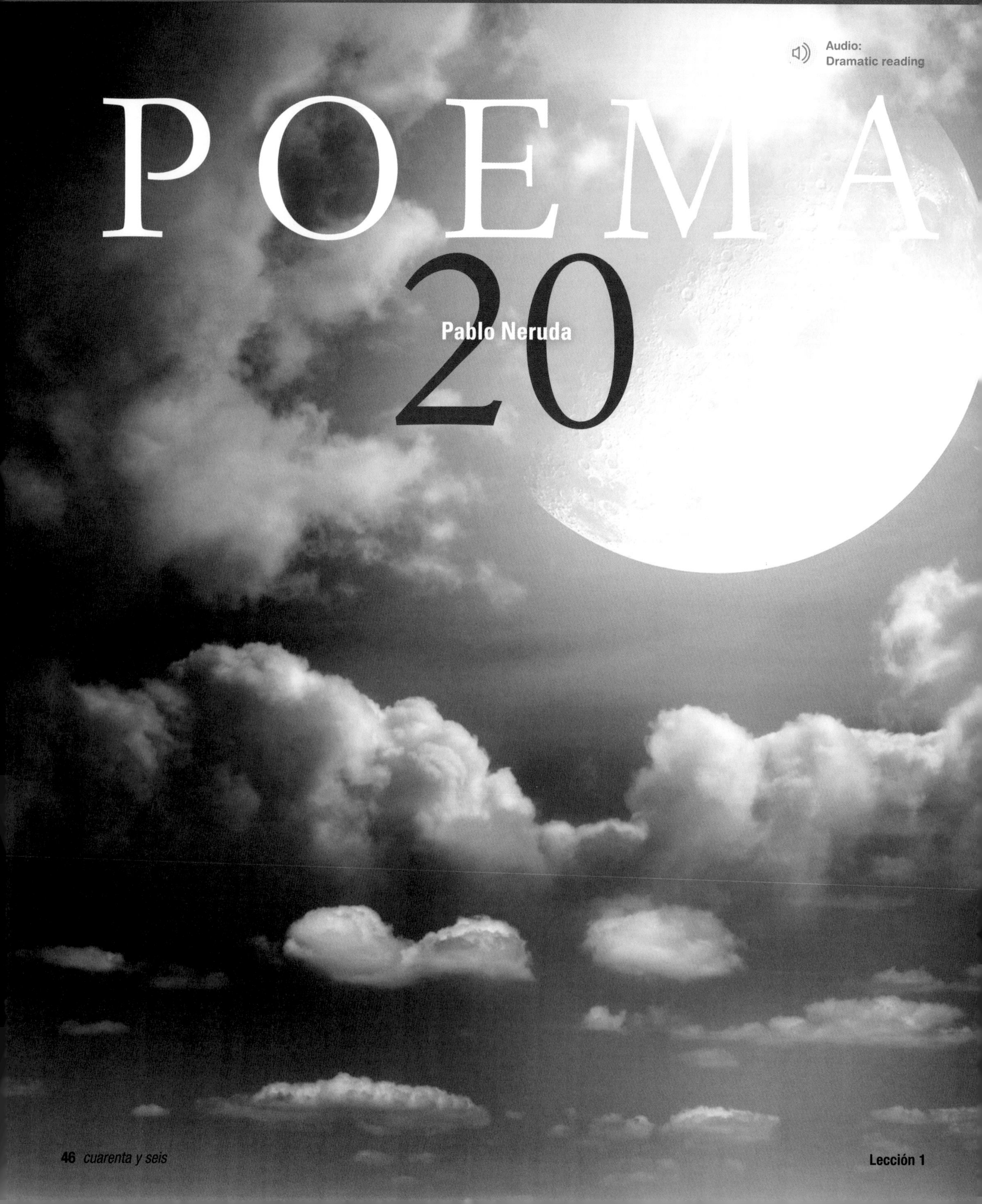

Puedo escribir los versos más tristes esta noche.
Escribir, por ejemplo: "La noche está estrellada°, *starry*
y tiritan°, azules, los astros°, a lo lejos°". *blink; tremble* *stars/in the distance*
El viento de la noche gira° en el cielo y canta. *turns*

Puedo escribir los versos más tristes esta noche.
Yo la quise, y a veces ella también me quiso.

En las noches como ésta la tuve entre mis brazos.
La besé tantas veces bajo el cielo infinito.

Ella me quiso, a veces yo también la quería.
Cómo no haber amado sus grandes ojos fijos°. *fixed*

Puedo escribir los versos más tristes esta noche.
Pensar que no la tengo. Sentir que la he perdido.

Oír la noche inmensa, más inmensa sin ella.
Y el verso cae al alma como al pasto el rocío°. *like the dew on the grass*

Qué importa que mi amor no pudiera guardarla°. *keep; protect*
La noche está estrellada y ella no está conmigo.

Eso es todo. A lo lejos alguien canta. A lo lejos.
Mi alma no se contenta con haberla perdido.

Como para acercarla° mi mirada la busca. *to bring closer*
Mi corazón la busca, y ella no está conmigo.

La misma noche que hace blanquear° los mismos árboles. *to whiten*
Nosotros, los de entonces, ya no somos los mismos.

Ya no la quiero, es cierto, pero cuánto la quise.
Mi voz° buscaba el viento para tocar su oído. *voice*

De otro. Será de otro. Como antes de mis besos.
Su voz, su cuerpo claro. Sus ojos infinitos.

Ya no la quiero, es cierto, pero tal vez la quiero.
Es tan corto el amor, y es tan largo el olvido.

Porque en noches como ésta la tuve entre mis brazos,
mi alma no se contenta con haberla perdido.

Aunque éste sea el último dolor que ella me causa,
y éstos sean los últimos versos que yo le escribo. ■

Después de leer

Poema 20

Pablo Neruda

1 **Comprensión** Contesta las preguntas con oraciones completas.

1. ¿Quién habla en este poema?
2. ¿De quién habla el poeta?
3. ¿Cuál es el tema del poema?
4. ¿Qué momento del día es?
5. ¿Sigue enamorado el poeta? Da un ejemplo del poema.

2 **Analizar** Lee el poema otra vez para contestar las preguntas con oraciones completas.

1. ¿Qué personificaciones hay en el poema y qué efecto transmiten? Explica tu respuesta.
2. ¿Tienen importancia las repeticiones en el poema? Explica por qué.
3. La voz poética habla sobre su amada, pero no le habla directamente a ella. ¿A quién crees que le habla la voz poética en este caso?
4. ¿Qué sentimientos provoca el poema en los lectores?

3 **Interpretar** Contesta las preguntas con oraciones completas.

1. ¿Cómo se siente el poeta? Da algún ejemplo del poema.
2. ¿Es importante que sea de noche? Razona tu respuesta.
3. Explica con tus propias palabras este verso: "Es tan corto el amor, y es tan largo el olvido".
4. Explica el significado de estos versos y su importancia en el poema. ¿Por qué el poeta escribe una oración "entre comillas"?

Puedo escribir los versos más tristes esta noche. Escribir, por ejemplo:
"La noche está estrellada, y tiritan, azules, los astros, a lo lejos".

4 **Metaficción** En grupos de tres, lean esta definición y busquen ejemplos de metaficción en el poema de Neruda. ¿Qué efecto tiene este recurso en el poema?

> **"La metaficción consiste en reflexionar dentro de una obra de ficción sobre la misma obra."**

5 **Imaginar** En parejas, imaginen la historia de amor entre el poeta y su amada. Preparen una conversación en la que se despiden para siempre. Inspírense en algunos de los versos del poema.

PUEDO analizar la personificación y la metaficción en un poema de Pablo Neruda.

Antes de leer

Vocabulario

el cargo *position*	**rechazar** *to reject*
la cima *height*	**sabio/a** *wise*
convertirse (e:ie) en *to become*	**el sueño** *dream*
en contra *against*	**superar** *to overcome*
propio/a *own*	**tomar en cuenta** *to take into consideration*

Señora presidenta Completa este párrafo con palabras del vocabulario.

El (1) ________ más importante de cualquier país es la presidencia, un (2) ________ para muchos políticos. Este desafío es más difícil para las mujeres, que tienen (3) ________ muchos prejuicios. La argentina Isabel Perón luchó para (4) ________ esos prejuicios. En 1974 llegó a (5) ________ en la primera presidenta de Latinoamérica. Desde entonces, otras nueve latinoamericanas han llegado a la (6) ________ de la política.

Conexión personal Responde estas preguntas: ¿Con qué soñabas cuando eras pequeño/a? ¿Qué querías ser de grande? ¿Tienes todavía las mismas metas que tenías de niño/a o has cambiado? ¿Crees que vas a alcanzar tus metas?

Contexto cultural

Esta frase pronunciada por Sonia Sotomayor en 2001 causó revuelo (*commotion*) y despertó posiciones en contra y a favor: "Quiero pensar que una sabia mujer latina, con su riqueza de experiencias, puede tomar mejores decisiones que un sabio hombre blanco que no ha vivido esa vida." Sotomayor después se excusó diciendo que se había expresado mal. Aunque estas palabras generaron incertidumbre en relación con su nominación a la Corte Suprema, paralelamente, la frase fue utilizada en grupos de Facebook, en camisetas y en carteles como una reafirmación de la identidad femenina latina. ¿Qué opinas tú? ¿Influyen nuestras experiencias, nuestro sexo y nuestro origen en las decisiones que tomamos? Si así lo crees, ¿piensas que este hecho es positivo o negativo? ¿Crees que es posible dejar de lado los sentimientos y el pasado para tomar en cuenta solamente la ley? ¿O crees que la subjetividad puede tener lugar en la justicia?

Audio: Reading

Sonia Sotomayor:

la niña que soñaba

Sonia Sotomayor era una niña que soñaba. Y, según cuenta, lo que soñaba era convertirse en detective, igual que su heroína favorita, Nancy Drew. Sin embargo, a los ocho años, tras un diagnóstico de diabetes, sus médicos le recomendaron que pensara en una carrera menos agitada. Entonces, sin recortar sus aspiraciones ni resignarse a menos, encontró un nuevo modelo en otro héroe de ficción: Perry Mason, el abogado encarnado° en televisión por Raymond Burr. "Iba a ir a la universidad e iba a convertirme en abogada: y supe esto cuando tenía diez años. Y no es una broma" declaró ella en 1998.

encarnado°: played by

Robin Kar, secretario de Sonia Sotomayor entre 1988 y 1989, afirma que la jueza no sólo tiene una historia asombrosa°, sino que además es una persona asombrosa. Y cuenta que, en la corte, ella no solamente conocía a sus pares°, como los otros jueces y políticos, sino que también se preocupaba por conocer a todos los porteros, a los empleados de la cafetería y a los conserjes°, y todos la apreciaban mucho.

amazing · *peers* · *janitors*

En su discurso de aceptación de la nominación a la Corte Suprema, Sonia Sotomayor explicó su propia visión de sí misma: "Soy una persona nada extraordinaria que ha tenido la dicha de tener oportunidades y experiencias extraordinarias." Pero ni siquiera sus sueños más descabellados° podían prepararla para lo que ocurrió en mayo de 2009, cuando Barack Obama la nominó como candidata a la Corte Suprema de Justicia de Estados Unidos. En su discurso, el presidente destacó el "viaje extraordinario" de la jueza, desde sus modestos comienzos hasta la cima del sistema judicial. Para él, los sueños son importantes y Sonia Sotomayor es la encarnación del sueño americano.

wildest

Nació en el Bronx, en Nueva York, el 25 de junio de 1954, y creció en un barrio de viviendas subsidiadas°. Sus padres, puertorriqueños, habían llegado a Estados Unidos durante la Segunda Guerra Mundial. Su padre, que había estudiado sólo hasta tercer grado y no hablaba inglés, murió cuando Sonia tenía nueve años, y su madre, Celina, tuvo que trabajar seis días a la semana como enfermera para criarlos° a ella y a su hermano menor. Como la señora Sotomayor consideraba que una buena educación era fundamental, les compró a sus hijos la Enciclopedia Británica y los envió a una escuela católica para que recibieran la mejor instrucción posible. Seguramente los resultados superaron también sus expectativas: Sonia estudió en las universidades de Princeton y Yale, y su hermano Juan estudió en la Universidad de Nueva York, y es médico y profesor en la Universidad de Siracusa.

housing project · *raise them*

Sonia Sotomayor trabajó durante cinco años como asistente del fiscal de Manhattan, Robert Morgenthau (quien inspiró el personaje del fiscal del distrito Adam Schiff en la serie de televisión *Law and Order*). Luego se dedicó al derecho corporativo y más tarde fue jueza de primera instancia de la Corte Federal de Distrito antes de ser nombrada jueza de Distrito de la Corte Federal de Apelaciones. En 2009 se convirtió en la primera hispana —y la tercera mujer en toda la historia— en llegar a la Corte Suprema de Justicia de Estados Unidos, donde suelen tratarse cuestiones tan controvertidas como el aborto, la pena de muerte, el derecho a la posesión de armas, etc.

Cuando el presidente Obama nominó a la jueza Sotomayor para su nuevo cargo, Celina Sotomayor escuchaba desde la primera fila° con los ojos llenos de lágrimas. En su discurso de aceptación, Sonia la señaló como "la inspiración de toda mi vida". Tal vez, en el fondo, lo que soñaba realmente la niña del Bronx era ser, como su madre, una "sabia mujer latina". ■

front row

Cómo Sotomayor salvó al béisbol

En 1994, de manera unilateral, los propietarios de los equipos de las Grandes Ligas de béisbol implantaron un tope (*limit*) salarial; esto fue rechazado por los jugadores y su sindicato, que declararon una huelga (*strike*). El caso llegó a Sonia Sotomayor, en ese entonces la jueza más joven del Distrito Sur de Nueva York, en 1995. Ella escuchó los argumentos de las dos partes y anunció su dictamen (*ruling*) a favor de los jugadores. Logró acabar así con la huelga que llevaba ya 232 días y, además, ganarse el título de "salvadora del béisbol".

Después de leer

Sonia Sotomayor: la niña que soñaba

1 

Comprensión Indica si las siguientes oraciones son **ciertas** o **falsas**. Luego, en parejas, corrijan las falsas.

1. Sonia Sotomayor se considera una persona extraordinaria.
2. Ella conocía a todos los empleados de la corte, desde los jueces hasta los conserjes.
3. De pequeña, Sonia quería ser detective como Nancy Drew.
4. Sus padres eran neoyorquinos.
5. Celina Sotomayor trabajaba como vendedora de enciclopedias.
6. Sonia fue la inspiración de un personaje de la serie de televisión *Law and Order*.

2 

Interpretación En parejas, contesten las preguntas con oraciones completas y justifiquen sus respuestas.

1. ¿Les parece que la historia de Sonia Sotomayor es extraordinaria? ¿Por qué?
2. ¿En qué sentido piensan que su madre es "la inspiración de su vida"?
3. ¿Creen que su carrera es una prueba de que el sueño americano existe?
4. ¿Piensas que ella, como mujer y como hispana, y con la historia de su vida, puede asegurar un mejor debate en la Corte Suprema? ¿Por qué?
5. ¿Les parece que la experiencia de vida es más importante, menos importante o igualmente importante para las personas que los estudios que tengan? ¿Por qué?

3 **Retrato**

A. Algunos candidatos presidenciales en los Estados Unidos han señalado a sus madres como una inspiración fundamental de sus vidas. En parejas, lean y comenten las citas.

> "Sé que (mi madre) fue el espíritu más bondadoso y generoso que jamás he conocido y que lo mejor de mí se lo debo a ella." Barack Obama, *Los sueños de mi padre*

> "Roberta McCain nos inculcó su amor a la vida, su profundo interés en el mundo, su fortaleza y su creencia de que todos tenemos que usar nuestras oportunidades para ser útiles a nuestro país. No estaría esta noche aquí si no fuera por la fortaleza de su carácter." John McCain, Discurso de aceptación en la Convención Republicana

B. Escriban cuatro oraciones sobre cómo imaginan a Celina Sotomayor, la madre de Sonia Sotomayor. ¿Qué dirían de ella sus hijos? Luego, compartan sus oraciones con la clase.

Celina es una mujer trabajadora. Ella no está de acuerdo con perder el tiempo y quiere que sus hijos estudien y mejoren. Es paciente, pero está llena de energía...

4 **Modelos de vida** Escribe una entrada de blog sobre una persona sabia a la que admiras. Describe su personalidad y su historia, y explica por qué es importante para ti.

PUEDO narrar experiencias de Sonia Sotomayor y hablar de su nombramiento en la Corte Suprema de Justicia de los Estados Unidos.

Objetivo comunicativo: Utilizar técnicas orales como "preguntas rápidas" o "lluvia de ideas" para recoger información sobre personas o cosas

Atando cabos

¡A conversar!

1 **Preguntas rápidas** Usa la técnica de las "preguntas rápidas" para conocer a tus compañeros de clase, hacer nuevos amigos y buscar compañeros para proyectos. Comparte los resultados con la clase.

Cómo hacer las "preguntas rápidas"

- Reúnete con un(a) compañero/a durante cinco minutos. Hablen sobre quiénes son, cómo son, qué buscan, etc.
- Toma notas acerca del encuentro.
- Repite la actividad con otros compañeros.

	Nombre	Nombre
¿De dónde eres?		
¿Cómo eres?		
¿Qué cualidades buscas en un(a) amigo/a?		
¿Qué tipo de proyectos te gusta hacer?		

2 **Personajes**

A. En grupos de cuatro, conversen sobre las características de los personajes de la lista. Pueden asociar varias características a un mismo personaje.

Albert Einstein
Alex Rodríguez
Alfonso Cuarón
Barak Obama
Greta Thunberg
Juanes
LeBron James
Lionel Messi
Mark Zuckerberg
Salma Hayek

B. Respondan: ¿cuál es el personaje que conocen mejor? ¿Por qué? ¿Cuál es el más desconocido?

3 **Emociones** En parejas, miren las ilustraciones y lleguen a un acuerdo sobre los sentimientos que reflejan. Pueden basarse en las preguntas: **¿cómo saben que la persona está ______? ¿Es fácil identificar el sentimiento que se ilustra? ¿Creen que el sentimiento se parece a otro(s)? ¿A cuál(es)? ¿Se siente bien estar/ser ______?**

MODELO  La persona está triste. Se ve que está triste porque no sonríe y llora...

4 **Una relación sobre ruedas** En grupos de tres, hagan una lluvia de ideas sobre situaciones que permitan saber si las relaciones de la lista funcionan bien. Tomen nota para presentar sus conclusiones ante la clase y discutir las respuestas de sus compañeros, si no están de acuerdo.

a. papá-mamá b. papá/mamá-hijo/hija c. hermano/a-hermano/a d. novio-novia

MODELO Una relación novio-novia funciona bien cuando la pareja pasa mucho tiempo junta.

Atando cabos

¡A escribir!

5 **Consejero/a sentimental** Lee el correo electrónico que envió Alonso a la sección de consejos sentimentales de una revista y usa las frases del recuadro para responder a la carta de Alonso.

Expresar tu opinión

Estas frases pueden ayudarte a expresar tu opinión:

- En mi opinión,...
- Creo que...
- Me parece que...

De: alonso17@tucorreo.com
A: consejos_sentimentales@larevista.com
Tema: Necesito un consejo

Me llamo Alonso. Tengo 17 años y soy de Colombia. Vine a Boston con mi familia porque mi padre consiguió un nuevo trabajo. Conocí a Sean en la clase de español. Ahora somos muy buenos amigos. Nos llevamos bien y lo pasamos muy bien en las clases. Nos gusta comparar las diferencias culturales entre los latinoamericanos y los estadounidenses.

Los problemas comenzaron cuando Sean y yo empezamos a salir con un grupo de sus amigos después de las clases. Todos sus amigos son estadounidenses. Pienso que a nadie le interesa charlar conmigo, y a mí tampoco me interesa hablar con ellos de béisbol y esas cosas. Cuando voy a la casa de Sean para comer y llevo comida colombiana para compartir, su familia me mira con desconfianza. Cuando trato de hablar con ellos en inglés, cometo errores y siento vergüenza. A veces pienso que no debo tratar de hacer amistades con estudiantes estadounidenses como Sean, pero nos llevamos muy bien en el colegio. Sólo tenemos problemas fuera de la escuela. ¿Qué puedo hacer para sentirme menos nervioso con otras personas estadounidenses fuera de la escuela?

PUEDO usar las técnicas de "preguntas rápidas" o de "lluvia de ideas" para obtener información de personas o cosas.

VOCABULARIO

La personalidad

autoritario/a	*strict*
cariñoso/a	*affectionate*
celoso/a	*jealous*
cuidadoso/a	*careful*
falso/a	*insincere*
gracioso/a	*funny*
inseguro/a	*insecure*
(in)maduro/a	*(im)mature*
mentiroso/a	*lying*
orgulloso/a	*proud*
permisivo/a	*permissive*
seguro/a	*sure; confident*
sensato/a	*sensible*
sensible	*sensitive*
tacaño/a	*stingy*
tímido/a	*shy*
tradicional	*traditional*

Los estados emocionales

agobiado/a	*overwhelmed*
ansioso/a	*anxious*
deprimido/a	*depressed*
disgustado/a	*upset*
emocionado/a	*excited*
preocupado/a (por)	*worried (about)*
solo/a	*alone; lonely*
tranquilo/a	*calm*

Los sentimientos

adorar	*to adore*
apreciar	*to think highly of*
enamorarse (de)	*to fall in love (with)*
estar harto/a (de)	*to be sick (of)*
odiar	*to hate*
sentirse (e:ie)	*to feel*
soñar (o:ue) (con)	*to dream (about)*
tener celos (de)	*to be jealous (of)*
tener vergüenza (de)	*to be embarrassed (about)*

Las relaciones personales

el/la amado/a	*loved one*
el ánimo	*spirit*
el cariño	*affection*
la cita (a ciegas)	*(blind) date*
el compromiso	*commitment*
la confianza	*trust; confidence*
el desánimo	*the state of being discouraged*
el divorcio	*divorce*
la pareja	*couple; partner*
el sentimiento	*feeling*
atraer	*to attract*
coquetear	*to flirt*
cuidar	*to take care of*
dejar a alguien	*to leave someone*
discutir	*to argue*
educar	*to raise; to bring up*
hacerle caso a alguien	*to pay attention to someone*
impresionar	*to impress*
llevar… años de (casados)	*to be (married) for… years*
llevarse bien/mal/fatal	*to get along well/badly/terribly*
mantenerse en contacto	*to keep in touch*
pasarlo bien/mal/fatal	*to have a good/bad/terrible time*
proponer matrimonio	*to propose (marriage)*
romper (con)	*to break up (with)*
salir (con)	*to go out (with)*
soportar a alguien	*to put up with someone*
casado/a	*married*
divorciado/a	*divorced*
separado/a	*separated*
soltero/a	*single*
viudo/a	*widowed*

Más vocabulario

Expresiones útiles	*Ver p. 21*
Estructura	*Ver pp. 28–29, 32–33 y 36–37*

En pantalla

la época	*season*
la imprenta	*printer*
un rato	*a while*
el/la trotamundos	*globetrotter*
echar de menos	*to miss someone*
tener prisa	*to be in a hurry*
liado/a (inf.)	*busy*
de vez en cuando	*every once in a while*
¡Enhorabuena!	*Congratulations!*
¡Quién lo iba a decir!	*Who would have thought!*
se me da bien…	*I am good at…*
Te lo mereces.	*You deserve it.*

Literatura

el alma	*soul*
el corazón	*heart*
la mirada	*gaze*
el olvido	*oblivion*
amar	*to love*
besar	*to kiss*
contentarse con	*to be satisfied with*
querer (e:ie)	*to love; to want*

Cultura

el cargo	*position*
la cima	*height*
el sueño	*dream*
convertirse (e:ie) en	*to become*
rechazar	*to reject*
superar	*to overcome*
tomar en cuenta	*to take into consideration*
propio/a	*own*
sabio/a	*wise*
en contra	*against*

A primera vista

- ¿Qué hacen las personas de la foto?
- ¿Es verano o invierno?
- ¿Cuáles son tus pasatiempos favoritos?
- ¿Te gustan más las actividades en espacios abiertos o cerrados? ¿Por qué?

Essential Questions

1. ¿Qué hacen las personas en su tiempo libre en diferentes culturas?
2. ¿Cómo se expresa el humor en las diferentes culturas?
3. ¿En qué sentido las actividades de ocio son un reflejo de las creencias y costumbres de una cultura?

2 Las diversiones

Can Do Goals

By the end of this lesson I will be able to:

- Plan leisure time activities
- Talk about places to hang out and exercise
- Say who does something and when
- Discuss likes and dislikes
- Talk about daily routines and personal care

Also, I will learn about:

Culture
- The Mexican film industry
- The evolution of Mexican actor Gael García Bernal's career
- Bullfighting in the Spanish-speaking world

Skills
- Reading: Identifying the use of verb forms
- Speaking: Planning a presentation
- Writing: Writing an informal e-mail

Lesson 2 Integrated Performance Assessment

Context: You have been asked to write a short text for a web site aimed at helping exchange students from Spanish-speaking countries get acquainted with your city. You prepare your text and present it to the website's administrator.

Jugadores de dominó en Cuba

Práctica:
El dominó es un juego muy popular en los países del Caribe.

¿Cuál es el juego más popular en tu comunidad?

Objetivo comunicativo: Planear actividades de entretenimiento en diferentes lugares de recreo

Las diversiones

La música y el teatro

Mis amigos y yo tenemos un **grupo musical**. Yo soy el cantante. Ayer fue nuestro segundo **concierto**. Esperamos grabar pronto nuestro primer **álbum**.

el álbum *album*
el asiento *seat*
el/la cantante *singer*
el concierto *concert*
el conjunto/grupo musical *musical group; band*
el escenario *scenery; stage*
el espectáculo *show*
el estreno *premiere*
la función *performance (theater; movie)*
el/la músico/a *musician*
la obra de teatro *play*
la taquilla *box office*

---

aplaudir *to applaud*
conseguir (e:i) boletos/entradas *to get tickets*
hacer cola *to wait in line*
poner música *to play music*

Los lugares de recreo

el cine *movie theater*
el circo *circus*
la discoteca *night club*
la feria *fair*
el festival *festival*
el parque de atracciones *amusement park*
el zoológico *zoo*

Los deportes

el/la árbitro/a *referee*
el campeón/la campeona *champion*
el campeonato *championship*
el club deportivo *sports club*
el/la deportista *athlete*
el empate *tie (game)*
el/la entrenador(a) *coach; trainer*
el equipo *team*
el/la espectador(a) *spectator*
el torneo *tournament*

---

anotar/marcar (un gol/un punto) *to score (a goal/a point)*

desafiar *to challenge*
empatar *to tie (games)*
ganar/perder (e:ie) un partido *to win/lose a game*
vencer *to defeat*

Las diversiones

Ricardo y sus amigos **se reúnen** todos los sábados. Les **gustan el billar** y **el boliche**, y son verdaderos **aficionados** a **las cartas**.

el ajedrez *chess*
el billar *billiards*
el boliche *bowling*
las cartas/los naipes *(playing) cards*
los dardos *darts*
el juego de mesa *board game*
el pasatiempo *pastime*
la televisión *television*
el tiempo libre/los ratos libres *free time*
el videojuego *video game*

aburrirse *to get bored*
alquilar una película *to rent a movie*
brindar *to make a toast*
celebrar/festejar *to celebrate*
dar un paseo *to take a stroll/walk*
disfrutar (de) *to enjoy*
divertirse (e:ie) *to have fun*

entretener(se) (e:ie) *to amuse (oneself)*
gustar *to like*
reunirse (con) *to get together (with)*
salir (a comer) *to go out (to eat)*

aficionado/a (a) *enthusiastic about; a fan (of)*
animado/a *lively*
divertido/a *fun*
entretenido/a *entertaining*

Práctica

1 Escuchar

A. Mauricio y Joaquín están haciendo planes para el fin de semana. Quieren ir al cine pero no logran ponerse de acuerdo. Escucha la conversación y contesta las preguntas con oraciones completas.

1. ¿Cuándo planean ir al cine Mauricio y Joaquín?
2. ¿Qué película quiere ver Joaquín?
3. ¿Por qué Mauricio no quiere verla?
4. ¿Qué alternativa sugiere Mauricio?
5. ¿Qué le pasa a Joaquín cuando mira documentales?

B. Ahora, escucha el anuncio radial de *Los invasores de la galaxia* y decide si las oraciones son **ciertas** o **falsas**. Corrige las falsas.

1. Este fin de semana estrenan una película de ciencia ficción.
2. *Los invasores de la galaxia* ya se estrenó en otros lugares.
3. La película tuvo poco éxito en Europa.
4. Si compras cuatro boletos, te regalan la banda sonora (*soundtrack*).
5. Si te vistes de extraterrestre, te regalan un boleto para una fiesta exclusiva.
6. El estreno de la película es a las nueve de la mañana.

C. En parejas, imaginen que, después de escuchar el anuncio radial, Joaquín trata de convencer a Mauricio para ir a ver *Los invasores de la galaxia.* Inventen la conversación entre Mauricio y Joaquín y compártanla con la clase.

2 Relaciones Escoge la palabra que no está relacionada.

1. película (estrenar / dirigir / empatar)
2. obra de teatro (boleto / campeonato / taquilla)
3. concierto (vencer / aplaudir / hacer cola)
4. juego de mesa (ajedrez / naipes / videojuego)
5. celebrar (divertirse / aburrirse / disfrutar)
6. partido (deportista / árbitro / circo)

Práctica

3 **¿Dónde están?** Indica dónde están estas personas.

___ 1. Llegamos muy temprano, pero hay una cola enorme. El hombre que vende los boletos parace estar de muy mal humor.

___ 2. Hoy es el cumpleaños de mi hermana menor. En lugar de celebrarlo en casa, quiere pasar el día acá, con los tigres y los elefantes.

___ 3. Una red (*net*), una pelota amarilla y dos deportistas. ¿Quién será la campeona?

___ 4. Hay máquinas que suben, bajan, dan vueltas hacia la derecha y hacia la izquierda. La más espectacular dibuja un laberinto de líneas en el aire.

___ 5. ¿Cómo puede ser que cuatro personas hagan tanto ruido en un campo de fútbol lleno de gente? Mi amiga se está divirtiendo mucho, pero ¡yo no entiendo nada de lo que cantan!

___ 6. ¡Qué nervios! ¿Qué pasa si se abre el telón y me olvido de lo que tengo que decir?

a. un torneo de tenis
b. un parque de atracciones
c. un cine
d. un escenario
e. una taquilla
f. una discoteca
g. un zoológico
h. un concierto de rock

4 **Goles y fiestas** Completa la conversación.

aburrirte	**celebrar**	**equipo**
animadas	**disfruten**	**espectadores**
árbitro	**divertidos**	**ganar**
campeonato	**empate**	**televisión**

PEDRO Mario, ¿todavía estás mirando (1)__________? ¿No ves que vamos a llegar tarde?

MARIO Lo siento, pero no puedo ir a la fiesta de tu amiga. Pasan un partido de fútbol.

PEDRO Pero las fiestas de mi amiga son más (2)__________ y más entretenidas que cualquier partido de fútbol. Todos los partidos son iguales… Veintidós tontos corriendo detrás de una pelota, los (3)__________ gritando (*shouting*) como locos y el (4)__________ pitando (*whistling*) sin parar.

MARIO Hoy no me puedes convencer. Es la final del (5)__________ y estoy seguro de que mi (6)__________ favorito va a (7)__________.

PEDRO ¿Y no vas a (8)__________, aquí solito, mientras todos tus amigos bailan?

MARIO ¡Jamás! ¡Todos vienen a ver el partido conmigo! Y después vamos a (9)__________ la victoria.

PEDRO Que (10)__________ del partido. Ya me voy… Espera, mi amiga me está llamando al celular… ¿Qué me dices, Rosa? ¿Que la fiesta es aquí en mi casa? ¿Que tú también quieres ver el partido? ¡Ay, que yo me rindo (*give up*)!

Comunicación

5 **Diversiones**

A. Sin consultar con tu compañero/a, prepara una lista de cinco actividades que crees que le gustan a él/ella. Escoge actividades del recuadro y añade otras.

bailar en una discoteca	**jugar al boliche**
escuchar música clásica	**jugar videojuegos**
ir a la feria	**mirar televisión**
ir al estreno de una película	**practicar deportes en un club**
jugar al ajedrez	**salir a cenar con amigos**

B. Ahora, habla con tu compañero/a para confirmar tus predicciones. Sigue el modelo.

MODELO —Creo que te gusta jugar al ajedrez.
—Es verdad, juego siempre que puedo. / —Te equivocas, me aburre. ¿Y a ti?

6 **Lo mejor** En grupos de cuatro, imaginen que son editores/as de un periódico local y quieren publicar la lista anual de *Lo mejor de la ciudad.*

A. Primero, escojan las categorías que quieren premiar (*to award*).

Lo mejor de la ciudad

Mejor cine ____________________

Mejor discoteca ____________________

Mejor espectáculo sobre hielo ____________________

Mejor equipo deportivo ____________________

Mejor parque para pasear ____________________

Mejor festival de arte ____________________

Mejor restaurante para celebrar un cumpleaños ____________________

Mejor grupo musical en vivo (*live*) ____________________

Mejor ... ____________________

B. Luego, preparen una encuesta (*survey*) y entrevisten a sus compañeros/as de clase. Anoten las respuestas.

C. Ahora, compartan los resultados con la clase y decidan qué lugares y eventos recibirán el premio *Lo mejor.*

7 **Un fin de semana extraordinario** Dos amigos con personalidades muy diferentes tienen que pasar un fin de semana en una ciudad que nunca han visitado. Hacen muchas sugerencias interesantes, pero no se ponen de acuerdo en nada. En parejas, improvisen una conversación utilizando las palabras del vocabulario.

MODELO —¿Vamos al parque de atracciones? Es muy divertido.
—No, me mareo (*get dizzy*) en la montaña rusa (*roller coaster*)...

PUEDO planear y describir actividades en diferentes lugares de entretenimiento.

Objetivo comunicativo: Hablar de diferentes espacios para recrearse o hacer ejercicio

Hasta ahora, en el video...

La familia Solís y sus amigos celebran el cumpleaños de Marcela cuando un dron cae accidentalmente en el pastel de cumpleaños. Ricardo llama a la puerta para recuperar su dron y descubre que Marcela está muy disgustada. En este episodio verás cómo sigue la historia.

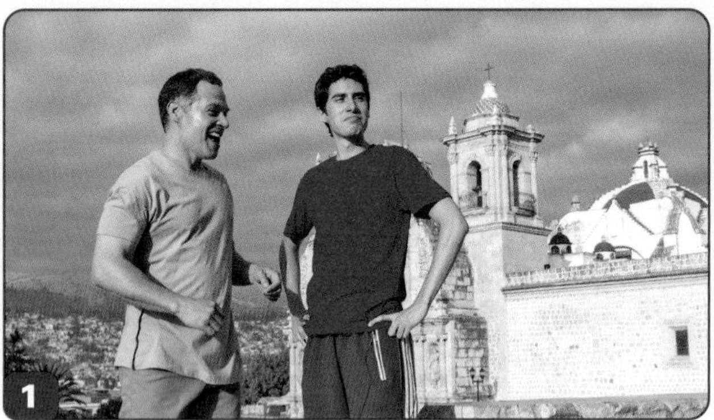

LORENZO ¿Hacemos una carrera a la plaza?

MANU ¿Me quieres desafiar? ¡Cómo te atreves!

LORENZO ¿No quieres hacerlo? ¿Te preocupa perder?

MANU ¡No! Cuando te gane, será culpa tuya, no mía.

LORENZO Tranquilo. Va a ser divertido.

MANU Bueno. ¡Pero no hagas trampa, eh!

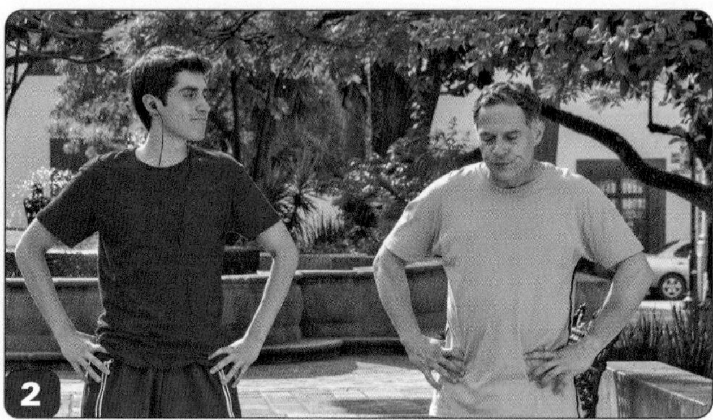

LORENZO Arrancamos a la cuenta de tres. Uno, dos...
Lorenzo hace trampa y sale a correr primero.

LORENZO ...¡tres!

MANU ¡Sí! ¡Le gané! ¡Ay, al fin llegaste! ¡Es inútil que hagas trampa! ¡Igual no me ganas! Eso te pasa por comerte todo el pastel del cumpleaños. ¿Eh?

LORENZO (*sin aliento*) Sí, claro.

MANU ¡Vamos, anímate! Te hace falta energía. Te invito a un tejate.

PATRICIA ¡Bueno, abúrrete! Oye, te vas a sorprender cuando sepas quiénes están en la plaza.

MARCELA ¿Quiénes?

PATRICIA Tu papá y tu hermano. Se están tomando un tejate.

MARCELA Estaban haciendo ejercicios. Luego mi papá se va a andar quejando de que le duele todo.

Lorenzo y Manu compran tejates a la vendedora.

MANU La cuenta es tuya.

LORENZO ¿No invitabas tú?

MANU ¡Sí, pero tú los pagas! ¡Yo gané la carrera!

LORENZO *¿Cuánto le debo, señora?*

VENDEDORA $30 y $20, por favor.
A lo lejos se oye un chirrido de frenos (squeal of breaks).

¡TE RETO A UNA CARRERA!

Personajes

MANU | LORENZO | MARCELA | PATRICIA | VENDEDORA | RICARDO

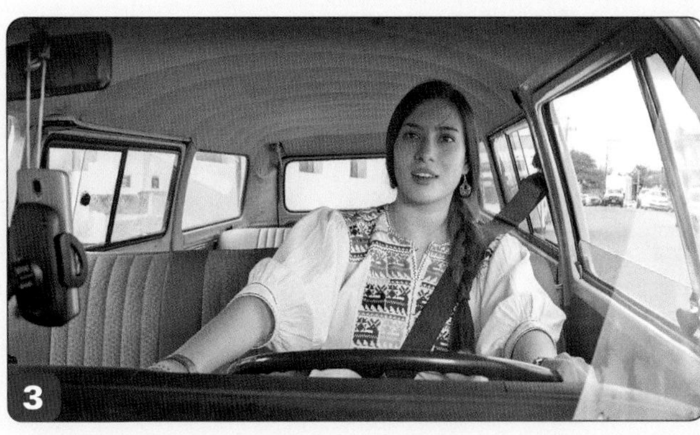

3

Suena el teléfono de Marcela.

MARCELA ¿Qué tal, Pati?

PATRICIA Aquí no más en la plaza, escuchando al mariachi del Chente.

MARCELA ¡Ah, mira! Yo estoy cerca.

PATRICIA ¡Pues ven! ¡Si a ti te encanta!

MARCELA Es que no puedo. Tengo que ir a estudiar para mi clase de historia.

6

Marcela, paralizada, mira al frente con cara de terror.

PATRICIA ¿Marce? ¿Marce? ¿Estás ahí? ¿Marcela?

Expresiones útiles

Expressing emotions

¿Me quieres desafiar?
Do you want to challenge me?

¿No quieres hacerlo?
Don't you want to do it?

¡Si a ti te encanta!
You'll love it!

¿Te preocupa perder?
Are you worried about losing?

Te vas a sorprender cuando sepas…
You'll be surprised when you find out…

Talking about ownership

Cuando te gane, será culpa tuya, no mía.
When I beat you it'll be your fault, not mine.

La cuenta es tuya.
You are buying. (Lit. The check is yours.)

Luego mi papá se va a andar quejando de…
Then my dad will be complaining about…

mi canción favorita
my favorite song

Tu papá y tu hermano.
Your dad and your brother.

Encouraging other people

Pues ven.
So come on.

Vamos, anímate.
Come on. Cheer up.

Additional vocabulary

arrancar *to go, to start (a race)*
atreverse *to dare*
la carrera *race*
deber *to owe*
doler (o:ue) *to hurt*
hacer trampa *to cheat*
retar *to challenge*
el truco *trick*

Comprensión

1 **¿Manu o Lorenzo?** Decide si cada una de estas acciones las realiza Manu o Lorenzo.

Manu	Lorenzo	
☐	☐	1. Propone hacer una carrera a la plaza.
☐	☐	2. Cambia de canción antes de correr.
☐	☐	3. Hace trampa.
☐	☐	4. Gana la carrera.
☐	☐	5. Se queja de que le duele todo.
☐	☐	6. Paga los tejates.

2 **¿Quién lo dijo?** Indica qué personaje dijo cada oración.

MARCELA MANU LORENZO PATRICIA

1. ¿Me quieres desafiar? ¿Cómo te atreves?
2. ¿No quieres hacerlo? ¿Te preocupa perder?
3. Déjame cambiarla a mi canción favorita.
4. ¡Pues ven! ¡Si a ti te encanta!
5. Luego mi papá se va a andar quejando de que le duele todo.
6. ¡Sí, pero tú los pagas!

3 **Oraciones**

A. Crea oraciones con los elementos dados sobre lo que pasa en la fotonovela.

MODELO **A Patricia le gustan los mariachis.**

Lorenzo	aburrir	correr
Manu	disgustar	dolor
Manu y Lorenzo	encantar	energía
	gustar	estudiar
Marcela	hacer falta	mariachi
Patricia	quejarse de	pagar

B. Ahora, en parejas, túrnense para hacerse preguntas sobre los personajes de este episodio.

MODELO **ESTUDIANTE 1** ¿Qué les gusta hacer a Lorenzo y a Manu?
ESTUDIANTE 2 A Lorenzo y a Manu les gusta correr.
¿Y qué le encanta a Marcela?

Ampliación

Desenlace Al final de este episodio, Marcela ve a Ricardo tirado (*lying*) en la calle con los ojos cerrados. En parejas, imaginen lo que va a pasar y escriban un argumento para el siguiente episodio.

5 

Opiniones En grupos de tres, compartan sus opiniones acerca de cada afirmación. Den ejemplos.

1. En algunas ocasiones, está justificado hacer trampa.
2. La persona que tiene la idea de ir a algún lugar es la persona que paga.
3. Convencer a una persona para que salga a divertirse en vez de estudiar no es ser un(a) buen(a) amigo/a.

6 

Apuntes culturales En parejas, lean los párrafos y contesten las preguntas.

Teatro Macedonio Alcalá

Centro histórico de Oaxaca

Manu y Lorenzo hacen ejercicio en el Centro histórico de Oaxaca. Declarado Patrimonio de la Humanidad por la UNESCO en 1987, el Centro conserva el aspecto de ciudad colonial y se caracteriza por tener monumentos bajos y sólidos, adaptados para esta zona sísmica. Dos de sus edificios destacados son el Convento de Santo Domingo de Guzmán y el Teatro Macedonio Alcalá.

Plaza de la Constitución

Manu y Lorenzo hacen una carrera a la plaza de Oaxaca. Las plazas son lugares de reunión tradicionales en la cultura hispanohablante. La plaza más importante de México, y una de las más grandes del mundo, es la Plaza de la Constitución. Esta plaza, también conocida como "El Zócalo" y ubicada en la Ciudad de México, está rodeada por la Catedral Metropolitana, el Palacio Nacional y otros edificios gubernamentales. Fue el centro de Tenochtitlán antes de la llegada de los conquistadores y se mantuvo como centro político y religioso siglos después.

Tejate

Manu le dice a su padre que le hace falta energía después de perder la carrera y lo invita a un tejate. Al final, es Lorenzo quien paga estas bebidas tradicionales de Oaxaca. El tejate, también conocido como "la bebida de los dioses", es una bebida prehispánica que todavía venden las tejateras en los mercados. El tejate se sirve frío y sus ingredientes principales son maíz, cacao y semillas (*seeds*) de mamey.

1. ¿Prefieres hacer ejercicio en un gimnasio o al aire libre? ¿Por qué?
2. ¿Hay plazas cerca de donde vives? ¿Cómo es tu plaza preferida? ¿Te sueles encontrar allí con amigos?
3. ¿Conoces algún lugar semejante a la Plaza de la Constitución o la plaza en Oaxaca, donde se encuentran los personajes de la fotonovela? Descríbelo.
4. Después de hacer ejercicio, ¿te gusta tomar algo? ¿Qué tomas?

PUEDO hablar de diferentes espacios para recrearse o hacer ejercicio.

Objetivo comunicativo: Hablar del estado actual del cine mexicano y de algunos artistas hispanohablantes reconocidos

En detalle

MÉXICO

El nuevo CINE MEXICANO

México vivió la época dorada de su cine en la década de 1940. Pasada esa etapa°, la industria cinematográfica mexicana perdió fuerza. Tardó casi medio siglo en volver a brillar, pero hace una década volvió al panorama internacional con gran vigor°. Este resurgir°, en parte, se debe al apoyo del gobierno mexicano y, sobre todo, al talento de una nueva generación de creadores que ha logrado triunfar en las pantallas de todo el mundo.

En 1992, *Como agua para chocolate* de Alfonso Arau batió° récords de taquilla. Esta película, que puso en imágenes el realismo mágico que tanto éxito tenía en la literatura, despertó el interés por el cine mexicano. Las películas empezaron a disfrutar de una mayor distribución y muchos directores y actores se convirtieron en estrellas internacionales.

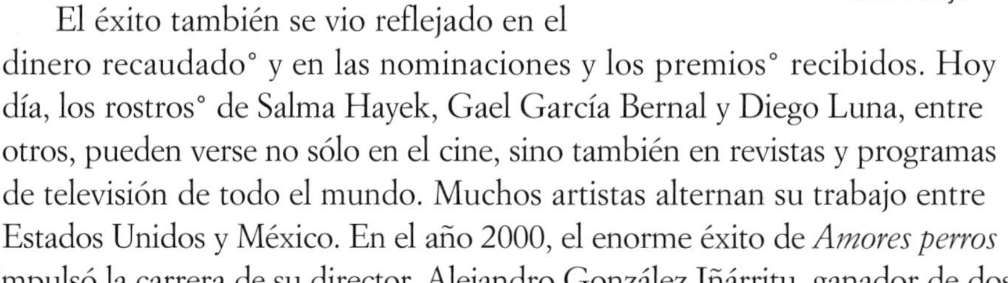

Salma Hayek

Alfonso Cuarón

El éxito también se vio reflejado en el dinero recaudado° y en las nominaciones y los premios° recibidos. Hoy día, los rostros° de Salma Hayek, Gael García Bernal y Diego Luna, entre otros, pueden verse no sólo en el cine, sino también en revistas y programas de televisión de todo el mundo. Muchos artistas alternan su trabajo entre Estados Unidos y México. En el año 2000, el enorme éxito de *Amores perros* impulsó la carrera de su director, Alejandro González Iñárritu, ganador de dos premios Óscar consecutivos en 2014 y 2015. Otros directores que trabajan en los dos países son Guillermo del Toro (*El laberinto del fauno, Pacific Rim, Crimson Peak, The Shape of Water, The Hobbit,* etc.) y Alfonso Cuarón (ganador del Óscar al mejor director por *Roma* en el 2019). Después del éxito alcanzado° con *Y tu mamá también,* Cuarón dirigió la tercera película de *Harry Potter.* En 2013, Alfonso Cuarón se convirtió en el primer director mexicano en ganar un premio Óscar con la aventura espacial *Gravity.* ■

Algunas películas premiadas

Año	Película	Premio
1992	**Como agua para chocolate**	Premio Ariel
1996	**El callejón de los milagros**	Premio Goya
2000	**La ley de Herodes**	Sundance – Premio al Cine Latinoamericano
2000	**Amores perros**	Chicago – Hugo de Oro a la Mejor Película
2001	**Y tu mamá también**	Venecia – Mejor Guión
2007	**El laberinto del fauno**	Tres premios Oscar
2019	**Roma**	Tres premios Óscar

etapa *era* **vigor** *energy* **resurgir** *revival* **batió** *broke* **recaudado** *collected* **premios** *awards* **rostros** *faces* **alcanzado** *reached*

ASÍ LO DECIMOS

Las diversiones

chido/a (Méx.)
copado/a (Arg.)
mola (Esp.)
guay (Esp.)
bacanal (Nic.)
cool

salir de parranda
rumbear (Col. y Ven.)
farandulear (Col.)
to go out and have fun

la rola (Nic. y Méx.)
el tema
song

el temazo *hit (song)*

EL MUNDO HISPANOHABLANTE

Los premios de cine

Cada año, distintos países hispanoamericanos premian las mejores películas nacionales y extranjeras.

En **México**, el premio **Ariel** es la máxima distinción otorgada° a los mejores trabajos cinematográficos mexicanos. La estatuilla° representa el triunfo del espíritu y el deseo de ascensión.

Penélope Cruz recibe el premio Goya

En **España**, el premio más prestigioso es el **Goya**. La Academia de Artes y Ciencias Cinematográficas de España entrega estos premios a producciones nacionales en un festival en Madrid. La estatuilla recibe ese nombre por el pintor Francisco de Goya.

En **Argentina**, el Festival de Cine Internacional de Mar del Plata premia películas nacionales e internacionales. El galardón° se llama **Astor** en homenaje al compositor de tango Astor Piazzolla, quien nació en la ciudad de Mar del Plata.

En **Cuba**, el Festival Internacional de La Habana entrega los premios **Coral**. Aunque predomina el cine latinoamericano, el festival también convoca a producciones de todas partes del mundo.

PERFIL

GAEL GARCÍA BERNAL

Gael García Bernal es una de las figuras más representativas del cine mexicano contemporáneo. Empieza a actuar en el teatro con tan sólo cinco años, de la mano de sus padres, también actores. Pasa pronto a trabajar en telenovelas°. Siendo adolescente, Gael entra en el mundo del cine. Su intuición y su talento lo llevan a renunciar a la fama fácil y, a los diecisiete años, se va a Londres para estudiar arte dramático. Tres años después, regresa a México lleno de confianza y no se asusta° a la hora de representar ningún papel, por controvertido o difícil que sea. A partir de ese momento, participa en algunas de las películas más emblemáticas del cine en español de los últimos años: *Amores perros*, *Y tu mamá también* y *Diarios de motocicleta*. Ha ganado importantes premios: en 2016, el Globo de Oro como mejor actor de serie de TV (comedia o musical) por su interpretación en *Mozart in the Jungle*; en 2001, el premio Ariel al mejor actor por su actuación en *Amores perros*. Ese mismo año, obtiene el Marcello Mastroianni del Festival Internacional de Cine de Venecia por *Y tu mamá también*. Actualmente, Gael trabaja también del otro lado de las cámaras como director y productor, y participa activamente en la promoción del cine mexicano.

“Es muy importante que el cine latino se mantenga muy específico, pero que al mismo tiempo sus temas sean universales.” (Alfonso Cuarón)

telenovelas *soap operas* **no se asusta** *doesn't get scared* **otorgada** *given* **estatuilla** *statuette* **galardón** *award*

¿Qué aprendiste?

1 **¿Cierto o falso?** Indica si estas afirmaciones son **ciertas** o **falsas**. Corrige las falsas.

1. La época dorada del cine mexicano fue en los años cincuenta.
2. El gobierno mexicano ha apoyado los nuevos proyectos de cine.
3. El director de *Como agua para chocolate* es Diego Luna.
4. El éxito de *Como agua para chocolate* despertó el interés por el cine mexicano.
5. Los artistas mexicanos van a Estados Unidos y no vuelven a trabajar en su país.
6. La película *Amores perros* es del año 2002.
7. Alejandro González Iñárritu no ha ganado ningún premio Óscar.
8. Guillermo del Toro actuó en *El laberinto del fauno.*

2 **Completar** Completa las oraciones.

1. Los premios del Festival Internacional de La Habana se llaman ______.
2. Los premios Astor se entregan en ______.
3. El premio cinematográfico más prestigioso de España es el ______.
4. A los jóvenes venezolanos les gusta salir a ______.
5. Cuando una canción tiene mucho éxito, se dice que es un ______.

3 **Preguntas** Contesta las preguntas con oraciones completas.

1. ¿A qué se dedican los padres de Gael García Bernal?
2. ¿A qué edad comenzó a trabajar como actor Gael García Bernal?
3. ¿Qué hizo en Londres Gael García Bernal?
4. ¿Gael García Bernal evita los papeles controvertidos?
5. ¿Qué otras actividades relacionadas con el cine realiza Gael García Bernal además de actuar?
6. Según Alfonso Cuarón, ¿cómo deben ser los temas del cine latino?
7. ¿Crees que es positivo que directores y actores de habla hispana trabajen en Hollywood? ¿Por qué?
8. Cuando decides ver una película, ¿qué factores tienes en cuenta? ¿Por qué?

4 **Opiniones** En parejas, escriban en qué se diferencian y en qué se parecen el cine de Hollywood y el cine extranjero. Usen estas preguntas como guía.

- ¿Cuáles son las características de cada tipo de cine?
- ¿En qué tipo de cine se invierte más dinero?
- ¿Qué diferencias hay entre el perfil de los actores de Hollywoood y el perfil de los actores extranjeros? ¿En qué se parecen?

PROYECTO

María Félix

Artistas de la época de oro

Durante la época de oro del cine mexicano, actores como María Félix, Pedro Infante y Silvia Pinal, y directores como Emilio Fernández e Ismael Rodríguez —y también el español Luis Buñuel— llevaron el interés por el cine mexicano más allá de sus fronteras.

Busca información sobre uno de estos artistas y escribe una biografía de tres párrafos. Debes incluir:

- datos biográficos
- trabajos principales
- contribución al cine mexicano

Siguiendo el estilo usado en el perfil de Gael García Bernal, escribe tu texto usando el tiempo presente.

PUEDO participar una conversación sobre el cine de México y sobre algunos artistas del mundo hispano dedicados a este arte.

Objetivo comunicativo: Reconocer instituciones y algunos personajes importantes de la industria cinematográfica mexicana

El cine mexicano

Ya has leído sobre el cine mexicano, su época dorada y su resurgimiento en los últimos años. Ahora mira este episodio de **Flash cultura** para conocer cómo se promueve actualmente el cine en ese país.

VOCABULARIO ÚTIL

el auge *boom, peak*
el ciclo *series*
difundir *to spread*
fomentar *to promote*
el guión *script*
la muestra *festival*
la sala *movie theater*
tener un papel *to play a role*

1 **Preparación** Responde estas preguntas: ¿Te gusta ir al cine? ¿Qué clase de películas prefieres ver? ¿Eres aficionado/a a algún género en especial?

2 **Comprensión** Indica si estas afirmaciones son **ciertas** o **falsas**. Después, en parejas, corrijan las falsas.

1. A los mexicanos no les gustan las películas nacionales, sino solamente las norteamericanas.
2. La Cineteca es una cadena de cines con salas en todo el país.
3. Cuando van al cine, los mexicanos comen palomitas.
4. En los ciclos, se presentan películas de un solo tema o un solo director.
5. El Instituto Mexicano de Cinematografía tiene como objetivo hacer famosos a los actores mexicanos.
6. En el año 1989, el cine mexicano no tenía salas ni público en México.

3 **Expansión** En parejas, contesten estas preguntas.

- ¿Te molesta tener que leer subtítulos en la pantalla cuando miras películas extranjeras?
- ¿Te sorprende que una película pueda ser un "hijo creativo", como dice la actriz Vanesa Bauche? Justifica tu respuesta.
- ¿Es importante para el cine de un país tener identidad propia? ¿Cómo se logra eso? Piensen en películas estadounidenses que cumplan con esas características y hagan una lista.

PUEDO mencionar lugares e instituciones dedicadas al cine, además de actores y actrices famosos mexicanos.

Corresponsal: Carlos López
País: México

En la Muestra Internacional de Cine que se lleva a cabo° en otoño, se presentan películas de todo el mundo.

La Cineteca cuenta con° el Centro de Documentación e Investigación, donde puedes encontrar 9 mil libros, 5 mil guiones inéditos° y 20 años de notas de prensa.

Las películas de este país se han vuelto realmente importantes gracias al trabajo de actores y actrices como Salma Hayek, Gael García Bernal y Diego Luna, entre muchos otros.

se lleva a cabo *takes place* **cuenta con** *has* **guiones inéditos** *unpublished scripts*

2.1 Object pronouns

TALLER DE CONSULTA

MANUAL DE GRAMÁTICA
Más práctica

2.1 Object pronouns, p. A11
2.2 **Gustar** and similar verbs, p. A12
2.3 Reflexive verbs, p. A13

Gramática adicional

2.4 Demonstrative adjectives and pronouns, p. A14
2.5 Possessive adjectives and pronouns, p. A16

- Pronouns are words that take the place of nouns. Direct object pronouns replace the noun that directly receives the action of the verb. Indirect object pronouns identify *to whom/what* or *for whom* an action is done.

¿Me quieres desafiar? ¿Cómo te atreves?

¡Le gané!

Indirect object pronouns		Direct object pronouns	
me	nos	me	nos
te	os	te	os
le	les	lo/la	los/las

Position of object pronouns

- Direct and indirect object pronouns (**los pronombres de complemento directo e indirecto**) precede the conjugated verb.

INDIRECT OBJECT	DIRECT OBJECT
Carla siempre **me** da entradas para el teatro. *Carla always gives me tickets to the theater.*	Ella **las** consigue gratis. *She gets them for free.*
No **le** compro más juegos de mesa. *I'm not buying him any more board games.*	Nunca **los** juega. *He never plays them.*

- When the verb is an infinitive construction, object pronouns may either be attached to the infinitive or placed before the conjugated verb.

INDIRECT OBJECT	DIRECT OBJECT
Vamos a dar**le** un regalo. **Le** vamos a dar un regalo.	Voy a hacer**lo** enseguida. **Lo** voy a hacer enseguida.
Tienes que hablar**nos** de la película. **Nos** tienes que hablar de la película.	Van a ver**la** mañana. **La** van a ver mañana.

- When the verb is a progressive form, object pronouns may either be attached to the present participle or placed before the conjugated verb.

INDIRECT OBJECT	DIRECT OBJECT
Pedro está cantándo**me** una canción. Pedro **me** está cantando una canción.	Está cantándo**la** muy mal. **La** está cantando muy mal.

¡ATENCIÓN!

Lo can be used to refer to a thing or idea that has no gender.

—¿Vas a aceptar el trabajo?
—Lo voy a pensar.

—Are you going to accept the job?
—I'll think about it.

¡ATENCIÓN!

It is standard usage in Spanish to repeat the indirect object.

Esta noche **le** voy a quitar la camisa **al guitarrista**.

Les regalé boletos **a mis amigos.**

Double object pronouns

- The indirect object pronoun precedes the direct object pronoun when they are used together in a sentence.

Me mandaron **los boletos** por correo. / **Te** exijo **una respuesta** ahora mismo.

Me los mandaron por correo. / **Te la** exijo ahora mismo.

- **Le** and **les** change to **se** when they are used with **lo**, **la**, **los**, or **las**.

Le da **los libros** a Ricardo. → **Se los** da.
Le enseña **las invitaciones** a Elena. → **Se las** enseña.

Prepositional pronouns

Prepositional pronouns			
mí *me; myself*	**él** *him; it*	**nosotros/as** *us; ourselves*	**ellos** *them*
ti *you; yourself*	**ella** *her; it*	**vosotros/as** *you; yourselves*	**ellas** *them*
Ud. *you; yourself*	**sí** *himself; herself; itself*	**Uds.** *you; yourselves*	**sí** *themselves*
sí *yourself (formal)*		**sí** *yourselves (formal)*	

- Prepositional pronouns function as the objects of prepositions. Except for **mí**, **ti**, and **sí**, these pronouns are the same as the subject pronouns.

¿Qué piensas de **ella**?
Ellos sólo piensan en **sí mismos**.

¿Lo compraron para **mí** o para Javier?
Lo compramos para **él**.

- The indirect object can be repeated with the construction **a** + *[prepositional pronoun]* to provide clarity or emphasis.

¿Te gusta aquel cantante? — ¡**A mí** me fascina!
¿A quién se lo dieron? — Se lo dieron **a ella**.

- The adjective **mismo(s)/a(s)** is usually added to clarify or emphasize the relationship between the subject and the object.

José se lo regaló a **él**.
José gave it to him (someone else).

José se lo regaló a **sí mismo**.
José gave it to himself.

- When **mí**, **ti**, and **sí** are used with **con**, they become **conmigo**, **contigo**, and **consigo**.

¿Quieres ir **conmigo** al parque de atracciones?
Do you want to go to the amusement park with me?

Laura siempre lleva su computadora portátil **consigo**.
Laura always brings her laptop with her.

- These prepositions are used with **tú** and **yo** instead of **mí** and **ti: entre, excepto, incluso, menos, salvo, según**.

Todos están de acuerdo **menos tú** y **yo**.
Everyone is in agreement except you and me.

Entre tú y **yo**, Juan me cae mal.
Between you and me, don't get along well with Juan.

¡ATENCIÓN!

When object pronouns are attached to infinitives, participles, or commands, a written accent is often required to maintain proper word stress.

Infinitive
cantármela

Present participle
escribiéndole

Command
acompáñeme

For more information on using object pronouns with commands, see **4.2**, pp. 160–161.

Práctica

TALLER DE CONSULTA

MANUAL DE GRAMÁTICA
Más práctica

2.1 Object pronouns, p. A11

1 **Dos buenas amigas** Dos mujeres, Rosa y Marina, están en un café hablando de unos conocidos. Selecciona las personas de la lista que corresponden a los pronombres subrayados (*underlined*).

a Antoñito	a nosotras
a Antoñito y a Maite	a ti
a Maite	a ustedes
a mí	

ROSA Siempre lo(1) veo bailando en la discoteca Club 49. — 1. ______

MARINA ¿Te(2) saluda? — 2. ______

ROSA Nunca. Yo creo que no me(3) saluda porque tiene miedo de que se lo diga a su novia. — 3. ______

MARINA ¿Su novia? Hace siglos que no sé nada de ella. Un día de éstos la(4) tengo que llamar. — 4. ______

ROSA ¿Quieres que los(5) invitemos a ir con nosotras a la fiesta del viernes? — 5. ______

MARINA Sí. Es una buena idea. A ver qué nos(6) dice Antoñito de su afición a las discotecas. — 6. ______

2 **Entre hermanos** Completa las oraciones con una de estas expresiones: **conmigo, contigo, consigo.**

FEDERICO Ya estamos otra vez, Sara. ¿Por qué siempre tengo que estar (1) ______ ? ¡Nunca lo pasamos bien juntos!

SARA ¿Y tú qué crees? ¿Que yo me divierto (2) ______ ?

FEDERICO ¡Pero tú siempre quieres salir (3) ______ los fines de semana!

SARA Yo no quiero salir (4) ______ , ¡el problema es que papá no quiere que yo salga sola! Así que si no salgo (5) ______, ¡no salgo nunca!

FEDERICO ¿Y si salieras con nuestra prima Olivia?

SARA ¿Olivia? A ella sólo le gusta estar (6) ______ misma.

3 **Una fiesta muy ruidosa** Martín y Luisa han organizado una fiesta muy ruidosa (*noisy*) en su casa y un vecino ha llamado a la policía. El policía les aconseja lo que deben hacer para evitar más problemas. Reescribe los consejos cambiando las palabras subrayadas por los pronombres de complemento directo e indirecto correctos.

MODELO **¡Bajen la música ahora mismo!**
Bájenla ahora mismo.

1. Traten amablemente a la policía.
2. Tienen que pedirle perdón a su vecino.
3. No pueden contratar a un grupo musical sin permiso.
4. Tienen que poner la música muy baja.
5. No deben servirles bebidas alcohólicas a los menores de edad.
6. No pueden organizar fiestas nunca más.

Comunicación

4 **La fiesta** En parejas, túrnense para contestar las preguntas usando pronombres de complemento directo o indirecto según sea necesario.

MODELO **¿Te gusta organizar fiestas en tu casa?**
Sí, me gusta organizarlas.

1. ¿Te gusta organizar fiestas? ¿Cuándo fue la última vez que organizaste una? ¿Por qué la organizaste?
2. ¿Invitaste a muchas personas? ¿A quiénes invitaste?
3. ¿Qué tipo de música escucharon? ¿Bailaron también?
4. ¿Qué les ofreciste de comer a los invitados en tu fiesta?
5. ¿Trajeron algo? ¿Qué trajeron? ¿Para quién?

5 **¿En qué piensas?** Piensa en algunos de los objetos típicos que ves en la clase o en tu casa (un cuadro, una maleta, un mapa, etc.). Tu compañero/a debe adivinar el objeto que tienes en mente haciéndote preguntas con pronombres.

MODELO **Tú piensas en: un libro**
—Estoy pensando en algo que uso para estudiar.
—¿Lo usas mucho?
—Sí, lo uso para aprender español.
—¿Lo compraste?
—Sí, lo compré en una librería.

6 **Una persona famosa** En parejas, escriban una entrevista con una persona famosa. Utilicen estas cinco preguntas y escriban cinco más. Incluyan pronombres en las respuestas. Después, representen la entrevista ante la clase.

MODELO **—¿Quién prepara la comida en tu casa?**
—Mi cocinero la prepara.

1. ¿Visitas frecuentemente a tus amigos/as?
2. ¿Ves mucho la televisión?
3. ¿Quién conduce tu auto?
4. ¿Preparas tus maletas cuando viajas?
5. ¿Evitas a los fotógrafos?

7 **Fama** María Estela Pérez es una actriz de cine que debe encontrarse con sus *fans* pero, como no sabe dónde dejó su agenda, no recuerda a qué hora es el encuentro. En grupos de cuatro, miren la ilustración e inventen una historia inspirándose en ella. Utilicen por lo menos cinco pronombres de complemento directo e indirecto.

PUEDO describir quién hace una acción determinada y cuándo.

Objetivo comunicativo: Hablar de mis gustos y preferencias

2.2 *Gustar* and similar verbs

Pues ven, si a ti te encanta.

Luego mi papá se va a andar quejando de que le duele todo.

- Though **gustar** is translated as *to like* in English, its literal meaning is *to please*. **Gustar** is preceded by an indirect object pronoun indicating *the person who is pleased*. It is followed by a noun indicating *the thing or person that pleases*.

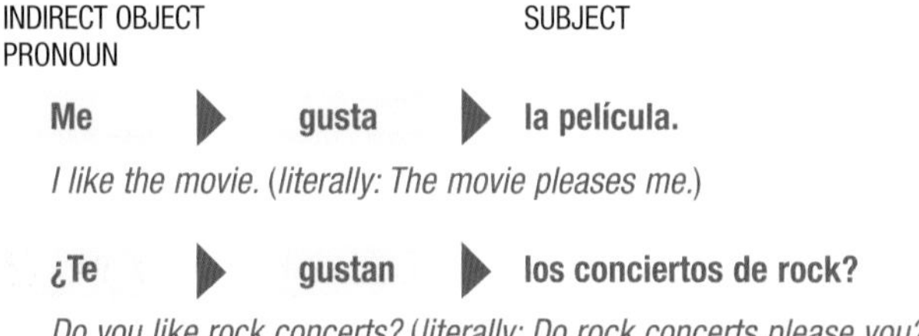

INDIRECT OBJECT PRONOUN — SUBJECT

Me ▶ **gusta** ▶ **la película.**
I like the movie. (literally: The movie pleases me.)

¿Te ▶ **gustan** ▶ **los conciertos de rock?**
Do you like rock concerts? (literally: Do rock concerts please you?)

- Because *the thing or person that pleases* is the subject, **gustar** agrees in person and number with it. Most commonly the subject is third person singular or plural.

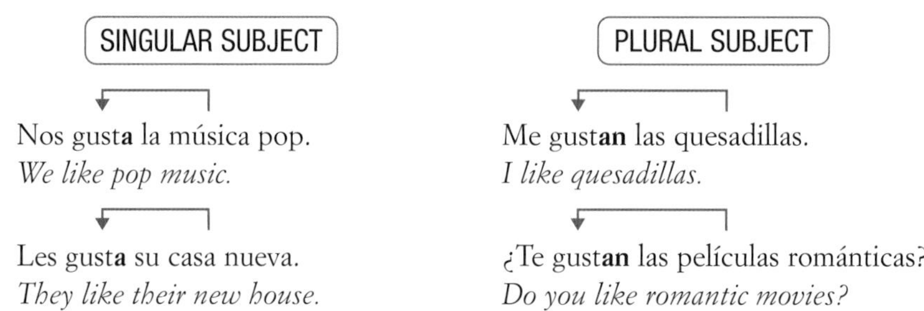

SINGULAR SUBJECT

Nos gust**a** la música pop.
We like pop music.

Les gust**a** su casa nueva.
They like their new house.

PLURAL SUBJECT

Me gust**an** las quesadillas.
I like quesadillas.

¿Te gust**an** las películas románticas?
Do you like romantic movies?

- When **gustar** is followed by one or more verbs in the infinitive, the singular form of **gustar** is always used.

No nos **gusta** llegar tarde.
We don't like to arrive late.

Les **gusta** cantar y bailar.
They like to sing and dance.

- **Gustar** is often used in the conditional (**me gustaría**, etc.) to soften a request.

Me **gustaría** un refresco con hielo, por favor.
I would like a soda with ice, please.

¿Te **gustaría** salir a cenar esta noche conmigo?
Would you like to go out to dinner with me tonight?

Verbs like *gustar*

- Many verbs follow the same pattern as **gustar**.

aburrir *to bore*	**hacer falta** *to miss*
caer bien/mal *to get along well/badly with*	**importar** *to be important to; to matter*
disgustar *to upset*	**interesar** *to be interesting to; to interest*
doler *to hurt; to ache*	**molestar** *to bother; to annoy*
encantar *to like very much*	**preocupar** *to worry*
faltar *to lack; to need*	**quedar** *to be left over; to fit (clothing)*
fascinar *to fascinate; to like very much*	**sorprender** *to surprise*

¡**Me fascina** el álbum!
I love the album!

A Sandra **le disgusta** esa situación.
That situation upsets Sandra.

¿**Te molesta** si voy contigo?
Will it bother you if I come along?

Le duelen las rodillas.
Her knees hurt.

- The indirect object can be repeated using the construction **a** + [*prepositional pronoun*] or **a** + [*noun*]. This construction allows the speaker to emphasize or clarify who is pleased, bothered, etc.

A ella no le gusta bailar, pero **a él** sí.
She doesn't like to dance, but he does.

A Felipe le molesta ir de compras.
Shopping bothers Felipe.

- **Faltar** expresses what someone or something lacks and **quedar** what someone or something has left. **Quedar** is also used to talk about how clothing fits or looks on someone.

Le falta dinero.
He's short of money.

A la impresora no **le queda** papel.
The printer is out of paper.

Me faltan dos pesos.
I need two pesos.

Esa falda **te queda** bien.
That skirt fits you well.

¿Qué te hace falta en la vida?
PARQUE DE ATRACCIONES DE MADRID

Práctica

TALLER DE CONSULTA

MANUAL DE GRAMÁTICA
Más práctica

2.2 **Gustar** and similar verbs, p. A12

1 **Completar** Completa la conversación con la forma correcta de los verbos entre paréntesis.

MIGUEL Mira, César, a mí (1) ________ (encantar) compartir el cuarto contigo, pero la verdad es que (2) ________ (preocupar) algunas cosas.

CÉSAR De acuerdo. A mí también (3) ________ (disgustar) algunas cosas de ti.

MIGUEL Bueno, para empezar no (4) ________ (gustar) que pongas la música tan alta cuando vienen tus amigos. Tus amigos (5) ________ (caer) muy bien, pero a veces hacen mucho ruido y no me dejan estudiar.

CÉSAR Sí, claro, lo entiendo. Pues mira, Miguel, a mí (6) ________ (molestar) que traigas comida al cuarto y que luego dejes los platos sucios en el suelo.

MIGUEL Es verdad. Pues... vamos a intentar cambiar estas cosas. ¿Te parece?

CÉSAR ¡(7) ________ (fascinar) la idea! Yo bajo el volumen de la música cuando vengan mis amigos y tú, no comas en el cuarto ni dejes los platos sucios en el suelo. ¿De acuerdo?

2 **Preguntar** En parejas, túrnense para hacerse preguntas sobre estas personas.

MODELO **a tu padre / fascinar**
—¿Qué crees que le fascina a tu padre?
—Pues, no sé. Creo que le fascina dormir.

1. al presidente / preocupar
2. a tu hermano/a / encantar
3. a ti / faltar
4. a tus padres / gustar
5. a tu profesor(a) de español / disgustar
6. a ustedes / importar
7. a tus amigos / molestar
8. a tu compañero/a de clase / aburrir

3 **Conversar** En parejas, pregúntense si les gustaría hacer las actividades relacionadas con las fotos. Utilicen los verbos **aburrir, disgustar, encantar, fascinar, interesar** y **molestar**. Sigan el modelo.

MODELO —¿Te molestaría ir al parque de atracciones?
—No, me encantaría.

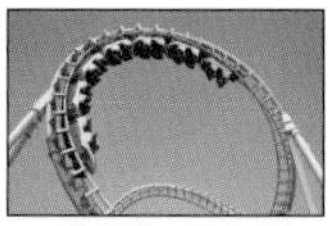

Comunicación

4 **Extrañas aficiones** En grupos de cuatro, miren las ilustraciones e imaginen qué les gusta, interesa o molesta a estas personas.

1. 

2. 

3. 

4. 

5 **¿Qué te gusta?** En parejas, pregúntense si les gustan o no las personas y actividades de la lista. Utilicen verbos similares a **gustar** y contesten las preguntas.

—¿Te gustan los discos de Christina Aguilera?
—No, a mí no me gusta su música.

Miley Cyrus	**dormir los fines de semana**
salir con tus amigos	**hacer bromas**
las películas de misterio	**los discos de Christina Aguilera**
practicar algún deporte	**ir a parques de atracciones**
Gael García Bernal	**las películas extranjeras**

6 **¿A quién le gusta?** Trabajen en grupos de cuatro.

A. Preparen una lista de cinco pasatiempos y cinco lugares de recreo. Luego circulen por la clase para ver a quiénes les gustan los lugares y las actividades de la lista.

B. Ahora escriban un párrafo breve para describir los gustos de sus compañeros. Utilicen **gustar** y otros verbos similares. Compartan su párrafo con la clase.

MODELO A Luisa y a Simón les fascina el restaurante Acapulco, pero a Celia no le gusta.
A todos nos gusta ir al cine, menos a Carlos, porque…

PUEDO hablar de preferencias en cuanto a actividades de recreo y los lugares para hacerlas.

Objetivo comunicativo: Hablar sobre las actividades de higiene personal diarias

2.3 Reflexive verbs

- In a reflexive construction, the subject of the verb both performs and receives the action. Reflexive verbs (**verbos reflexivos**) always use reflexive pronouns (**me, te, se, nos, os, se**).

Reflexive verb

Marcela **se lava** la cara.

Non-reflexive verb

Elena **lava** los platos.

Reflexive verbs	
lavarse *to wash (oneself)*	
yo	me lavo
tú	te lavas
Ud./él/ella	se lava
nosotros/as	nos lavamos
vosotros/as	os laváis
Uds./ellos/ellas	se lavan

- Many of the verbs used to describe daily routines and personal care are reflexive.

acostarse *to go to bed*	**dormirse** *to fall asleep*	**peinarse** *to comb (one's hair)*
afeitarse *to shave*	**ducharse** *to take a shower*	**ponerse** *to put on (clothing)*
bañarse *to take a bath*	**lavarse** *to wash (oneself)*	**secarse** *to dry off*
cepillarse *to brush (one's hair/teeth)*	**levantarse** *to get up*	**quitarse** *to take off (clothing)*
despertarse *to wake up*	**maquillarse** *to put on makeup*	**vestirse** *to get dressed*

¡ATENCIÓN!

A transitive verb is one that takes a direct object.

Mariela compró dos boletos.
Mariela bought two tickets.

Johnny contó un chiste.
Johnny told a joke.

- In Spanish, most transitive verbs can also be used as reflexive verbs to indicate that the subject performs the action to or for himself or herself.

Félix **divirtió** a los invitados con sus chistes.
Félix amused the guests with his jokes.

Félix **se divirtió** en la fiesta.
Félix had fun at the party.

Ana **acostó** a los gemelos antes de las nueve.
Ana put the twins to bed before nine.

Ana **se acostó** muy tarde.
Ana went to bed very late.

- Many verbs change meaning when they are used with a reflexive pronoun.

aburrir *to bore*	**aburrirse** *to get bored*
acordar *to agree*	**acordarse (de)** *to remember*
comer *to eat*	**comerse** *to eat up*
dormir *to sleep*	**dormirse** *to fall asleep*
ir *to go*	**irse (de)** *to go away (from)*
llevar *to carry*	**llevarse** *to carry away*
mudar *to change*	**mudarse** *to move (change residence)*
parecer *to seem*	**parecerse (a)** *to resemble; to look like*
poner *to put*	**ponerse** *to put on (clothing, make-up)*
quitar *to take away*	**quitarse** *to take off (clothing)*

- Some Spanish verbs and expressions are used in the reflexive even though their English equivalents may not be. Many of these are followed by the prepositions **a, de**, and **en**.

acercarse (a) *to approach*	**fijarse (en)** *to take notice (of)*
arrepentirse (de) *to regret*	**morirse (de)** *to die (of)*
atreverse (a) *to dare (to)*	**olvidarse (de)** *to forget (about)*
convertirse (en) *to become*	**preocuparse (por)** *to worry (about)*
darse cuenta (de) *to realize*	**quejarse (de)** *to complain (about)*
enterarse (de) *to find out (about)*	**sorprenderse (de)** *to be surprised (about)*

- *To get* or *to become* is frequently expressed in Spanish by the reflexive verb **ponerse** + [*adjective*].

  Pilar **se pone** muy nerviosa cuando habla en público.
  Pilar gets very nervous when she speaks in public.

  Si no duermo bien, **me pongo insoportable**.
  If I don't sleep well, I become unbearable.

- In the plural, reflexive verbs can express reciprocal actions done *to one another.*

  Los dos equipos **se saludan** antes de comenzar el partido.
  The two teams greet each other at the start of the game.

  ¡Los entrenadores **se están peleando** otra vez!
  The coaches are fighting again!

- The reflexive pronoun precedes the direct object pronoun when they are used together in a sentence.

  ¿**Te** comiste todo el pastel?
  Did you eat the whole cake?

  Sí, **me lo** comí todo.
  Yes, I ate it all up.

¡ATENCIÓN!

Hacerse and **volverse** can also mean *to become.*

Se ha hecho cantante.
He has become a singer.

¿**Te has vuelto** loco/a?
Have you gone mad?

Práctica

TALLER DE CONSULTA

MANUAL DE GRAMÁTICA
Más práctica

2.3 Reflexive verbs, p. A13

1 **Los lunes por la mañana** Completa el párrafo sobre lo que hacen Carlos y su esposa Elena los lunes por la mañana. Utiliza la forma correcta de los verbos reflexivos correspondientes.

acostarse	irse	ponerse
afeitarse	lavarse	quitarse
cepillarse	levantarse	secarse
ducharse	maquillarse	vestirse

Los domingos por la noche, Carlos y Elena (1) ________ tarde y por la mañana tardan mucho en despertarse. Carlos es el que (2) ________ primero, (3) ________ el pijama y (4) ________ con agua fría. Después, Carlos (5) ________ la barba. Cuando Carlos termina, Elena entra al baño. Mientras ella termina de ducharse, de (6) ________ el pelo y de (7) ________, Carlos prepara el desayuno. Cuando Elena está lista, Carlos y ella desayunan, luego (8) ________ los dientes y (9) ________ las manos. Después, los dos (10) ________ con ropa elegante y (11) ________ al trabajo. Carlos (12) ________ la corbata en el carro; Elena maneja.

2 **Todos los sábados**

A. En parejas, describan la rutina que sigue Silvia todos los sábados, según los dibujos.

1. 

2. 

3. 

4. 

B. ¿Qué hacen los sábados por la mañana los amigos y familiares de Silvia? Imaginen sus rutinas. Utilicen verbos reflexivos y sean creativos.

Comunicación

3  **¿Y tú?** En parejas, túrnense para hacerse las preguntas. Contesten con oraciones completas y expliquen sus respuestas.

1. ¿A qué hora te despiertas normalmente los sábados por la mañana? ¿Por qué?
2. ¿Te duermes en las clases?
3. ¿A qué hora te acuestas normalmente los fines de semana?
4. ¿A qué hora te duchas durante la semana?
5. ¿Te despiertas y te levantas enseguida? ¿Por qué?

6. ¿Qué te pones para salir los fines de semana? ¿Y tus amigos/as?
7. ¿Cuándo te vistes elegantemente?
8. ¿Te diviertes cuando vas a una fiesta? ¿Y cuando vas a una reunión familiar?
9. ¿Te fijas en la ropa que lleva la gente?
10. ¿Te preocupas por tu imagen?

11. ¿De qué se quejan tus amigos/as normalmente? ¿Y tus hermanos u otros miembros de la familia?
12. ¿Conoces a alguien que se preocupe constantemente por todo?
13. ¿Te arrepientes a menudo de las cosas que haces?
14. ¿Te peleas con tus amigos/as? ¿Y con tus padres?

4  **Síntesis** Imagina que estás en un café y ves a un(a) amigo/a tuyo/a. Este/a amigo/a te dijo ayer que no podía salir contigo hoy porque tenía que ir a estudiar a la biblioteca... ¡pero ahora está en el café con un grupo de amigos! ¿Qué haces? Trabajen en grupos de tres para representar la escena. Utilicen por lo menos cinco verbos de la lista y cinco pronombres de complemento directo e indirecto.

acercarse	darse cuenta	hacer falta	olvidarse
arrepentirse	disgustar	interesar	preocuparse
caer bien/mal	gustar	irse	sorprender

PUEDO describir mi rutina diaria y hablar sobre actividades de higiene personal.

Objetivo comunicativo: Discutir los detalles de un cortometraje sobre un concurso de pesca

Antes de ver el corto

EL DORADO DE FORD

país Argentina
director Juan Fernández Gebauer
duración 15 minutos
protagonistas hermana, Sebastián, Horacio, policía

Vocabulario

la aceituna *olive*
envolver *to wrap*
el familiar *relative*
el/la ganador/a *winner*
el gorro de lana *wool cap*
hundir *to sink*
el pejerrey *kingfish*
el pique *bite*
el precinto *security seal*
la rodaja *slice*
el señuelo *lure*
tejer *to knit*
el testimonio de defunción *death certificate*
la ventaja *advantage*

1 Oraciones incompletas Completa las oraciones con las palabras apropiadas del vocabulario.

1. El chef decoró el plato con ________ de tomate.
2. A los diez minutos, el equipo contrario ya tenía una ________ de dos goles.
3. Claudia fue la ________ del concurso de poesía.
4. Cierra el cajón con un ________ de metal para mayor seguridad.
5. El ________ que me regaló mi abuela es ideal para el invierno.
6. El pescador puso carne en el ________ para pescar el ________ .
7. A la fiesta de fin de año vinieron muchos ________ lejanos.
8. El barco se ________ después de chocar con el iceberg.

2 Preguntas En parejas, contesten las preguntas.

1. ¿Por qué algunas personas eligen vivir cerca de un río o a orillas del mar?
2. ¿Qué animales acuáticos peligrosos conocen?
3. ¿Han pescado alguna vez? ¿Qué objetos son necesarios para pescar?
4. Observen los fotogramas. ¿Qué está sucediendo en cada uno?
5. El cortometraje se titula *El dorado de Ford*. ¿Con qué relacionan la palabra *Ford*? ¿Qué relación tendrá con la pesca?

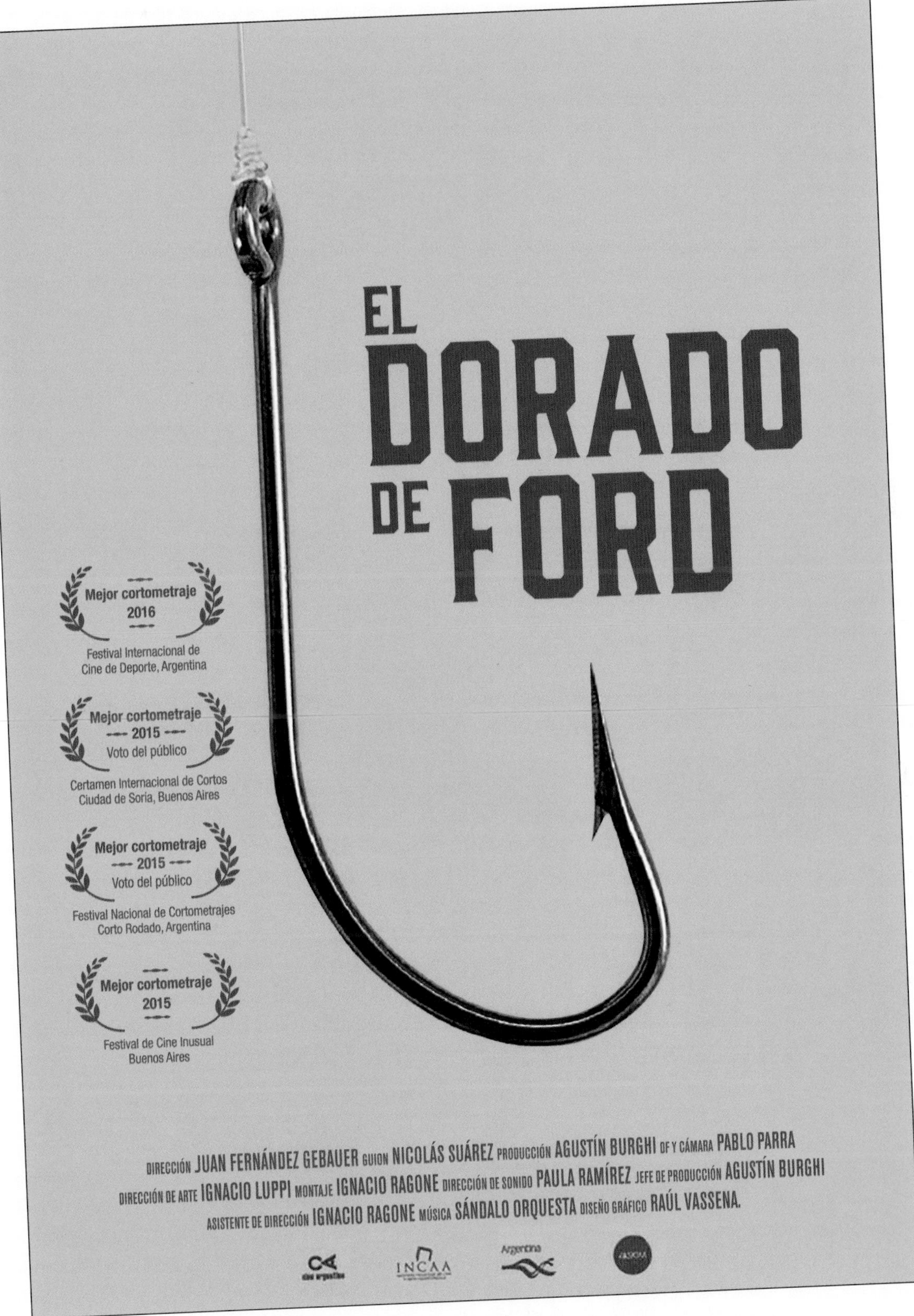
EL DORADO DE FORD
Mejor cortometraje 2016
Festival Internacional de Cine de Deporte, Argentina
Mejor cortometraje 2015 Voto del público
Certamen Internacional de Cortos Ciudad de Soria, Buenos Aires
Mejor cortometraje 2015 Voto del público
Festival Nacional de Cortometrajes Corto Rodado, Argentina
Mejor cortometraje 2015
Festival de Cine Inusual Buenos Aires
DIRECCIÓN JUAN FERNÁNDEZ GEBAUER GUION NICOLÁS SUÁREZ PRODUCCIÓN AGUSTÍN BURGHI DF Y CÁMARA PABLO PARRA
DIRECCIÓN DE ARTE IGNACIO LUPPI MONTAJE IGNACIO RAGONE DIRECCIÓN DE SONIDO PAULA RAMÍREZ JEFE DE PRODUCCIÓN AGUSTÍN BURGHI
ASISTENTE DE DIRECCIÓN IGNACIO RAGONE MÚSICA SÁNDALO ORQUESTA DISEÑO GRÁFICO RAÚL VASSENA.
INCAA
Argentina

Escenas

ARGUMENTO El futbolista Efrén "El Corsario" Moreno ha muerto de un ataque al corazón. Su familia y amigos lo están velando°.

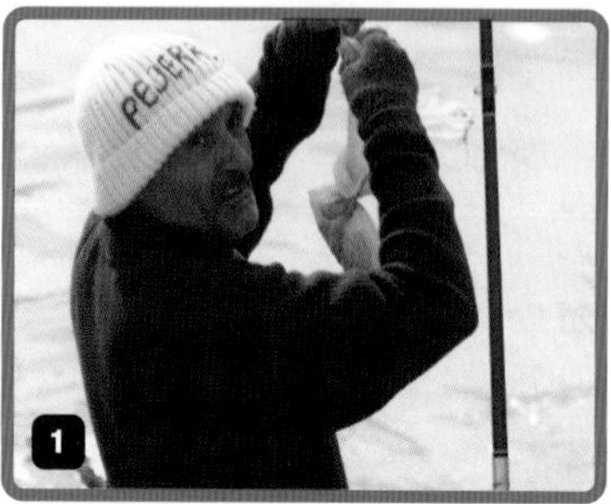

SEBASTIÁN ¿Hay pique, jefe? Hablo de peces, porque a las bolsitas° las pesco en el súper. Era un chiste.
HORACIO Para que pique hay que saber, ¿eh? ¿Te explico? Mirá, yo soy Horacio Cabalganti. En el año 73, en un día, pesqué 274 pejerreyes, papá.

HORACIO Vos no habías nacido y yo limpiaba dorados con los dientes.
SEBASTIÁN Qué bueno, porque... porque yo estoy buscando un dorado muy particular.
HORACIO El dorado de Ford.
SEBASTIÁN Sí.

SEBASTIÁN Necesito la ayuda de un profesional, un pejerrecord.
HORACIO Conmigo no contés que yo estoy con una racha°.
SEBASTIÁN Si me acompañás, te consigo unos lentes° con descuento.

HORACIO Cambiá, cambiale el señuelo.
SEBASTIÁN ¿Qué?
HORACIO Metele eso.
SEBASTIÁN Hace cuatro horas que estamos acá. Ni un dorado sacamos. ¿No serán vegetarianos?

SEBASTIÁN Tres mil pesos me costaron los lentes. Y vos me dejaste solo.
HORACIO ¡¿Qué te pasa?!
SEBASTIÁN ¡Traidor!
HORACIO ¡¿Yo soy traidor?! ¡Vos me tiraste al río el gorro que me tejió mi señora!

SEBASTIÁN ¿Y Horacio había pescado algo?
POLICÍA Un dorado. ¡Rico dorado, eh! Semejante bicho°. Trece, catorce kilos, mínimo.

bolsitas *little bags* **racha** *losing streak* **lentes** *glasses* **bicho** *(Arg.) animal*

Después de ver el corto

1 **Comprensión** Contesta las preguntas con oraciones completas.

1. ¿Qué hereda Sebastián de su padre?
2. ¿Qué encuentra Sebastián en lo que hereda de su padre?
3. ¿Por qué a Horacio le llamaban "El rey del pejerrey"?
4. ¿Qué tipo de pez buscan Sebastián y Horacio?
5. ¿Por qué Sebastián termina (*ends up*) en el hospital?
6. ¿Qué le pasa a Horacio después de atrapar el pez?
7. ¿Qué ocurre con el pez que atrapa Horacio?
8. ¿Qué hace Sebastián después de salir del hospital?

2 **Ampliación** Contesta las preguntas.

1. ¿Cuál crees que es el trabajo de Sebastián?
2. ¿Cómo piensas que era la relación entre Sebastián y su padre?
3. ¿Cómo te imaginas a la esposa de Horacio?
4. ¿Crees que el pez que atrapa Horacio es el dorado de Ford? ¿Por qué?
5. ¿Qué tipo de riesgos correrías para ganar un concurso? Explica tu respuesta.
6. ¿Hacia dónde piensas que se va Sebastián al final del cortometraje?
7. ¿Crees que Sebastián va a comprar pronto un nuevo vehículo? ¿Por qué?

3 **Historias de pesca** En parejas, compartan historias de pesca personales, de sus familiares o de sus amigos. ¿Dónde ocurrieron, en el mar, en un lago, en un río, en la costa? ¿Cómo era el lugar? ¿Quiénes fueron los protagonistas? ¿Qué pescaron? ¿Les gusta salir de pesca? Al final, cuenten ante la clase lo que más les gustó de la historia de su compañero/a.

4 **Concurso de pesca** En parejas, escriban las bases de un concurso de pesca o de observación de aves. Propongan un nombre para el concurso, unas fechas de inicio y de cierre, y tres normas: ¿qué pez/ave tendría que atrapar/observar el ganador? ¿En qué lugar? ¿Cuál sería el premio? Pueden basarse en el anuncio que Sebastián lee al principio del cortometraje.

5 **¡Inventen!** En grupos de tres, escriban una leyenda de un animal acuático como la del dorado de Ford. Piensen en un espacio natural y en una comunidad real. Pueden mezclar hechos o elementos reales con otros ficticios.

PUEDO discutir los detalles de un cortometraje sobre un concurso de pesca.

Objetivo comunicativo: Discutir las características del cuadro *Minué o Tertulia en Casa de Francisco Antonio de Escalada*

"No está la felicidad en vivir, sino en saber vivir."

Diego de Saavedra Fajardo

Minué o Tertulia en Casa de Francisco Antonio de Escalada, 1831
Carlos Enrique Pellegrini, Argentina

Interpretar En parejas, respondan estas preguntas.

1. ¿Qué se observa en el cuadro?
2. ¿Dónde piensan que se encuentran los personajes y por qué están ahí?
3. ¿Cuál es el estado de ánimo de las personas en el cuadro? ¿Creen que están entretenidos o se aburren?
4. ¿Dónde está el centro de atención de la pintura?
5. Imaginen que hay sonidos acompañando la escena: ¿Cuáles serían? ¿Qué relación tienen con la actividad que se retrata en este cuadro?

PUEDO conversar sobre un cuadro del pintor argentino Carlos Enrique Pellegrini.

Antes de leer

Idilio

Sobre el autor

Mario Benedetti (1920-2009) nació en Tacuarembó, Uruguay. Su volumen de cuentos publicado en 1959, *Montevideanos*, lo consagró como escritor, y dos años más tarde alcanzó fama internacional con su segunda novela, *La tregua*, con un fuerte contenido sociopolítico. Tras diez años de exilio en Argentina, Perú, Cuba y España, regresó a Uruguay en 1983. El exilio que lo alejó de su patria y de su familia dejó una marca profunda tanto en su vida personal como en su obra literaria. Benedetti incursionó en todos los géneros: poesía, cuento, novela y ensayo. El amor, lo cotidiano, la ausencia, el retorno y el recuerdo son temas constantes en la obra de este prolífico escritor. En 1999, ganó el Premio Reina Sofía de Poesía Iberoamericana.

Vocabulario

colocar *to place*
hondo/a *deep*
la imagen *image; picture*
la pantalla *(television) screen*
por primera/última vez *for the first/last time*
redondo/a *round*
señalar *to point at*
el televisor *television set*

Practicar Completa las oraciones con palabras o frases del vocabulario.

1. Voy a ________ el televisor sobre la mesa.
2. Julio me ________ la calle que debo tomar, pero no quiso ir conmigo.
3. En lo más ________ de mi corazón, guardo el recuerdo de mi primera novela.
4. Ayer salí ________ en la televisión y me invitaron a participar en otro programa la semana que viene.

Conexión personal Responde estas preguntas: ¿Cómo te entretenías cuando eras niño/a? ¿A qué jugabas? ¿Mirabas mucha televisión? ¿Tus padres establecían límites y horarios? ¿Qué harás tú cuando tengas hijos?

Análisis literario: las formas verbales

Las formas verbales son un factor muy importante para tener en cuenta al analizar obras literarias. La elección de formas verbales es una decisión deliberada del autor y afecta al tono del texto. El uso de un registro formal o informal puede hacer el texto más o menos cercano al lector. La elección de tiempos verbales también puede tener efectos como involucrar o distanciar al lector, dar o quitar formalidad, hacer que la narración parezca más oral, etc. A medida que lees *Idilio*, presta atención a los tiempos verbales que usa Benedetti. ¿Qué tono dan a la historia estas elecciones deliberadas del autor?

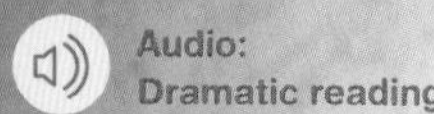
Audio:
Dramatic reading

IDILIO

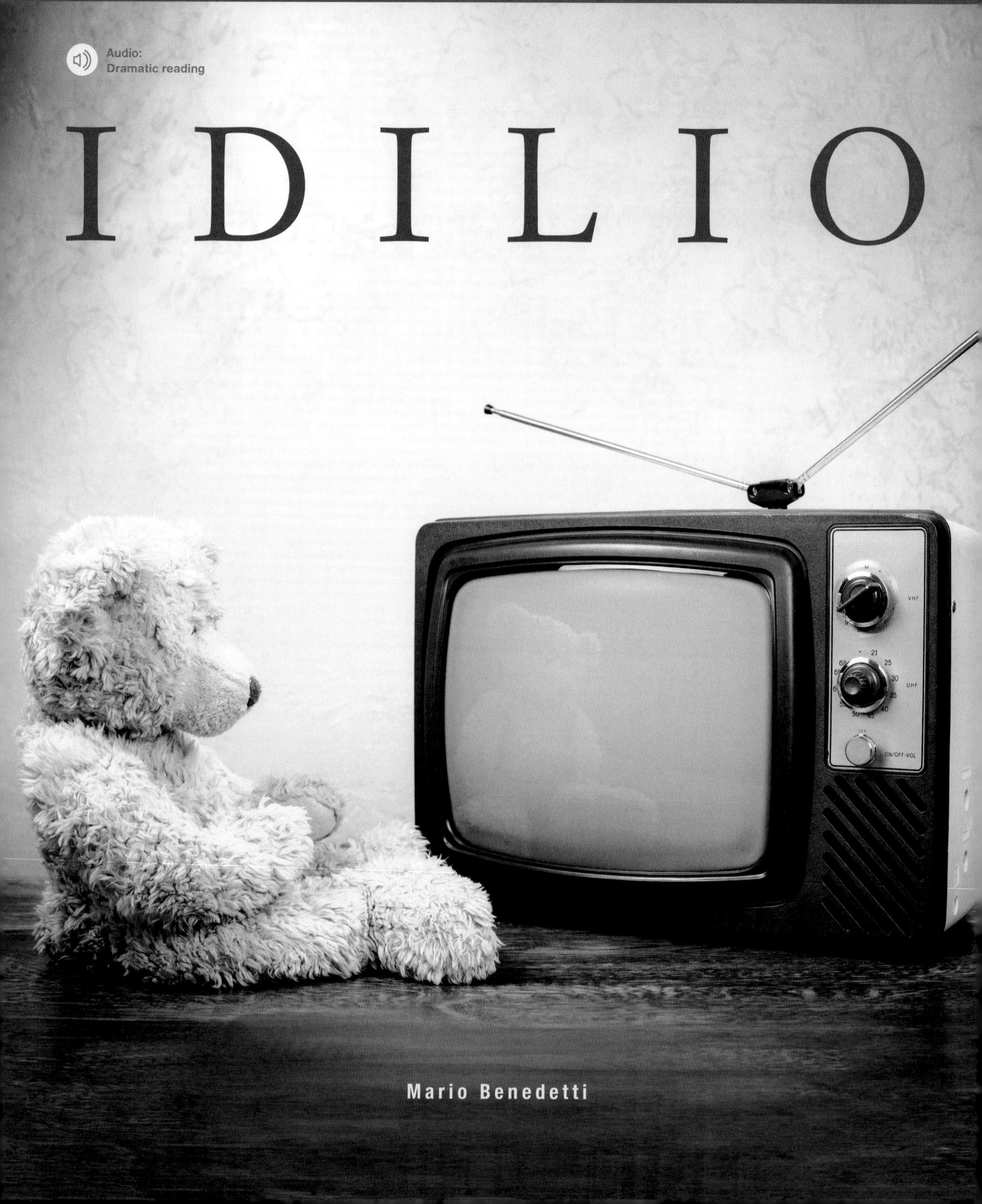

Mario Benedetti

La noche en que colocan a Osvaldo (tres años recién cumplidos) por primera vez frente a un televisor (se exhibe un drama británico de hondas resonancias), queda hipnotizado, la boca entreabierta°, los ojos redondos de estupor.

half-opened

La madre lo ve tan entregado al sortilegio° de las imágenes que se va tranquilamente a la cocina. Allí, mientras friega ollas y sartenes°, se olvida del niño. Horas más tarde se acuerda, pero piensa: "Se habrá dormido". Se seca las manos y va a buscarlo al living.

surrendered to the magic

washes pots and pans

La pantalla está vacía°, pero Osvaldo se mantiene en la misma postura y con igual mirada extática.

blank

—Vamos. A dormir —conmina° la madre.

orders

—No —dice Osvaldo con determinación.

—¿Ah, no? ¿Se puede saber por qué?

—Estoy esperando.

—¿A quién?

—A ella.

Y señaló el televisor.

—Ah. ¿Quién es ella?

—Ella.

Y Osvaldo vuelve a señalar la pantalla. Luego sonríe, candoroso°, esperanzado, exultante.

innocent; naïve

—Me dijo: "querido". ■

Después de leer

Idilio

Mario Benedetti

1 **Comprensión** Contesta las preguntas con oraciones completas.

1. ¿Cómo se llama el protagonista de esta historia?
2. ¿Cómo se queda el niño cuando está por primera vez delante del televisor?
3. ¿Qué hace la madre mientras Osvaldo mira la televisión?
4. Cuando la madre va a buscarlo horas más tarde, ¿cómo está la pantalla?
5. ¿Qué piensa Osvaldo que le dice la televisión?

2 **Interpretar** Contesta las preguntas.

1. Según Osvaldo, ¿quién le dijo "querido"? ¿Qué explicación lógica le puedes dar a esta situación?
2. En el cuento, la madre se olvida del hijo por varias horas. ¿Crees que este hecho es importante en la historia? ¿Crees que el final sería distinto si se tratara sólo de unos minutos frente al televisor?
3. ¿Crees que la televisión puede ser adictiva para los niños? ¿Y para los adultos? ¿Qué consecuencias crees que tiene la adicción a la televisión?

3 **Imaginar** En grupos, imaginen que un grupo de padres solicita una audiencia con el/la director(a) de programación infantil de una cadena de televisión popular. Los padres quieren sugerir cambios. Miren la programación y, después, contesten las preguntas.

CANAL 7

6:00	6:30	7:00	8:00	9:15	10:00
Trucos para la escuela Cómo causar una buena impresión con poco esfuerzo	**Naturaleza viva** Documentales	**Mi familia latina** Divertida comedia sobre un joven estadounidense que va a México como estudiante de intercambio	**Historias policiales** Ladrones, crímenes y accidentes	**Buenas y curiosas** Noticiero alternativo que presenta noticias buenas y divertidas de todo el mundo	**Dibujos animados clásicos** Conoce los dibujos animados que miraban tus padres

- ¿Qué programas quieren pedir que cambien? ¿Por qué?
- ¿Qué programas deben seguir en la programación?
- ¿Qué otros tipos de programas se pueden incluir? ¿Qué cambios harían en los horarios?

4 **Escribir** Piensa en alguna anécdota divertida de cuando eras niño/a. Cuenta la anécdota en un párrafo usando el tiempo presente.

MODELO Un día estoy con mi hermano en el patio de mi casa jugando a la pelota. De repente, ...

PUEDO Identificar el uso de las formas verbales como una forma de acercar o distanciar al lector.

Antes de leer

Vocabulario

la corrida *bullfight*
lidiar *to fight (bulls)*
el/la matador(a) *bullfighter (who kills the bull)*
la plaza de toros *bullring*
el ruedo *arena*
torear *to fight bulls*
el toreo *bullfighting*
el/la torero/a *bullfighter*
el traje de luces *bullfighter's outfit (lit. costume of lights)*

El toreo Completa las oraciones con palabras y frases del vocabulario.

1. Ernest Hemingway era un aficionado al ________. Asistió a muchas ________ y las describió en detalle en sus obras.
2. El ________ es la persona que mata al toro al final. Siempre lleva un ________ de colores brillantes.
3. Manolete fue un ________ español muy famoso que fue herido por un toro y que murió al poco tiempo.
4. No se permite que el público baje al ________ porque los toros pueden ser muy peligrosos.

Conexión personal Responde estas preguntas: ¿Conoces alguna costumbre local o alguna tradición estadounidense que cause mucha controversia? ¿Hay deportes que resultan muy problemáticos o controvertidos para algunas personas? ¿Por qué? ¿Cuál es tu opinión al respecto?

Contexto cultural

En Fresnillo, México, en 1940 una mujer tomó una espada y se puso un traje de luces —una blusa y falda bordadas de adornos brillantes— para promover la causa de la igualdad en un terreno casi completamente dominado por los hombres: el toreo. **Juanita Cruz** había nacido en Madrid en 1917, cuando aún no se permitía a las mujeres torear a pie en el ruedo. En batalla constante contra obstáculos legales, Cruz consiguió lidiar muchas corridas de toros en su país. Pero cuando terminó la guerra civil, al ver que Franco imponía estrictamente las leyes de prohibición del toreo a las mujeres, Cruz dejó España y emigró a México, donde se convirtió en torera profesional. Fue todo un fenómeno, la primera gran matadora de la historia, y abrió camino para otras mujeres, como las españolas Cristina Sánchez y Mari Paz Vega. Hoy día la presencia de toreras añade otro nivel de controversia al debate constante y a veces apasionado del toreo. ¿Cuál es tu impresión? ¿Crees que la igualdad de sexos en el toreo es algo positivo o negativo? ¿Por qué?

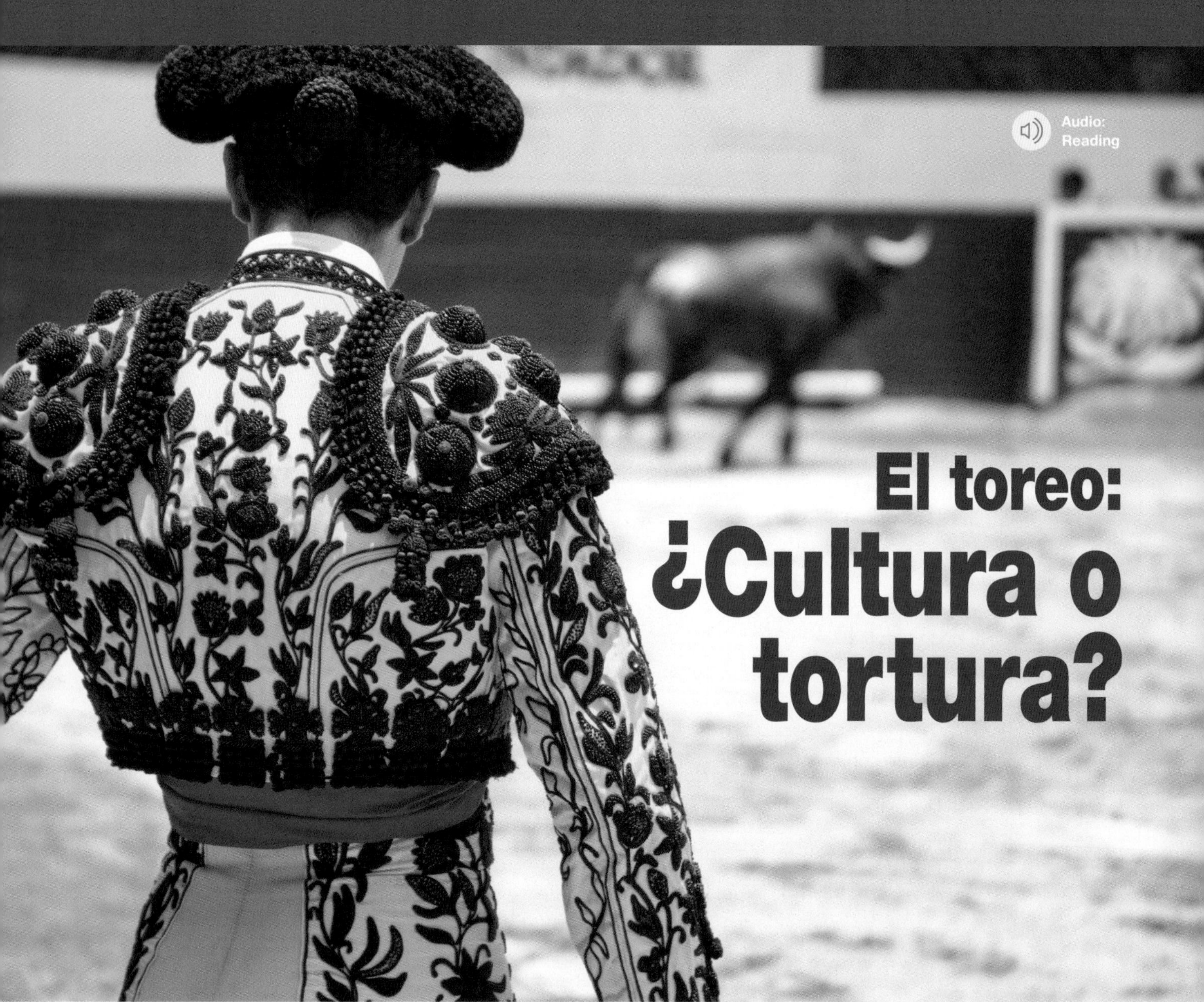

El toreo: ¿Cultura o tortura?

Hay pocas cosas tan emblemáticas en el mundo hispano, y a la vez tan polémicas, como el toreo. Los días de corrida, hasta cuarenta mil aficionados se sientan en la Plaza Monumental de México, la plaza de toros más grande del mundo. Sin embargo, la opinión pública está profundamente dividida: algunos defienden con orgullo esta tradición que sobrevive desde tiempos antiguos y otros se levantan en protesta antes del final.

Las raíces° del toreo son diversas. Los celtibéricos dejaron en España restos de templos circulares, precursores de las plazas actuales, donde sacrificaban animales. Los griegos y romanos practicaban la matanza° ritual de toros en ceremonias públicas sagradas. Sin embargo, fue en la España del siglo XVIII donde se desarrolló° la corrida que conocemos y se introdujeron la muleta, una capa muy fácil de manejar, y el estoque, la espada del matador.

El aficionado de hoy considera que el toreo es más un rito° que un espectáculo, ciertamente no un deporte. Es una lucha desigual, a muerte, entre una persona —armada con sólo la capa la mayor parte del tiempo— y el toro, bestia que pesa° hasta más de media tonelada. El torero se prepara para el duelo como para una ceremonia: se viste con el traje de luces tradicional y actúa dirigido por el ritmo de la música. Se enfrenta al animal con su arte y su inteligencia, y generalmente gana, aunque no siempre. El riesgo° de una cornada° grave forma parte de la realidad del torero, que en su baile peligroso muestra su talento y su belleza. Para el defensor de las corridas, no matar al toro al final es como jugar con él, una falta de respeto al animal, al público y a la tradición.

> **“El toreo es cabeza y plasticidad, porque a fuerza siempre gana el toro.”**

Quienes se oponen a las corridas dicen que es una lucha injusta y cruel. Hay gente que piensa que el toreo es una barbarie° similar a la de los juegos de los romanos, una costumbre primitiva que no tiene sentido en una sociedad moderna y civilizada. Protestan contra la crueldad de una muerte lenta y prolongada, dedicada al entretenimiento. En respuesta a las protestas, en algunos países ha aparecido una alternativa, la “corrida sin sangre°”, donde no se permite hacer daño físico° al toro. Pero otros sostienen que esta corrida tortura igualmente a la bestia y, por tanto, han prohibido el toreo por completo. En julio de 2010, el Parlamento catalán abolió las corridas de toros en Cataluña, España, con 68 votos a favor de la prohibición y 55 en contra.

Por último, a algunas personas les indigna la idea machista de que sólo un hombre tiene la fuerza y el coraje para lidiar. Las toreras pioneras como Juanita Cruz tuvieron que coserse° su propio traje de luces, con falda en vez de pantalón, y cruzar océanos para poder ejercer su profesión. Incluso en tiempos recientes, algunos toreros célebres como el español Jesulín de Ubrique se han negado° a lidiar junto a una mujer.

La torera más famosa de nuestra época, Cristina Sánchez, sostiene que no es necesario ser hombre para lidiar con éxito: “El toreo es cabeza y plasticidad°, porque a fuerza siempre gana el toro.” En su opinión, el derecho de torear es incuestionable, una parte de la cultura hispana. No obstante, su profesión provoca tanta división que a veces el duelo entre la bestia y la persona es empequeñecido° por la batalla entre las personas. ■

origins; slaughter; developed; rite; weighs; risk; goring; barbarity; bloodless bullfight; to hurt; to sew; have refused; agility; dwarfed

¿Dónde hay corridas?

Toreo legalizado: Colombia, Ecuador, España, Francia, México, Perú, Portugal, Venezuela

Corridas sin sangre: Bolivia, Nicaragua, Estados Unidos, Portugal

Toreo ilegalizado: Argentina, Chile, Costa Rica, Cuba, Nicaragua, Uruguay

¡Olé! ¡Olé!

El público también tiene su papel en las corridas: evalúa el talento del torero. La interjección “¡olé!” se oye frecuentemente para celebrar una acción particularmente brillante y expresar admiración. De origen árabe, contiene la palabra “alá” (Dios) y significa literalmente “¡por Dios!”.

Después de leer

El toreo: ¿cultura o tortura?

1 **Comprensión** Responde a las preguntas con oraciones completas.

1. ¿En qué país se encuentra la plaza de toros más grande del mundo?
2. ¿Qué hacían los celtibéricos en sus templos circulares?
3. ¿Qué es el toreo según un aficionado?
4. ¿Cómo se prepara el torero para la corrida?
5. Para quienes se oponen al toreo, ¿cuáles son algunos de los problemas?
6. ¿Qué es una "corrida sin sangre"?
7. ¿Qué sucedió en Cataluña en julio de 2010?
8. Según Cristina Sánchez, ¿sólo los hombres pueden lidiar bien?

2 **Opinión** Responde a las preguntas con oraciones completas.

1. ¿Te gustaría asistir a una corrida? ¿Por qué?
2. ¿Qué opinas del duelo entre toro y torero/a? ¿Hay algún aspecto especialmente problemático para ti?
3. ¿Qué piensas de las alternativas al toreo tradicional como la "corrida sin sangre"? ¿Es una solución adecuada para proteger a los animales?
4. En tu opinión, ¿es más cruel la vida de un toro destinado al toreo o la de una vaca destinada a una carnicería?

3 **¿Qué piensan?** Trabajen en parejas para contestar las preguntas. Luego, compartan sus respuestas con la clase.

1. Un eslogan conocido en las protestas antitaurinas es: "Tortura no es arte ni cultura". ¿Qué significa esta frase?
2. ¿Hay acciones cuestionables que se justifiquen porque son parte de una costumbre o tradición? ¿Cuál es la postura de ustedes en el debate? ¿Por qué?
3. ¿Creen que el gobierno tiene derecho a reglamentar (*regulate*) o prohibir tradiciones o costumbres? Den ejemplos.

4 **Postales** Imagina que viajas a México y unos amigos te invitan a una corrida de toros. Escribe una postal a tu familia para contarles tu experiencia. Usa estas preguntas como guía: ¿Aceptaste la invitación o no? ¿Por qué? Si fuiste a la corrida, ¿qué te pareció? ¿Te sentiste obligado/a a asistir por respeto a la cultura local?

MODELO Querida familia: Les escribo desde Guadalajara, una ciudad al noroeste de México. No saben dónde me llevaron mis amigos este fin de semana...

5 **Animales** En parejas, hagan una lista de tradiciones, costumbres o deportes en los que las personas utilizan a los animales como entretenimiento. Después, compartan su lista con el resto de la clase y debatan sobre qué actividades son perjudiciales para los animales y cuáles no. Justifiquen sus respuestas.

PUEDO participar en una conversación sobre temas polémicos, como el toreo en los países de habla hispana.

Atando cabos

¡A conversar!

1 **La música y el deporte** Trabajen en grupos de cuatro o cinco para preparar una presentación sobre un(a) cantante o deportista latino/a famoso/a.

Presentaciones

Tema: Pueden preparar una presentación sobre un(a) cantante o deportista famoso/a que les guste.

Investigación: Busquen información en Internet o en la biblioteca. Una vez reunida la información necesaria, elijan los puntos más importantes y seleccionen material audiovisual. Informen a su profesor(a) acerca de estos materiales para contar con los medios necesarios el día de la presentación.

Organización: Hagan un esquema (*outline*) que los ayude a planear la presentación.

Presentación: Traten de promover la participación a través de preguntas y alternen la charla con los materiales audiovisuales. Recuerden tener a mano los materiales de la investigación para responder preguntas adicionales de sus compañeros.

2 **Actividad física** En grupos, háganse este test de actividad física y conversen sobre los resultados para cada uno/a.

Pregunta	Tiempo	Puntuación
1. ¿Cuánto tiempo pasas acostado/a al día (durmiendo y haciendo siesta)?	_____ 6-8 horas _____ 8-12 horas _____ 12 horas o más	2 1 0
2. ¿Cuántas horas pasas sentado/a por día (en clases, haciendo tareas, en el restaurante, en el transporte, frente a la televisión, chateando…)?	_____ 6 horas o menos _____ 6-10 horas _____ 10 horas o más	2 1 0
3. ¿Cuánto caminas cada día (para ir al colegio, a la casa de tus amigos, a la tienda)?	_____ 15 minutos o más _____ 5-15 minutos _____ menos de 5 minutos	2 1 0
4. ¿Cuánto juegas al aire libre cada día (montar en bicicleta, jugar fútbol, correr, etc.)?	_____ 60 minutos o más _____ 30-60 minutos _____ menos de 30 minutos	2 1 0
5. ¿Cuántas horas dedicas a hacer deporte intenso (educación física en el colegio, deportes programados, entrenamiento)?	_____ 4 horas o más _____ 2-4 horas _____ 2 horas o menos	2 1 0
	Total	

Resultados:

entre 8 y 10 puntos = Felicidades. ¡Eres un(a) súper deportista!
entre 5-7 puntos = Vas en camino a ser un(a) súper deportista.
entre 3-6 puntos = Eres una persona activa.
entre 0-2 puntos = Anímate a volverte más activo.

Atando cabos

3 **Gustos** Utiliza la información suministrada y los verbos parecidos a **gustar** para investigar los gustos de tus compañeros/as de clase. Toma nota de las respuestas de cada compañero/a que entrevistes y comparte la información con la clase.

MODELO **molestar / tener clase a las ocho de la mañana**
—A Juan y a Marcela no les molesta tener clase a las ocho de la mañana. En cambio, a Carlos le molesta porque...

1. encantar / fiestas de cumpleaños
2. fascinar / el mundo de Hollywood
3. disgustar / leer las noticias
4. molestar / conocer a personas nuevas
5. interesar / saber lo que mis amigos piensan de mí
6. aburrir / escuchar música todo el día

¡A escribir!

4 **Correo electrónico** Imagina que tus abuelos vienen a visitar a tu familia por un fin de semana. Llevas varios días planeando una fiesta donde les presentarás tus amigos a tus abuelos. Mándales un correo electrónico a tus amigos para recordarles los planes para la fiesta y lo que deben y no deben hacer para causar una buena impresión.

Plan de redacción

Un saludo informal: Comienza tu mensaje con un saludo informal, como: **Hola**, **Qué tal**, **Qué onda**, etc.

Contenido: Organiza tus ideas para no olvidarte de nada.

1. Escribe una breve introducción para recordarles a tus amigos qué cosas les gustan a tus abuelos y qué cosas les molestan. Puedes usar estas expresiones: **(no) les gusta**, **les fascina**, **les encanta**, **les aburre**, **(no) les interesa**, **(no) les molesta**.
2. Diles que tus abuelos son formales y elegantes, y explícales que tienen que arreglarse un poco para la ocasión. Usa expresiones como: **quitarse el arete**, **afeitarse**, **vestirse mejor**, **peinarse**, etc.
3. Recuérdales dónde van a encontrarse.

Despedida: Termina el mensaje con un saludo informal de despedida.

PUEDO preparar una exposición oral sobre un personaje famoso y presentarla.

PUEDO escribir un correo electrónico informal a una persona conocida.

VOCABULARIO

Las diversiones

el ajedrez	*chess*
el billar	*billiards*
el boliche	*bowling*
las cartas/los naipes	*(playing) cards*
los dardos	*darts*
el juego de mesa	*board game*
el pasatiempo	*pastime*
la televisión	*television*
el tiempo libre/los ratos libres	*free time*
el videojuego	*video game*
aburrirse	*to get bored*
alquilar una película	*to rent a movie*
brindar	*to make a toast*
celebrar/festejar	*to celebrate*
dar un paseo	*to take a stroll/walk*
disfrutar (de)	*to enjoy*
divertirse (e:ie)	*to have fun*
entretener(se) (e:ie)	*to amuse (oneself)*
gustar	*to like*
reunirse (con)	*to get together (with)*
salir (a comer)	*to go out (to eat)*
aficionado/a (a)	*enthusiastic about; a fan (of)*
animado/a	*lively*
divertido/a	*fun*
entretenido/a	*entertaining*

Los lugares de recreo

el cine	*movie theater*
el circo	*circus*
la discoteca	*night club*
la feria	*fair*
el festival	*festival*
el parque de atracciones	*amusement park*
el zoológico	*zoo*

Los deportes

el/la árbitro/a	*referee*
el campeón/la campeona	*champion*
el campeonato	*championship*
el club deportivo	*sports club*
el/la deportista	*athlete*
el empate	*tie (game)*
el/la entrenador(a)	*coach; trainer*
el equipo	*team*
el/la espectador(a)	*spectator*
el torneo	*tournament*
anotar/marcar (un gol/un punto)	*to score (a goal/ a point)*
desafiar	*to challenge*
empatar	*to tie (games)*
ganar/perder (e:ie) un partido	*to win/lose a game*
vencer	*to defeat*

La música y el teatro

el álbum	*album*
el asiento	*seat*
el/la cantante	*singer*
el concierto	*concert*
el conjunto/grupo musical	*musical group; band*
el escenario	*scenery; stage*
el espectáculo	*show*
el estreno	*premiere*
la función	*performance (theater; movie)*
el/la músico/a	*musician*
la obra de teatro	*play*
la taquilla	*box office*
aplaudir	*to applaud*
conseguir (e:i) boletos/entradas	*to get tickets*
hacer cola	*to wait in line*
poner música	*to play music*

Más vocabulario

Expresiones útiles	*Ver p. 63*
Estructura	*Ver pp. 70–71, 74–75 y 78–79*

En pantalla

la aceituna	*olive*
el familiar	*relative*
el/la ganador/a	*winner*
el gorro de lana	*wool cap*
el pejerrey	*kingfish*
el pique	*bite*
el precinto	*security seal*
la rodaja	*slice*
el señuelo	*lure*
el testimonio de defunción	*death certificate*
la ventaja	*advantage*
envolver	*to wrap*
hundir	*to sink*
tejer	*to knit*

Literatura

la imagen	*image; picture*
la pantalla	*(television) screen*
el televisor	*television set*
colocar	*to place*
señalar	*to point at*
hondo/a	*deep*
redondo/a	*round*
por primera/última vez	*for the first/last time*

Cultura

la corrida	*bullfight*
el/la matador(a)	*bullfighter (who kills the bull)*
la plaza de toros	*bullring*
el ruedo	*arena*
el toreo	*bullfighting*
el/la torero/a	*bullfighter*
el traje de luces	*bullfighter's outfit (lit. costume of lights)*
lidiar	*to fight (bulls)*
torear	*to fight bulls*

A primera vista

- ¿Qué hacen las personas de la foto?
- ¿En qué lugar se encuentran? ¿Qué van a hacer?
- ¿Tú participas en actividades similares en tu casa? ¿En cuál(es)?
- ¿Te gusta ayudar en casa? ¿Por qué?

Essential Questions

1. ¿Cómo influye la cultura en nuestra vida cotidiana?
2. ¿Qué dicen el vestuario y la gastronomía de la cultura de un país?
3. ¿La experiencia de ir de compras es diferente en cada cultura?

3 La vida diaria

Can Do Goals

By the end of this lesson I will be able to:

- Talk about house chores
- Describe a person's daily activities
- Describe experiences or situations in the past
- Narrate situations providing background and referring to specific moments in the past

Also, I will learn about:

Culture
- Members of the Spanish constitutional monarchy
- The duties of Letizia Ortiz, Queen of Spain
- Traditional food and places in Barcelona
- The life and works of Spanish artist Diego Velásquez

Skills
- Reading: Analyzing and interpreting narrative voice in poetry
- Conversation: Preparing a presentation about a historic character from the Spanish-speaking world
- Writing: Writing a detailed anecdote

Lesson 3 Integrated Performance Assessment
Context: Some friends of yours, from Spain and Chile, are planning to travel and visit you next week. You want to surprise and welcome them with a mix of local, Spanish, and Chilean dishes, but you don't know exactly what to buy and prepare, or where to find the ingredients.

Un mate y su bombilla

Producto:
El mate es una bebida que se toma de forma cotidiana en Argentina, Uruguay, Paraguay y Brasil.

¿Cuál es la bebida más popular en tu país?

Objetivo comunicativo:
Hablar sobre los quehaceres

La vida diaria

En casa

el balcón *balcony*

la escalera *staircase*
el hogar *home; fireplace*
la limpieza *cleaning*
los muebles *furniture*
los quehaceres *chores*

apagar *to turn off*
barrer *to sweep*
calentar (e:ie) *to warm up*
cocinar *to cook*
encender (e:ie) *to turn on*
freír (e:i) *to fry*
hervir (e:ie) *to boil*
lavar *to wash*
limpiar *to clean*
pasar la aspiradora *to vacuum*
poner/quitar la mesa *to set/clear the table*
quitar el polvo *to dust*
tocar el timbre *to ring the doorbell*

De compras

el centro comercial *mall*
el dinero en efectivo *cash*
la ganga *bargain*
el probador *dressing room*
el reembolso *refund*
el supermercado *supermarket*
la tarjeta de crédito/débito *credit/debit card*

devolver (o:ue) *to return (items)*
hacer mandados *to run errands*
ir de compras *to go shopping*
probarse (o:ue) *to try on*
seleccionar *to select; to pick out*

auténtico/a *real; genuine*
barato/a *cheap; inexpensive*
caro/a *expensive*

Camila **fue de compras** al **supermercado**, decidida a gastar lo menos posible. **Seleccionó** los productos más **baratos** y pagó con **dinero en efectivo**.

Expresiones

a menudo *frequently; often*
a propósito *on purpose*
a tiempo *on time*
a veces *sometimes*
apenas *hardly; scarcely*
así *like this; so*
bastante *quite; enough*
casi *almost*
casi nunca *rarely*
de repente *suddenly*
de vez en cuando *now and then; once in a while*
en aquel entonces *at that time*
en el acto *immediately; on the spot*
enseguida *right away*
por casualidad *by chance*

La vida diaria

Emilia trabaja en un restaurante durante los veranos. Ha tenido que **acostumbrarse** al **horario** de una asistente de cocina. ¡La nueva **rutina** no es fácil! **Suele** levantarse cada día a las seis de la mañana para llegar al restaurante a las siete.

la agenda *datebook*
la costumbre *custom; habit*
el horario *schedule*
la rutina *routine*
la soledad *solitude; loneliness*

acostumbrarse (a) *to get used to*
arreglarse *to get ready*
averiguar *to find out*
probar (o:ue) (a) *to try*
soler (o:ue) *to be in the habit of*

atrasado/a *late*
cotidiano/a *everyday*
diario/a *daily*
inesperado/a *unexpected*

Práctica

1 Escuchar

A. Escucha lo que dice Julián y luego decide si las oraciones son **ciertas** o **falsas**. Corrige las falsas.

1. Julián está en un supermercado.
2. Julián tiene que limpiar la casa.
3. Él siempre sabe dónde está todo.
4. Él encuentra su tarjeta de crédito debajo de la escalera.
5. Julián recibe una visita inesperada.
6. Julián tiene mucho qué hacer.

B. Escucha la conversación entre Julián y la visita inesperada y después contesta las preguntas con oraciones completas.

1. ¿Quién está tocando el timbre?
2. ¿Qué tiene que hacer ella?
3. ¿Qué quiere devolver?
4. ¿Eran caros los pantalones?
5. ¿Qué hace Julián antes de ir al centro comercial con ella?
6. ¿Es seguro que María puede devolver los pantalones? ¿Por qué?

2 No pertenece Indica qué palabra no pertenece a cada grupo.

1. limpiar–pasar la aspiradora–barrer–calentar
2. de repente–auténtico–casi nunca–enseguida
3. balcón–escalera–muebles–soler
4. hacer mandados–a tiempo–ir de compras–probarse
5. costumbre–rutina–cotidiano–apagar
6. quitar el polvo–barato–caro–ganga
7. quehaceres–hogar–soledad–limpieza
8. barrer–acostumbrarse–soler–cotidiano

Práctica

3 **Julián y María** Completa el párrafo con las palabras o expresiones de la lista.

a diario	cotidiano	horario	soledad
a tiempo	en aquel entonces	por casualidad	soler

Julián y María se conocieron un día (1) __________ en el supermercado. Julián estaba muy contento por haber conocido a María porque, (2) __________, él era nuevo en el barrio y no conocía a nadie. A él no le gusta la (3) __________. Desde aquel día, se ven casi (4) __________. Durante la semana, ellos (5) __________ quedar para tomar un café después del trabajo, pues los dos tienen (6) __________ similares.

4 **Una agenda muy ocupada** Sara tiene mucho que hacer antes de su cita con Carlos esta noche. Ha apuntado todo en su agenda, pero está muy atrasada.

A. En parejas, comparen el horario de Sara con la hora en que realmente hace cada actividad.

VIERNES, 15 DE OCTUBRE

1:00	*¡Hacer mandados!*	5:00	*Hacer la limpieza*
2:00	*Banco: depositar un cheque*	6:00	*Cocinar, poner la mesa*
3:00	*Centro comercial: comprar vestido*	7:00	*Arreglarme*
4:00	*Supermercado: pollo, arroz, verduras*	8:00	*Cita con Carlos* ♡

MODELO —¿A qué hora deposita un cheque?
—Sara quiere depositarlo a las dos, pero no logra hacerlo hasta las dos y media.

2:30

1. 
4:00

2. 

5:30

3. 
5:45

4. 

7:30

5. 7:45

6. 

8:00

B. Ahora, improvisen una conversación entre Carlos y Sara. ¿Creen que los dos lo van a pasar bien? ¿Creen que van a tener otra cita?

Comunicación

5 **Los quehaceres**

A. En grupos de cuatro, túrnense para preguntar con qué frecuencia sus compañeros hacen los quehaceres de la lista. Combinen palabras de cada columna en sus respuestas y añadan sus propias ideas.

barrer	almuerzo	a menudo
cocinar	aspiradora	a veces
lavar	balcón	casi nunca
limpiar	cuarto	de vez en cuando
pasar	polvo	nunca
quitar	ropa	todos los días

MODELO —¿Con qué frecuencia barres el balcón?
—Lo barro de vez en cuando, especialmente si vienen invitados.

B. Ahora, compartan la información con la clase y decidan quién es la persona más ordenada y la más desordenada.

6 **Agendas personales**

A. Primero, escribe tu horario para esta semana. Incluye algunas costumbres de tu rutina diaria y también actividades inesperadas de esta semana.

lunes ________

martes ________

miércoles ________

jueves ________

viernes ________

sábado ________

domingo ________

B. En parejas, pregúntense sobre sus horarios. Comparen sus rutinas diarias y los eventos de esta semana. ¿Tienen costumbres parecidas? ¿Tienen algunas actividades en común? ¿Cuáles?

C. Utiliza la información para escribir un párrafo breve sobre la vida cotidiana de tu compañero/a. ¿Le gusta la rutina? ¿Disfruta de lo inesperado? ¿Llena su agenda con actividades sociales o prefiere estar en casa? Comparte tu párrafo con la clase.

PUEDO narrar la frecuencia con que hago los quehaceres del hogar y otras actividades diarias.

Objetivo comunicativo: Describir las actividades diarias de una persona

Hasta ahora, en el video...

Marcela conoce a Ricardo y se enoja con él por arruinarle la fiesta de cumpleaños, pero Ricardo se enamora de ella. Días después, Marcela está manejando su Kombi y atropella accidentalmente a Ricardo. En este episodio verás cómo sigue la historia.

1

RICARDO Vaya, ¿Taxi Turístico de Oaxaca?

MARCELA ¡Qué susto! ¡No tengo tiempo para ese tipo de bromas!

RICARDO ¡No es broma! ¿A dónde vas?

MARCELA A estudiar.

RICARDO ¿Qué estudias?

MARCELA Historia.

2

Otro día...

VENDEDOR ¿Qué se lleva, amigo?

RICARDO Buscaba una artesanía bien bonita para mi novia.

VENDEDOR ¿Y a ella qué le gusta?

RICARDO Ni idea.

VENDEDOR Ya, anda en plan de enamorarla, ¿no?

RICARDO Creo que ya me entendió.

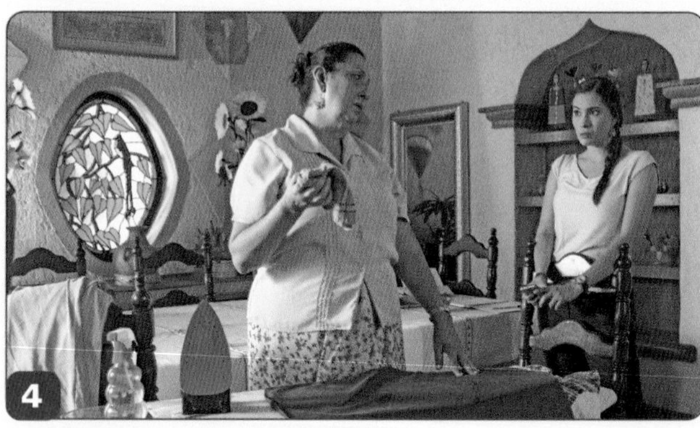

4

MARCELA ¿Te pasa algo, Lupita?

LUPITA No, ¿por qué?

MARCELA Hace un rato estabas bien, pero ahora estás como pálida.

LUPITA El calor, Marcelita, el calor.

MARCELA Deberías dejar los quehaceres e irte a tomar una siesta.

LUPITA Si apenas son las doce.

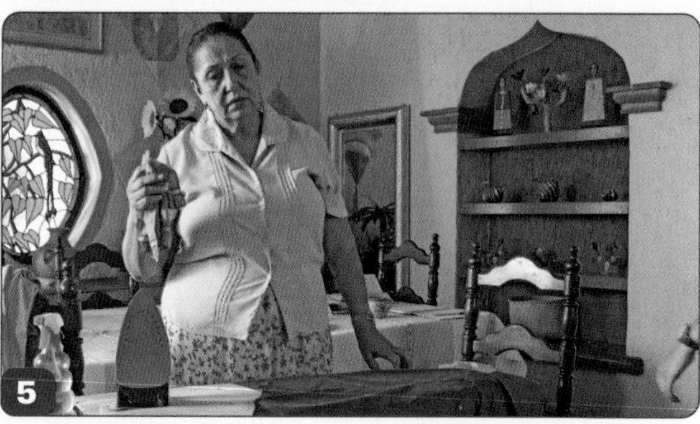

5

MARCELA Bueno, me voy. No me quiero retrasar.

LUPITA Pero, termina tu almuerzo y después te vas.

MARCELA Tengo que irme enseguida. ¡Adiós!

LUPITA (*para ella*) Planchar es lo que me pone pálida. Estoy harta de tanto quehacer. Lavar, barrer, quitar el polvo.

Personajes

MARCELA

RICARDO

VENDEDOR

LUPITA

3

VENDEDOR Mire, ¡qué alebrijes tan lindos! Auténticos de Oaxaca.

RICARDO ¿Qué precio tiene?

VENDEDOR 150 pesos, no más. Una ganga.

RICARDO Bueno. ¿Me lo envuelve mientras pido un taxi, por favor?

VENDEDOR Enseguida se lo pongo en una cajita de regalo.

RICARDO Gracias. Taxi Turístico de Oaxaca, aquí vamos.

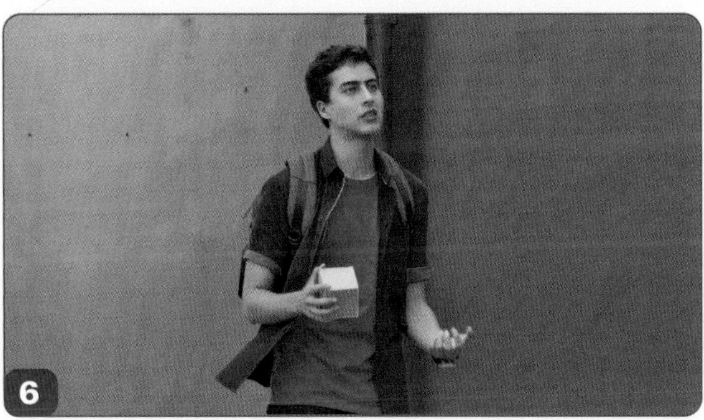
6

RICARDO (*practicando lo que le va a decir a Marcela*) Marcela, te ofrezco disculpas porque arruiné tu cumple. Estaba volando el dron cuando de repente se quedó sin... No, no, eso no… Marcela, quería pedirte perdón con este humilde regalo. Me gustaría decirte que...

Expresiones útiles

Talking about the past

¡Estaba cruzando y me atropellaste!
I was crossing and you ran into me!

Pues, llegó usted al lugar correcto.
Well, you came to the right place.

¡Qué susto! ¡Pensé que estabas inconsciente!
You scared me! I thought you were unconscious!

¡Siempre fueron desordenados! Pero antes mi mami recogía todo y tú no te dabas cuenta.
They were always messy! But Mom always picked everything up and you didn't notice.

Talking about likes and dislikes

No se preocupe; le va a encantar.
Don't worry. She's going to love it.

¿Y a ella qué le gusta?
And what does she like?

Talking about shopping

¿Qué precio tiene?
How much is it?

¿Qué se lleva, amigo?
What will you take, my friend?

¿Si a ella no le gusta lo puedo devolver y me hace el reembolso?
If she doesn't like it, can I return it and get a refund?

¡Súper barato! 150 pesos no más. ¡Una ganga!
Super cheap! Only 150 pesos. A bargain!

Additional vocabulary

arruinar *to ruin*
la artesanía *handicraft*
la broma *joke*
la disculpa *apology*
humilde *humble*
pálido/a *pale*
retrasarse *to be delayed/late*

Comprensión

1 Opciones Completa cada oración con la opción correcta.

1. Marcela a Ricardo con la Kombi.
   a. atropelló   b. llamó   c. enamoró
2. Ricardo le dice al vendedor que Marcela es su .
   a. mamá   b. prima   c. novia
3. Según el vendedor, sus alebrijes son.
   a. gratis   b. baratos   c. caros
4. Marcela le sugiere a Lupita.
   a. tomar una siesta   b. hacer los quehaceres   c. contestar la llamada
5. Ricardo se quiere disculpar con Marcela por arruinar su.
   a. Kombi   b. teléfono   c. cumpleaños

2 Completar Completa cada oración de la izquierda con la información correcta de la columna de la derecha.

1. Marcela piensa que Ricardo está inconsciente porque
2. Marcela no acaba su almuerzo porque
3. Mientras el vendedor envuelve el regalo, Ricardo
4. Marcela estudia
5. Lupita dice que Marcela tiene razón porque
6. Al final del episodio, Marcela

a. acelera con la Kombi al ver que el pasajero es Ricardo.
b. está tirado en la calle con los ojos cerrados.
c. historia.
d. llama al servicio de taxis de Marcela.
e. no se siente bien.
f. tiene que ir a recoger a un pasajero.

3 Preguntas y respuestas En parejas, háganse preguntas utilizando los personajes de la fotonovela y los siguientes elementos.

MARCELA

LUPITA

RICARDO

VENDEDOR

MODELO pedir un taxi
ESTUDIANTE 1 ¿Quién pidió un taxi?
ESTUDIANTE 2 Ricardo pidió un taxi.

atropellar a Ricardo	ir de compras
comprar algo de comer	recibir una llamada
hacer los quehaceres	vender una ganga

Ampliación

4 **La vida diaria** En parejas, elijan un personaje de la fotonovela e imaginen cómo es su vida diaria. Escriban una descripción de un día de su vida en primera persona y compártanla con la clase sin decir el nombre del personaje. La clase deberá adivinar de qué personaje se trata.

MODELO **ESTUDIANTE** Por las mañanas, paso la aspiradora y quito el polvo de la habitación del señor Lorenzo...
LA CLASE Es Lupita.

5 **Ayuda para Ricardo** Al final del episodio, Ricardo está pensando en cómo disculparse con Marcela. En grupos de tres, piensen en lo más efectivo que Ricardo puede decir para que Marcela lo perdone y escríbanlo. Compartan su idea con la clase.

6 **Apuntes culturales** En parejas, lean los párrafos y contesten las preguntas.

Alebrijes

Manu le compra un alebrije a Marcela. El alebrije es un tipo de artesanía procedente de México, fabricada con la técnica del papel maché. Los alebrijes son criaturas imaginarias con elementos de diferentes animales, pintados con colores vibrantes. Su creación y nombre se atribuyen a Pedro Linares (1906-1992), artesano especializado en piñatas y máscaras. Cuando el artesano estaba enfermo, soñó (*dreamed*) con estos seres (*beings*), los cuales gritaban (*shouted*) la palabra "alebrije". Así fue como Linares comenzó a crear alebrijes hacia el año 1936. Estas artesanías se hicieron populares después de que Frida Kahlo y Diego Rivera las descubrieron. Oaxaca es famoso por sus alebrijes tallados (*carved*) en madera (*wood*) de copal. Estas artesanías son la base de la economía de muchos pueblos oaxaqueños, donde las familias las crean y venden en mercados y plazas.

Gastronomía oaxaqueña

Manu compra unos chapulines en el mercado. Los chapulines son saltamontes (*grasshoppers*) comestibles (*edible*) típicos del estado de Oaxaca, con alto contenido en proteínas. Se consumen desde la época prehispánica y se suelen comer con ajo (*garlic*) y limón como plato principal, o en tacos y quesadillas. Oaxaca tiene una gran diversidad gastronómica. Entre sus platos tradicionales, se encuentran también siete variedades de mole, y el quesillo (un tipo de queso blanco y blando), entre otros. Oaxaca es también famoso por dulces regionales como las nieves (un tipo de helado similar al sorbete con muchos sabores para elegir) y el chocolate, y bebidas tradicionales como el café y el tejate (p. 62).

1. ¿Prefieres que te regalen algo comprado o algo hecho a mano? ¿Por qué? ¿Qué prefieres regalar tú?
2. ¿Regalarías un alebrije a un ser querido (*loved one*)? ¿A quién? ¿Por qué crees que le gustaría?
3. ¿Alguna vez probaste una comida o bebida exótica? ¿Cuál? ¿Te atreves a comer chapulines?
4. Cuando visitas un lugar nuevo, ¿prefieres comer comida local y desconocida o piensas que es mejor no arriesgarse (*to risk it*) y pedir comida que conoces? ¿Por qué?

PUEDO relatar las actividades que una persona hace a diario.

Objetivo comunicativo: Identificar a los miembros de la familia real española

En detalle

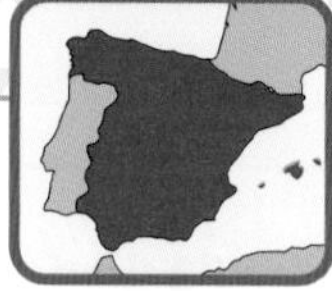

LA FAMILIA REAL

La familia real española durante un acto oficial

En 1469, Isabel de Castilla y Fernando de Aragón se casaron, unieron sus reinos y formaron lo que hoy conocemos como España. Más de 500 años después, en 2014, Felipe VI de Borbón se convirtió en el último rey de esta vieja nación. La proclamación del nuevo rey se produjo después de que su padre Juan Carlos I decidió abdicar°, dando fin a un largo reinado (1975-2014) de prosperidad, que empezó con la llamada "transición democrática". ¿En qué consistió esa transición? España vivió 40 años bajo la dictadura de Francisco Franco. Al final de su mandato, el dictador quiso que el entonces príncipe Juan Carlos fuera su sucesor; pero tras la muerte de Franco en 1975, el Rey decidió integrar a España en la comunidad de naciones democráticas de Europa. Gracias al carisma de Juan Carlos I, y a su protagonismo en el camino hacia la libertad, la Corona° tuvo un gran respaldo popular. Sin embargo, la monarquía quedó afectada con la larga crisis económica y política que comenzó en 2008. Además, Cristina de Borbón, una de las hijas del rey, y su marido tuvieron problemas con la justicia. Casi cuarenta años después de que Juan Carlos fue coronado rey, su hijo Felipe VI se enfrenta a una segunda transición: dar sentido a la monarquía en la era de Internet. Su esposa, doña Letizia, que fue periodista antes que reina, lo está ayudando a conseguirlo: aunque Felipe VI no tiene el carisma natural de su padre, es un comunicador mucho más eficaz. La sociedad española parece haber recibido bien esta renovación en la familia real, formada por Juan Carlos I, doña Sofía, los reyes Felipe y Letizia, y las hijas de éstos, la princesa Leonor y la infanta° Sofía. Según las encuestas, cuando Juan Carlos I anunció que abdicaría en favor de su hijo, la popularidad de la Corona aumentó y la monarquía empezó a recuperar su prestigio. La segunda transición ya está en marcha. ■

¿Futura reina?

La **princesa Leonor** es la primogénita° del **rey Felipe VI**. Sin embargo, si los monarcas tienen un hijo varón, él sería el heredero de la Corona. Para que esto cambie, se tendría que cambiar la Constitución española de 1978: la mayoría de los españoles apoyaría ese cambio.

abdicar *to abdicate* **reinado** *reign* **Corona** *Crown* **infanta** *princess* **primogénita** *first born*

ASÍ LO DECIMOS

La familia

mima (Cu.), **amá (Col.)** *mom*
apá (Col.), **pipo (Cu.)** *dad*
tata (Arg. y Chi.), **yayo (Esp.)** *grandpa*
carnal (Méx.) *brother; friend*
carnala (Méx.) *sister*
la carnalita (Méx.) *little sister*
m'hijo/a (Amér. L.) *exp. to address a son or daughter*
chavalo/a (Amér. C.), **chaval(a) (Esp.)** *boy/girl*

EL MUNDO HISPANOHABLANTE

Las compras diarias

- En España, las grandes tiendas y también muchas tiendas pequeñas cierran los domingos. Así, los españoles realizan todas sus compras durante el resto de la semana. En algunos casos, las grandes tiendas, como El Corte Inglés, abren un domingo al mes.
- En la región salvadoreña de Colonia la Sultana, el señor del pan pasa todos los días a las siete de la mañana con una canasta en la cabeza repleta de pan fresco. Cuando las personas lo escuchan llegar, salen a la calle para comprarle pan. Los que se quedan dormidos, si quieren pan fresco, tienen que ir al pueblo de al lado.

- En Nicaragua y otros países de Latinoamérica hay muchos vendedores ambulantes, como los mieleros, que van vendiendo miel, queso y otros alimentos naturales por las casas.

PERFIL

LETIZIA ORTIZ

Letizia Ortiz nació en Oviedo el 15 de septiembre de 1972 en el seno de una familia trabajadora. Si alguien les hubiera dicho a sus padres que su hija iba a ser princesa, seguramente lo habrían tomado por loco. Esta inteligente y emprendedora° mujer estudió periodismo y ejerció su profesión en algunos de los mejores medios españoles: el periódico ABC, y los canales CNN plus y TVE. Cuando se formalizó el compromiso° con el entonces príncipe Felipe, Letizia tuvo que dejar de trabajar y empezó un entrenamiento particular para ser princesa, ya que al casarse se convertiría en Princesa de Asturias. Su relación con el ahora rey se distingue por no haber respondido a la formalidad que se espera en estos casos. Poco antes de la boda, un periodista le preguntó: "¿Y cómo se declara un príncipe?", a lo que Letizia contestó: "Como cualquier hombre que quiere a una mujer". Al convertirse en reina de España, pasó de apoyar las funciones del príncipe a impulsar campañas educativas y de salud para promover la lectura y la lucha contra el cáncer y enfermedades poco frecuentes, tanto en España como en el mundo. Ésta no es una tarea fácil: Letizia debe reflejar moderación y transparencia, ocuparse° de sus hijas y proyectar una imagen fresca y cercana para cautivar al pueblo español.

> "... a partir de ahora y de forma progresiva voy a integrarme y a dedicarme a esta nueva vida con las responsabilidades y obligaciones que conlleva." (Letizia Ortiz)

emprendedora *enterprising* **compromiso** *engagement* **ocuparse** *to take care of*

¿Qué aprendiste?

1 **Comprensión** Indica si las oraciones son **ciertas** o **falsas**. Corrige las falsas.

1. El general Francisco Franco quería que Juan Carlos de Borbón fuera su sucesor.
2. El general Franco trabajó mucho para establecer la democracia en España.
3. El príncipe Felipe se convirtió en rey tras la muerte de su padre.
4. La dictadura de Franco también se conoce como transición.
5. El príncipe Felipe se casó con una presentadora de televisión.
6. La infanta Cristina es soltera.
7. La familia real no ha tenido problemas.
8. A muchos españoles les gusta la Familia Real.

2 **Oraciones incompletas** Completa las oraciones.

1. Los padres de Letizia Ortiz son ________.
2. Letizia estudió ________.
3. Cristina de Borbón es la ________ del rey Felipe VI.
4. Felipe VI es un comunicador más eficaz que ________.
5. En España, las grandes tiendas abren ________.

3 **Preguntas** Contesta las preguntas.

1. ¿Cuál es una forma cariñosa de referirse al padre en Cuba?
2. ¿Por qué crees que Letizia Ortiz tuvo que dejar de trabajar como periodista al convertirse en Princesa?
3. ¿Es seguro que la Infanta Leonor sea reina de España en el futuro?
4. ¿Crees que tienen sentido las monarquías en el siglo XXI? ¿Por qué?
5. Vuelve a leer la cita de Letizia Ortiz. ¿A qué responsabilidades y obligaciones crees que se refiere?

4 **Opiniones** En parejas, preparen dos listas. En una lista, anoten los elementos positivos de ser príncipe o princesa heredero/a y, en la otra, los elementos negativos que creen que puede tener. Guíense por estos planteamientos y otros.

- ¿Vale la pena ser rico y famoso si pierdes la vida privada?
- ¿Estarías dispuesto/a a guardar los modales las 24 horas del día?
- ¿Serías capaz de cumplir con todas las responsabilidades que conlleva este cargo?

PROYECTO

A domicilio

Existen muchos servicios a domicilio que facilitan la vida diaria. Además del ejemplo de los mieleros en Nicaragua, están los paseadores de perros, los supermercados con entrega a domicilio y las empresas que nos permiten recibir libros en casa o ropa por correo.

Imagina que vas a crear una empresa para ofrecer un servicio a domicilio.

Usa esta guía para preparar un folleto (*brochure*) sobre tu empresa. Describe:

- El servicio que vas a ofrecer y cómo se llama.
- Las principales características de tu servicio.
- Cómo va a facilitar la vida diaria de tus clientes.

PUEDO comentar sobre distintas formas de gobierno de la historia de España y describir a algunos de los miembros de la familia real española.

Objetivo comunicativo: Hablar de las distintas tiendas de Barcelona y de productos alimenticios españoles

De compras por Barcelona

Hacer las compras tal vez te parezca una actividad aburrida y poco glamorosa, pero ¡te equivocas! En este episodio de **Flash cultura** podrás pasear por el antiguo mercado de Barcelona y descubrir una manera distinta de elegir los mejores productos en tiendas especializadas.

VOCABULARIO ÚTIL

amplio/a *broad, wide*
el buñuelo *fritter*
el carrito *shopping cart*
la charcutería *delicatessen*
la gamba ***(Esp.)*** *shrimp*
los mariscos *seafood*
las patas traseras *hind legs*
el puesto *market stand*

1 Preparación Responde estas preguntas: ¿Qué productos españoles típicos conoces? ¿Cuál te gustaría más probar?

2 Comprensión Indica si estas afirmaciones son **ciertas** o **falsas**. Después, en parejas, corrijan las falsas.

1. Las Ramblas de Barcelona son amplias avenidas.
2. En La Boquería debes elegir un carrito a la entrada y pagar toda la compra al final.
3. Hay distintos tipos de jamón serrano según la curación y la región.
4. Barcelona ofrece una gran variedad de marisco y pescado fresco porque es un puerto marítimo.
5. En España, la mayoría de las tiendas cierra al mediodía durante media hora.
6. Las panaderías abren todos los días menos los domingos.

3 Expansión En parejas, contesten estas preguntas.

- ¿Prefieres hacer las compras en tiendas pequeñas y mercados tradicionales o en un supermercado normal? ¿Por qué?
- ¿Te levantas temprano para comprar el pan o algún otro producto los domingos? ¿Qué producto es tan esencial para la gente de tu país como el pan para los españoles?
- ¿Te parece bien que las tiendas cierren a la hora de la siesta? ¿Para qué usarías tú todo ese tiempo?

PUEDO mencionar lugares para ir de compras en Barcelona, España, y algunos platos típicos.

Corresponsal: Mari Carmen Ortiz
País: España

La Boquería es un paraíso para los sentidos: olores de comida, el bullicio° de la gente, colores vivos se abren a tu paso mientras haces tus compras.

Hay tiendas que nunca cierran a la hora de comer: las tiendas de moda y los grandes almacenes°. Pero aún éstas tienen que cerrar tres domingos al mes.

El jamón serrano es una comida típica española y es servido con frecuencia en los bares de tapas°.

bullicio *hubbub* **almacenes** *department stores*
tapas *Spanish appetizers*

3.1 The preterite

- Spanish has two simple tenses to indicate actions in the past: the preterite **(el pretérito)** and the imperfect **(el imperfecto)**. The preterite is used to describe actions or states that began or were completed at a definite time in the past.

TALLER DE CONSULTA

MANUAL DE GRAMÁTICA
Más práctica

3.1 The preterite, p. A18
3.2 The imperfect, p. A19
3.3 The preterite vs. the imperfect, p. A20

Gramática adicional

3.4 Telling time, p. A21

The preterite of regular *-ar*, *-er*, and *-ir* verbs

comprar	vender	abrir
compré	vendí	abrí
compraste	vendiste	abriste
compró	vendió	abrió
compramos	vendimos	abrimos
comprasteis	vendisteis	abristeis
compraron	vendieron	abrieron

¡ATENCIÓN!

In Spain, the present perfect (p. 282) is more commonly used to describe recent events.

- The preterite tense of regular verbs is formed by dropping the infinitive ending (**-ar**, **-er**, **-ir**) and adding the preterite endings. Note that the endings of regular **-er** and **-ir** verbs are identical in the preterite tense.
- The preterite of all regular and some irregular verbs requires a written accent on the preterite endings in the **yo, usted, él**, and **ella** forms.

Ayer **empecé** un nuevo trabajo.
Yesterday I started a new job.

Mi mamá **preparó** una cena deliciosa.
My mom prepared a delicious dinner.

- Verbs that end in **-car, -gar**, and **-zar** have a spelling change in the **yo** form of the preterite. All other forms are regular.

buscar	busc-	-qu-	yo busqué
llegar	lleg-	-gu-	yo llegué
empezar	empez-	-c-	yo empecé

- **Caer, creer, leer**, and **oír** change **-i-** to **-y-** in the third-person forms (**usted, él, ella** forms and **ustedes, ellos, ellas** forms) of the preterite. They also require a written accent on the **-i-** in all other forms.

caer	caí, caíste, cayó, caímos, caísteis, cayeron
creer	creí, creíste, creyó, creímos, creísteis, creyeron
leer	leí, leíste, leyó, leímos, leísteis, leyeron
oír	oí, oíste, oyó, oímos, oísteis, oyeron

- Verbs with infinitives ending in **-uir** change **-i-** to **-y-** in the third-person forms of the preterite.

construir	construí, construiste, construyó, construimos, construisteis, construyeron
incluir	incluí, incluiste, incluyó, incluimos, incluisteis, incluyeron

- Stem-changing **-ir** verbs also have a stem change in the third-person forms of the preterite. Stem-changing **-ar** and **-er** verbs are regular.

Preterite of *-ir* stem-changing verbs

pedir		dormir	
pedí	pedimos	dormí	dormimos
pediste	pedisteis	dormiste	dormisteis
pidió	pidieron	durmió	durmieron

- A number of **-er** and **-ir** verbs have irregular preterite stems. Note that none of these verbs takes a written accent on the preterite endings.

Creo que ya me entendió.

Termina tu almuerzo y después te vas. Mira, dejaste la mitad.

Preterite of irregular verbs

Infinitive	u-stem	preterite forms
andar	anduv-	anduve, anduviste, anduvo, anduvimos, anduvisteis, anduvieron
estar	estuv-	estuve, estuviste, estuvo, estuvimos, estuvisteis, estuvieron
poder	pud-	pude, pudiste, pudo, pudimos, pudisteis, pudieron
poner	pus-	puse, pusiste, puso, pusimos, pusisteis, pusieron
saber	sup-	supe, supiste, supo, supimos, supisteis, supieron
tener	tuv-	tuve, tuviste, tuvo, tuvimos, tuvisteis, tuvieron
Infinitive	**i-stem**	**preterite forms**
hacer	hic-	hice, hiciste, hizo, hicimos, hicisteis, hicieron
querer	quis-	quise, quisiste, quiso, quisimos, quisisteis, quisieron
venir	vin-	vine, viniste, vino, vinimos, vinisteis, vinieron
Infinitive	**j-stem**	**preterite forms**
conducir	conduj-	conduje, condujiste, condujo, condujimos, condujisteis, condujeron
decir	dij-	dije, dijiste, dijo, dijimos, dijisteis, dijeron
traer	traj-	traje, trajiste, trajo, trajimos, trajisteis, trajeron

- Note that the stem of **decir (dij-)** not only ends in **j**, but the stem vowel **e** changes to **i**. In the **usted, él**, and **ella** form of **hacer (hizo)**, **c** changes to **z** to maintain the pronunciation. Most verbs that end in **-cir** have **j**-stems in the preterite.

¡ATENCIÓN!

Other **-ir** stem-changing verbs include:

conseguir	**repetir**
consentir	**seguir**
hervir	**sentir**
morir	**servir**
preferir	

¡ATENCIÓN!

Ser, **ir**, **dar**, and **ver** are also irregular in the preterite. The preterite forms of **ser** and **ir** are identical.

ser/ir
fui, fuiste, fue, fuimos, fuisteis, fueron

dar
di, diste, dio, dimos, disteis, dieron

ver
vi, viste, vio, vimos, visteis, vieron

The preterite of **hay** is **hubo**.

Hubo dos conciertos el viernes.
There were two concerts on Friday.

Práctica

TALLER DE CONSULTA

MANUAL DE GRAMÁTICA
Más práctica

3.1 The preterite, p. A18

1 **Quehaceres** Escribe la forma correcta del pretérito de los verbos indicados.

1. El sábado pasado mi familia y yo ______ (hacer) la limpieza semanal.
2. Mi hermano Jorge ______ (barrer) el suelo de la cocina.
3. Yo ______ (pasar) la aspiradora por el salón.
4. Mis padres ______ (quitar) los sillones para limpiarlos y después los ______ (volver) a poner en su lugar.
5. Yo ______ (lavar) toda la ropa sucia y la ______ (poner) en el armario.
6. Nosotros ______ (terminar) con todo en menos de una hora.
7. Luego, mi madre ______ (abrir) el refrigerador.
8. Ella ______ (ver) que no había nada de comer.
9. Mi padre ______ (decir) que iría al supermercado. Todos nosotros ______ (decidir) acompañarlo.
10. Yo ______ (apagar) las luces y nos ______ (ir) al supermercado.

2 **¿Qué hicieron?** Combina elementos de cada columna para narrar lo que hicieron las personas.

MODELO Una vez, mis amigos y yo tuvimos que cocinar para cincuenta invitados.

anoche	mi compañero/a de clase	conversar	?
anteayer	mi hermano/a	dar	?
ayer	mis amigos/as	decir	?
dos veces	el/la profesor(a) de español	ir	?
la semana pasada	yo	leer	?
una vez		pedir	?
		tener que	?

3 **La última vez** Con oraciones completas, indica cuándo fue la última vez que hiciste cada una de estas actividades. Da detalles en tus respuestas. Después comparte la información con la clase.

MODELO **ir al cine**
La última vez que fui al cine fue en 2018. La película que vi fue *Misión imposible: Repercusión*...

1. hacer mandados
2. decir una mentira
3. andar atrasado/a
4. olvidar algo importante
5. devolver un regalo
6. ir de compras
7. oír una buena/mala noticia
8. encontrar una ganga increíble
9. probarse ropa en una tienda
10. comprar algo muy caro

Comunicación

4  

La semana pasada Recorre el salón de clase y averigua lo que hicieron tus compañeros durante la semana pasada. Anota el nombre del primero que conteste que sí a las preguntas.

MODELO **ir al cine**

—¿Fuiste al cine durante la semana pasada?
—Sí, fui al cine y vi la última película de Cuarón./No, no fui al cine.

Actividades	Nombre
1. asistir a un partido de fútbol	__________
2. cocinar para los amigos	__________
3. conseguir una buena nota en una prueba	__________
4. dar un consejo (*advice*) a un(a) amigo/a	__________
5. dormirse en clase o en el laboratorio	__________
6. enojarse con un(a) amigo/a	__________
7. estudiar toda la noche para un examen	__________
8. incluir un álbum de fotos en Facebook	__________
9. ir a la oficina del/de la director(a)	__________
10. ir al centro comercial	__________
11. pedir dinero prestado	__________
12. perder algo importante	__________
13. probarse un vestido/un traje elegante	__________

5 **Una fiesta** En parejas, túrnense para comentar la última fiesta que dieron o a la que asistieron.

- ocasión
- fecha y lugar
- organizador(a)
- invitados
- comida
- música
- actividades

6 **Anécdotas**

A. Escribe dos anécdotas divertidas o curiosas que te ocurrieron en el pasado.

MODELO Una vez fui a una entrevista muy importante con un zapato de cada color...

B. Compartan la información con la clase y decidan qué anécdota es la más divertida e interesante.

PUEDO hablar sobre actividades o eventos pasados.

3.2 The imperfect

- The imperfect tense in Spanish is used to narrate past events without focusing on their beginning, end, or completion.

¿No dijo que era su novia?

Hace un rato estabas bien, pero ahora estás como pálida.

- The imperfect tense of regular verbs is formed by dropping the infinitive ending (**-ar, -er, -ir**) and adding personal endings. **-Ar** verbs take the endings **-aba, -abas, -aba, -ábamos, -abais, -aban. -Er** and **-ir** verbs take **-ía, -ías, -ía, -íamos, -íais, -ían**.

The imperfect of regular *-ar, -er,* and *-ir* verbs

caminar	deber	abrir
caminaba	debía	abría
caminabas	debías	abrías
caminaba	debía	abría
caminábamos	debíamos	abríamos
caminabais	debíais	abríais
caminaban	debían	abrían

- **Ir, ser**, and **ver** are the only verbs that are irregular in the imperfect.

The imperfect of irregular verbs

ir	ser	ver
iba	era	veía
ibas	eras	veías
iba	era	veía
íbamos	éramos	veíamos
ibais	erais	veíais
iban	eran	veían

- The imperfect tense narrates what was going on at a certain time in the past. It often indicates what was happening in the background.

  Cuando yo **era** joven, **vivía** en una ciudad muy grande. Todas las semanas, mis padres y yo **íbamos** al centro comercial.

  When I was young, I lived in a big city. Every week, my parents and I went to the mall.

- The imperfect of **hay** is **había**.

  Había tres cajeros en el supermercado.
  There were three cashiers in the supermarket.

  Sólo **había** un mesero en el café.
  There was only one waiter in the café.

- These words and expressions are often used with the imperfect because they express habitual or repeated actions: **de niño/a** (*as a child*), **todos los días** (*every day*), **mientras** (*while*), **siempre** (*always*).

  De niño, vivía en un barrio de Madrid.
  As a child, I lived in a Madrid neighborhood.

  Todos los días iba a la casa de mi abuela.
  Every day I went to my grandmother's house.

  Siempre escuchaba música **mientras corría** en el parque.
  I always listened to music while I ran in the park.

Siempre dormía muy mal.
Nunca podía relajarme.
Estaba desesperado; no sabía qué hacer.
Ahora, mis problemas están
resueltos con mi nueva cama.
DORMALUX
LA CAMA DE TUS SUEÑOS

Práctica

TALLER DE CONSULTA

MANUAL DE GRAMÁTICA
Más práctica

3.2 The imperfect, p. A19

1 **Granada** Escribe la forma correcta del imperfecto de los verbos indicados.

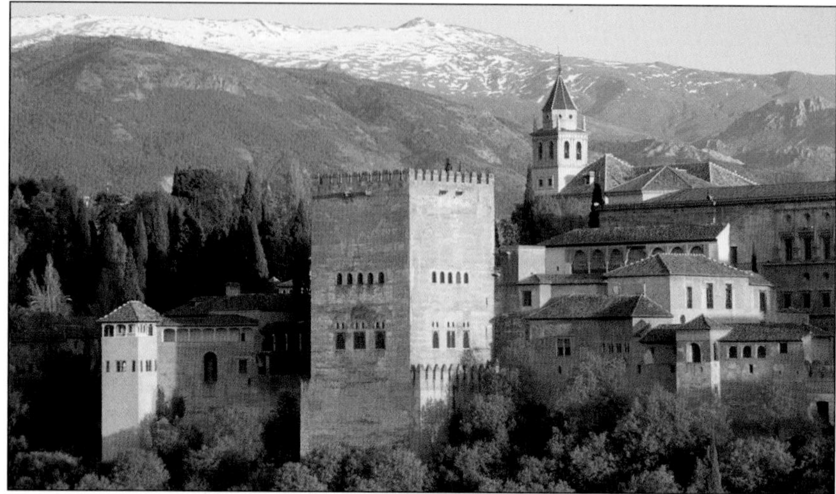

Granada, en el sur de España

Cuando yo (1) ________ (tener) quince años, estuve en España por seis meses. (2) ________ (vivir) con una familia española en Granada, una ciudad en Andalucía. (3) ________ (ser) estudiante en un programa de español para estudiantes de colegios extranjeros. Entre semana los otros estudiantes y yo (4) ________ (estudiar) español por las mañanas. Por las tardes, (5) ________ (visitar) los lugares más interesantes de la ciudad para conocerla mejor. Los fines de semana, nosotros (6) ________ (ir) de excursión con los profesores del programa. (Nosotros) (7) ________ (visitar) ciudades y pueblos nuevos. Los paisajes (8) ________ (ser) maravillosos. Quiero volver pronto.

2 **Antes** En parejas, túrnense para hacerse preguntas usando estas frases. Sigan el modelo.

MODELO **levantarse tarde los lunes**

—¿Te levantas tarde los lunes?

—Ahora sí, pero antes nunca me levantaba tarde los lunes./Ahora no, pero antes siempre me levantaba tarde los lunes.

1. hacer los quehaceres del hogar
2. usar una agenda
3. ir de compras al centro comercial
4. pagar con tarjeta de crédito
5. trabajar por las tardes
6. preocuparse por el futuro

3  **Una historieta** En grupos de tres, creen una pequeña historieta (*comic*) explicando cómo era la vida diaria de un héroe o heroína. Después, presenten sus historietas a la clase.

 Superchica era una niña con un poder muy peculiar: podía volar...

Comunicación

4 **De niños**

A. Busca en la clase compañeros/as que hacían estas cosas cuando eran niños/as. Escribe el nombre de la primera persona que conteste afirmativamente cada pregunta.

MODELO **ir mucho al parque**

—¿Ibas mucho al parque?

—Sí, iba mucho al parque.

¿Qué hacían?	Nombre
1. tener miedo de los monstruos	______________
2. llorar todo el tiempo	______________
3. siempre hacer su cama	______________
4. ser muy travieso/a (*mischievous*)	______________
5. romper los juguetes (*toys*)	______________
6. darles muchos regalos a sus padres	______________
7. comer muchos dulces	______________
8. creer en fantasmas	______________

B. Ahora, comparte con la clase los resultados de tu búsqueda.

5 **Antes y ahora** En parejas, comparen cómo ha cambiado la vida de Andrés en los últimos años. ¿Cómo era antes? ¿Cómo es ahora? Preparen una lista de seis diferencias.

antes

ahora

6 **En aquel entonces**

A. Utiliza el imperfecto para escribir un párrafo sobre la vida diaria de un(a) pariente/a tuyo/a que creció (*grew up*) en otra época. ¿Cómo era su vida cotidiana? ¿Qué solía hacer para divertirse?

B. Ahora comparte tu párrafo con un(a) compañero/a. Pregúntense sobre los personajes y comparen la vida diaria de aquel entonces con la de hoy. ¿En qué aspectos era mejor la vida diaria hace veinte años? ¿Hace cincuenta años? ¿Hace dos siglos (*centuries*)? ¿En qué aspectos era peor?

PUEDO describir mi infancia oralmente y por escrito.

Objetivo comunicativo: Describir eventos del pasado, según la situación y desde diversos puntos de vista

3.3 The preterite vs. the imperfect

- Although the preterite and imperfect both express past actions or states, the two tenses have different uses and, therefore, are not interchangeable.

Estaba cruzando y me atropellaste.

Siempre fueron desordenados, pero antes mi mami recogía todo y tú no te dabas cuenta.

Uses of the preterite

- To express actions or states viewed by the speaker as completed

Compraste los muebles hace un mes.
You bought the furniture a month ago.

Mis amigas **fueron** al centro comercial ayer.
My friends went to the mall yesterday.

- To express the beginning or end of a past action

La telenovela **empezó** a las ocho.
The soap opera began at eight o'clock.

El café **se acabó** enseguida.
The coffee ran out right away.

- To narrate a series of past actions

Me levanté, **me arreglé** y **fui** a clase.
I got up, got ready, and went to class.

Se sentó, **tomó** el bolígrafo y **escribió**.
He sat down, grabbed the pen, and wrote.

Uses of the imperfect

- To describe an ongoing past action without reference to beginning or end

Se acostaba muy temprano.
He went to bed very early.

Juan **tenía** pesadillas constantemente.
Juan constantly had nightmares.

- To express habitual past actions

Me **gustaba** jugar al fútbol los domingos por la mañana.
I used to like to play soccer on Sunday mornings.

Solían comprar las verduras en el mercado.
They used to shop for vegetables in the market.

- To describe mental, physical, and emotional states or conditions

José Miguel sólo **tenía** quince años en aquel entonces.
José Miguel was only fifteen years old back then.

Estaba tan hambriento que quería comerme un pollo entero.
I was so hungry that I wanted to eat a whole chicken.

- To tell time

Eran las ocho y media de la mañana.
It was eight thirty a.m.

Era la una en punto.
It was exactly one o'clock.

TALLER DE CONSULTA

To review telling time, see **Manual de gramática**, **3.4**, p. A21.

Uses of the preterite and imperfect together

- When narrating in the past, the imperfect describes what *was happening*, while the preterite describes the action that *interrupts* the ongoing activity. The imperfect provides background information, while the preterite indicates specific events that advance the plot.

  Había una vez un lobo que **era** muy pacífico y bueno. Un día, el lobo **caminaba** por el bosque cuando, de repente, una niña muy malvada que **se llamaba** Caperucita Roja **apareció** de entre los árboles. El lobo, asustado, **comenzó** a correr, pero Caperucita **corría** tan rápido que, al final, **atrapó** al lobo y se lo **comió**. La abuela de Caperucita **no sabía** lo malvada que **era** su nieta. Nunca nadie **supo** qué le **pasó** al pobre lobito.

  Once upon a time, there ***was*** *a wolf that* ***was*** *very peaceful and kind. One day, the wolf* ***was walking*** *through the forest when, all of a sudden, a very wicked little girl, who* ***was called*** *Little Red Riding Hood,* ***appeared*** *amongst the trees. The wolf, frightened,* ***started*** *to run, but Little Red Riding Hood* ***was running*** *so fast that, in the end, she* ***caught*** *the wolf and* ***ate*** *him up. Little Red Riding Hood's grandmother* ***didn't know*** *how wicked her granddaughter* ***was****. No one ever* ***found out*** *what* ***happened*** *to the poor little wolf.*

Different meanings in the imperfect and preterite

Marcela, quería pedirte perdón con este humilde regalo.

- The verbs **querer, poder, saber**, and **conocer** have different meanings when they are used in the preterite. Notice also the meanings of **no querer** and **no poder** in the preterite.

INFINITIVE	IMPERFECT	PRETERITE
querer	**Quería acompañarte.** *I wanted to go with you.*	**Quise acompañarte.** *I tried to go with you (but failed).* **No quise acompañarte.** *I refused to go with you.*
poder	**Ana podía hacerlo.** *Ana could do it.*	**Ana pudo hacerlo.** *Ana succeeded in doing it.* **Ana no pudo hacerlo.** *Ana could not do it.*
saber	**Ernesto sabía la verdad.** *Ernesto knew the truth.*	**Por fin Ernesto supo la verdad.** *Ernesto finally discovered the truth.*
conocer	**Yo ya conocía a Andrés.** *I already knew Andrés.*	**Yo conocí a Andrés en la fiesta.** *I met Andrés at the party.*

¡ATENCIÓN!

Here are some useful sequencing expressions.

primero *first*
al principio *in the beginning*
antes (de) *before*
después (de) *after*
mientras *while*
entonces *then*
luego *then; next*
siempre *always*
al final *finally*
la última vez *the last time*

¡ATENCIÓN!

The imperfect progressive is also used to describe a past action that was in progress, but was interrupted by an event. Both **el lobo caminaba por el bosque** and **el lobo estaba caminando por el bosque** are correct.

Práctica

TALLER DE CONSULTA

MANUAL DE GRAMÁTICA
Más práctica

3.3 The preterite vs. the imperfect, p. A20

1 **Una cena especial** Las primas Elena y Francisca tenían invitados para cenar y lo estaban preparando todo. Completa las oraciones con el imperfecto o el pretérito de estos verbos. Puedes usar los verbos más de una vez.

averiguar	haber	ofrecer	salir
decir	levantar	pasar	ser
estar	limpiar	preparar	terminar
freír	llamar	quitar	tocar

1. ________ las ocho cuando Francisca y Elena se ________ para preparar todo.
2. Elena ________ la aspiradora cuando Felipe la ________ para preguntar la hora de la cena. Le ________ que ________ a las diez y media.
3. Francisca ________ las tapas en la cocina. Todavía ________ temprano.
4. Mientras Francisca ________ las papas en aceite, Elena ________ la sala.
5. Elena ________ el polvo de los muebles cuando su madre ________ a la puerta. ¡________ una visita sorpresa!
6. Su madre se ________ a ayudar. Elena ________ que sí.
7. Cuando Francisca ________ de hacer las tapas, ________ que no ________ suficientes refrescos. Francisca ________ al supermercado.
8. Cuando por fin ________, ya ________ las nueve. Todo ________ listo.

2 **Interrupciones** Combina palabras y frases de cada columna para contar lo que hicieron estas personas. Usa el pretérito y el imperfecto.

MODELO Ustedes miraban la tele cuando el médico llamó.

Marta y Miguel	comer	la alarma	llamar por teléfono
nosotros	conducir	los amigos	recibir el mensaje
Paco	dormir	Juan Carlos	salir
tú	escuchar música	el médico	sonar
ustedes	ir a...	la policía	tocar el timbre
yo	mirar la tele	usted	ver el accidente

3 **Las fechas importantes**

A. Escribe cuatro fechas importantes en tu vida y explica qué pasó.

MODELO

Fecha	¿Qué pasó?	¿Dónde y con quién estabas?	¿Qué tiempo hacía?
el 6 de agosto de 2019	Conocí a Rafael Nadal.	Estaba en el gimnasio con un amigo.	Llovía mucho.

B. Intercambia tu información con tres compañeros/as. Ellos/as te van a hacer preguntas sobre lo que te pasó.

Comunicación

4

La mañana de Esperanza

A. En parejas, observen los dibujos. Escriban lo que le pasó a Esperanza después de abrir la puerta de su casa. ¿Cómo fue su mañana? Utilicen el pretérito y el imperfecto en la narración.

1. 

2. 

3. 

4. 

B. Con dos parejas más, túrnense para presentar las historias que han escrito. Después, combinen sus historias para hacer una nueva.

5

Síntesis En grupos de cuatro, escriban un cuento sobre un día extraordinario en el que la rutina diaria se vio interrumpida por una serie de eventos inesperados. Túrnense para pasarse una hoja de papel en la que cada uno/a escribe una oración hasta que terminen el cuento. Después, presenten sus cuentos a la clase. Utilicen el pretérito, el imperfecto y el vocabulario de esta lección. Sean creativos/as.

—El día empezó como cualquier otro día…
—Me levanté, me arreglé y salí para la clase de las nueve…
—Caminaba por la avenida central como siempre, cuando de repente, en medio de la calle, vi algo horroroso, algo que me hizo temblar de miedo…

PUEDO contar situaciones en el pasado y componer un escrito a partir de sucesos inesperados.

Objetivo comunicativo: Comentar las situaciones y eventos en un cortometraje

Antes de ver el corto

DI ALGO

país España
duración 15 minutos
director Luis Deltell
protagonistas Irene, Pablo, bibliotecaria

Vocabulario

a lo mejor *maybe*
alargar *to drag out*
la cinta *tape*
enterarse *to find out*
entretenerse *to be held up*
la luz *light*
pesado/a *annoying*
precioso/a *lovely*
respirar *to breathe*
turbio/a *murky*

1 Vocabulario Completa las oraciones.

1. Cuando hay tormenta, parece que la noche se ________ infinitamente.
2. Mucha gente le teme a la oscuridad y no puede ________ tranquila hasta que enciende la ________.
3. Finalmente hoy ________ de que fue la bibliotecaria quien se llevó las ________ con las grabaciones de las entrevistas.
4. Cerca del bosque hay un lago que antes era ________, pero ahora el agua está muy ________ porque está contaminada.

2 Las citas y tú

A. Completa el test sobre el mundo de las citas.

Las citas y tú

1. Si acabas de conocer a una persona que te gusta:
- ☐ **a.** La invitas a salir.
- ☐ **b.** La sigues secretamente durante varios días para ver cómo se comporta.
- ☐ **c.** Te escondes en un rincón y la admiras desde lejos.

2. Un amigo te propone presentarte a alguien que conoce:
- ☐ **a.** Aceptas enseguida.
- ☐ **b.** Haces muchas preguntas sobre la persona antes de decidir.
- ☐ **c.** Dices que no: las citas con extraños te ponen nervioso/a.

3. Antes de una cita:
- ☐ **a.** Vas a comprar ropa nueva y te arreglas bien para causar una buena impresión.
- ☐ **b.** Le pides a un par de amigos/as que vayan al mismo restaurante, por si acaso.
- ☐ **c.** Te da un ataque de nervios y casi llamas para cancelar.

4. En la conversación:
- ☐ **a.** Muestras interés por la otra persona, le cuentas acerca de ti y actúas tal como eres.
- ☐ **b.** Haces más preguntas de las que tú contestas.
- ☐ **c.** Evitas contar mucho sobre ti. Prefieres guardar información para una segunda cita.

B. En parejas, comparen sus respuestas. ¿Tienen actitudes similares o son muy diferentes? ¿Por qué?

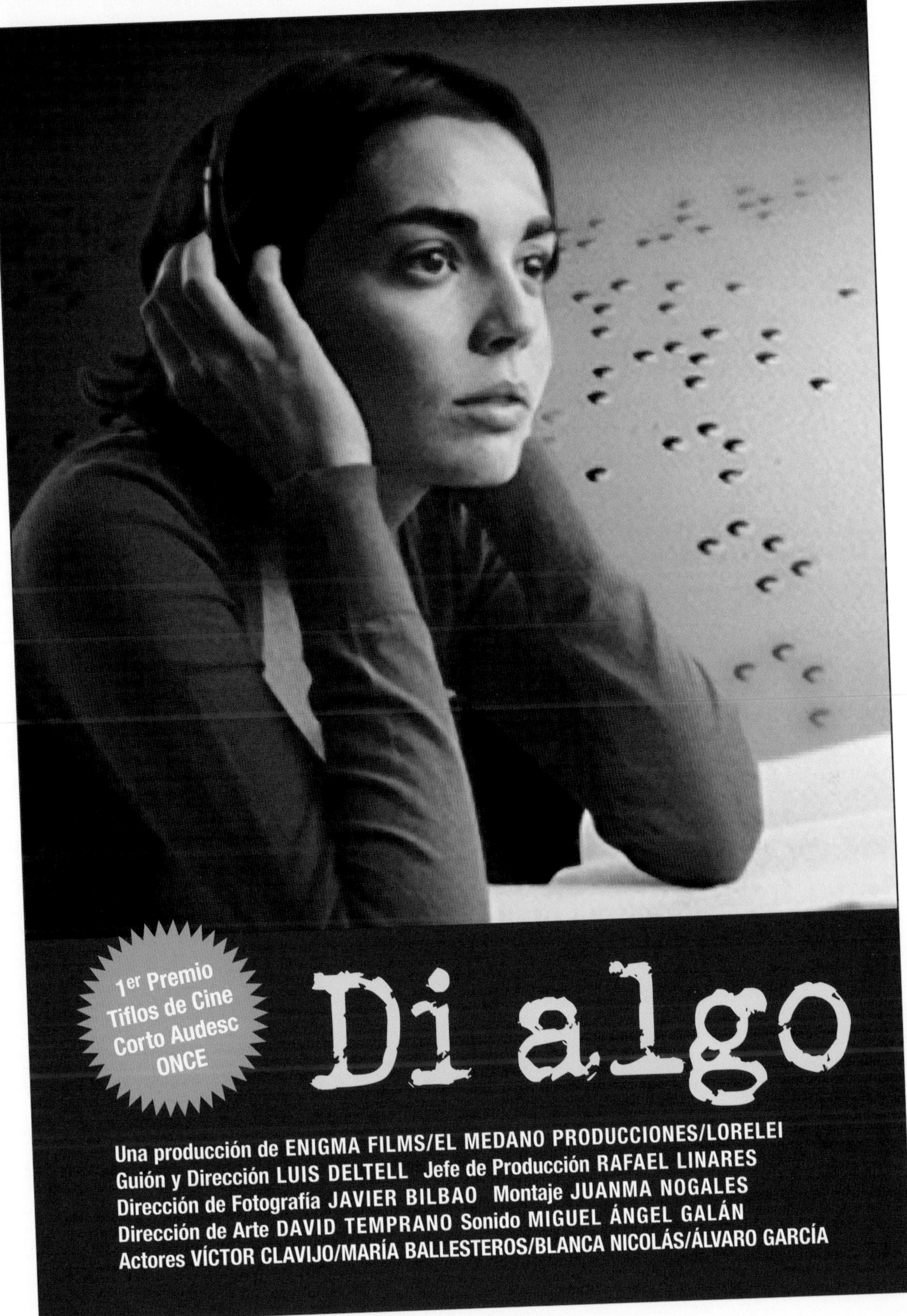
1er Premio
Tiflos de Cine
Corto Audesc
ONCE
Di algo
Una producción de ENIGMA FILMS/EL MEDANO PRODUCCIONES/LORELEI
Guión y Dirección LUIS DELTELL Jefe de Producción RAFAEL LINARES
Dirección de Fotografía JAVIER BILBAO Montaje JUANMA NOGALES
Dirección de Arte DAVID TEMPRANO Sonido MIGUEL ÁNGEL GALÁN
Actores VÍCTOR CLAVIJO/MARÍA BALLESTEROS/BLANCA NICOLÁS/ÁLVARO GARCÍA

Escenas

ARGUMENTO Una joven ciega se enamora de la voz de un hombre que escucha en grabaciones. Cuando se acaban las cintas, ella busca otra manera de seguir escuchando su voz.

VOZ DE PABLO "Menos tu vientre, todo es confuso, fugaz, pasado, baldío, turbio…".

IRENE Quería información sobre el lector 657… ¿No me podrías conseguir su número de teléfono?
BIBLIOTECARIA No puedo, Irene; eso está prohibido.

GUARDIA ¡Espera! ¿Estás bien?
IRENE Sí, sí, muchas gracias; es que me he entretenido.

PABLO ¿Sí? ¿Quién es? ¿Sí?
IRENE Di algo.

PABLO Todo el día esperando que me llame una chica que no conozco y que no habla… bueno, sí, que solamente dice: "Di algo."

PABLO ¿Hay alguien que esté pidiendo mis cintas?
BIBLIOTECARIA No sé, vamos a ver… Creo que un señor mayor… ¡ah!, y una chica también.

Después de ver el corto

1 **Comprensión** Indica si estas afirmaciones son **ciertas** o **falsas**. Luego, en parejas, corrijan las falsas.

1. Irene no tiene el teléfono de Pablo, pero lo conoce en persona.
2. La bibliotecaria no le da el teléfono de Pablo porque dice que está prohibido.
3. Por la noche, Irene roba de la biblioteca la información sobre Pablo.
4. Irene le dice la verdad al guardia.
5. Pablo cree que la mujer que lo llama por teléfono y no le habla se llama Silvia.
6. Pablo encuentra a Irene por casualidad en la calle.

2 **Interpretación** En parejas, contesten las preguntas.

1. En la primera escena, Pablo rodea (*circle*) las palabras "confuso" y "turbio" en el poema que lee. ¿Por qué les parece que las destaca (*highlight*)?
2. Irene pide el número de teléfono de Pablo después de que la bibliotecaria le dice que no hay más cintas de él. ¿Cuál piensan que es su intención: conocer a Pablo o solamente escucharlo?
3. ¿Cómo es Pablo? Presten atención a las cosas que hay en su casa y a su forma de hablar y actuar.
4. ¿Por qué Irene sólo le dice: "Di algo" y no le explica quién es? Imaginen sus razones y enumérenlas.
5. ¿Por qué Pablo se va cuando Irene se da cuenta de que él está sentado frente a ella? ¿Está esperando que ella haga algo o quiere escaparse?

3 **Diálogo** En el ascensor, Pablo le dice a Irene: "Eres tú la que tiene que decir algo". Imaginen el diálogo que sigue a estas palabras y escríbanlo. Después, represéntenlo frente a la clase.

4 **Imaginar** Elige una de las siguientes opciones y escribe una carta.

- Imagina que te cruzas un instante por la calle con alguien y te enamoras a primera vista, pero él/ella desaparece entre la gente y ahora quieres encontrarlo/a. Escribe una carta a un periódico describiéndolo/a; cuenta por qué lo/la buscas y pide ayuda a los lectores.
- Por un error al marcar un número de teléfono, conoces a alguien, empiezan a hablar y se enamoran. Después de un tiempo tienen una cita para conocerse personalmente, pero todo resulta un desastre: él/ella no se parece nada a la idea que te formaste por su voz. Cuenta en un correo electrónico cómo fue esa cita.

PUEDO hablar con un(a) compañero(a) sobre la historia de Irene y Pablo.

PUEDO representar una escena del cortometraje con un(a) compañero/a e inventar una extensión de la historia.

Objetivo comunicativo: Describir un cuadro de Oscar Sir Avendaño y hacer inferencias sobre su composición

"Tras el vivir y el soñar, está lo que más importa: el despertar."

Antonio Machado

La siesta, 2010
Óscar Sir Avendaño, Colombia

 **Interpretar** En parejas, contesten estas preguntas.

1. ¿Qué ven en este cuadro?
2. ¿Quién es el personaje que aparece en el sofá? ¿Dónde puede verse esta escena en la vida real, y en qué momento del día?
3. ¿Qué sensación les causan los colores usados en esta pintura?
4. ¿Cómo llegó ahí la persona del cuadro y qué pasa cuando se despierta de la siesta? Imaginen la escena y escríbanla.

PUEDO expresar lo que pienso sobre el cuadro *La siesta* y comentar sobre su composición.

Antes de leer

Autorretrato

Sobre la autora

Rosario Castellanos nació en la ciudad de México en 1925 y murió en Tel Aviv, Israel, en 1974 mientras se desempeñaba como (*worked as*) embajadora de México en ese país. Estudió filosofía en México y realizó estudios de estética y estilística en España. Escribió poesía, narrativa y ensayos, y también colaboró con diarios y revistas especializadas de México y del extranjero. Tres de sus obras —su primera novela, *Balún Canán*; el libro de cuentos *Ciudad Real* y su segunda novela, *Oficio de tinieblas*— conforman la principal trilogía de temática indigenista mexicana del siglo XX. El otro tema central de su obra son las mujeres. Su obra poética se encuentra reunida en el libro titulado *Poesía no eres tú*, publicado en 1972. Sus poemas se caracterizan por su estilo sencillo, en el que se presenta lo cotidiano con humor e inteligencia.

Vocabulario

acariciar *to caress*	**el autorretrato** *self-portrait*	**llorar** *to cry*
acaso *perhaps*	**feliz** *happy*	**lucir** *to wear, to display*
arduo/a *hard*	**el llanto** *weeping; crying*	**el maquillaje** *make-up*

Vocabulario Completa las oraciones.

1. En este ________, María ________ un vestido que era de su abuela.
2. No me gusta ponerme ________ en los ojos porque me hace ________.
3. La madre escuchó el ________ del bebé y enseguida se acercó a ________ su cabecita.
4. Aunque el trabajo es ________, estoy ________ de tener mi propia empresa.

Conexión personal Imagina que tienes que hacer una presentación sobre ti mismo/a titulada "Autorretrato". ¿Eliges describirte con palabras relacionadas con tus estudios, con tu trabajo, con tu personalidad, con lo que te hace feliz, con lo que te hace llorar? ¿Por qué?

Análisis literario: la poesía conversacional

Los términos "poesía conversacional" o "poesía coloquial" se refieren a un tipo de poesía que surgió durante los últimos cincuenta años y se caracteriza por su claridad, por su tono coloquial e intimista, por buscar un acercamiento al lector a través de referencias a lo cotidiano, y por romper con el estilo abstracto y menos accesible de movimientos poéticos anteriores. Otra característica de este género es la desmitificación del poeta, quien deja de ser una figura subida a un pedestal y alejada de la realidad cotidiana de los lectores. No se trata en sí de un movimiento literario claramente definido, sino que distintos poetas recorrieron caminos diferentes hasta converger en este estilo coloquial e intimista. A medida que lees *Autorretrato,* presta atención a las características de la poesía conversacional en el poema.

Audio: Dramatic reading

Autorretrato

Rosario Castellanos

Autorretrato con pelo cortado, 1940
Frida Kahlo, México

Yo soy una señora: tratamiento°
arduo de conseguir, en mi caso, y más útil
para alternar con los demás que un título
extendido a mi nombre en cualquier academia.

Así, pues, luzco mi trofeo y repito:
yo soy una señora. Gorda o flaca
según las posiciones de los astros°,
los ciclos glandulares
y otros fenómenos que no comprendo.

Rubia, si elijo una peluca rubia.
O morena, según la alternativa.
(En realidad, mi pelo encanece°, encanece.)

Soy más o menos fea. Eso depende mucho
de la mano que aplica el maquillaje.

Mi apariencia ha cambiado a lo largo del tiempo
—aunque no tanto como dice Weininger
que cambia la apariencia del genio—. Soy mediocre.
Lo cual, por una parte, me exime de° enemigos
y, por la otra, me da la devoción
de algún admirador y la amistad
de esos hombres que hablan por teléfono
y envían largas cartas de felicitación.
Que beben lentamente whisky sobre las rocas
y charlan de política y de literatura.

Amigas… hmmm… a veces, raras veces
y en muy pequeñas dosis.
En general, rehuyo° los espejos.
Me dirían lo de siempre: que me visto muy mal
y que hago el ridículo
cuando pretendo coquetear con alguien.

Soy madre de Gabriel: ya usted sabe, ese niño
que un día se erigirá en° juez inapelable
y que acaso, además, ejerza de verdugo°.
Mientras tanto lo amo.

Escribo. Este poema. Y otros. Y otros.
Hablo desde una cátedra°.
Colaboro en revistas de mi especialidad
y un día a la semana publico en un periódico.

Vivo enfrente del Bosque. Pero casi
nunca vuelvo los ojos para mirarlo. Y nunca
atravieso° la calle que me separa de él
y paseo y respiro y acaricio
la corteza rugosa° de los árboles.

Sé que es obligatorio escuchar música
pero la eludo° con frecuencia. Sé
que es bueno ver pintura
pero no voy jamás a las exposiciones
ni al estreno teatral ni al cine-club.

Prefiero estar aquí, como ahora, leyendo
y, si apago la luz, pensando un rato
en musarañas° y otros menesteres°.

Sufro más bien por hábito, por herencia, por no
diferenciarme más de mis congéneres°
que por causas concretas.

Sería feliz si yo supiera cómo.
Es decir, si me hubieran enseñado los gestos,
los parlamentos°, las decoraciones.

En cambio me enseñaron a llorar. Pero el llanto
es en mí un mecanismo descompuesto
y no lloro en la cámara mortuoria
ni en la ocasión sublime ni frente a la catástrofe.

Lloro cuando se quema el arroz o cuando pierdo
el último recibo del impuesto predial°.

tratamiento *title* **astros** *stars* **encanece** *is turning gray* **me exime de** *exempts me from* **rehuyo** *I shun; I avoid* **se erigirá en** *will become* **ejerza de verdugo** *practice as an executioner* **cátedra** *university chair* **atravieso** *I cross* **corteza rugosa** *rough bark* **eludo** *I avoid* **pensando... musarañas** *daydreaming* **menesteres** *occupations* **mis congéneres** *my kind* **parlamentos** *words* **impuesto predial** *property tax*

Después de leer

Autorretrato

Rosario Castellanos

1 **Comprensión** Indica si las oraciones son **ciertas** o **falsas.** Corrige las falsas.

1. La protagonista piensa que es una mujer bella.
2. Según ella, una mujer mediocre no tiene enemigos pero tampoco amigos.
3. La mujer de *Autorretrato* afirma que no quiere tener muchas amigas.
4. Ella ama a su hijo aunque él la juzga (*he judges her*).
5. La protagonista es poetisa, profesora y periodista.
6. No va muy frecuentemente al cine, al teatro o a exposiciones.
7. Ella odia la soledad y prefiere visitar exposiciones y estrenos.
8. Dice que no le enseñaron cómo ser feliz, pero sí le enseñaron a llorar.

2 **Interpretación** Contesta las preguntas con oraciones completas.

1. ¿Cuál es el trofeo del que se habla al comienzo del poema? ¿Qué importancia tiene en la vida de la mujer de *Autorretrato*?
2. ¿De qué piensa ella que depende su apariencia (ser gorda o flaca)? ¿Y el color de su cabello? ¿Está en su poder cambiar esas cosas?
3. ¿Por qué crees que ser mediocre le asegura la amistad de los hombres que describe? ¿Te parece que estos hombres serán también mediocres? Justifica tu respuesta.
4. ¿Te parece que esta mujer se comporta como lo indica la sociedad? ¿Piensas que aprecia su entorno y está conforme con su posición en la vida o todo lo contrario? Da ejemplos.

3 **Análisis** En parejas, respondan a las preguntas.

1. ¿Creen que la voz narrativa es cercana a la voz de la propia autora? ¿Por qué?
2. Repasen las características de la poesía conversacional y busquen ejemplos de cada una en el poema.
3. ¿A qué tipo de lector(a) creen que está dirigido este poema? ¿Por qué?
4. ¿Se sienten identificados/as con el poema? ¿Por qué?

4 **Ampliación** En parejas, analicen estos versos en el contexto del poema y expliquen qué quiere resaltar la poetisa en cada caso.

1. "(En realidad, mi pelo encanece, encanece.)"
2. "En general, rehuyo los espejos."
3. "Mientras tanto lo amo."
4. "Sería feliz si yo supiera cómo."

5 **Retrato** Escribe el retrato de la mujer del poema desde el punto de vista de la sociedad a la que pertenece; crea una voz poética ficticia: puede ser uno de esos hombres que ella describe, una de las mujeres que la critican por cómo se viste o su hijo Gabriel. Ten en cuenta lo que se espera de ella, su aspecto físico, etc., y redáctalo en forma de poesía coloquial.

PUEDO hacer comentarios sobre las particularidades de la poesía conversacional.

Antes de leer

Vocabulario

el cansancio *exhaustion*	**pintar** *to paint*
el cuadro *painting*	**el/la pintor(a)** *painter*
fatigado/a *fatigued*	**previsto/a** *planned*
imprevisto/a *unexpected*	**retratar** *to portray*
la obra maestra *masterpiece*	**el retrato** *portrait*

Pablo Picasso Completa las oraciones con el vocabulario de la tabla.

Guernica, de Pablo Picasso

1. De todo el arte del Museo Reina Sofía, yo prefiero los ________ de Pablo Picasso.
2. De muy joven, el ________ español creaba arte realista.
3. Al poco tiempo, este gran artista empezó a ________ obras de otros estilos e inventó el cubismo.
4. Su obra más famosa, el *Guernica*, quiere ________ el horror del bombardeo alemán al pueblo de Guernica, en el norte de España.
5. Según mucha gente, el *Guernica* es su creación más importante, la ________ de Picasso.

Conexión personal Responde las preguntas. ¿Qué haces para recordar los eventos y las personas que son importantes para ti? ¿Sacas fotos o mantienes un diario? ¿Cuentas historias? ¿Cuáles son algunos de los recuerdos que te gustaría atesorar (*treasure*)?

Niños comiendo uvas y un melón, Bartolomé Esteban Murillo

Contexto cultural

Del siglo XVI al siglo XVII, España pasó de ser una enorme potencia política a ser un imperio en camino de extinción. Donde antes había victorias militares, riqueza (*wealth*) y expansión, ahora había crisis política y económica, y decadencia. Sin embargo, estos problemas contrastaban con la extraordinaria producción artística y literaria del Siglo de Oro. A pesar de su éxito, se consideraba a los pintores más artesanos que artistas y, por lo tanto, no eran de alta posición social. Muchos artistas trabajaban por encargo; la realeza y la nobleza eran sus mecenas (*patrons*). Con sus obras, contribuían a la educación cultural, y a menudo religiosa, de la sociedad.

Audio: Reading

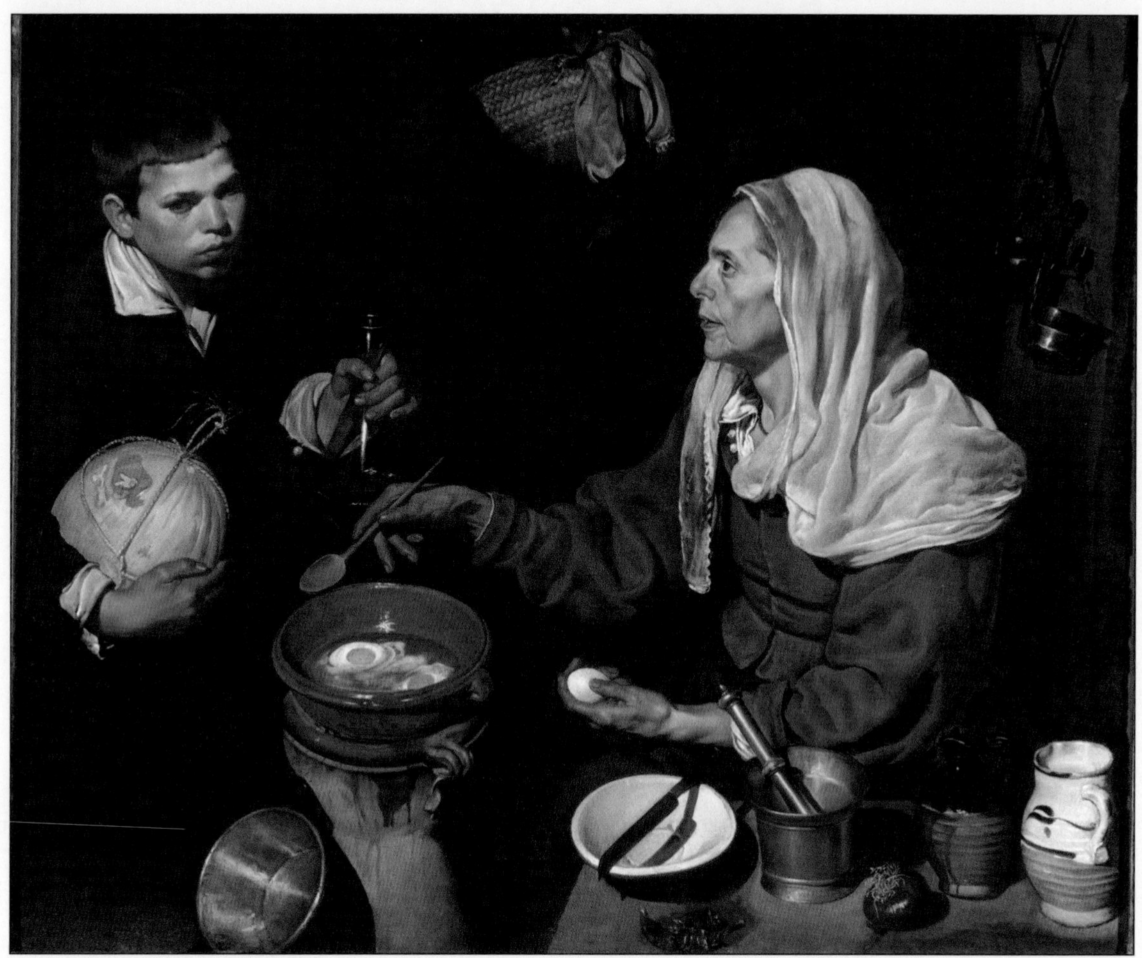

Vieja friendo huevos

El arte de la vida diaria

Diego Velázquez es importante no sólo por su mérito artístico, sino también por lo que nos cuentan sus cuadros. Conocido sobre todo como pintor de retratos, Velázquez se interesaba también por temas mitológicos y escenas cotidianas. En todo su arte, examinaba y reproducía en minucioso detalle sólo aquello que veía. Su imitación de la naturaleza, de lo inmediatamente observable, era lo que daba vida a su arte y a la vez creaba un arte de la vida diaria.

Antes de mudarse a la Corte del Rey°, Velázquez pintó cuadros de temas cotidianos. Un ejemplo célebre es la *Vieja friendo huevos* (1618). El cuadro capta un momento sin aparente importancia: una mujer vieja cocina mientras un niño trae aceite y un melón. Varios objetos de la casa, reproducidos con precisión, llenan el lienzo°, dignos de nuestra atención, por ejemplo: la cuchara, un plato blanco en el que descansa un cuchillo, jarras°, una cesta de paja°. Junto con la comida que prepara —no hay carne ni variedad— la ropa típica de pobre sugiere que la mujer es humilde. Con el cuadro, Velázquez interrumpe un momento que podría ser de cualquier día. No es una naturaleza muerta°, sino un instante de la vida.

king's court · *canvas* · *jugs* · *wicker basket* · *still life*

Incluso cuando pintaba temas mitológicos, Velázquez tomaba como modelo gente de la calle. Por eso, se pueden percibir escenas diarias en temas distanciados de la época. Un ejemplo es *El triunfo° de Baco* (entre 1628 y 1629). En este cuadro, el dios romano del vino se sienta en un campo abierto, no con otros dioses, sino con campesinos°. Sus caras fatigadas reflejan a la vez el cansancio de una vida de trabajo —la vida del plebeyo° español era entonces especialmente dura— y la alegría de poder descansar un rato.

triumph · *peasants* · *commoner*

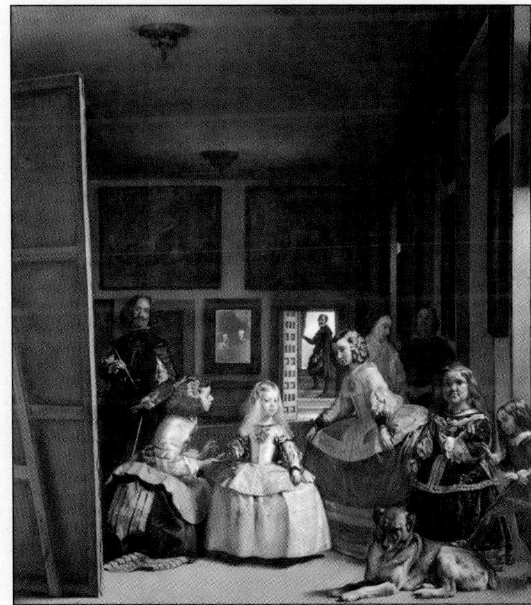

Las Meninas

El triunfo de Baco

En los cuadros de la Corte, Velázquez nos da una imagen rica y compleja del mundo del palacio. En vez de retratar exclusivamente a la familia real y los nobles, incluye también toda la tropa de personajes que los servía y entretenía. En este grupo numeroso entraban enanos° y bufones°, a quienes Velázquez pinta con dignidad. En *Las Meninas* (ca. 1656), su cuadro más famoso y misterioso, la princesa Margarita está rodeada° por sus damas, enanos y un perro. A la izquierda, el mismo Velázquez pinta detrás de un lienzo inmenso. En el fondo° se ve una imagen de los reyes.

little people/ jesters · *surrounded* · *background*

Sin embargo, el cuadro sugiere más preguntas que respuestas. ¿Dónde están exactamente el rey y la reina? ¿La imagen de ellos que vemos es un reflejo de espejo°? ¿Qué pinta el artista y por qué aparece en el cuadro? ¿Qué significa? Tampoco se sabe por qué se detiene aquí el grupo: puede ser por una razón prevista, como posar para un cuadro; o puede ser algo totalmente imprevisto, un momento efímero° de la vida de una princesa y su grupo. ¿Es un momento importante? *Las Meninas* invita al debate sobre un instante que no se pierde sólo porque un pintor lo capta y lo rescata° del olvido. Paradójicamente es su enfoque en lo momentáneo y en el detalle de la vida común lo que eleva a Velázquez por encima de otros grandes artistas. ■

mirror · *fleeting* · *rescues*

Biografía breve

1599 Diego Velázquez nace en Sevilla.
1609 Empieza sus estudios formales de arte.
1623 Nombrado pintor oficial del Rey Felipe IV en Madrid.
1660 Muere después de una breve enfermedad.

Después de leer

El arte de la vida diaria

1 **Comprensión** Después de leer el texto, decide si las oraciones son **ciertas** o **falsas**. Corrige las falsas.

1. Velázquez es conocido sobre todo como pintor religioso.
2. Velázquez era un pintor impresionista que transformaba su sujeto en la imaginación.
3. Por lo general, Velázquez tomaba como modelo gente de la calle.
4. En *El triunfo de Baco*, el dios romano del vino se sienta con campesinos españoles.
5. Velázquez retrataba exclusivamente a la familia real y a los nobles.

2 **Interpretación** Contesta las preguntas con oraciones completas.

1. ¿Se refleja de alguna manera la crisis económica del siglo XVII en los cuadros de Velázquez? Menciona detalles específicos en tu respuesta.
2. ¿Qué te enseña *Vieja friendo huevos* sobre la vida en España en el siglo XVII?
3. ¿Es *El triunfo de Baco* un cuadro realista? Explica tu respuesta.
4. ¿Te sorprende que Velázquez represente a los sirvientes de la Corte? ¿Por qué?
5. ¿En qué sentido es *Las Meninas* un cuadro misterioso?

3 **Análisis** En parejas, respondan a las preguntas.

1. A través de pequeños detalles, *El triunfo de Baco* revela mucho sobre la posición social de los hombres del cuadro. Estudien, por ejemplo, la ropa y el aspecto físico para describir y analizar su situación económica. ¿Cuál es su conclusión?
2. ¿Qué o quién es el sujeto central de *Las Meninas*? ¿El grupo de la princesa? ¿Los reyes? ¿El mismo Velázquez? ¿El arte? Comenten sus hipótesis sobre la obra maestra de Velázquez.

4 **Reflexión** En grupos de cuatro, comparen cómo se entretenía la realeza en el pasado con cómo se entretienen los líderes de las naciones modernas. Usen estas preguntas como guía.

- Antes, los reyes tenían bufones. ¿Qué piensan de la situación social de los bufones de la Corte? ¿Es ético utilizar a las personas para la diversión?
- ¿Qué familias presidenciales conocen? ¿Cómo viven? ¿Su vida cotidiana es diferente a la de los reyes de otras épocas?
- ¿Se puede ser parte del poder político y tener una vida cotidiana normal?

5 **Recuerdos** Imagina que *Vieja friendo huevos* capta, como una fotografía, un momento de tu propio pasado cuando ayudabas a tu abuela en la cocina. Inspirándote en el cuadro de Velázquez, inventa una historia. ¿Qué hacía tu abuela? ¿Cómo pasaba los días? Y tú, ¿por qué llegaste a la cocina aquel día? ¿Te mandó tu madre o tenías hambre? Utilizando los tiempos del pasado que conoces, describe esta escena de tu infancia.

PUEDO hablar sobre las situaciones de la vida cotidiana representadas en algunos cuadros de Diego Velásquez.

Atando cabos

¡A conversar!

1 **Un día en la historia** Trabajen en grupos pequeños para preparar una presentación sobre un día en la vida de un personaje histórico hispano.

Presentaciones

Tema: Elijan un personaje histórico hispano. Algunos personajes que pueden investigar son: Sor Juana Inés de la Cruz, Simón Bolívar, José de San Martín, Emiliano Zapata, Catalina de Erauso, Álvar Núñez Cabeza de Vaca, Fray Bartolomé de las Casas. Pueden elegir también un personaje que no esté en la lista.

Investigación y preparación: Busquen información en Internet o en la biblioteca. Recuerden buscar o preparar materiales visuales. Una vez reunida la información necesaria sobre el personaje, imagínense un día en su vida cotidiana, desde que se levantaba hasta que se acostaba. Al imaginar los detalles, tengan en cuenta la época en la que vivió el personaje.

Organización: Hagan un esquema (*outline*) que los ayude a planear la presentación.

Presentación: Utilicen el pretérito y el imperfecto para las descripciones. Traten de promover la participación a través de preguntas y alternen la charla con materiales visuales.

Simón Bolívar

2 **Experiencias** En parejas, hablen de dos experiencias pasadas.

A. Conversen sobre una de las experiencias más graciosas que recuerden y, después, sobre una de las más incómodas. Pueden usar las preguntas como guía.

1. ¿Recuerdas alguna experiencia graciosa/incómoda en tu vida? ¿Cuál?
2. ¿Qué sucedió?
3. ¿Con quién(es) viviste esa experiencia?
4. ¿Dónde ocurrió esa situación?
5. ¿Cuándo sucedió la experiencia?
6. ¿Por qué es una experiencia graciosa/incómoda?

B. Seleccionen la experiencia más graciosa y la más incómoda del grupo y compártanla con la clase. Entre todos, decidan cuál es la más graciosa y cuál es la más incómoda.

3 **Evolución** En parejas, conversen sobre los cambios en sus vidas en tres momentos distintos: cuando eran bebés, cuando tenían ocho años y en la actualidad. Consideren los cambios en la alimentación, en la forma de vestir, en la educación, en el entretenimiento, etc.

MODELO Cuando era un(a) bebé mis padres me daban la comida. A los ocho años yo comía solo, al igual que ahora.

Atando cabos

4 **Tareas del hogar** En grupos, comenten las tareas del hogar que se hacen en sus casas, quién las hace y cuántas veces se realizan por semana.

- barrer
- cocinar
- ir al supermercado
- lavar la ropa
- lavar los platos
- poner la mesa
- quitar el polvo
- sacar la basura

MODELO En mi casa, mi mamá pasa la aspiradora una vez por semana…

¡A escribir!

5 **Una anécdota del pasado** Sigue el plan de redacción para contar una anécdota que te haya ocurrido en el pasado. Piensa en una historia divertida, dramática o interesante relacionada con uno de estos temas:

- un regalo especial que recibiste
- una situación en la que usaste una excusa falsa y las cosas no te salieron bien
- una situación en la que fuiste muy ingenuo/a

Plan de redacción

Título: Elige un título breve que sugiera el contenido de la historia pero que no dé demasiada información.

Contenido: Explica qué estaba pasando cuando ocurrió el acontecimiento, dónde estabas, con quién estabas, qué pasó, cómo pasó, etc. Usa expresiones como: **al principio, al final, después, entonces, luego, todo empezó/comenzó cuando,** etc. Recuerda que debes usar el pretérito para las acciones y el imperfecto para las descripciones.

Conclusión: Termina la historia explicando cuál fue el resultado del acontecimiento y cómo te sentiste.

PUEDO preparar y presentar una exposición oral sobre un personaje histórico famoso.

PUEDO escribir sobre una experiencia personal de manera detallada.

VOCABULARIO

En casa

el balcón	*balcony*
la escalera	*staircase*
el hogar	*home; fireplace*
la limpieza	*cleaning*
los muebles	*furniture*
los quehaceres	*chores*
apagar	*to turn off*
barrer	*to sweep*
calentar (e:ie)	*to warm up*
cocinar	*to cook*
encender (e:ie)	*to turn on*
freír (e:i)	*to fry*
hervir (e:ie)	*to boil*
lavar	*to wash*
limpiar	*to clean*
pasar la aspiradora	*to vacuum*
poner/quitar la mesa	*to set/clear the table*
quitar el polvo	*to dust*
tocar el timbre	*to ring the doorbell*

De compras

el centro comercial	*mall*
el dinero en efectivo	*cash*
la ganga	*bargain*
el probador	*dressing room*
el reembolso	*refund*
el supermercado	*supermarket*
la tarjeta de crédito/ débito	*credit/debit card*
devolver (o:ue)	*to return (items)*
hacer mandados	*to run errands*
ir de compras	*to go shopping*
probarse (o:ue)	*to try on*
seleccionar	*to select; to pick out*
auténtico/a	*real; genuine*
barato/a	*inexpensive*
caro/a	*expensive*

Expresiones

a menudo	*frequently; often*
a propósito	*on purpose*
a tiempo	*on time*
a veces	*sometimes*
apenas	*hardly; scarcely*
así	*like this; so*
bastante	*quite; enough*
casi	*almost*
casi nunca	*rarely*
de repente	*suddenly*
de vez en cuando	*now and then; once in a while*
en aquel entonces	*at that time*
en el acto	*immediately; on the spot*
enseguida	*right away*
por casualidad	*by chance*

La vida diaria

la agenda	*datebook*
la costumbre	*custom; habit*
el horario	*schedule*
la rutina	*routine*
la soledad	*solitude; loneliness*
acostumbrarse (a)	*to get used to*
arreglarse	*to get ready*
averiguar	*to find out*
probar (o:ue) (a)	*to try*
soler (o:ue)	*to be in the habit of*
atrasado/a	*late*
cotidiano/a	*everyday*
diario/a	*daily*
inesperado/a	*unexpected*

Más vocabulario

Expresiones útiles	*Ver p. 105*
Estructura	*Ver pp. 112–113, 116–117 y 120–121.*

En pantalla

la cinta	*tape*
la luz	*light*
alargar	*to drag out*
enterarse	*to find out*
entretenerse	*to be held up*
respirar	*to breathe*
pesado/a	*annoying*
precioso/a	*lovely*
turbio/a	*murky*
a lo mejor	*maybe*

Literatura

el autorretrato	*self-portrait*
el maquillaje	*make-up*
el llanto	*weeping; crying*
acariciar	*to caress*
llorar	*to cry*
lucir	*to wear, to display*
arduo/a	*hard*
feliz	*happy*
acaso	*perhaps*

Cultura

el cansancio	*exhaustion*
el cuadro	*painting*
la obra maestra	*masterpiece*
el/la pintor(a)	*painter*
el retrato	*portrait*
pintar	*to paint*
retratar	*to portray*
fatigado/a	*fatigued*
imprevisto/a	*unexpected*
previsto/a	*planned*

A primera vista

- ¿Dónde están las personas de la foto?
- ¿Qué están haciendo? ¿Por qué?
- ¿Cómo podemos evitar o corregir las lesiones físicas?

Essential Questions

1. ¿Qué influye en nuestros comportamientos y decisiones relacionadas con la salud?
2. ¿Qué podemos hacer para prevenir enfermedades?
3. ¿Cómo varían los sistemas de salud en las diferentes culturas?

4 La salud y el bienestar

Can Do Goals

By the end of this lesson I will be able to:

- Talk about health, disease, and healthcare systems
- Give advice and recommendations
- Express emotions, doubt, and denial
- Give instructions and commands
- Describe a situation with specific details

Also, I will learn about:

Culture
- Traditional medicine in Colombia
- Bike paths in the city of Bogotá
- Pharmacies and alternative medicine in Ecuador
- The fight against a terrible disease in Colombia

Skills
- Reading: Recognizing similes in literary readings
- Conversation: Discussing healthy foods
- Writing: Writing an advice sheet to promote a healthier life

Lesson 4 Integrated Performance Assessment
Context: You have been asked to participate in a community health fair. Your topic is how to encourage young people to get and stay fit. You will prepare a poster or short slide presentation for the health fair.

Una tienda de plantas medicinales en Quito, Ecuador

Producto/Práctica: El uso de plantas medicinales es muy común en Latinoamérica.

¿Adónde vas a conseguir medicinas en tu comunidad?

4 CONTEXTOS **Objetivo comunicativo:** Hablar sobre estados de salud, síntomas y tratamientos

La salud y el bienestar

Los síntomas y las enfermedades

Inés pensaba que tenía sólo un **resfriado**, pero no paraba de **toser** y estaba **agotada**. El médico le confirmó que era una **gripe** y que debía **permanecer** en cama.

la depresión *depression*
la enfermedad *disease; illness*
la gripe *flu*
la herida *injury*
el malestar *discomfort*
la obesidad *obesity*
el resfriado *cold*
la respiración *breathing*
la tensión (alta/baja) *(high/low) blood pressure*
la tos *cough*
el virus *virus*

---

contagiarse *to become infected*
desmayarse *to faint*
empeorar *to get worse*
enfermarse *to get sick*
estar resfriado/a *to have a cold*
lastimarse *to get hurt*
permanecer *to remain*
ponerse bien/mal *to get well/sick*
sufrir (de) *to suffer (from)*
tener buen/mal aspecto *to look healthy/sick*
tener fiebre *to have a fever*
toser *to cough*

---

agotado/a *exhausted*
inflamado/a *inflamed*
mareado/a *dizzy*

La salud y el bienestar

la alimentación *diet (nutrition)*
la autoestima *self-esteem*
el bienestar *well-being*
el estado de ánimo *mood*
la salud *health*

---

adelgazar *to lose weight*

descansar *to rest*
engordar *to gain weight*
estar a dieta *to be on a diet*
mejorar *to improve*
prevenir (e:ie) *to prevent*
relajarse *to relax*
trasnochar *to stay up all night*

---

sano/a *healthy*

Los médicos y el hospital

la cirugía *surgery*
el/la cirujano/a *surgeon*
la consulta *doctor's appointment*

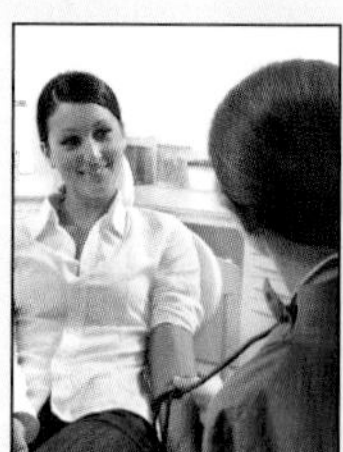

el consultorio *doctor's office*
la operación *operation*
los primeros auxilios *first aid*
la sala de emergencias *emergency room*

Práctica

Las medicinas y los tratamientos

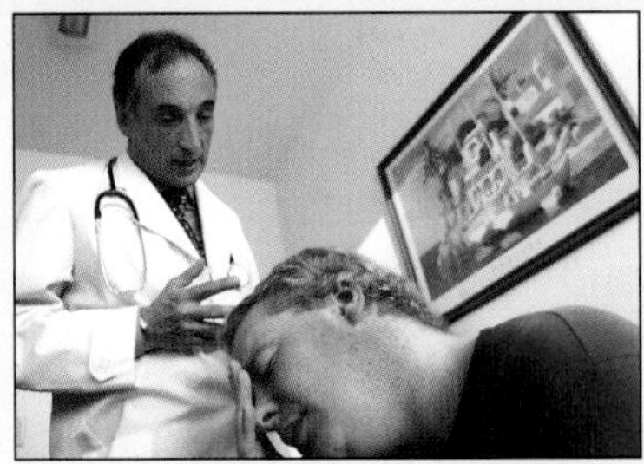

A Ignacio no le gusta tomar medicinas. Nunca toma **pastillas** ni **jarabes**. Sin embargo, le dolía tanto la cabeza que tuvo que tomarse un **analgésico**. El doctor le dijo que tenía la **tensión alta**.

el analgésico *painkiller*
la aspirina *aspirin*
el calmante *tranquilizer*
los efectos secundarios *side effects*
el jarabe (para la tos) *(cough) syrup*
la pastilla *pill*
la receta *prescription*
el tratamiento *treatment*
la vacuna *vaccine*
la venda *bandage*
el yeso *cast*

curarse *to heal; to be cured*
poner(se) una inyección *to give/get a shot*
recuperarse *to recover*
sanar *to heal*
tratar *to treat*
vacunar(se) *to vaccinate/ to get vaccinated*

---

curativo/a *healing*

1 Escuchar

A. Escucha la conversación entre Sara y su hermano David. Después, completa las oraciones y decide quién dijo cada una.

1. No sé lo que me pasa, la verdad. Estoy siempre muy __________. __________
2. Creo que __________ demasiado. ¿Has ido al __________? __________
3. No he ido porque no tenía __________, sólo era un ligero __________. __________
4. Deja de ser una niña. Tienes que __________. __________
5. Por eso te llamo. No se me va el dolor de estómago ni con __________. __________
6. Ahora mismo llamo al doctor Perales para hacerle una __________. __________

B. A Sara le diagnosticaron apendicitis. Escucha lo que le dice la cirujana a la familia después de la operación y luego contesta las preguntas.

1. ¿Qué tiene que tomar Sara cada ocho horas?
2. ¿Cómo se puede sentir al principio?
3. ¿Va a tomar mucho tiempo su recuperación?
4. ¿Puede comer de todo?
5. ¿Qué es lo más importante que tiene que hacer ahora Sara?

2 A curarse Indica qué tiene que hacer cada persona en cada situación.

___ 1. Se lastimó con un cuchillo.	a. hacer aeróbicos y practicar yoga
___ 2. Tiene fiebre.	b. dejar de fumar
___ 3. Su estado de ánimo es malo.	c. hablar con un(a) amigo/a
___ 4. Quiere prevenir la gripe.	d. ponerse una venda
___ 5. Le falta la respiración.	e. tomar aspirinas y descansar
___ 6. Está obeso/a.	f. ponerse una vacuna

Práctica

3 **Acróstico** Completa el acróstico. Al terminarlo, se formará una palabra de **Contextos**.

A
1.
2.
O
3.
4.
T
5.
6.
A

1. Organismo muy pequeño que transmite enfermedades.
2. Si la tienes alta, puedes tener problemas del corazón.
3. Material blanco que se usa para inmovilizar fracturas.
4. No dormir en toda la noche.
5. Es sinónimo de *operación*.
6. Caerse y quedar inconsciente.

4 **Amelia está enferma** Completa las oraciones con la opción lógica.

1. Amelia está tosiendo continuamente. No se le cura (la gripe/la depresión).
2. Sus compañeros de trabajo no se enfermaron este año porque se (lastimaron/vacunaron).
3. Su madre siempre le había dicho que es preferible (mejorar/prevenir) las enfermedades que curarlas.
4. El médico le dio una receta para (un jarabe/un consultorio).
5. Su jefe le ha dicho que no vaya a trabajar. Ella tiene que volver a la oficina cuando esté (agotada/recuperada).

5 **Malos hábitos** Martín tiene hábitos que no son buenos para la salud. Completa la conversación entre Martín y su doctor con las palabras de la lista. Haz los cambios necesarios.

ánimo	**dieta**	**mejorar**	**sano**
deprimido	**empeorar**	**pastillas**	**trasnochar**
descansar	**engordar**	**salud**	**vacuna**

MARTÍN Doctor, a mí me gusta mucho comer pizza mientras veo la tele.

DOCTOR Por eso usted está (1) ________ tanto. Debe hacer ejercicio y (2) ________ su alimentación.

MARTÍN También me gusta salir y acostarme tarde.

DOCTOR No es bueno (3) ________ todo el tiempo. Es importante (4) ________.

MARTÍN Pero ¡doctor! ¿Puedo comer helados y chocolates, por lo menos?

DOCTOR No, Martín. Usted debe tener una (5) ________ balanceada. Debe comer más frutas y verduras.

MARTÍN ¡Todo lo que me gusta hacer es malo para la (6) ________!
Si le hago caso a usted, voy a estar (7) ________ pero deprimido.

DOCTOR No es así. Si usted mejora su forma física, su estado de (8) ________ va a mejorar también. Recuerde: "Mente sana en cuerpo sano".

Comunicación

6 Vida sana

A. En parejas, háganse las preguntas de la encuesta.

	Siempre	A menudo	De vez en cuando	Nunca
1. ¿Trasnochas más de dos veces por semana?	☐	☐	☐	☐
2. ¿Practicas algún deporte?	☐	☐	☐	☐
3. ¿Consumes vitaminas y minerales diariamente?	☐	☐	☐	☐
4. ¿Comes mucha comida frita?	☐	☐	☐	☐
5. ¿Tienes dolores de cabeza?	☐	☐	☐	☐
6. ¿Te enfermas?	☐	☐	☐	☐
7. ¿Desayunas sin prisa?	☐	☐	☐	☐
8. ¿Pasas muchas horas del día sentado/a?	☐	☐	☐	☐
9. ¿Te pones de mal humor?	☐	☐	☐	☐
10. ¿Tienes problemas para dormir?	☐	☐	☐	☐

B. Imagina que eres médico/a. ¿Tiene tu compañero/a una vida sana? Utiliza la conversación entre el señor Méndez y su médico de la Actividad 5 como modelo.

7 Citas célebres

A. En grupos de cuatro, elijan las citas (*quotations*) que les parezcan más interesantes y expliquen.

La salud

"La salud no lo es todo pero sin ella, todo lo demás es nada."
A. Schopenhauer

"El ser humano pasa la primera mitad de su vida arruinando la salud y la otra mitad intentando recuperarla."
Joseph Leonard

"Come poco y cena más poco, que la salud de todo el cuerpo se decide en la oficina del estómago."
Miguel de Cervantes

La medicina

"Antes que al médico, llama a tu amigo."
Pitágoras

"Los médicos no están para curar, sino para recetar y cobrar; curarse o no es cuenta del enfermo."
Molière

"La esperanza es el mejor médico que yo conozco."
Alejandro Dumas, hijo.

La enfermedad

"El peor de todos los males es creer que los males no tienen remedio."
Francisco Cabarrus

"La investigación de las enfermedades ha avanzado tanto que cada vez es más difícil encontrar a alguien que esté completamente sano."
Aldous Huxley

"El arte de la medicina consiste en entretener al paciente mientras la Naturaleza cura la enfermedad."
Voltaire

B. Utilicen el vocabulario de **Contextos** para escribir una frase original sobre la salud. Compártanla con la clase. ¿Cuál es la frase más original?

PUEDO hablar sobre la salud, la enfermedad y los tratamientos.

Objetivo comunicativo: Hablar sobre los hábitos de salud y los servicios médicos

En el video...

Marcela sigue enojada con Ricardo, entonces él decide ir a comprarle un regalo. Mientras tanto, Lupita le dice a Marcela que no se siente bien. Después de hablar un rato con Lupita, Marcela debe ir a buscar a un pasajero. En este episodio verás cómo sigue la historia.

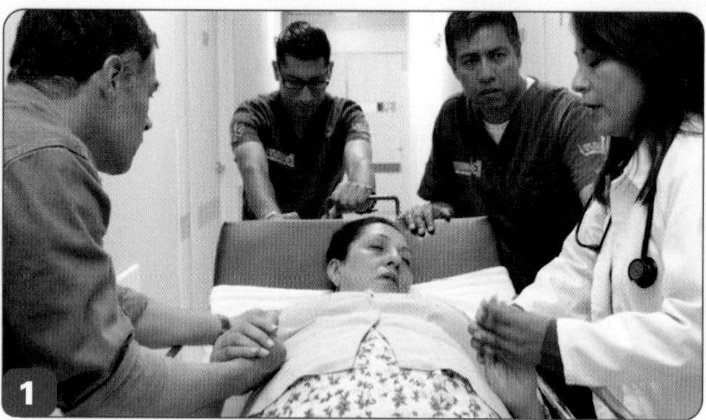
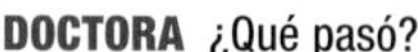

1

DOCTORA ¿Qué pasó?

PARAMÉDICO La encontraron desmayada.

DOCTORA ¿Presión?

PARAMÉDICO Ciento ochenta sobre cien.

DOCTORA Es urgente que la estabilicemos, ¡está altísima!

2

RICARDO ¡Marcela! ¡Detente! ¡Marcela! ¡Marcela!
Ricardo se cae.

MARCELA ¡¿Te has vuelto loco?!

RICARDO (*adolorido*) ¡Yo también me alegro de verte otra vez!

MARCELA Por lo visto, siempre te las arreglas para romper algo. (*Ricardo le da el regalo a Marcela.*)

RICARDO Por haberte arruinado el cumple.

4

Ricardo sube a la Kombi.

MARCELA ¿Qué haces?

RICARDO Vamos a mi excursión. ¿No?

MARCELA Vamos al hospital.

RICARDO ¿Al hospital? No es para tanto. No me duele. Está un poco inflamado, no más.

MARCELA ¡Agárrate! Voy a ir rápido.

5

DOCTORA Con permiso. Soy la doctora Hernández.

ROCÍO (*dramática*) ¿Cómo está Lupita, doctora?

DOCTORA Está estable.

MANU ¿Cuándo regresa a la casa?

DOCTORA Seguramente mañana, pero es importante que descanse. Es mejor que se quede esta noche en el hospital.

UNA PACIENTE DIFÍCIL

Personajes

DOCTORA · **PARAMÉDICO** · **LORENZO** · **LUPITA** · **RICARDO** · **MARCELA** · **MANU** · **ROCÍO**

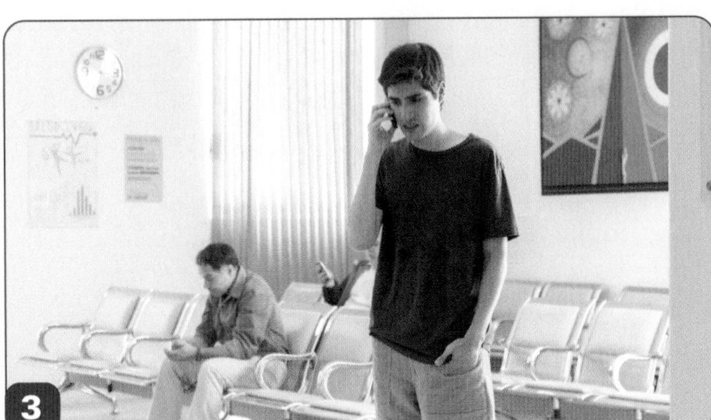

3

Suena el teléfono de Marcela.

MANU (*al teléfono*) ¿Marcela? Encontramos a Lupita desmayada en la sala.

MARCELA ¡Espero que no sea una broma, Manu!

MANU Estamos en la sala de emergencias. Para colmo, mi papá está muy nervioso. Necesito que pises el acelerador y vengas al hospital. ¡Apúrate!

MARCELA ¡Salgo para allá!

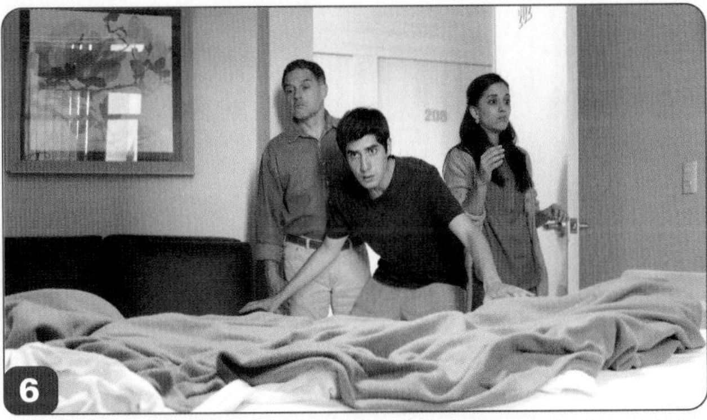

6

MANU ¡Shhh! No hagan ruido por si acaso está durmiendo...
(*Manu, Rocío y Lorenzo entran a la habitación.*)
¿Dónde está?

ROCÍO Estará en el baño.
(*Rocío entra al baño.*)
Aquí no hay nadie.

MANU Y LORENZO ¡Doctora!

Expresiones útiles

Expressing will, influence, and emotion

Es mejor que se quede esta noche en el hospital.
It is better that she stay at the hospital overnight.

Es urgente que la estabilicemos.
It's urgent that we stabilize her.

¡Espero que no sea una broma, Manu!
I hope this is not a joke, Manu!

Necesito que estés tranquilo.
I need you to stay calm.

Necesito que pises el acelerador y vengas al hospital.
I need you to step on the gas and get to the hospital.

Giving orders or advice

¡Agárrate!
Hold on!

¡Detente!
Stop!

¡Espera!
Wait!

¡No seas ridícula!
Don't be ridiculous!

Relájese y espere acá, por favor.
Relax and wait here, please.

Shhh, no hagan ruido por si acaso está durmiendo.
Shhh, don't make any noise in case she's sleeping.

Additional vocabulary

arreglárselas (para) *to manage to*
detenerse *to stop*
¡No es para tanto! *It's not a big deal!*
¡Por Dios! *For God's sake!*
por lo visto *apparently*
la presión *(blood) pressure*

Comprensión

1 **¿Cierto o falso?** Decide si estas oraciones son **ciertas** o **falsas**. Corrige las falsas.

Cierto	Falso	
☐	☐	1. Lupita está en el hospital con la presión muy baja.
☐	☐	2. Marcela se pone contenta cuando Ricardo le da el regalo.
☐	☐	3. Manu llama a Marcela para que vaya al hospital.
☐	☐	4. Rocío estudia medicina.
☐	☐	5. La doctora dice que Lupita debe quedarse en el hospital una semana más.
☐	☐	6. Al final del episodio, Lupita no está en su habitación.

2 **¿Quién lo dijo?** Indica qué personaje dijo cada oración.

DOCTORA LORENZO LUPITA

MANU MARCELA RICARDO

1. Relájese y espere acá, por favor. ________
2. ¡Espera! ¡Marcela! ¡Detente! ________
3. ¡Vamos al hospital! ¡Agárrate! ________
4. ¡No seas ridícula! La doctora dijo que sólo fue un desmayo. ________
5. Shhh, no hagan ruido por si acaso está durmiendo. ________

3 **Preguntas** Contesta las preguntas con oraciones completas.

1. ¿Por qué está Lupita en el hospital?
2. ¿Quién llevó a Lupita al hospital?
3. ¿Quién es la mujer que imagina Lorenzo en la camilla?
4. ¿Por qué le dice Marcela a Ricardo que siempre se las arregla para romper algo?
5. ¿Por qué le dice Manu a Rocío que no sea ridícula?
6. ¿Cuál es la recomendación de la doctora para Lupita?

4 **Definiciones** Escribe las definiciones de tres palabras de la Fotonovela relacionadas con el tema de la lección. Después, en parejas, léeselas a tu compañero/a, quien tendrá que adivinar las palabras.

MODELO **ESTUDIANTE 1** Significa "estar inconsciente".
ESTUDIANTE 2 Es la palabra *desmayado/a.*

Ampliación

5 **Experiencias** Escribe un párrafo sobre tus hábitos médicos. Usa las siguientes preguntas como guía e incluye algunas de tus experiencias.

- ¿Qué tan grave te debes sentir para ir al médico? ¿Vas en cuanto tienes los primeros síntomas o esperas hasta que te sientes fatal?
- ¿Alguna vez consultaste tus síntomas en Internet? ¿Cómo fue la experiencia?
- ¿Sigues los consejos de tu doctor(a)? ¿Por qué?
- ¿Prefieres tomar medicamentos o preparar remedios caseros?

6 **¿Dónde está Lupita?** Al final del episodio, Lupita no está en la habitación en el hospital. En parejas, creen un diálogo en el que uno/a de ustedes sea Lupita. Lupita debe explicar los motivos por los que decidió irse del hospital. Después, representen su diálogo ante la clase.

MODELO **ESTUDIANTE 1** ¿Qué pasó, Lupita? ¿Por qué te fuiste?
ESTUDIANTE 2 Por primera vez, voy a pensar en mí. Necesito un descanso y voy a...

7 **Apuntes culturales** En parejas, lean los párrafos y contesten las preguntas.

El sistema sanitario en México

A Lupita la encontraron desmayada y la tuvieron que llevar al hospital. En México, como en la mayoría de los países hispanos, existe el sector sanitario público, además del privado. La sanidad pública ha significado un gran avance en el país. Hasta el año 2004, las personas que no podían pagar las cuotas de Seguridad Social no tenían acceso a la Sanidad, pero gracias a una reforma sanitaria posterior, todos los ciudadanos tienen cobertura médica. Sin embargo, el sistema sanitario todavía tiene mucho que mejorar, por ejemplo, la falta de médicos especialistas en el sector público o el acceso médico en las zonas rurales.

El concepto de muerte para los mexicanos

Cuando los médicos se llevan a Lupita en la camilla, Lorenzo tiene una visión de su difunta esposa, Isabel. La muerte es un proceso doloroso para todas las culturas, incluida la mexicana, pero en ésta, la muerte se percibe de forma cercana, como parte natural de la vida. Cada 1° y 2 de noviembre, los mexicanos celebran el Día de Muertos. Según esta tradición de raíces prehispánicas y cristianas, las almas de los difuntos regresan de ultratumba. Una de las imágenes más representativas de esta celebración es la Catrina, figura creada por José Guadalupe Posada y popularizada por Diego Rivera.

La Catrina

1. ¿Cómo crees que debe ser un sistema sanitario ideal?
2. ¿Tienes seguro médico? ¿Qué cubre tu seguro?
3. ¿Alguna vez estuviste ingresado/a (*admitted*) en un hospital? ¿Cómo fue la experiencia?
4. ¿Qué diferencias hay entre la forma de ver la muerte de los mexicanos y la tuya? ¿Y qué similitudes?

PUEDO hablar de hábitos de salud y de los servicios médicos en mi cultura y en otras.

Objetivo comunicativo: Hablar sobre medicinas alternativas

En detalle

COLOMBIA

DE ABUELOS Y CHAMANES

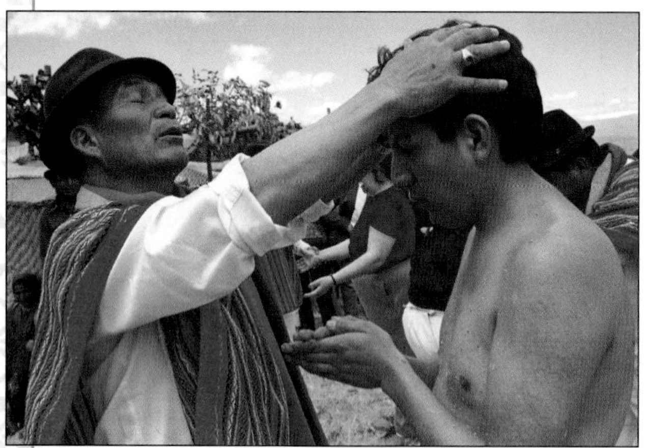

Sentada en su cocina en Bogotá, Marcela Mahecha destapa frasquitos° de hierbas y describe las "agüitas°" que le enseñó a preparar su abuela: agüita de toronjil° para calmar los nervios, agüita de paico° para los cólicos° y muchas más. Muchos de estos remedios caseros° son más que simples "recetas de la abuela". Su uso proviene de los conocimientos milenarios que los curanderos° y chamanes° han ido pasando de generación en generación. Colombia, segundo país en el mundo en diversidad de especies vegetales, desarrolló una medicina tradicional muy rica, que aún hoy subsiste en todos los niveles de la sociedad. A pesar de la llegada de la medicina científica, muchas comunidades indígenas siguen practicando su medicina tradicional. Cuanto más aislada está la comunidad, mejor mantiene sus tradiciones.

En la cultura indígena americana, lo espiritual y lo corporal se funden° con la naturaleza. Los curanderos y chamanes son los responsables de mantener estos mundos en equilibrio. Para ello, combinan las propiedades medicinales de las plantas con ritos sagrados. En Colombia, al igual que en otros países, hay un renovado interés por conocer las propiedades medicinales de las plantas que se han usado durante siglos. Instituciones gubernamentales, universidades y organizaciones ecologistas intentan recuperar y conservar estos conocimientos. En el año 2017, el Instituto Nacional de Vigilancia de Medicamentos y Alimentos —Invima— aumentó a 144 el número de plantas medicinales aprobadas para usos curativos.

El deseo de las empresas farmacéuticas de apropiarse de las plantas y patentarlas ha hecho que el gobierno colombiano controle el derecho a sacarlas del país. Esto es importante porque algunas están en peligro de extinción y porque estas plantas forman parte indeleble° de la identidad indígena. ■

Algunas plantas curativas

Chuchuguaza Árbol que crece en la región amazónica de Colombia, Ecuador y Perú. Se usa como diurético y también contra el reumatismo, la gota° y la anemia.

Gualanday Árbol originario del Valle del Cauca y que crece en las regiones colombianas de Putumayo y Amazonas. La corteza°, la hoja y la flor se usan contra neuralgias, dolores de huesos, várices° y afecciones del hígado°.

Sauco Árbol proveniente de cultivos en la sabana° de Bogotá. La hoja, la corteza, el fruto y la flor se usan para tratar afecciones bronquiales.

destapa frasquitos *uncovers little jars* **agüitas** *herbal teas* **toronjil** *lemon balm* **paico** *Mexican tea (plant)* **cólicos** *cramps* **caseros** *home* **curanderos** *folk healers* **chamanes** *shamans* **se funden** *merge* **indeleble** *indelible* **gota** *gout* **corteza** *bark* **várices** *varicose veins* **afecciones del hígado** *liver conditions* **sabana** *savannah*

ASÍ LO DECIMOS

La salud y el bienestar

el/la buquí (R. Dom.) *glutton*
cachucharse (Chi.) *to hit oneself*
caer bien/mal *to agree with (food)*
curar el empacho (Arg.) *to cure indigestion*
estar constipado/a (Esp.) *to be congested*
estar constipado/a (Arg., Chi. y Uru.) *to have a cold / to be constipated*
estar depre (Arg., Esp. y Pe.) *to feel down*
estar funado/a (Chi.) *to feel demotivated*
el/la matasanos (Esp.) *bad doctor; quack*
estar pachucho/a (Arg y Esp.) *to be under the weather*
¡Se me parte la cabeza! (Arg.) *I have a splitting headache!*

EL MUNDO HISPANOHABLANTE

La salud y el bienestar públicos

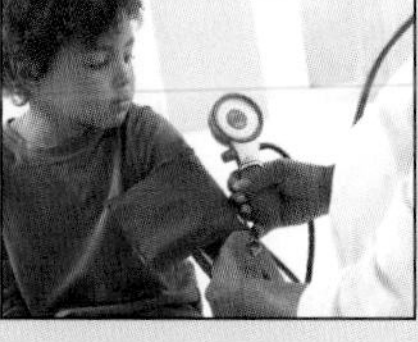

Los gobiernos hispanoamericanos suelen brindar servicios de salud pública gratuitos° a todos los ciudadanos. Algunos países, como Cuba, han desarrollado un **sistema de salud universalista** en el cual todos los servicios son gratuitos. Otros países, como Chile, tienen un modelo mixto, que combina el sector público con el privado.

En la **clasificación de calidad de vida** de 2019, hecha por la revista CEOWorld, España aparece en el lugar 16 entre 70 países. Esta clasificación considera no sólo aspectos económicos, sino también indicadores como la seguridad personal, la calidad de los servicios de salud, el clima, el índice de contaminación, entre otros.

El colombiano **Rodolfo Llinás** es quizá el científico hispanoamericano de más prestigio a nivel mundial. Llinás estudió para ser médico, pero decidió dedicarse a la investigación. Llinás trabajó con dos ganadores del premio Nobel y estableció la ley Llinás, según la cual cada tipo de neurona tiene una función específica y no puede ser sustituido por otro tipo.

PERFIL

LA CICLOVÍA DE BOGOTÁ

Todos los domingos y lunes festivos, se cierran algunas de las principales vías de la capital de Colombia para que un millón y medio de habitantes salgan a la Ciclovía: más de 126 kilómetros para montar en bicicleta, caminar, correr o patinar, que la convierten en la más extensa de América Latina. Es una forma de recreación para la comunidad, una manera distinta de recorrer la ciudad y una manera de promover un estilo de vida activo y saludable. La Ciclovía cuenta además con la Recreovía, espacios distribuidos en diferentes puntos del trayecto, en los cuales la gente tiene la oportunidad de hacer actividades físicas, como aeróbicos y clases de baile, dirigidas por instructores especializados. Estos servicios no tienen ningún costo y todos son bienvenidos. En el recorrido también se pueden encontrar puntos para la práctica de deportes extremos, zonas especiales para niños e incluso puestos de atención para mascotas. Algunos países como México, Chile y Venezuela también están implementando la Ciclovía como una opción de recreación para todos los habitantes de la ciudad.

“Los conocimientos de la medicina tradicional son conocimientos adquiridos de nuestros antepasados y mantienen vivas las más ricas culturas de América Latina.”
(Donato Ayma, político boliviano)

ENTRE CULTURAS

¿Qué beneficios tienen los distintos tés de hierbas?

Investiga sobre este tema en **vhlcentral.com**.

gratuitos *free of charge* **asentamiento** *settlement*

¿Qué aprendiste?

1 **Comprensión** Indica si estas afirmaciones son **ciertas** o **falsas**. Corrige las falsas.

1. Marcela aprendió a usar infusiones en un viaje a Colombia, la tierra de su abuela.
2. Colombia es uno de los países con mayor diversidad de especies vegetales.
3. En las prácticas curativas tradicionales, se combinan las propiedades curativas de las plantas con el poder curativo de los animales.
4. Los conocimientos sobre los poderes curativos de las plantas han pasado de padres a hijos a través de los siglos.
5. En Colombia, el uso de plantas curativas es popular sólo entre las comunidades indígenas.
6. A pesar de la llegada de la medicina científica, muchas comunidades mantuvieron sus prácticas medicinales tradicionales.
7. Las comunidades que mejor conservaron las tradiciones fueron las que estaban más cerca de la costa.
8. En Colombia, las instituciones no se preocupan por recuperar las tradiciones curativas.

2 **Oraciones incompletas** Completa las oraciones con la información correcta.

1. En la Recreovía, los colombianos pueden hacer ________ o tomar clases de baile.
   a. aeróbicos b. manualidades c. concursos
2. Países como México, Chile y ________ también están implementando la Ciclovía.
   a. Costa Rica b. El Salvador c. Venezuela
3. En Chile, el sistema de salud sigue el modelo ________.
   a. mixto b. universalista c. privado
4. Rodolfo Llinás descubrió que un tipo de ________ no puede ser sustituido por otro.
   a. cerebro b. neurona c. cáncer
5. En Chile, usan *estar funado* para decir que alguien tiene ________.
   a. indigestión b. gripe c. poca energía

3 **Opiniones** En parejas, hablen sobre estas preguntas. Después, compartan su opinión con la clase.

- ¿Se puede patentar la naturaleza?
- ¿Tienen derecho las empresas farmacéuticas a patentar plantas?
- ¿Tienen derecho a hacerlo si modifican la estructura genética de la planta?
- ¿Cuáles son las posibles consecuencias de patentar plantas y organismos vivos?

PROYECTO

Las plantas curativas

Como hemos visto, muchas comunidades latinoamericanas usan las plantas para curar diferentes enfermedades. Busca información en Internet o en la biblioteca sobre alguna de estas plantas.

Usa las preguntas como guía para tu investigación.

- ¿Para qué se usa la planta?
- ¿En qué comunidad(es) se usa?
- ¿Qué enfermedades específicas cura?
- ¿Cómo se usa, según la tradición?
- ¿Se comprobaron científicamente las propiedades de la planta?
- ¿Es común su uso en la medicina científica?

PUEDO hablar sobre medicina tradicional en Colombia y algunas plantas curativas.

Objetivo comunicativo: Comparar los lugares de venta de medicamentos de mi estado con los de algunos países de Latinoamérica

Las farmacias

Ya has leído sobre el interés renovado por conocer las propiedades medicinales de las plantas en Colombia. En este episodio de **Flash cultura** conocerás las distintas opciones de farmacias que existen actualmente en uno de sus países vecinos, Ecuador.

VOCABULARIO ÚTIL

la arruga *wrinkle*	**el mostrador** *counter*
la baba de caracol *snail slime*	**la piel tersa** *smooth skin*
la cicatriz *scar*	**el ungüento** *ointment*
el estante *shelf*	**la vitrina** *display window*

1 **Preparación** ¿Qué haces cuando sientes algún dolor? ¿Alguna vez tomaste medicamentos sin visitar antes al médico?

2 **Comprensión** Indica si estas afirmaciones son **ciertas** o **falsas**. Después, en parejas, corrijan las falsas.

1. En Ecuador pueden encontrarse farmacias similares a las que hay en Estados Unidos o en Europa.
2. Las grandes farmacias no ofrecen remedios caseros como ungüentos y cremas.
3. No es costumbre en Ecuador que el farmacéutico recete a los clientes.
4. La crema de baba de caracol sirve para dolores e inflamación de la piel.
5. Para la medicina tradicional, algunas plantas son malas.

3 **Expansión** En parejas, contesten estas preguntas.

- Imagina que viajas a Ecuador y te enfermas. ¿Buscarías el consejo de un farmacéutico en vez de ir al médico? Justifica tu respuesta.
- Entre unas píldoras recetadas por el médico y una limpia de energía, ¿cuál elegirías? ¿Te parece que alguna de esas opciones puede ser mala para la salud?
- ¿En qué se parecen las farmacias de Ecuador a las de tu ciudad? ¿En qué se diferencian? ¿Qué tipo de farmacia te parece mejor? ¿Por qué?

PUEDO hablar de las farmacias en Ecuador y compararlas con las de mi país o estado.

Corresponsal: Mónica Díaz
País: Ecuador

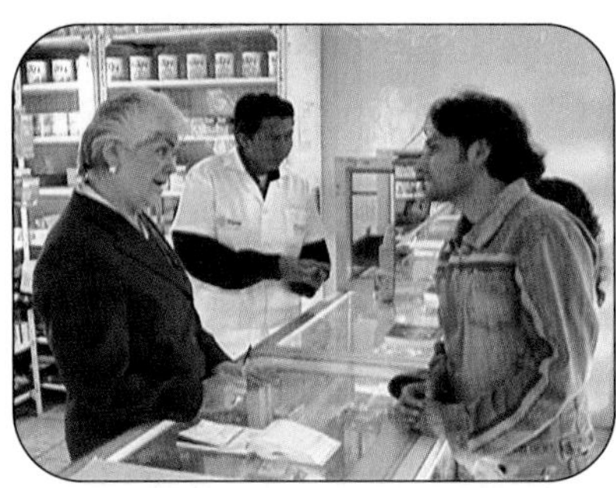

Los consejos personales que el farmacéutico ofrece al cliente es lo que distingue a las pequeñas farmacias de las grandes.

A veces, las personas en el mundo hispano utilizan medicina alternativa para curar sus dolencias°.

Para la medicina tradicional, la gripe es un bajón° de energía; a través de la limpia°, se aumenta la energía y se intenta eliminar el problema.

dolencias *ailments* **bajón** *weakening* **limpia** *cleansing*

4.1 The subjunctive in noun clauses

Forms of the present subjunctive

- The subjunctive (**el subjuntivo**) is used mainly in the subordinate (dependent) clause of multiple-clause sentences to express will, influence, emotion, doubt, or denial. The present subjunctive is formed by dropping the **-o** from the **yo** form of the present indicative and adding these endings.

The present subjunctive

hablar	comer	escribir
hable	coma	escriba
hables	comas	escribas
hable	coma	escriba
hablemos	comamos	escribamos
habléis	comáis	escribáis
hablen	coman	escriban

- Verbs with irregular **yo** forms show that same irregularity in all forms of the present subjunctive.

conocer	conozca	seguir	siga
decir	diga	tener	tenga
hacer	haga	traer	traiga
oír	oiga	venir	venga
poner	ponga	ver	vea

- Verbs with stem changes in the present indicative show the same changes in the present subjunctive. Stem-changing **-ir** verbs also undergo a stem change in the **nosotros/as** and **vosotros/as** forms of the present subjunctive.

pensar (e:ie)	piense, pienses, piense, pensemos, penséis, piensen
jugar (u:ue)	juegue, juegues, juegue, juguemos, juguéis, jueguen
mostrar (o:ue)	muestre, muestres, muestre, mostremos, mostréis, muestren
entender (e:ie)	entienda, entiendas, entienda, entendamos, entendáis, entiendan
resolver (o:ue)	resuelva, resuelvas, resuelva, resolvamos, resolváis, resuelvan
pedir (e:i)	pida, pidas, pida, pidamos, pidáis, pidan
sentir (e:ie)	sienta, sientas, sienta, sintamos, sintáis, sientan
dormir (o:ue)	duerma, duermas, duerma, durmamos, durmáis, duerman

- The following five verbs are irregular in the present subjunctive.

dar	dé, des, dé, demos, deis, den
estar	esté, estés, esté, estemos, estéis, estén
ir	vaya, vayas, vaya, vayamos, vayáis, vayan
saber	sepa, sepas, sepa, sepamos, sepáis, sepan
ser	sea, seas, sea, seamos, seáis, sean

TALLER DE CONSULTA

MANUAL DE GRAMÁTICA
Más práctica

4.1 The subjunctive in noun clauses, p. A23
4.2 Commands, p. A24
4.3 **Por** and **para**, p. A25

Gramática adicional

4.4 The subjunctive with impersonal expressions, p. A26

¡ATENCIÓN!

The *indicative* is used to express actions, states, or facts the speaker considers to be certain. The *subjunctive* expresses the speaker's attitude toward events, as well as actions or states that the speaker views as uncertain.

Verbs that end in **-car, -gar,** and **-zar** undergo spelling changes in the present subjunctive.

sacar: saque

jugar: juegue

almorzar: almuerce

The present subjunctive form of **hay** is **haya**.

No creo que haya una solución.
I don't think there is a solution.

Verbs of will and influence

- A clause is a group of words that contains both a conjugated verb and a subject (expressed or implied). In a subordinate noun clause (**oración subordinada sustantiva**), a group of words function together as a noun.

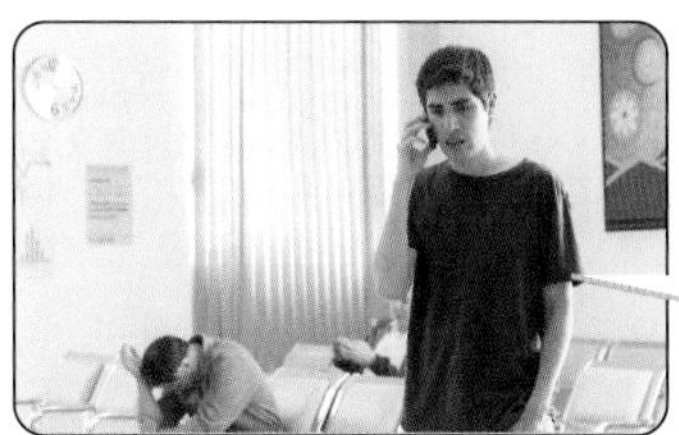

Necesito que pises el acelerador y vengas al hospital.

- When the subject of the main (independent) clause of a sentence exerts influence or will on the subject of the subordinate clause, the verb in the subordinate clause must be in the subjunctive.

MAIN CLAUSE	CONNECTOR	SUBORDINATE CLAUSE
Yo quiero	**que**	**tú vayas al médico.**

Verbs and expressions of will and influence

aconsejar *to advise*
desear *to desire; to wish*
es importante *it's important*
es necesario *it's necessary*
es urgente it's urgent
exigir *to demand*
gustar *to like*
hacer *to make*
importar *to be important*
insistir en *to insist (on)*
mandar *to order*
necesitar *to need*
oponerse a *to oppose*
pedir (e:i) *to ask for; to request*
preferir (e:ie) *to prefer*
prohibir *to prohibit*
proponer *to propose*
querer (e:ie) *to want; to wish*
recomendar (e:ie) *to recommend*
rogar (o:ue) *to beg*
sugerir (e:ie) *to suggest*

Necesito que **consigas** estas pastillas en la farmacia.
I need you to get these pills at the pharmacy.

Insisto en que **vayas** a la sala de emergencias.
I insist that you go to the emergency room.

El médico siempre me **recomienda** que **haga** más ejercicio.
The doctor always recommends that I exercise more.

Se oponen a que **salgas** si estás enfermo.
They object to your going out if you're sick.

- The infinitive, not the subjunctive, is used with verbs and expressions of will and influence if there is no change of subject in the sentence. The **que** is unnecessary in this case.

Quiero **ir** a Bogotá en junio.
I want to go to Bogota in June.

Prefiero que **vayas** en agosto.
I prefer that you go in August.

¡ATENCIÓN!

Pedir is used with the subjunctive to ask someone to do something.

Preguntar is used to ask questions, and is not followed by the subjunctive.

No te pido que lo hagas ahora.
I'm not asking you to do it now.

No te pregunto si lo haces ahora.
I'm not asking you if you are doing it now.

¡ATENCIÓN!

The subjunctive is also used with expressions of emotion that begin with **¡Qué...** (*What a...!/It's so...!*)

¡Qué pena que él no vaya! *What a shame he's not going!*

• • • •

The expression **ojalá** (*I hope; I wish*) is always followed by the subjunctive. The use of **que** with **ojalá** is optional.

Ojalá (que) no llueva. *I hope it doesn't rain.*

Ojalá (que) no te enfermes. *I hope you don't get sick.*

Verbs of emotion

- When the main clause expresses an emotion like hope, fear, joy, pity, or surprise, the verb in the subordinate clause must be in the subjunctive if its subject is different from that of the main clause.

Espero que **te recuperes** pronto.
I hope you recover quickly.

Qué pena que **necesites** una operación.
What a shame you need an operation.

Verbs and expressions of emotion

alegrarse (de) *to be happy (about)*
es bueno *it's good*
es extraño *it's strange*
es malo *it's bad*
es mejor *it's better*
es ridículo *it's ridiculous*
es terrible *it's terrible*
es una lástima *it's a shame*
es una pena *it's a pity*
esperar *to hope; to wish*
gustar *to like; to be pleasing*
molestar *to bother*
sentir (e:ie) *to be sorry; to regret*
sorprender *to surprise*
temer *to fear*
tener miedo a/de *to be afraid (of)*

- The infinitive, not the subjunctive, is used with verbs and expressions of emotion if there is no change of subject in the sentence.

No me gusta **llegar** tarde.
I don't like to be late.

Es mejor que lo **hagas** ahora.
It's better that you do it now.

¡ATENCIÓN!

The subjunctive is also used after **quizá(s)** and **tal vez** (*maybe; perhaps*) when they signal uncertainty, even if there is no change of subject in the sentence.

Quizás vengan a la fiesta. *Maybe they'll come to the party.*

Verbs of doubt or denial

- When the main clause implies doubt, uncertainty, or denial, the verb in the subordinate clause must be in the subjunctive if its subject is different from that of the main clause.

No creo que él nos **quiera** engañar.
I don't believe that he wants to deceive us.

Dudan que el jarabe para la tos **sea** un buen remedio.
They doubt that the cough syrup will be a good remedy.

Verbs and expressions of doubt and denial

dudar *to doubt*
es imposible *it's impossible*
es improbable *it's improbable*
es poco seguro *it's uncertain*
(no) es posible *it's (not) possible*
(no) es probable *it's (not) probable*
negar (e:ie) *to deny*
no creer *not to believe*
no es evidente *it's not evident*
no es seguro *it's not certain*
no es verdad/cierto *it's not true*
no estar seguro de *not to be sure (of)*

- The infinitive, not the subjunctive, is used with verbs and expressions of doubt or denial if there is no change in the subject of the sentence.

Es imposible **viajar** hoy.
It's impossible to travel today.

Es improbable que él **viaje** hoy.
It's unlikely that he would travel today.

Práctica

1 **Opiniones contrarias** Escribe una oración que exprese lo opuesto en cada ocasión.

MODELO **Dudo que la comida rápida sea buena para la salud.**
—No dudo que la comida rápida es buena para la salud.

1. Están seguros de que Pedro puede poner una inyección.
2. Es evidente que estás agotado.
3. No creo que las medicinas naturales sean curativas.
4. Es verdad que la cirujana no quiere operarte.
5. No es seguro que este médico conozca el mejor tratamiento.

2 **Siempre enferma** Últimamente, Ana María se enferma demasiado y sus amigas están preocupadas por ella. Completa la conversación con el infinitivo, el indicativo o el subjuntivo.

MARTA Es una pena que Ana María (1) ________ (estar / está / esté) enferma otra vez.

ADRIANA El problema es que no le gusta (2) ________ (tomar / toma / tome) vitaminas. Además, ella casi nunca (3) ________ (comer / come / coma) verduras.

MARTA Y no creo que Ana María (4) ________ (hacer / hace / haga) ejercicio. Yo siempre le (5) ________ (pedir /pido / pida) que (6) ________ (venir / viene / venga) conmigo al gimnasio, pero ella prefiere (7) ________ (quedarse / se queda / se quede) en casa.

ADRIANA Y cuando ella se enferma, no (8) ________ (seguir / sigue / siga) los consejos del médico. Si él le recomienda que (9) ________ (permanecer / permanence / permanezca) en cama, ella dice que no es necesario (10) ________ (descansar/ descansa / descanse). Si él le da una receta, ella ni (11) ________ (comprar / compra /compre) las medicinas. ¿Qué vamos a hacer, Marta?

MARTA Es necesario que (12) ________ (hablar / hablamos / hablemos) con ella. Si no, ¡temo que un día de estos ella nos (13) ________ (llamar / llama / llame) para llevarla a la sala de emergencias!

ADRIANA Bueno, creo que (14) ________ (tener / tienes / tengas) razón. ¡Sólo espero que ella nos (15) ________ (escuchar / escucha / escuche)!

3 **Consejos** Adriana y Marta le dan consejos a Ana María. Combina los elementos de cada columna para escribir cinco oraciones. Usa el presente del subjuntivo.

MODELO —Te recomendamos que hagas más ejercicio.

aconsejar		**comer frutas y verduras**
es importante		**descansar**
es necesario	**que**	**hacer más ejercicio**
querer		**ir al gimnasio**
recomendar		**seguir las recomendaciones del médico**
sugerir		**tomar las medicinas**

TALLER DE CONSULTA

MANUAL DE GRAMÁTICA
Más práctica

4.1 The subjunctive in noun clauses, p. A23

Práctica

4 **Ojalá** Para muchos, el amor es una enfermedad. El cantante Silvio Rodríguez sugiere en esta canción una cura para el amor.

A. Utiliza el presente del subjuntivo de los verbos entre paréntesis para completar la estrofa (*verse*) de la canción.

Ojalá que las hojas no te (1) _______ (tocar) el cuerpo cuando (2) _______ (caer) para que no las puedas convertir en cristal.
Ojalá que la lluvia (3) _______ (dejar) de ser milagro que baja por tu cuerpo.
Ojalá que la luna (4) _______ (poder) salir sin ti.
Ojalá que la tierra no te (5) _______ (besar) los pasos.

B. Ahora, escribe tu propia estrofa.

1. Ojalá que los sueños ________________________________.
2. Ojalá que la noche ________________________________.
3. Ojalá que la herida ________________________________.
4. Ojalá una persona ________________________________.

5 **El hombre ideal** Roberto está enamorado de Lucía, pero ella no le presta atención. Mira el dibujo del hombre ideal de Lucía y escribe cinco recomendaciones para Roberto. Utiliza el presente del subjuntivo y las palabras de la lista.

MODELO Es necesario que Roberto se vista mejor.

aconsejar	insistir en
es importante	proponer
es malo	recomendar
es mejor	rogar
es necesario	sugerir

Roberto

Hombre ideal

Comunicación

6  

El doctor Sánchez responde Los lectores de una revista de salud envían sus consultas al doctor Sánchez. Trabajen en parejas para decidir qué consejos corresponden a cada consulta. Luego redacten la respuesta para cada lector usando las expresiones de la lista.

Los lectores preguntan. **El Dr. Sánchez responde.**

1. Estimado Dr. Sánchez:
   Tengo 55 años y quiero bajar 10 kilos. Mi médico insiste en que mejore mi alimentación. Probé varias dietas, pero no logro bajar de peso. ¿Qué puedo hacer?
   Ana J.

2. Querido Dr. Sánchez:
   Tengo 38 años y sufro fuertes dolores de espalda (*back*). Trabajo en una oficina y estoy muchas horas sentada. Después de varios análisis, mi médico dijo que todo está bien en mis huesos (*bones*). Me recetó unas pastillas para los músculos, pero no quiero tomar medicinas. ¿Hay otra solución?
   Isabel M.

3. Dr. Sánchez:
   Siempre me duele mucho el estómago. Soy muy nervioso y no puedo dormir. Mi médico me aconseja que trabaje menos. Pero eso es imposible.
   Andrés S.

A. No comer con prisa.
Pasear mucho.
No tomar café.
Practicar yoga.

B. Caminar mucho.
Practicar natación.
No comer las cuatro "p": papas, pastas, pan y postres.
Tomar dos litros de agua por día.

C. No permanecer sentada más de dos horas seguidas.
Hacer cincuenta minutos de ejercicio por día.
Adoptar una buena postura al estar sentada.
Elegir una buena cama.
Usar una almohada dura.

es importante que	**le aconsejo que**
es improbable que	**le propongo que**
es necesario que	**le recomiendo que**
es poco seguro que	**le sugiero que**
es urgente que	**no es seguro que**

7 

Estilos de vida En parejas, cada uno/a debe elegir una de estas personalidades. Después, dense consejos para cambiar su estilo de vida. Utilicen el subjuntivo.

1. Voy al gimnasio tres veces al día. Lo más importante en mi vida es mi cuerpo.
2. Me gusta salir por las noches. Trasnocho casi todos los días.
3. Siempre como comida rápida porque es más fácil y mucho más barata.
4. No hago nada de ejercicio. Estoy todo el día trabajando en una oficina.

PUEDO expresar mis intenciones, emociones y dudas, y rechazar peticiones o sugerencias.

Objetivo comunicativo: Dar instrucciones, ya sea de manera formal o informal

4.2 Commands

Formal (*Ud.* and *Uds.*) commands

- Formal commands (**mandatos**) are used to give orders or advice to people you address as **usted** or **ustedes**. Their forms are identical to the present subjunctive forms for **usted** and **ustedes**.

Formal commands

Infinitive	Affirmative command	Negative command
tomar	**tome** (usted)	**no tome** (usted)
	tomen (ustedes)	**no tomen** (ustedes)
volver	**vuelva** (usted)	**no vuelva** (usted)
	vuelvan (ustedes)	**no vuelvan** (ustedes)
salir	**salga** (usted)	**no salga** (usted)
	salgan (ustedes)	**no salgan** (ustedes)

¡ATENCIÓN!

***Vosotros/as* commands**

In Latin America, **ustedes** commands serve as the plural of familiar (**tú**) commands. The familiar plural **vosotros/as** command is used in Spain. The affirmative command is formed by changing the **-r** of the infinitive to **-d**. The negative command is identical to the **vosotros/as** form of the present subjunctive.

bailar: bailad/no bailéis

For reflexive verbs, affirmative commands are formed by dropping the **-r** and adding the reflexive pronoun **-os**. In negative commands, the pronoun precedes the verb.

levantarse: levantaos/ no os levantéis

Irse is irregular: **idos/ no os vayáis**

Familiar (*tú*) commands

- Familar commands are used with people you address as **tú**. Affirmative **tú** commands have the same form as the **él, ella**, and **usted** form of the present indicative. Negative **tú** commands have the same form as the **tú** form of the present subjunctive.

Familiar commands

Infinitive	Affirmative command	Negative command
viajar	viaja	no viajes
empezar	empieza	no empieces
pedir	pide	no pidas

- These verbs and their derivatives (**predecir**, **deshacer**, **entretener**, etc.) have irregular affirmative **tú** commands. Their negative forms are still the same as the **tú** form of the present subjunctive.

decir	di	salir	sal
hacer	haz	ser	sé
ir	ve	tener	ten
poner	pon	venir	ven

Nosotros/as commands

- **Nosotros/as** commands are used to give orders or suggestions that include yourself as well as other people. In Spanish, **nosotros/as** commands correspond to the English *let's* + [*verb*]. Affirmative and negative **nosotros/as** commands are generally identical to the **nosotros/as** forms of the present subjunctive.

Nosotros/as commands		
Infinitive	**Affirmative command**	**Negative command**
bailar	bailemos	no bailemos
beber	bebamos	no bebamos
abrir	abramos	no abramos

- The **nosotros/as** commands for **ir** and **irse** are irregular: **vamos** and **vámonos**. The negative commands are regular: **no vayamos** and **no nos vayamos.**

Using pronouns with commands

- When object and reflexive pronouns are used with affirmative commands, they are always attached to the verb. When used with negative commands, the pronouns appear between **no** and the verb.

Levántense temprano. *Wake up early.*	**No se levanten** temprano. *Don't wake up early.*
Dime todo. *Tell me everything.*	**No me digas nada.** *Don't tell me anything.*

- When the pronouns **nos** or **se** are attached to an affirmative **nosotros/as** command, the final **s** of the command form is dropped.

Sentémonos aquí. *Let's sit here.*	**No nos sentemos** aquí. *Let's not sit here.*
Démoselo mañana. *Let's give it to him/her tomorrow.*	**No se lo demos** mañana. *Let's not give it to him/her tomorrow.*

Indirect (*él, ella, ellos, ellas*) commands

- The construction **que** + *[subjunctive]* can be used with a third-person form to express indirect commands that correspond to the English *let someone do something.* If the subject of the indirect command is expressed, it usually follows the verb.

Que pase el siguiente. *Let the next person pass.*	**Que** lo **haga** ella. *Let her do it.*

- As with other uses of the subjunctive, pronouns are never attached to the conjugated verb, regardless of whether the indirect command is affirmative or negative.

Que se lo den los otros.	**Que** no **se lo den**.
Que lo vuelvan a hacer.	**Que** no **lo vuelvan** a hacer.

¡ATENCIÓN!

When one or more pronouns are attached to an affirmative command, an accent mark may be necessary to maintain the original stress. This usually happens when the combined verb form has three or more syllables.

decir

di, dile, dímelo

diga, dígale, dígaselo

digamos, digámosle, digámoselo

TALLER DE CONSULTA

See 2.1, pp. 70–71 for object pronouns.

See 2.3, pp. 78–79 for reflexive pronouns.

Práctica

TALLER DE CONSULTA

MANUAL DE GRAMÁTICA
Más práctica

4.2 Commands, p. A24

1 **Mandatos** Cambia estas oraciones para que sean mandatos.

1. Te conviene descansar.
2. Deben relajarse.
3. Es hora de que usted tome su pastilla.
4. ¿Podría usted describir sus síntomas?
5. ¿Y si mejoramos nuestra alimentación?
6. ¿Podrías consultar con un especialista?
7. Ustedes necesitan comer bien.
8. Le pido que se vaya de mi consultorio.

2 **El cuidado de los dientes**

A. Escribe los consejos que dio un dentista durante una visita a una escuela. Usa el imperativo formal de la segunda persona del plural.

1. prevenir las caries (*cavities*)
2. cepillarse los dientes después de cada comida
3. no comer dulces
4. poner poco azúcar en el café o el té
5. comer o beber alimentos que tengan calcio
6. consultar al dentista periódicamente

B. Reescribe los consejos usando el imperativo informal.

3 **El doctor de Felipito** Felipito es un niño muy inquieto. A cada rato tiene pequeños accidentes. Su doctor decide explicarle cómo evitarlos y cómo cuidar su salud. Utiliza mandatos informales para escribir las indicaciones del médico.

MODELO No toques perros en la calle.

Comunicación

4 

Que lo hagan ellos Carlos está tan entretenido con su nuevo videojuego que no quiere hacer nada más. En parejas, preparen una conversación entre Carlos y su madre en la que ella le dé mandatos y Carlos sugiera que otras personas la ayuden. Utilicen mandatos indirectos en la conversación.

MODELO **MADRE** Limpia tu cuarto, Carlos.
CARLOS Que lo limpie mi hermano. ¡Estoy a punto de alcanzar el próximo nivel!

ayudarme en la cocina	mis amigos
cortar cebollas	mi hermana
pasear al perro	mi hermano
llamar a la abuela	mi padre
ir a la farmacia	tú/Ud.

5 

Hasta el siglo XXII

A. ¿Qué consejos le darías a un(a) amigo/a para que viva hasta el siglo XXII? En grupos pequeños, escriban ocho recomendaciones utilizando mandatos informales afirmativos y negativos. Sean creativos.

MODELO No tomes mucho café. Toma sólo agua y jugos naturales.

B. Ahora reúnanse con otro grupo y lean las dos listas. ¿En qué se parecen y en qué se diferencian sus recomendaciones?

6 

Anuncios En grupos, elijan tres de estos productos y escriban un anuncio (*commercial*) de televisión para promocionar cada uno de ellos. Utilicen los mandatos formales para convencer al público de que lo compre.

MODELO El nuevo perfume "Enamorar" de Rita Ferrero le va a encantar. Cómprelo en cualquier perfumería de su ciudad. Pruébelo y...

cámara digital "Flimp"	pasta de dientes "Sonrisa Sana"
chocolate sin calorías "Deliz"	perfume "Enamorar"
computadora portátil "Digitex"	raqueta de tenis "Rayo"
crema hidratante "Suavidad"	todo terreno "4 X 4"

PUEDO dar órdenes de manera formal o informal.

4.3 *Por* and *para*

- **Por** and **para** are both translated as *for*, but they are not interchangeable.

Por lo visto, siempre te las arreglas para romper algo.

No es para tanto.

Uses of *para*

Destination *(toward; in the direction of)*	El cirujano sale de su casa **para** la clínica a las ocho. *The surgeon leaves his house at eight to go to the clinic.*
Deadline or a specific time in the future *(by; for)*	El resultado del análisis va a estar listo **para** mañana. *The test results will be ready by tomorrow.*
Goal (**para** + [*infinitive*]) *(in order to)*	El doctor usó un termómetro **para** ver si el niño tenía fiebre. *The doctor used a thermometer to see if the boy had a fever.*
Purpose (**para** + [*noun*]) *(for; used for)*	El investigador descubrió una cura **para** la enfermedad. *The researcher discovered a cure for the desease.*
Recipient *(for)*	La enfermera preparó la cama **para** doña Ángela. *The nurse prepared the bed for Doña Ángela.*
Comparison with others or opinion *(for; considering)*	**Para** su edad, goza de muy buena salud. *For her age, she enjoys very good health.* **Para** mí, lo que tienes es gripe y no un resfriado. *To me, what you have is the flu, not a cold.*
Employment *(for)*	Mi hijo trabaja **para** una empresa farmacéutica. *My son works for a pharmaceutical company.*

Expressions with *para*

no estar para bromas *to be in no mood for jokes*

no ser para tanto *to be not so important*

para colmo *to top it all off*

para que *so that*

para que (lo) sepas *just so you know*

para siempre *forever*

- Note that the expression **para que** is followed by the subjunctive.

  Te compré zapatos de tenis **para que** hagas ejercicio.
  I got you sneakers so that you will work out.

Ya va por el quinto café.

No hagan ruido, por si acaso está durmiendo.

Uses of *por*

Motion or a general location *(along; through; around; by)*	Me quebré la pierna corriendo **por** el parque. *I broke my leg running through the park.*
Duration of an action *(for; during; in)*	Estuvo en cama **por** dos meses. *He was in bed for two months.*
Reason or motive for an action *(because of; on account of; on behalf of)*	Rezó **por** su hijo enfermo. *She prayed for her sick child.*
Object of a search *(for; in search of)*	El enfermero fue **por** un termómetro. *The nurse went for a thermometer.*
Means by which *(by; by way of; by means of)*	Consulté con el doctor **por** teléfono. *I consulted with the doctor by phone.*
Exchange or substitution *(for; in exchange for)*	Cambiamos ese tratamiento **por** uno nuevo. *We changed from that treatment to a new one.*
Unit of measure *(per; by)*	Tengo que tomar las pastillas cinco veces **por** día. *I have to take the pills five times per day.*
Agent (passive voice) *(by)*	La nueva política de salud pública fue anunciada **por** la prensa. *The new public health policy was announced by the press.*

Expressions with *por*

por ahora *for the time being*
por allí/aquí *around there/here*
por casualidad *by chance/accident*
por cierto *by the way*
¡Por Dios! *For God's sake!*
por ejemplo *for example*
por escrito *in writing*
por eso *therefore; for that reason*
por fin *finally*
por lo general *in general*
por lo menos *at least*
por lo tanto *therefore*
por lo visto *apparently*
por más/mucho que *no matter how much*
por otro lado/otra parte *on the other hand*
por primera vez *for the first time*
por si acaso *just in case*
por supuesto *of course*

¡ATENCIÓN!

In many cases it is grammatically correct to use either **por** or **para** in a sentence. However, the meaning of each sentence is different.

Trabajó por su tío.
He worked for (in place of) his uncle.

Trabajó para su tío.
He worked for his uncle('s company).

Práctica

TALLER DE CONSULTA

MANUAL DE GRAMÁTICA
Más práctica

4.3 **Por** and **para**, p. A25

1 **Otra manera** Lee la primera oración y completa la segunda versión con **por** o **para**.

1. Mateo pasó el verano en Colombia con su abuela.
   Mateo fue a Colombia _____ visitar a su abuela.
2. Ella estaba enferma y quería la compañía de su nieto.
   Ella estaba enferma; _____ eso, Mateo decidió ir.
3. La familia le envió muchos regalos a la abuela.
   La familia envió muchos regalos _____ la abuela.
4. La abuela se alegró mucho de la visita de Mateo.
   La abuela se puso muy feliz _____ la visita de Mateo.
5. Mateo pasó tres meses allá.
   Mateo estuvo en Colombia _____ tres meses.

Cartagena, Colombia

2 **Carta de amor** Completa la carta con **por** y **para**.

De: mateo25@tucorreo.com
A: cata@tucorreo.com
Tema: Noticias desde Cartagena

Mi amada Catalina:

(1) _____ fin encuentro un momento (2) _____ escribirte. Es que mi abuela me tiene a su lado (3) _____ horas y horas cada día, contándome historias de su niñez aquí en Cartagena. Poquito a poco va recuperándose, pero no sé de dónde saca tantas fuerzas (4) _____ hablar. Pero estoy aquí sólo (5) _____ ella, así que no me quejo de nada. En las tardes ella descansa y yo suelo caminar (6) _____ la playa y, (7) _____ supuesto, pienso en ti...

Hoy mi abuelita me pidió llamar (8) _____ teléfono a la clínica, pues le duele mucho el estómago y cree que es (9) _____ las otras medicinas que le recetó el cirujano. Mientras tío Javi la lleva a la clínica, yo iré al centro (10) _____ hacer unas compras. Ya sé lo que voy a comprar (11) _____ ti.
Ya pronto nos veremos...
Te amaré (12) _____ siempre...
Mateo

3 **Oraciones** Utiliza palabras de cada columna para formar oraciones lógicas.

MODELO Mi hermana preparó una cena especial para la fiesta.

caminar		él
comprar	para	la fiesta
hacer	por	mi mamá
jugar		el parque
preparar		su hermana

Comunicación

4 **Soluciones** En parejas, comenten cuáles son las mejores maneras de lograr los objetivos de la lista. Sigan el modelo y utilicen **por** y **para**.

MODELO —Para tener buena salud, lo mejor es comer cinco frutas o verduras por día porque tienen muchas vitaminas.

concentrarse al estudiar	relajarse
divertirse	ser famoso/a
hacer muchos amigos	ser organizado/a
mantenerse en forma	tener buena salud

5  **Conversación** En parejas, elijan una de las situaciones y escriban una conversación. Utilicen **por** y **para** y algunas de las expresiones de la lista.

A. Tu vecino, don José, ganó en un concurso unas vacaciones a Medellín, Colombia, pero él no puede ir. Está pensando en ti y en otro/a vecino/a. Convence a don José de que te dé a ti las vacaciones.

B. Todo el verano has trabajado en una librería local y no has tomado ni un día libre. Habla con tu jefe/a y dile que quieres tomarte unas vacaciones de dos semanas antes de regresar a las clases. Tu jefe/a dice que no necesitas tomar vacaciones y te da algunas razones. Explícale tus razones.

no es para tanto	por casualidad	por lo menos
para colmo	por eso	por lo tanto
para siempre	por fin	por supuesto

6  **Síntesis** En grupos de cuatro, miren la foto e inventen una conversación que incluya a todos los miembros de la familia. Deben usar por lo menos tres verbos en el subjuntivo, tres mandatos y tres expresiones con **por** o **para**. Dramaticen la conversación para el resto de la clase.

— Quiero que me digas qué debo hacer para adelgazar.
— ¡Bebe té verde por la mañana!

PUEDO describir una situación explicando razones y propósitos, y utilizando expresiones idiomáticas fijas.

Objetivo comunicativo: Analizar algunos aspectos de la salud y la enfermedad en diferentes etapas de la vida

Antes de ver el corto

AYÚDAME A RECORDAR

país España
duración 17 minutos
director Fran Casanova
protagonistas Santi, Pelayo (el abuelo), Carmen, Conchi

Vocabulario

a punto de *about (to do something)*
el/la camarada *pal, colleague*
el/la cascarrabias *grouch, curmudgeon*
el estribor *starboard*
ponerse bueno *get better*
superar (algo) *to get over (something)*
el tebeo *comic book*
la trinchera *trench*

1 **Vocabulario** Completa las oraciones con palabras del vocabulario.

1. El padre de la protagonista siempre estaba de mal humor; era un __________.
2. ¡Efraín, no llores más por María! ¡Ya su relación se acabó! ¡Lo tienes que __________!
3. Cuando era chico me encantaba leer historias de aventuras y __________.
4. Camilo, ¿me ayudas a poner la mesa? ¡Los invitados están __________ llegar!
5. En la Primera Guerra Mundial, los soldados se refugiaban en __________.
6. Julio y Andrés pertenecen al mismo partido político. Y siempre se apoyan cuando tienen problemas. Son muy buenos __________.

2 **Salud y bienestar** Responde a las siguientes preguntas con un(a) compañero/a. Después, compartan sus respuestas con toda la clase.

1. Cuando estás enfermo/a, ¿qué cosas te hacen sentirte mejor?
2. ¿Hay alguna persona (o una mascota) que cuando estás enfermo/a te ayuda a sentirte mejor? ¿Quién?
3. ¿Crees que el amor de las personas cercanas puede ser una terapia? ¿Por qué?
4. ¿Crees que el arte y la literatura también pueden ser terapéuticos? Da un ejemplo.
5. ¿Qué haces para ayudar a una persona de tu familia cuando se enferma?

3 **¿Qué será?** En parejas, observen el fotograma y especulen sobre la imagen utilizando las preguntas.

- ¿Quiénes son las dos personas?
- ¿Cuál es su relación?
- ¿Dónde están?
- ¿Qué están haciendo?
- ¿Cómo se sienten?
- ¿Qué van a hacer a continuación?

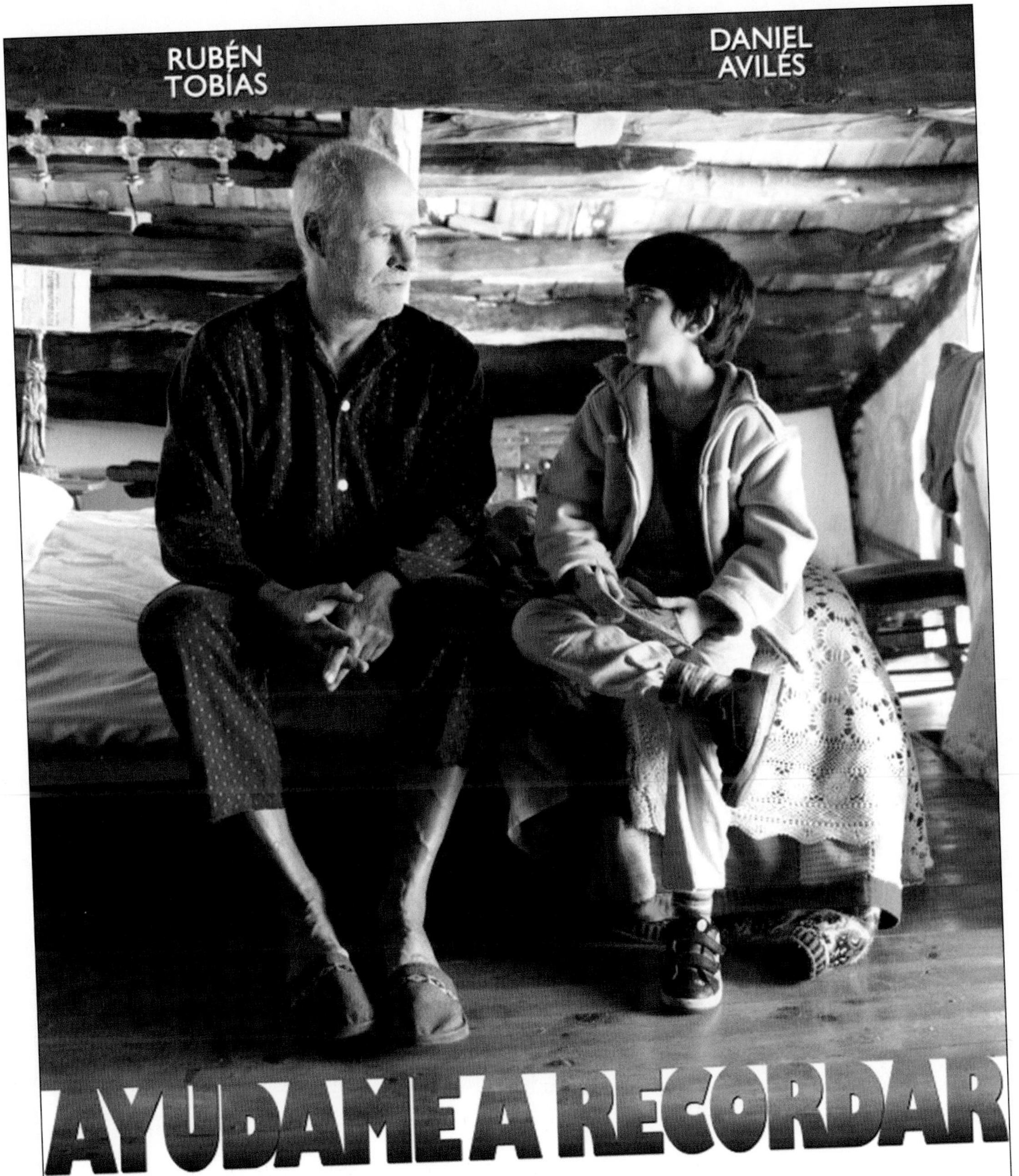

RUBÉN TOBÍAS

DANIEL AVILÉS

AYÚDAME A RECORDAR

Una producción de TIEMPO DE RODAR
Con DANIEL AVILÉS RUBÉN TOBÍAS FLORA LÓPEZ TANIA BALASTEGUI
Productor ejecutivo MANUEL ROJAS Música ÓSCAR NAVARRO
Director de fotografía PILAR SÁNCHEZ Montaje SERGIO MUÑOZ
Guión FRAN CASANOVA y BELÉN HEYDT
Director FRAN CASANOVA

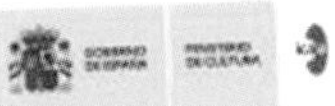

Escenas

ARGUMENTO Pelayo, el abuelo de Santi, está enfermo. Carmen, su hija, cree que lo mejor es llevarlo a una residencia para ancianos donde, según ella, pueden cuidarlo mejor. Pero algo pasa en la familia que hace que cambie de opinión.

SANTI ¡Hola, abuelo! Soy yo, Santi.

SANTI Yo estuve enfermo la semana pasada y mamá me dio el medicamento… ¡Y me curé!
CONCHI Tienes toda la razón. ¡La medicina le pondrá bien! ¡Di que sí!

CONCHI ¡Anda! Si este tebeo era de tu abuelo. ¡No sabes lo que le gustaban!

PELAYO ¡Camaradas! ¡No podemos perder esta batalla!

SANTI Tenemos que rescatarla.
PELAYO Tú encárgate de los de la derecha; yo, de los de la izquierda.
SANTI ¡Vamos!

CARMEN ¿Sabes cuánto hacía que no me llamabas así?
PELAYO ¿Sabes cuánto hace que no lo paso tan bien?

no nos alcanza *it is not enough* **el prestadito** *a loan*

Después de ver el corto

1 **Comprensión** Contesta las preguntas con oraciones completas.

1. ¿Qué le pasa a Pelayo?
2. ¿A dónde lo quiere llevar su hija Carmen?
3. ¿Conchi está de acuerdo con la decisión de Carmen?
4. ¿Qué encuentra Santi en la casa de su abuelo?
5. ¿Qué efecto tienen las historias sobre el ánimo del abuelo?
6. ¿Quiénes son los hombres vestidos de blanco que llegan a la casa?
7. ¿Por qué Santi despierta al abuelo y lo hace correr?
8. ¿Quién es el hombre que visita a Pelayo al final?

2 **Interpretación** En parejas, contesten las preguntas.

1. En un momento, Santi dice que él puede cuidar a su abuelo. ¿Por qué cree eso?
2. ¿Por qué Conchi no quiere que se lleven a Pelayo para una residencia?
3. ¿Por qué Carmen cambió de idea al final?
4. ¿Creen que la decisión de la familia fue la más adecuada? ¿Por qué?

3 **El final** El siguiente fotograma corresponde a la imagen final del cortometraje. Con un(a) compañero/a, inventen una conversación diferente a la que se presenta en el video.

4  **Frases** En grupos pequeños, analicen las siguientes frases y discutan qué relación tienen con el cortometraje.

> **"La madurez del hombre es haber recobrado la seriedad con la que jugábamos cuando éramos niños."**
> ***Friedrich Nietzsche***

> **"En el movimiento está la vida y en la actividad reside la felicidad."**
> ***Aristóteles***

> **"Cuando me dicen que soy demasiado viejo para hacer una cosa, procuro hacerla enseguida."**
> ***Pablo Picasso***

PUEDO analizar algunos aspectos de la salud y la enfermedad en diferentes etapas de la vida.

Objetivo comunicativo: Comentar las características de *Autorretrato con el Dr. Arrieta,* de Goya

"Cuando sientes que la mano de la muerte se posa sobre el hombro, la vida se ve iluminada de otra manera…"

Isabel Allende

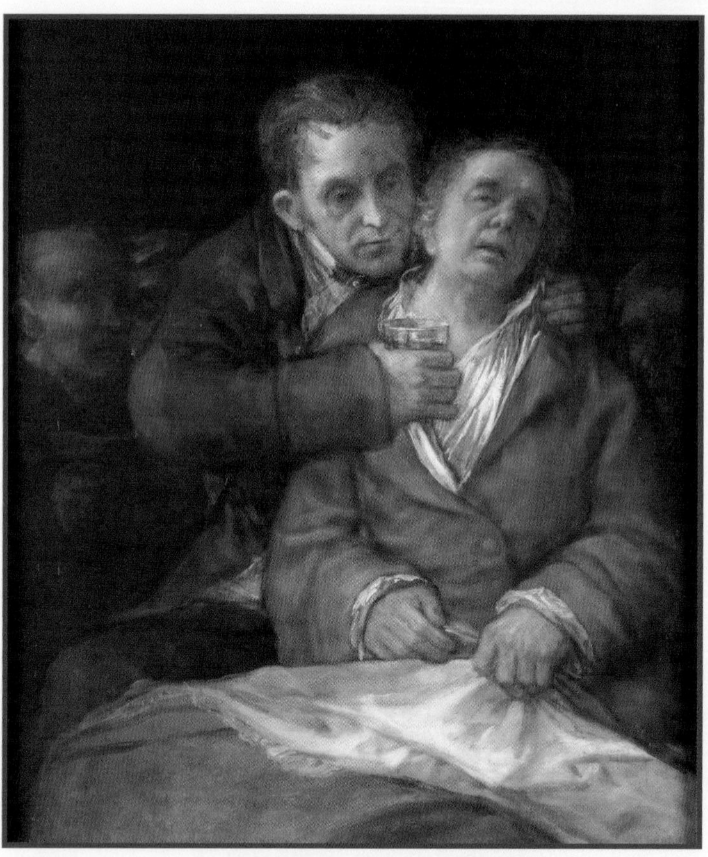

Autorretrato con el Dr. Arrieta, 1820
Francisco de Goya, España

Interpretar En parejas, contesten estas preguntas.

1. ¿Qué ven en este cuadro?
2. ¿Cómo es la atmósfera del cuadro y qué sensación les produce?
3. ¿En qué lugar creen que están los personajes del cuadro? Expliquen sus respuestas.
4. ¿Qué imaginan que contiene el vaso que ofrecen al personaje y para qué les parece que sirve?
5. ¿Por qué creen que se ven esas personas alrededor de los personajes centrales?

PUEDO expresar mi opinión sobre lo que se representa en la pintura *Autorretrato con el Dr. Arrieta,* de Goya.

Antes de leer

Mujeres de ojos grandes

Sobre la autora

Ángeles Mastretta nació en Puebla, México, en 1949. Estudió periodismo y colaboró en periódicos y revistas: "Escribía de todo: de política, de mujeres, de niños, de lo que veía, de lo que sentía, de literatura, de cultura, de guerra". Su primer libro fue de poemas: *La pájara pinta* (1978), pero fue *Arráncame la vida* (1985), su primera novela, la que le dio fama y reconocimiento. En 1997 fue la primera mujer en ganar el Premio Rómulo Gallegos con su novela *Mal de amores*. En su obra habla sobre la psicología de la mujer. *Mujeres de ojos grandes* está compuesto de relatos sobre mujeres que muestran "el poder que tienen en sus cosas y el poder que tienen para hacer con sus vidas lo que quieran, aunque no lo demuestren. Son mujeres poderosas que se saben poderosas pero no lo ostentan (*boast*)".

Vocabulario

el adelanto *advancement*	**el/la enfermero/a** *nurse*	**el ombligo** *navel*
la aguja *needle*	**el hallazgo** *discovery*	**la pena** *sorrow*
la cordura *sanity*	**la insensatez** *senselessness*	**el regocijo** *joy*
desafiante *challenging*	**latir** *to beat*	**la terapia intensiva** *intensive care*

La historia de Julio Completa el párrafo con las palabras apropiadas.

Julio prefería una vida (1) ________, que no lo aburriera. Sin embargo, al perder todo por la caída de la bolsa (*stock market crash*), Julio —siempre una persona muy sensata— perdió la (2) ________. Después de unos meses, los síntomas desaparecieron, para gran (3) ________ de la familia. Sin embargo, pensar en su trabajo lo llenaba de (4) ________ y en su corazón latía el deseo de hacer algo nuevo. Tan agradecido estaba con los médicos que decidió estudiar para ser (5) ________.

Conexión personal Cuando te sientes enfermo/a, ¿intentas curarte por tus propios medios? ¿Alguna vez estuviste en un hospital? ¿Confías en la medicina tradicional o has probado la medicina alternativa? ¿Crees que la ciencia puede resolverlo todo?

Análisis literario: el símil o la comparación

El símil, o la comparación, es un recurso literario que consiste en comparar una cosa con otra por su semejanza, parecido o relación. De esa manera, se logra mayor expresividad. Implica el uso del término comparativo explícito: **como**. Por ejemplo: "*ojos grandes* **como** *lunas*". Crea algunas comparaciones con estos pares de palabras o inventa tus propias comparaciones: muerte/noche, rostro/fantasma, mejillas/manzanas, hombre/ratón, lugar/cementerio.

Mujeres de ojos grandes

Audio: Dramatic reading

Último cuento; sin título

Ángeles Mastretta

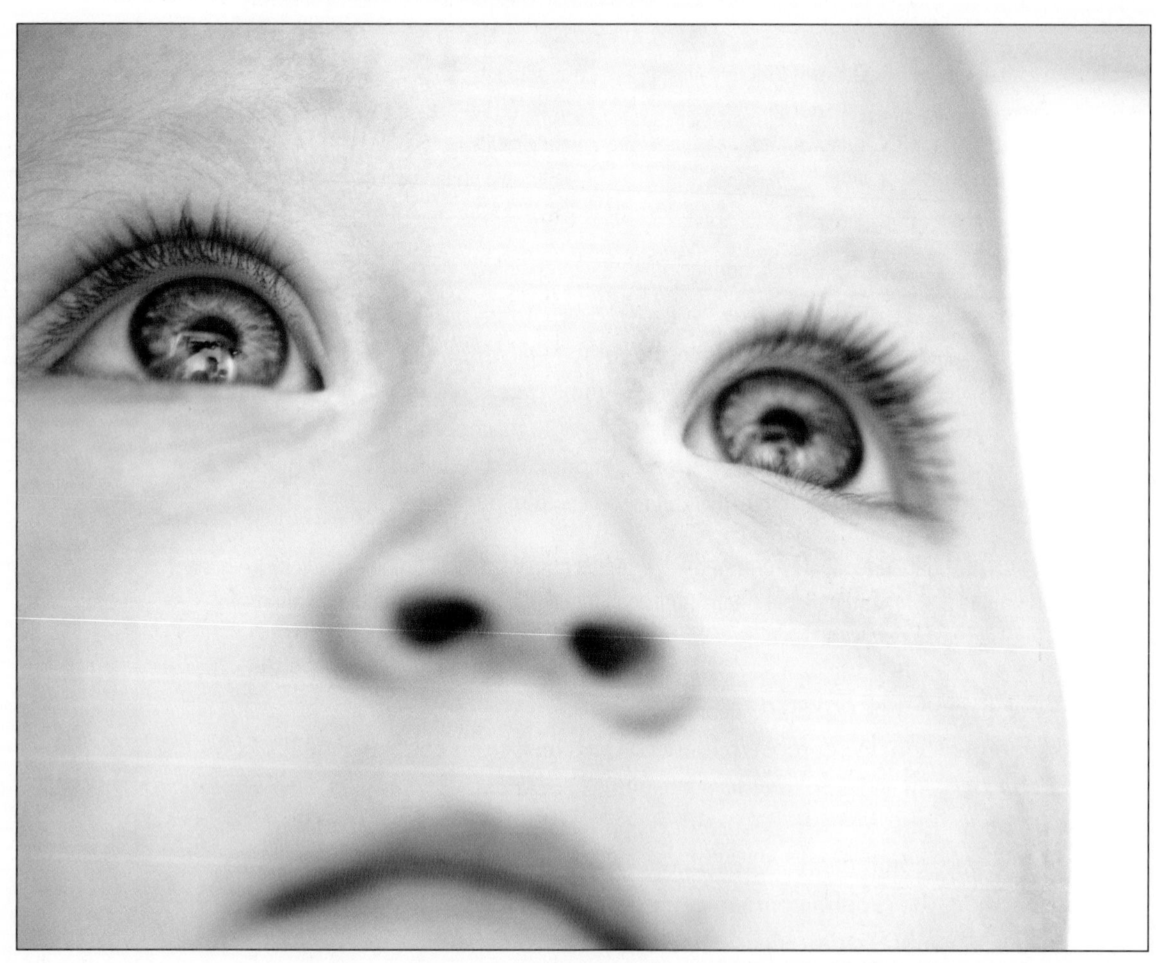

Tía Jose Rivadeneira tuvo una hija con los ojos grandes como dos lunas, como un deseo. Apenas colocada en su abrazo, todavía húmeda y vacilante°, la niña mostró los ojos y algo en las alas° de sus labios que parecía pregunta.

—¿Qué quieres saber? —le dijo tía Jose jugando a que entendía ese gesto.

Como todas las madres, tía Jose pensó que no había en la historia del mundo una criatura tan hermosa como la suya. La deslumbraban° el color de su piel, el tamaño de sus pestañas° y la placidez con que dormía. Temblaba de orgullo imaginando lo que haría con la sangre y las quimeras° que latían en su cuerpo.

Se dedicó a contemplarla con altivez° y regocijo durante más de tres semanas. Entonces la inexpugnable° vida hizo caer sobre la niña una enfermedad que en cinco horas convirtió su extraordinaria viveza° en un sueño extenuado° y remoto° que parecía llevársela de regreso a la muerte.

Cuando todos sus talentos curativos no lograron mejoría° alguna, tía Jose, pálida° de terror, la cargó hasta el hospital. Ahí se la quitaron de los brazos y una docena de médicos y enfermeras empezaron a moverse agitados y confundidos en torno a la niña. Tía Jose la vio irse tras una puerta que le prohibía la entrada y se dejó caer al suelo incapaz de cargar consigo misma y con aquel dolor como un acantilado°.

Ahí la encontró su marido, que era un hombre sensato y prudente como los hombres acostumbran fingir° que son. La ayudó a levantarse y la regañó° por su falta de cordura y esperanza. Su marido confiaba en la ciencia médica y hablaba de ella como otros hablan de Dios. Por eso lo turbaba° la insensatez en que se había colocado su mujer, incapaz de hacer otra cosa que llorar y maldecir° al destino.

Aislaron a la niña en una sala de terapia intensiva. Un lugar blanco y limpio al que las madres sólo podían entrar media hora diaria. Entonces se llenaba de oraciones° y ruegos. Todas las mujeres persignaban° el rostro de sus hijos, les recorrían el cuerpo con estampas y agua bendita°, pedían a todo Dios que los dejara vivos. La tía Jose no conseguía sino llegar junto a la cuna° donde su hija apenas respiraba para pedirle: "no te mueras". Después lloraba y lloraba sin secarse los ojos ni moverse hasta que las enfermeras le avisaban que debía salir.

Entonces volvía a sentarse en las bancas cercanas a la puerta, con la cabeza sobre las piernas, sin hambre y sin voz, rencorosa° y arisca°, ferviente° y desesperada. ¿Qué podía hacer? ¿Por qué tenía que vivir su hija? ¿Qué sería bueno ofrecerle a su cuerpo pequeño lleno de agujas y sondas° para que le interesara quedarse en este mundo? ¿Qué podría decirle para convencerla de que valía la pena hacer el esfuerzo en vez de morirse?

Una mañana, sin saber la causa, iluminada sólo por los fantasmas de su corazón, se le acercó a la niña y empezó a contarle las historias de sus antepasadas°. Quiénes habían sido, qué mujeres tejieron° sus vidas con qué hombres antes de que la boca y el ombligo de su hija se anudaran° a ella. De qué estaban hechas, cuántos trabajos° habían pasado, qué penas y jolgorios° traía ella como herencia. Quiénes sembraron con intrepidez° y fantasías la vida que le tocaba prolongar.

Durante muchos días recordó, imaginó, inventó. Cada minuto de cada hora disponible habló sin tregua° en el oído de su hija. Por fin, al atardecer de un jueves, mientras contaba implacable alguna historia, su hija abrió los ojos y la miró ávida° y desafiante, como sería el resto de su larga existencia.

El marido de tía Jose dio las gracias a los médicos, los médicos dieron gracias a los adelantos de su ciencia, la tía abrazó a su niña y salió del hospital sin decir una palabra. Sólo ella sabía a quiénes agradecer la vida de su hija. Sólo ella supo siempre que ninguna ciencia fue capaz de mover tanto, como la escondida en los ásperos° y sutiles° hallazgos de otras mujeres con los ojos grandes. ■

- vacilante: vacillating
- alas: wings
- deslumbraban: dazzled
- pestañas: eyelashes
- quimeras: fancy ideas
- altivez: haughtiness
- inexpugnable: impregnable
- viveza/extenuado: liveliness/exhausted
- remoto: remote; far off
- mejoría/pálida: improvement/pale
- acantilado: cliff
- fingir: to feign
- regañó: scolded
- turbaba: disturbed; embarrassed
- maldecir: to damn; to curse
- oraciones: prayers
- persignaban: crossed
- bendita: holy
- cuna: cradle; crib
- rencorosa: spiteful
- arisca/ferviente: surly/fervent
- sondas: probes; catheters
- antepasadas: ancestors
- tejieron: wove
- anudaran: tied
- trabajos: hardships
- jolgorios: revelry
- intrepidez: bravery
- tregua: relentlessly
- ávida: avid; eager
- ásperos/sutiles: rough; harsh/subtle

Después de leer

Mujeres de ojos grandes

Ángeles Mastretta

1 **Comprensión** Contesta las siguientes preguntas con oraciones completas.

1. ¿Quiénes son los tres personajes principales de este relato?
2. ¿Tía Jose lleva inmediatamente a su hija al hospital?
3. ¿Qué piensa el marido de la ciencia de los médicos y del comportamiento de su esposa?
4. ¿Qué historias le cuenta tía Jose a su hija? ¿Son todas reales?
5. Para el padre de la niña, ¿qué o quién le salvó la vida? ¿Y para tía Jose?

2 **Análisis** Lee el relato nuevamente y contesta las preguntas.

1. Los ojos de la hija de tía Jose son "grandes como dos lunas, como un deseo". ¿Por qué se eligen estos dos términos para la comparación? ¿Puedes encontrar otras comparaciones en el cuento?
2. La expresión "las alas de sus labios" es un recurso ya analizado. ¿Cómo se llama?
3. En el hospital, la niña es llevada lejos de su madre, "tras una puerta que le prohibía la entrada". ¿A qué lugar se refiere?
4. Tía Jose comienza a contarle historias a su hija "iluminada por los fantasmas de su corazón". Reflexiona: ¿los fantasmas se asocian con la luz o con la oscuridad? ¿A quiénes se refiere la palabra "fantasmas" en el relato?

3 **Interpretación** En parejas, respondan las preguntas.

1. El personaje de la tía Jose pierde la voz ante la enfermedad de su hija. ¿Cómo recupera la voz? ¿Por qué?
2. La hija de tía Jose tiene ojos grandes, al igual que las mujeres de los relatos que le cuenta su madre. ¿Qué creen que simboliza esto?
3. El padre agradece a los médicos por haber salvado a la niña; los médicos agradecen a la ciencia. ¿Por qué tía Jose "salió del hospital sin decir una palabra"?
4. ¿Qué creen que salvó la vida de la niña? ¿Conocen algún caso de recuperación asombrosa en la vida real?

4 **Debate** Formen dos grupos: uno debe hacer una lista de los argumentos que usó el marido de tía Jose para tranquilizarla en el hospital; el otro grupo debe imaginar cuáles eran las razones de las mujeres que rezaban (*prayed*) para sanar a sus hijos. Después, organicen un debate para discutir las alternativas, defendiendo su argumento y señalando las debilidades del argumento contrario.

5 **Historias** Redacta una de las historias que la tía Jose le contó a su hija. Utiliza algunos de los usos de **por** y **para**. Incluye por lo menos dos símiles.

PUEDO nombrar los personajes del cuento y hacer comentarios sobre el desenlace de la historia.

Antes de leer

Vocabulario

la aldea *village*
la batalla *battle*
la ceguera *blindness*
el chiripazo *coincidence*
el ciclo vital *life cycle*
de hecho *in fact*
el estibador de puerto *longshoreman*
los gusanos *worms*
la mosca *fly*
el oro *gold*
la picadura *bite*
rascar(se) *to scratch (oneself)*
el tráfico de esclavos *slave trade*

Oraciones incompletas Completa las oraciones con las palabras adecuadas.

1. Los insectos cambian de forma durante su ____________.
2. ¡No te bebas ese jugo, tiene una ____________ dentro!
3. Él tiene una ____________ de mosquito en el brazo y no para de ____________.
4. No estoy enfermo, ¡____________, me siento muy bien!
5. Gracias a la ciencia algunas personas con ____________ recuperan la visión.
6. El ____________ es un metal precioso y muy caro.
7. El ____________ es una de las mayores tragedias de la humanidad.
8. Una ____________ es una comunidad rural donde viven pocas personas.

Conexión personal Responde estas preguntas: ¿Puedes pensar en alguna enfermedad o dolencia que afecta a tu comunidad o a un grupo que conoces? ¿Ha recibido la comunidad alguna ayuda?

Contexto cultural

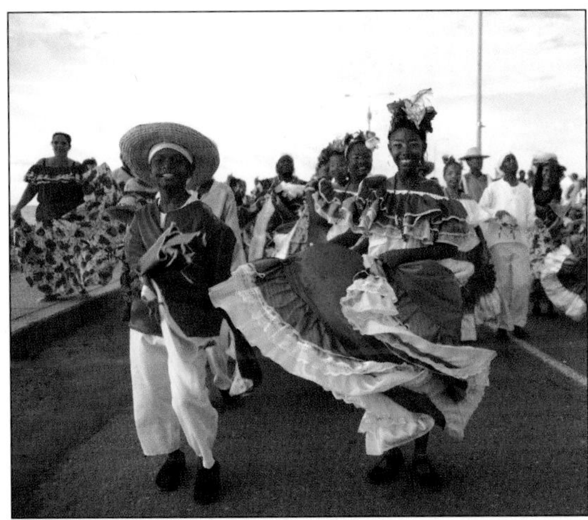

Situada en una zona de tránsito entre Norteamérica y Suramérica, Colombia presenta un lugar ideal para la convergencia de múltiples culturas. La mayoría de los habitantes son mestizos, es decir, descendientes de europeos y amerindios. Hay también casi tres millones de negros, afrocolombianos, raizales o palenqueros —más del seis por ciento de la nación— y una población indígena que cuenta con casi dos millones de habitantes. De esta diversidad étnica han surgido (*have arisen*) costumbres variadas, una riquísima tradición musical y la pluralidad lingüística. La lengua oficial del país es el español, pero todavía se hablan más de sesenta lenguas indígenas.

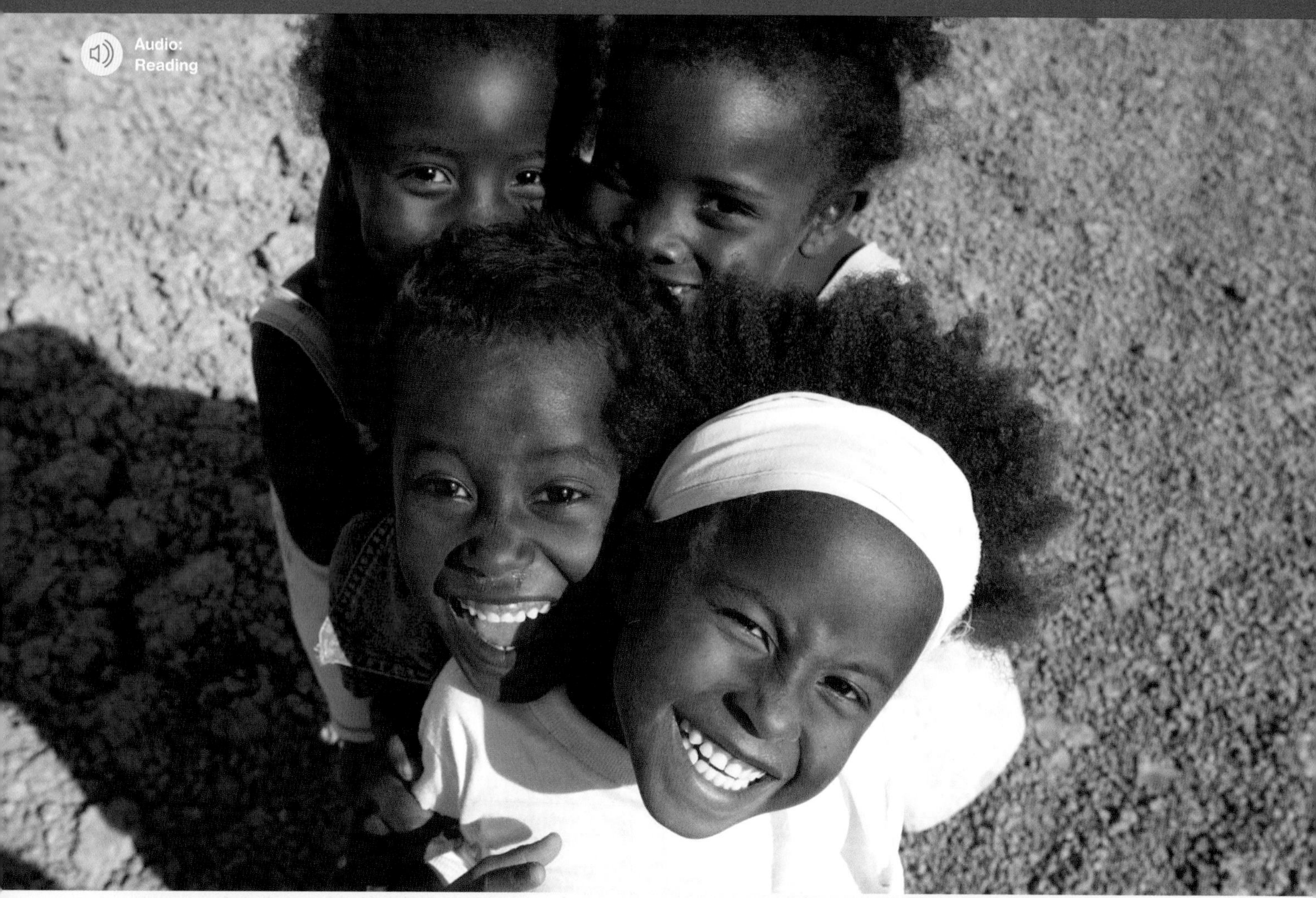

Colombia gana la guerra a una vieja enfermedad

Quien haya hecho una excursión por un bosque del noroeste de Norteamérica a finales de primavera sabrá lo que es la mosca negra: un insecto que se reproduce en los ríos y cuya picadura causa una pequeña inflamación rojiza, y poco más. Aunque en Nortemérica la mosca negra no es peligrosa, en Suramérica provoca la llamada "ceguera de los ríos", una cruel enfermedad con la que se lucha en más de treinta países. Colombia se ha convertido en el primero de ellos en ganar la batalla.

¿Por qué cruel? La oncocercosis, o ceguera de los ríos, es básicamente una invasión de gusanos que entran en el cuerpo humano a través de la picadura de la mosca negra. Estos gusanos se reproducen y generan miles de larvas que emigran a todas partes del cuerpo por debajo de la piel. Esto hace que la infección sea tan desagradable. Según el doctor Donald Bundy, coordinador del Banco Mundial para el Control de la Oncocercosis, es común ver que en las aldeas afectadas las personas se rascan constantemente, razón por la cual terminan con cortes terribles en la piel. Con el paso de los años, esas larvas viajeras pasan de la piel a los ojos y cubren la córnea causando ceguera.

La oncocercosis es una de las principales causas de ceguera a nivel mundial. Según la Organización Mundial de la Salud (OMS),° en el 2017, afectó a casi 21 millones de personas en el mundo, de las cuales más de un millón quedaron completamente ciegas° . Casi todos los casos de oncocercosis se dan° en África; de hecho, se cree que esta enfermedad llegó al Nuevo Mundo a principios del siglo XVIII con el tráfico de esclavos. Actualmente, la enfermedad es parte de la realidad de muchas comunidades de países como Ecuador, Venezuela, México y Guatemala, y también de Colombia. Allí se descubrió en 1965 cuando un estibador de puerto llegó a la consulta del médico con una infección en los ojos. Casualmente°, el doctor que lo vio había estudiado oftalmología tropical en Francia. Enseguida, diagnosticó su enfermedad: oncocercosis.

World Health Organization (WHO)
blind
occur
coincidentally

"Fue un chiripazo", dice la doctora Gloria Palma, del Centro Internacional de Entrenamiento e Investigaciones Médicas (CIDEIM) de Colombia, quien asegura que estuvieron buscando la enfermedad en el sitio equivocado. Según Palma, el Instituto Nacional de Salud llevaba años buscando la enfermedad por la zona norte del país y había planes para ir a buscarla en el Pacífico.

La aparición del primer caso permitió centrar la búsqueda en la región del río Chuaré, Cauca. Finalmente, el foco de la ceguera de los ríos apareció en la comunidad de Nacioná, en el municipio° de López de Micay, una zona de difícil acceso. La economía de esta comunidad se ha basado, principalmente, en la extracción de oro en el propio río donde vive y se reproduce la mosca negra.

township

Una vez localizado el foco de la enfermedad había que dar el siguiente paso°: eliminarla. La estrategia para conseguirlo fue tratar a la población de la zona afectada con un medicamento llamado Ivermectina, donado por la empresa farmacéutica Merck. El tratamiento con este medicamento empezó en 1996 y continuó cada seis meses, hasta que en 2007 se comprobó que la mosca negra ya no transmitía el parásito. Pero eso no era suficiente. Había que demostrar que, tres años después, no hubiera ningún caso nuevo, y que el ciclo vital del parásito a través de la mosca negra y el hombre estaba definitivamente interrumpido. Y así fue: en 2013 la enfermedad se declaró oficialmente eliminada de Colombia. Misión cumplida. ■

to take the next step

búsqueda *search*

Después de leer

Colombia gana la guerra a una vieja enfermedad

1 **Comprensión** Contesta las preguntas con oraciones completas.

1. ¿Qué es la oncocercosis?
2. ¿Qué otro nombre recibe la oncocercosis?
3. ¿Cuándo se cree que llegó la oncocercosis al Nuevo Mundo?
4. ¿De qué continente se cree que procede la oncocercosis?
5. ¿Por qué se produce la oncocercosis cerca de los ríos?
6. ¿Cómo se eliminó la oncocercosis en Colombia?

2 **Preguntas** Responde las preguntas con oraciones completas.

1. ¿Por qué se le llama "ceguera de los ríos" a la oncocercosis?
2. ¿Por qué muchos enfermos de oncocercosis tienen cortes en la piel?
3. ¿Por qué produce ceguera esta enfermedad?
4. ¿Cómo se cree que llegó esta enfermedad al Nuevo Mundo?
5. ¿Al comienzo, en qué lugar estaba buscando la enfermedad el Instituto Nacional de Salud de Colombia?
6. ¿En qué otros lugares las comunidades deben enfrentarse a esta enfermedad?
7. ¿Por qué estaban expuestos a la picadura de la mosca los habitantes de Nacioná?
8. ¿Qué crees que hay que hacer para eliminar esta enfermedad en todo el mundo?

3 **Hipocondríaco** Imagina que visitas Nacioná con un(a) amigo/a y que lo pica una mosca negra. Tu amigo/a se pone muy nervioso/a porque cree que se va a quedar ciego/a. Inventen una conversación sobre lo que sucede a continuación.

MODELO —¡Me picó una mosca! ¡Voy a quedarme ciego!
—No te preocupes, aquí ya no hay oncocercosis.

4  **Campaña** En grupos, creen una campaña para combatir una enfermedad que conozcan. Elijan un país afectado y desarrollen un cartel informativo con la siguiente información. Utilicen la gramática de la lección. Después, presenten los carteles a la clase.

- definición de la enfermedad
- síntomas de la enfermedad
- cómo se transmite la enfermedad
- cómo se cura
- cómo se puede prevenir
- qué repercusión tiene la eliminación de esa enfermedad a nivel mundial

5  **Debate** En grupos de cuatro, debatan sobre las implicaciones que puede tener la utilización de animales en las investigaciones para encontrar la cura de enfermedades. Compartan sus conclusiones con la clase.

PUEDO Identificar la forma como Colombia combate una terrible enfermedad.

Objetivo comunicativo: Conversar sobre cómo llevar una vida sana y redactar una lista de consejos para la salud

Atando cabos

¡A conversar!

1 **La nueva cafetería** Trabajen en grupos de cuatro. Imaginen que son consultores/as contratados/as por una escuela o universidad para diseñar una nueva cafetería que cumpla con los objetivos del recuadro. Presenten su plan a la clase.

Objetivos de la nueva cafetería

- brindar a los estudiantes un espacio para socializar y relajarse
- ofrecer una selección de alimentos que sea atractiva, pero que, al mismo tiempo, sea saludable y lo más natural posible
- informar a los estudiantes acerca de temas relacionados con la salud, la alimentación y el bienestar a través de afiches y otros elementos visuales

2 **Médico y paciente** En parejas, inventen una conversación entre un(a) paciente y su doctor(a).

A. Conversen sobre los síntomas, los posibles diagnósticos y los tratamientos. Pueden usar las preguntas como guía.

1. ¿Cómo se siente?
2. ¿Es usted alérgico/a? ¿A qué es alérgico/a?
3. ¿Hace ejercicio o practica algún deporte?
4. ¿Ya se vacunó?
5. ¿Prefiere las inyecciones, los jarabes o las pastillas?

B. Presenten algunas de las conversaciones en la clase.

3 **Situaciones extremas** Formen grupos de tres. Discutan cómo las situaciones extremas de la lista pueden afectar la salud de las personas. Decidan qué es lo recomendable en cada caso y compártanlo con la clase.

Situación A	Situación B
Comer sólo una vez al día alimentos balanceados	Comer tres veces al día comida chatarra (*junk food*)
Dormir tres horas al día	Dormir catorce horas al día
Usar poca ropa en invierno	Ponerse mucha ropa en verano
Hacer cinco minutos de ejercicio cada dos días	Hacer cuatro horas diarias de ejercicio
Tomar un vaso de agua al día	Tomar tres litros de agua al día
Lavarse las manos sólo con agua	Lavarse las manos sólo con gel antibacterial (*hand sanitizer*)

Atando cabos

4 

Detecta mentiras En grupos de cuatro, reúnanse para hacerse preguntas sobre su salud. Un grupo escoge a un estudiante de otro grupo y le hace una pregunta. El estudiante entrevistado la responde con el mayor detalle posible, diciendo la verdad o diciendo mentiras. El grupo entrevistador analiza la respuesta y decide si fue una verdad o una mentira. Cuando acierten, cambian de turno y de estudiante entrevistado. Pueden usar estas preguntas como base:

- ¿Cuándo fue la última vez que fuiste al médico y por qué?
- ¿Qué haces todos los días para mantener una buena salud?
- ¿Por cuánto tiempo estuviste en el hospital el año pasado y por qué?
- ¿Te han hecho tratamientos alternativos a ti o a una persona conocida? ¿Cuáles?
- ¿Sabes cómo dar primeros auxilios a una persona lastimada?

¡A escribir!

5 **Un decálogo** Imagina que eres médico/a. Sigue el **Plan de redacción** para escribir un decálogo en el que les das diez consejos generales a tus pacientes para que lleven una vida sana.

Plan de redacción

Preparación: Prepara un esquema (*outline*) con los diez consejos más importantes.

Título: Elige un título para el decálogo.

Contenido: Escribe los diez consejos. Utiliza el subjuntivo o el imperativo en todos los consejos. Puedes incluir la siguiente información.

- qué alimentos se deben comer y cuáles se deben evitar
- cuántas comidas se deben consumir al día
- cuántas horas se debe dormir
- qué hábitos se deben evitar

Cuídese:

1. Haga ejercicio tres veces a la semana como mínimo.

2. Es importante que no consuma muchas grasas.

3. Es esencial que...

PUEDO crear una lista de actividades para una rutina de vida sana.

PUEDO aconsejar a alguien para que modifique hábitos poco saludables.

VOCABULARIO

Los síntomas y las enfermedades

la depresión	*depression*
la enfermedad	*disease; illness*
la gripe	*flu*
la herida	*injury*
el malestar	*discomfort*
la obesidad	*obesity*
el resfriado	*cold*
la respiración	*breathing*
la tensión (alta/ baja)	*(high/low) blood pressure*
la tos	*cough*
el virus	*virus*
contagiarse	*to become infected*
desmayarse	*to faint*
empeorar	*to deteriorate; to get worse*
enfermarse	*to get sick*
estar resfriado/a	*to have a cold*
lastimarse	*to get hurt*
permanecer	*to remain; to last*
ponerse bien/mal	*to get well/sick*
sufrir (de)	*to suffer (from)*
tener buen/mal aspecto	*to look healthy/sick*
tener fiebre	*to have a fever*
toser	*to cough*
agotado/a	*exhausted*
inflamado/a	*inflamed*
mareado/a	*dizzy*

La salud y el bienestar

la alimentación	*diet (nutrition)*
la autoestima	*self-esteem*
el bienestar	*well-being*
el estado de ánimo	*mood*
la salud	*health*
adelgazar	*to lose weight*
descansar	*to rest*
engordar	*to gain weight*
estar a dieta	*to be on a diet*
mejorar	*to improve*
prevenir (e:ie)	*to prevent*
relajarse	*to relax*
trasnochar	*to stay up all night*
sano/a	*healthy*

Los médicos y el hospital

la cirugía	*surgery*
el/la cirujano/a	*surgeon*
la consulta	*doctor's appointment*
el consultorio	*doctor's office*
la operación	*operation*
los primeros auxilios	*first aid*
la sala de emergencias	*emergency room*

Las medicinas y los tratamientos

el analgésico	*painkiller*
la aspirina	*aspirin*
el calmante	*tranquilizer*
los efectos secundarios	*side effects*
el jarabe (para la tos)	*(cough) syrup*
la pastilla	*pill*
la receta	*prescription*
el tratamiento	*treatment*
la vacuna	*vaccine*
la venda	*bandage*
el yeso	*cast*
curarse	*to heal; to be cured*
poner(se) una inyección	*to give/get a shot*
recuperarse	*to recover*
sanar	*to heal*
tratar	*to treat*
vacunar(se)	*to vaccinate/to get vaccinated*
curativo/a	*healing*

Más vocabulario

Expresiones útiles	*Ver p. 147*
Estructura	*Ver pp. 154–156, 160–161 y 164–165*

En pantalla

el/la camarada	*pal, colleague*
el/la cascarrabias	*grouch, curmudgeon*
el estribor	*starboard*
el tebeo	*comic book*
la trinchera	*trench*
ponerse bueno	*get better*
superar (algo)	*to get over (something)*
a punto de	*about (to do something)*

Literatura

el adelanto	*advancement*
la aguja	*needle*
la cordura	*sanity*
el/la enfermero/a	*nurse*
el hallazgo	*finding; discovery*
la insensatez	*folly; senselessness*
el ombligo	*navel*
la pena	*sorrow*
el regocijo	*joy*
la terapia intensiva	*intensive care*
latir	*to beat*
desafiante	*challenging*

Cultura

la aldea	*village*
la batalla	*battle*
la ceguera	*blindness*
el chiripazo	*coincidence*
el ciclo vital	*life cycle*
de hecho	*in fact*
el estibador de puerto	*longshoreman*
los gusanos	*worms*
la mosca	*fly*
el oro	*gold*
la picadura	*bite*
el tráfico de esclavos	*slave trade*
rascar(se)	*to scratch (oneself)*

A primera vista

- ¿Dónde crees que está la chica de la foto? ¿Por qué?
- ¿Cómo crees que se siente?
- ¿Te gusta viajar al campo o prefieres visitar ciudades? ¿Por qué?

Essential Questions

1. ¿Cuál es la mejor manera de prepararse para un viaje?
2. ¿Qué efectos tienen los viajes sobre nuestra vida?
3. ¿Cómo influyen los viajes en la forma como percibimos otras culturas?

5 Los viajes

Can Do Goals

By the end of this lesson I will be able to:

- Talk about trips, lodging, and excursions
- Compare characteristics, people, objects, and actions
- Express negative and indefinite sentences
- Describe objects or people that are needed or wanted

Also, I will learn about:

Culture
- Central America's **ruta del café**
- The Panama Canal
- Traveling to Costa Rica
- **La ruta maya**

Skills
- Reading: Recognizing characteristics of **realismo mágico**
- Conversation: Talking about trips and vacation
- Writing: Writing a guide for travelers making an excursion

Lesson 5 Integrated Performance Assessment
Context: A travel agency in your town specializes in tours to Central and South America. They want to launch a new bilingual app that offers practical information for the first-time traveler, and since many of their newest clients are students, the agency has requested help from your class.

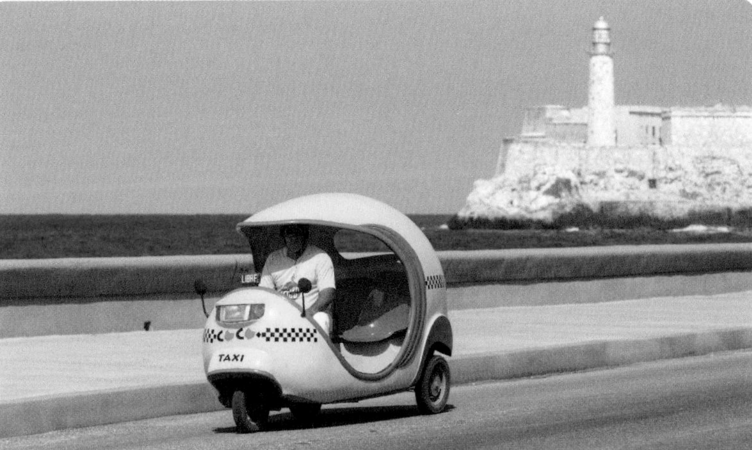

Cocotaxi en La Habana, Cuba

Producto:
Los cocotaxis son un medio de transporte popular de los turistas en Cuba.

¿Cómo te gusta transportarte cuando vas de vacaciones?

Los viajes

De viaje

Para sus vacaciones, Cecilia y Juan **hicieron un viaje** al Caribe. El último día decidieron descansar en la piscina antes de **hacer las maletas**. Se durmieron... ¡y **perdieron el vuelo**! De todos modos, no querían **regresar**.

la bienvenida *welcome*
la despedida *farewell*
el destino *destination*
el itinerario *itinerary*
la llegada *arrival*
el pasaje (de ida y vuelta) *(round-trip) ticket*
el pasaporte *passport*
la tarjeta de embarque *boarding pass*
la temporada alta/baja *high/low season*
el/la viajero/a *traveler*

hacer las maletas *to pack*
hacer transbordo *to transfer (planes/trains)*
hacer un viaje *to take a trip*
ir(se) de vacaciones *to go on vacation*
perder (e:ie) (el vuelo) *to miss (the flight)*
regresar *to return*

a bordo *on board*
retrasado/a *delayed*
vencido/a *expired*
vigente *valid*

El alojamiento

el albergue *hostel*
el alojamiento *lodging*
la habitación individual/doble *single/double room*
la recepción *front desk*
el servicio de habitación *room service*

alojarse *to stay*
cancelar *to cancel*
estar lleno/a *to be full*
quedarse *to stay*
reservar *to reserve*

de (buena) categoría *first-rate*
incluido/a *included*
recomendable *advisable*

La seguridad y los accidentes

el accidente (automovilístico) *(car) accident*
el/la agente de aduanas *customs agent*
el aviso *notice; warning*
el cinturón de seguridad *seat belt*
el congestionamiento *traffic jam*
las medidas de seguridad *security measures*
la seguridad *safety; security*
el seguro *insurance*

aterrizar *to land*
despegar *to take off*
ponerse/quitarse el cinturón *to fasten/to unfasten the seatbelt*
reducir (la velocidad) *to reduce (speed)*

peligroso/a *dangerous*
prohibido/a *prohibited*

Las excursiones

Después de **recorrer** el Canal de Panamá, el **crucero navegó** hasta **Puerto** Limón, donde los viajeros pudieron disfrutar de dos días de **ecoturismo** en Costa Rica.

la aventura *adventure*
el/la aventurero/a *adventurer*
la brújula *compass*
el buceo *scuba diving*
el campamento *campground*
el crucero *cruise (ship)*
el (eco)turismo *(eco)tourism*
la excursión *outing; tour*
la frontera *border*
el/la guía turístico/a *tour guide*
la isla *island*

las olas *waves*
el puerto *port*
las ruinas *ruins*
la selva *jungle*
el/la turista *tourist*

navegar *to sail*
recorrer *to tour*

lejano/a *distant*
turístico/a *tourist (adj.)*

Práctica

1 Escuchar

A. Escucha lo que dice Julia, una guía turística, y después marca las oraciones que contienen la información correcta.

1. a. Los turistas llegaron hace una semana.
   b. La guía turística les da la bienvenida.
2. a. Los turistas van a ir al campamento en autobús.
   b. Los turistas van a ir al campamento en tren.
3. a. Los turistas se van a alojar en un campamento.
   b. Los turistas van a ir a un albergue.
4. a. El destino es una isla.
   b. El destino es la selva.
5. a. Les van a dar el itinerario mañana.
   b. El itinerario se lo darán la semana que viene.

B. Dos aventureros se separaron del grupo y tuvieron problemas. Escucha la conversación telefónica entre Mariano y el agente de viajes, y después contesta las preguntas.

1. ¿Qué les ha pasado a Mariano y a su novia?
2. ¿Adónde iban ellos cuando tuvieron el accidente?
3. ¿Tienen que pagar mucho por los médicos?
4. ¿Qué ha decidido la pareja?

2 Definiciones Escribe la palabra adecuada para cada definición.

1. documento necesario para ir a otro país ____________
2. las forma el movimiento del agua del mar ____________
3. vacaciones en un barco ____________
4. instrumento que ayuda a saber dónde está el Polo Norte ____________
5. línea que separa dos países ____________
6. lugar del hotel donde te dan las llaves de la habitación ____________
7. documento necesario para poder subir a un avión ____________
8. lo contrario de vencido ____________
9. lugar rodeado de agua ____________

Práctica

3 **Oraciones incompletas** Completa las oraciones con las palabras apropiadas de **Contextos**.

1. Si vas a estar solo/a en el hotel, tomas una habitación ____________.
2. Cuando hay muchos coches en la calle al mismo tiempo, se producen ____________.
3. Los barcos, cuando llegan a tierra, se amarran (*dock*) en los ____________.
4. Si vas a viajar a otro país, tienes que comprobar que tu pasaporte no esté ____________.
5. El deporte que se practica bajo el mar es el ____________.

4 **Planes** Completa la conversación con las palabras adecuadas del recuadro. Haz los cambios que sean necesarios.

a bordo	**navegar**	**reservar**
lleno/a	**recorrer**	**retrasado/a**

MAR ¿Qué quieres hacer hoy? ¿Quieres ir al crucero que (1) ________ las islas de la zona?

PEDRO ¿No hay que llamar antes para (2) ________ las plazas (*seats*)?

MAR No creo que el barco esté (3) ________. Espera, llamo por teléfono...

MAR ¡Tenemos suerte! El barco está (4) ________, ahora sale a las diez y media. Tenemos que estar (5) ________ a las diez. ¡En marcha!

PEDRO Perfecto, me gusta la idea. Hoy es un buen día para (6) ________.

5 **De viaje** En parejas, utilicen palabras y expresiones de **Contextos** para escribir oraciones completas sobre cada dibujo. Sigan el modelo.

MODELO Primero Eva hizo las maletas. Metió camisetas, un traje de baño y...

1.

2.

3.

4.

5.

6.

Comunicación

6 

Problemas En parejas, preparen una de estas situaciones. Den detalles, excusas y razones, y traten de buscar una solución al problema. Luego, representen la situación para la clase.

1. **ESTUDIANTE 1** Eres un(a) huésped en un hotel que está muy sucio. No te gusta el servicio de habitación y además hace demasiado calor en tu cuarto.

   ESTUDIANTE 2 Tu tío te ha dejado a cargo de su hotel. Es temporada alta y, como el hotel está lleno, tienes mucho trabajo. No sabes qué hacer.

2. **ESTUDIANTE 1** Llegas al aeropuerto y te das cuenta de que dejaste el pasaporte en tu casa. Además, en la ciudad hay mucho congestionamiento.

   ESTUDIANTE 2 Eres taxista en el aeropuerto. Como has estado muy estresado/a, el médico te ha recomendado no apurarte por ningún motivo.

3. **ESTUDIANTE 1** Ibas manejando y has tenido un accidente. Te bajas del carro para hablar con el/la otro/a conductor(a). No tienes los papeles del seguro.

   ESTUDIANTE 2 Ibas manejando y has tenido un accidente. No llevabas el cinturón de seguridad y te has roto una pierna.

7 

¡Bienvenidos!

A. En grupos de cuatro, imaginen que trabajan en la Oficina de Turismo de su ciudad. Tienen que organizar una visita turística de tres días. Conversen sobre las preguntas de la lista y luego preparen un itinerario detallado para los turistas.

- ¿Quiénes son los/las turistas?
- ¿A qué aeropuerto o estación llegan?
- ¿En qué hotel se alojan?
- ¿Qué excursiones pueden hacer?
- ¿Qué lugares exóticos hay para visitar?
- ¿Adónde pueden ir con un(a) guía turístico/a?
- ¿Pueden navegar en algún mar, lago o río? ¿En cuál?
- ¿Qué museos, parques o edificios hay para visitar?
- ¿Qué deportes pueden practicar?

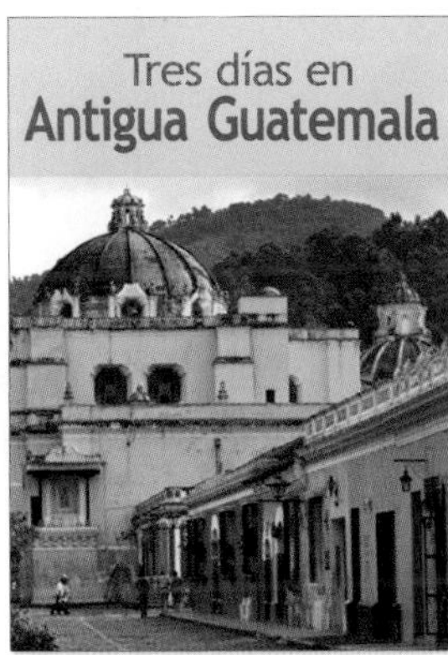

B. Ahora, reúnanse con otro grupo y túrnense para explicar sus itinerarios. Un grupo representa a los empleados de la Oficina de Turismo y el otro a los turistas. Háganse preguntas específicas.

PUEDO hablar sobre itinerarios de viajes y actividades turísticas.

Objetivo comunicativo: Hablar sobre distintos tipos de viajeros, vacaciones y destinos turísticos

Hasta ahora, en el video...

Ricardo compra un alebrije para Marcela, pero cuando se lo da, Marcela justo recibe una llamada telefónica importante. Marcela y Ricardo deben ir al hospital porque Lupita se desmayó. En este episodio verás cómo sigue la historia.

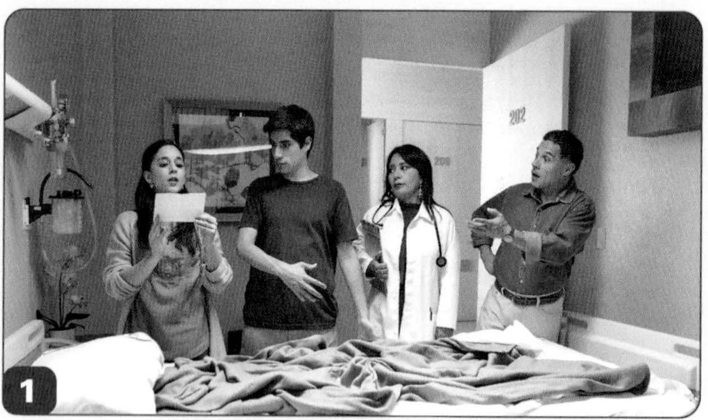

1

DOCTORA Jamás se me había desaparecido un paciente. ¡Nunca!

LORENZO ¿Cómo se fue así, sin avisar?

MANU ¿Qué esperabas, que dejara una nota bajo la almohada?

ROCÍO ¡Uy!, dejó una nota bajo la almohada. (*lee*) "Estoy agotada. La doctora me ordenó descansar, me voy de vacaciones a casa de mi hermana. Los quiero, Guadalupe."

2

Marcela ve a Lupita saliendo del hospital.

MARCELA ¡¿No es esa Lupita?!

4

MARCELA ¿Vacaciones?

LUPITA Me iría a un buen hotel, con todo incluido y servicio de habitación. Pero voy a casa de mi hermana, en Cuajimoloyas.

MARCELA Uno no se escapa del hospital, Lupita.

LUPITA Bueno, está bien, como digas (*se fija en Ricardo*). ¿No es usted el del avión?

RICARDO Es un dron, señora. Y sí, soy yo. Voy de excursión a Hierve el Agua.

5

LORENZO ¡Lupita! Hemos pasado un mal rato. ¡Nos tenías preocupadísimos!

ROCÍO Para salir del hospital, se requiere que te den de alta.

LORENZO Vamos. Descansa unos días, haz tu maleta y después te vas adonde quieras.

ROCÍO (*en voz baja, a Marcela*) ¿No es ése el espía?

MARCELA Después te cuento. (*a Ricardo*) Bueno, a Hierve el Agua.

¡NECESITO DESCANSAR!

Personajes

DOCTORA

LORENZO

MANU

ROCÍO

RICARDO

MARCELA

LUPITA

3

MANU No pasa nada, sólo fue a casa de su hermana.

ROCÍO Dejó una nota, ¿no? Tampoco es para tanto. *(mira por la ventana)* ¡Lupita!

MANU ¡¿Qué?!

ROCÍO ¡Se está subiendo a la Kombi!

6

RICARDO ¿Falta mucho para llegar? Recorrer este camino es peor de lo que había imaginado. ¡Quiero ir a un lugar que tenga una hermosa vista para volar mi dron!

MARCELA Estamos de excursión. ¡Disfruta la aventura!

RICARDO ¿Disfruta la aventura? ¡Éste no sólo es el peor camino en Oaxaca, sino que tú no eres la mejor conductora!

MARCELA (*enojada*) Bájate.

Expresiones útiles

Using comparatives and superlatives

Así puedes ir tan lento como quieras.
That way you can go as slowly as you want.

¡Nos tenías preocupadísimos!
You had us very worried!

Recorrer este camino es peor de lo que había imaginado.
Going this way is worse than I imagined.

¡Voy lentísimo!
I am going really slow!

Using negative, affirmative, and indefinite expressions

Jamás se me había desaparecido un paciente. ¡Nunca!
I never had a patient disappear. Ever!

No sólo eres un pesado, sino que también eres un llorón.
You are not only a pest, but you're also a crybaby.

¿Sin avisarle a nadie?
Without telling anybody?

Tampoco es para tanto.
It's not a big deal.

¿Te pasa algo?
Are you OK?

Additional Vocabulary

abrocharse el cinturón *to fasten one's seat belt*
la almohada *pillow*
bajarse *to get down/out*
el camino de vuelta *way back*
dar el alta *to discharge (from the hospital)*
¡Claro que no! *Of course not!*
contratar *to hire*
¡No te metas! *Don't get involved!*
quejarse *to complain*
subirse *to get in*
tener derecho a *to have the right to*

Comprensión

1 **Oraciones** Completa las oraciones con la información correcta.

1. Lupita se va del hospital para irse de ______ a casa de su hermana.
2. Lupita deja una ______ debajo de la almohada.
3. Ricardo dice que contrató a Marcela como ______ turística.
4. Lupita dice que le gustaría irse a un ______ con todo incluido.
5. Ricardo dice que el camino a Hierve el Agua es ______ de lo que había imaginado.
6. Marcela se enoja porque Ricardo le dice que no es buena ______ .

2 **Diálogos** Identifica quién dice cada oración y, después, únela con otra oración de la columna opuesta para formar diálogos de la **Fotonovela**.

LORENZO LUPITA MANU MARCELA ROCÍO RICARDO

______ 1. ¡Cómo se fue así, sin avisar! ____

______ 2. Te contraté como guía turística. ____

______ 3. Voy a casa de mi hermana en Cuajimoloyas. ____

______ 4. ¿No es usted el del avión? ____

______ 5. ¿No es ése el espía? ____

______ a. ¡Uno no se escapa del hospital, Lupita!

______ b. Después te cuento.

______ c. ¡Claro que no! Me contrataste para darme un regalo.

______ d. ¿Qué esperabas? ¿Que dejara una nota bajo la almohada?

______ e. ¡Es un dron, señora!

3 **Respuestas y preguntas**

A. Completa las oraciones con verbos en subjuntivo, según el episodio de la **Fotonovela**.

1. Marcela odia que Lupita la ______ "niña".
2. La doctora le ordena a Lupita que ______ .
3. Lorenzo le dice a Lupita que ______ su maleta primero.
4. Ricardo le pide a Marcela que ______ más despacio.
5. Marcela le dice a Ricardo que ______ de la aventura.
6. Marcela se enoja y le pide a Ricardo que se ______ de la kombi.

B. Ahora, en parejas, comparen sus respuestas y túrnense para hacerse preguntas sobre las oraciones. Sigan el modelo.

MODELO **ESTUDIANTE 1** ¿Qué odia Marcela?
ESTUDIANTE 2 Marcela odia que Lupita la llame "niña".

Ampliación

4 **¿Qué tipo de viajero/a eres?**

A. Elige una opción de la primera o de la segunda columna para cada número, según el tipo de viajero/a que seas. Si, por ejemplo, elegiste más opciones de la izquierda, formarás parte del equipo Lupita; si escogiste más de la derecha, serás del equipo Marcela.

	Equipo Lupita		Equipo Marcela	
1.	Hotel con todo incluido	☐	Campamento	☐
2.	Visita a un museo	☐	Excursión a la montaña	☐
3.	Viajar en avión	☐	Viajar en Kombi	☐
4.	Guía turístico/a	☐	Mapa	☐
5.	Piscina	☐	Río	☐

B. Reúnete con otra persona de tu equipo y preparen argumentos para defender el estilo de viajar escogido. Después, dividan la clase en los dos tipos de viajeros y hagan un debate sobre el mejor estilo de viajar.

5 **Apuntes culturales** En parejas, lean los párrafos y contesten las preguntas.

Las vacaciones en los países hispanohablantes

Lupita necesita descansar, ¿y qué mejor manera que con unas vacaciones? En los países hispanohablantes, las vacaciones se suelen tomar en verano, en invierno, en Semana Santa (*Holy Week*) y en Navidad. En Semana Santa, el Jueves y el Viernes Santo (*Maundy Thursday and Good Friday*) son días feriados. Durante las navidades, las vacaciones normalmente van desde el día de Nochebuena (24 de diciembre) hasta el día de los Reyes Magos (6 de enero). Las vacaciones de verano suelen durar un mes y las de invierno, una semana.

El ecoturismo en Oaxaca

Ricardo contrata a Marcela para ir de excursión a Hierve el Agua, Oaxaca. Gracias a su biodiversidad, el estado de Oaxaca es un lugar ideal para hacer ecoturismo. Los visitantes pueden disfrutar de actividades como acampar en la selva de los Chimalapas, hacer ciclismo (*cycling*) y observar aves en Teotitlán del Valle, o admirar las cascadas (*waterfalls*) petrificadas en Hierve el Agua. Los más aventureros pueden hacer rapel en Ixtlán de Juárez o hacer un recorrido en tirolesa (*zip line*) por Cuajimoloyas. La mayoría de lugares ofrece alojamiento en cabañas (*cottages*), guías turísticos y alquiler de bicicletas.

Cuajimoloyas, Oaxaca

1. ¿Durante qué fechas tienes vacaciones?
2. ¿Qué sueles hacer durante tus vacaciones? ¿Qué planes tienes para tus próximas vacaciones?
3. ¿Alguna vez hiciste ecoturismo? Describe la experiencia.
4. De las actividades de ecoturismo mencionadas, ¿cuál te gustaría hacer? ¿Por qué?

PUEDO hablar sobre distintos tipos de viajeros, vacaciones y destinos turísticos.

Objetivo comunicativo: Hablar sobre las rutas turísticas del café en Centroamérica

En detalle

CENTROAMÉRICA

LA RUTA DEL CAFÉ

Los turistas que llegan a Finca° Esperanza Verde, un "ecoalbergue" ubicado a 1.200 metros (4.000 pies) de altura en la selva tropical nicaragüense, descubren un paraíso natural con bosques, montañas exuberantes y aves tropicales. En este paraíso, los turistas pueden visitar un cafetal° y conocer los aspectos humanos y ecológicos que se conjugan° para que podamos disfrutar de algo tan simple como una taza de café.

El café, ese compañero de las mañanas, es el protagonista de la vida social, cultural y económica de Centroamérica. Para el visitante, esto salta a la vista apenas llega a estas tierras: el paisaje está cubierto de cafetales. Hoy día, dos terceras partes del café de todo el mundo son de origen americano.

Esta bebida tan popular llegó a América en el siglo XVIII. Pocos años después, su cultivo° se había extendido por México y Centroamérica. Los altibajos° en los precios del café han llevado a los productores centroamericanos a diversificar sus actividades: han iniciado el cultivo de café orgánico, han creado cooperativas de comercio justo° que buscan alcanzar° precios más equitativos° para productores y consumidores, y han promovido el ecoturismo.

El país pionero fue Costa Rica, que organizó la primera ruta del café, pero ya todos los países centroamericanos han creado sus rutas. Un día por una ruta del café suele constar de° una visita a las plantaciones de café, donde no sólo se conoce el proceso de cultivo y producción, sino que también se pueden tomar unas tazas de café. Después, se organizan almuerzos con platos típicos y, para terminar la jornada°, se visitan rutas históricas y pueblos cercanos donde los turistas pueden disfrutar del folclore local y comprar artesanías°. ■

Finca *Farm* **cafetal** *coffee plantation* **se conjugan** *are combined* **cultivo** *cultivation* **altibajos** *ups and downs* **justo** *fair* **alcanzar** *to reach* **equitativos** *equitable* **constar de** *to consist of* **jornada** *day* **artesanías** *handicrafts*

ASÍ LO DECIMOS

Los viajes

el turismo sostenible / **el turismo sustentable** | *sustainable tourism*

el billete (Esp.) / **el boleto (Amér. L.)** | *ticket*

el boleto redondo (Méx.) *round-trip ticket*

la autopista (Esp.) *turnpike; toll road*
la autovía (Esp.) *highway*
la carretera (Esp.) *road*

la burra (Gua.) / **la guagua (Carib.)** | *bus*

EL MUNDO HISPANOHABLANTE

De América al mundo

El tomate Su nombre se deriva de *tomatl,* una palabra del idioma náhuatl. Entró en Europa por la región de Galicia, en el noroeste de España, y se extendió luego a Francia e Italia. Los españoles y los portugueses lo difundieron° por Oriente Medio, África, Estados Unidos y Canadá.

El maíz Es uno de los cereales de mayor producción mundial junto con el trigo y el arroz. A pesar de controversias acerca de su origen exacto, los investigadores coinciden en que los indígenas de Centroamérica y México lo difundieron por el continente, los conquistadores lo introdujeron a Europa y los comerciantes lo llevaron a Asia y África.

La papa o patata Estudios científicos ubican el origen de la papa en Perú. En la actualidad, la papa se consume por todo el mundo, pero Bielorrusia (Europa Oriental) es el mayor consumidor mundial con un promedio anual de 181 kilogramos (399 libras) por persona.

PERFIL

EL CANAL DE PANAMÁ

El Canal de Panamá, una de las obras arquitectónicas más extraordinarias del planeta, une° los océanos Atlántico y Pacífico a través del istmo° de Panamá. Es, a su vez, una ruta importantísima para la economía mundial, pues lo cruzan° más de 15.000 barcos por año, es decir, unos 288 barcos por semana. Esta obra monumental, construida por los Estados Unidos entre 1904 y 1914, consta de dos lagos artificiales, varios canales, tres estructuras de compuertas° y una represa°. El canal tiene en su recorrido varias esclusas°, cuya finalidad° es subir o bajar los barcos desde el nivel de uno de los océanos hasta el nivel del otro. Dependiendo del tránsito, la travesía° por este atajo° de 80 kilómetros (50 millas) puede demorar° hasta 10 horas. Panamá y Estados Unidos negociaron la entrega del canal a Panamá en 1977, que pasó a estar bajo control panameño el 31 de diciembre de 1999.

“Viajar es imprescindible y la sed de viaje, un síntoma neto de inteligencia.” (Enrique Jardiel Poncela, escritor español)

ENTRE CULTURAS

¿Qué otras opciones de turismo hay en Centroamérica?

Investiga sobre este tema en **vhlcentral.com**.

une *links* **istmo** *isthmus* **cruzan** *cross* **compuertas** *floodgates* **represa** *dam* **esclusas** *locks* **finalidad** *purpose* **travesía** *crossing (by boat)* **atajo** *shortcut* **demorar** *last* **difundieron** *spread*

¿Qué aprendiste?

1 **¿Cierto o falso?** Indica si estas afirmaciones son **ciertas** o **falsas**. Corrige las falsas.

1. Finca Esperanza Verde se encuentra en una zona montañosa de Costa Rica.
2. Los turistas que van a Finca Esperanza Verde pueden visitar un cafetal que se encuentra allí mismo.
3. La mitad del café mundial se produce en América.
4. El café es originario del continente americano.
5. El café llegó a América a través de México.
6. Los productores tuvieron que diversificar sus actividades debido a los precios bajos del café.
7. La finalidad de las cooperativas de comercio justo es ayudar a que los productores reciban un pago justo y los consumidores paguen precios razonables.
8. El primer país en crear una ruta del café fue Honduras.
9. Los turistas pueden visitar las plantaciones, pero no pueden presenciar el proceso de producción.
10. Los turistas que van a la ruta del café suelen visitar también las rutas históricas de la zona.

2 **Oraciones incompletas** Completa las oraciones con la información correcta.

1. El Canal de Panamá está en manos panameñas ______________.
2. El Canal de Panamá tiene ______________ artificiales.
3. La finalidad de las esclusas es subir o bajar los barcos ______________.
4. En el Caribe, *guagua* significa ______________.
5. ______________ difundieron el tomate por Oriente Medio.

3 **Preguntas** En parejas, contesten las preguntas.

1. ¿Qué papel tiene el café en tu cultura? ¿Tiene la misma importancia que en la cultura centroamericana?
2. ¿Prefieres productos ecológicos y los productos que garantizan el comercio justo o compras productos comunes?
3. ¿Qué tipo de turismo sueles hacer? ¿Hiciste alguna vez ecoturismo?
4. ¿Qué alimentos provenientes de otros continentes forman parte de tu dieta?

4 **Opiniones** En grupos de tres, hablen sobre estas preguntas: ¿Es bueno para los países recibir turismo? ¿Por qué? ¿Qué consecuencias tiene la llegada del turismo a ciertas zonas? ¿Qué beneficios tiene viajar?

PROYECTO

Un viaje por la ruta del café

Busca información sobre una excursión organizada por una ruta del café. Imagina que vas a la excursión y escribe una pequeña descripción de un día de visita, basándote en la información que has encontrado.

Incluye información sobre:

- los platos típicos que comiste
- los pueblos que visitaste
- lo que aprendiste sobre el café
- lo más interesante de tu visita
- lo que compraste para llevar a casa

PUEDO participar en una conversación sobre las rutas del café en Centroamérica y hablar sobre alimentos de origen latinoamericano.

Objetivo comunicativo: Identificar actividades y requisitos necesarios para viajar en Costa Rica

¡Viajar y gozar!

Ya has visto algunos de los maravillosos lugares que puedes visitar en Latinoamérica. En este episodio de **Flash cultura**, conocerás cómo debes preparar todo para que tu viaje por Costa Rica sea seguro y placentero.

VOCABULARIO ÚTIL

amable *kind*
brindar *to provide*
el cajero automático *ATM*
jubilado/a *retired*
la moneda local *local currency*
regatear *to bargain*
sacar dinero *to withdraw money*
la tarifa (fija) *(fixed) rate*

1 Preparación Responde estas preguntas: ¿Adónde te gusta ir de vacaciones? ¿Vas siempre al mismo lugar o prefieres explorar sitios nuevos? ¿Qué debe tener un país para que decidas visitarlo?

2 Comprensión Indica si estas afirmaciones son **ciertas** o **falsas**. Después, en parejas, corrijan las falsas.

1. Aunque en algunas ciudades los taxis tienen taxímetro, en otras debes preguntar el precio y regatear antes de subir.
2. La moneda local de Costa Rica se llama "sanjosé".
3. En este país sólo se puede pagar con dinero en efectivo porque no existen las tarjetas de crédito.
4. El corresponsal recomienda recorrer San José en bicicleta el primer día.
5. El mayor flujo de turismo es de jóvenes que buscan aventuras y de personas jubiladas que quieren descansar.
6. Lo que más interesa de Costa Rica son los volcanes, los parques nacionales y las playas.

3 Expansión En parejas, contesten estas preguntas.

- ¿Alguna vez regatearon algún precio? ¿Están dispuestos a hacerlo con un taxi en Costa Rica o prefieren aceptar el precio sin objeción?
- Cuando viajan, ¿compran una guía del lugar? ¿Saben leer mapas o se pierden fácilmente?
- ¿Les gustaría vivir en Costa Rica? ¿Por qué?

PUEDO hablar de medios de transporte público, formas de pago y sitios turísticos recomendados en Costa Rica.

Corresponsal: Alberto Cuadra
País: Costa Rica

Los viajes requieren preparación; desde conseguir información de los sitios que vas a visitar y de las costumbres locales, hasta cómo conseguir las visas, los boletos y el cambio° de dinero.

Si vas a estar varios días en una sola ciudad, pasa el primer día caminando, así te darás cuenta de las distancias.

Es un país de mucha paz°, tenemos buenas playas, buenas montañas... y la gente muy amable, por eso muchos vienen a Costa Rica... Y la policía... también somos simpáticos.

cambio *exchange* **paz** *peace*

5 ESTRUCTURA

Objetivo comunicativo: Comparar y contrastar personas, situaciones y cosas

5.1 Comparatives and superlatives

Comparisons of inequality

- With adjectives, adverbs, nouns, and verbs, use these constructions to make comparisons of inequality (*more than/less than*).

más/menos + [*adjective / adverb / noun*] + que

[*verb*] + más/menos que

ADJECTIVE

Este hotel es **más elegante que** aquél.
This hotel is more elegant than that one.

NOUN

Juan tiene **menos tiempo que** Elena.
Juan has less time than Elena does.

ADVERB

¡Llegaste **más tarde que** yo!
You arrived later than I did!

VERB

Mi hermano **viaja menos que** yo.
My brother travels less than I do.

- When the focus of a comparison is a noun and the second term of the comparison is a verb or a clause, use these constructions to make comparisons of inequality.

más/menos + [*noun*] + del/de la que / de los/las que + [*verb or clause*]

Había **más** asientos **de los que** necesitábamos.
There were more seats than we needed.

La ciudad tiene **menos** ruinas **de las que** esperábamos.
The city has fewer ruins than we expected.

Comparisons of equality

- Use these constructions to make comparisons of equality (*as... as*).

tan + [*adjective / adverb*] + como

tanto/a(s) + [*singular noun / plural noun*] + como

[*verb*] + tanto como

ADJECTIVE

El vuelo de regreso no parece **tan largo como** el de ida.
The return flight doesn't seem as long as the flight over.

NOUN

Cuando viajo a la ciudad, tengo **tantas maletas como** tú.
When I travel to the city, I have as many suitcases as you do.

ADVERB

Se puede ir de Madrid a Sevilla **tan rápido** en tren **como** en avión.
You can get from Madrid to Seville as quickly by train as by plane.

VERB

Guillermo **disfrutó tanto como** yo en las vacaciones.
Guillermo enjoyed our vacation as much as I did.

TALLER DE CONSULTA

MANUAL DE GRAMÁTICA
Más práctica

5.1 Comparatives and superlatives, p. A28
5.2 Negative, affirmative, and indefinite expressions, p. A29
5.3 The subjunctive in adjective clauses, p. A30

Gramática adicional

5.4 **Pero** and **sino**, p. A31

¡ATENCIÓN!

Before a number (or equivalent expression), *more/less than* is expressed with **más/menos de**.

El pasaje cuesta más de trescientos dólares.
The ticket costs more than three hundred dollars.

¡ATENCIÓN!

Tan and **tanto** can also be used for emphasis, rather than to compare:

tan *so*
tanto *so much*
tantos/as *so many*

¡El viaje es tan largo!
The trip is so long!

¡Viajas tanto!
You travel so much!

¿Siempre traes tantas maletas?
Do you always bring so many suitcases?

Superlatives

- Use this construction to form superlatives (**superlativos**). The noun is preceded by a definite article, and **de** is the equivalent of *in*, *on* or *of*. Use **que** instead of **de** when the second part of the superlative construction is a verb or a clause.

el/la/los/las + [*noun*] + **más/menos** + [*adjective*] + **de** + [*noun*] / **que** + [*verb or clause*]

Ésta es **la playa más bonita de** todas.
This is the prettiest beach of them all.

Es **el hotel menos caro que** he visto.
It is the least expensive hotel I've seen.

- The noun may also be omitted from a superlative construction.

Me gustaría comer en **el** restaurante **más elegante** de la ciudad.
I would like to eat at the most elegant restaurant in the city.

Las Dos Palmas es **el más elegante de** la ciudad.
Las Dos Palmas is the most elegant one in the city.

Irregular comparatives and superlatives

Adjective	Comparative form	Superlative form
bueno/a *good*	**mejor** *better*	**el/la mejor** *best*
malo/a *bad*	**peor** *worse*	**el/la peor** *worst*
grande *big*	**mayor** *bigger*	**el/la mayor** *biggest*
pequeño/a *small*	**menor** *smaller*	**el/la menor** *smallest*
viejo/a *old*	**mayor** *older*	**el/la mayor** *oldest*
joven *young*	**menor** *younger*	**el/la menor** *youngest*

- When **grande** and **pequeño/a** refer to size and not age or quality, the regular comparative and superlative forms are used.

Ernesto es **mayor** que yo.
Ernesto is older than I am.

Ese edificio es **el más grande** de todos.
That building is the biggest one of all.

- When **mayor** and **menor** refer to age, they follow the noun they modify. When they refer to quality, they precede the noun.

María Fernanda es mi hermana **menor**.
María Fernanda is my younger sister.

Hubo un **menor** número de turistas.
There was a smaller number of tourists.

- The adverbs **bien** and **mal** also have irregular comparatives, **mejor** and **peor**.

Mi padre maneja muy **mal.** ¿Y el tuyo?
My father is a bad driver. How about yours?

¡Mi padre maneja **peor** que los turistas!
My father drives worse than the tourists!

Tú puedes hacerlo **bien** por ti mismo.
You can do it well by yourself.

Ayúdame, que tú lo haces **mejor** que yo.
Help me; you do it better than I do.

¡ATENCIÓN!

Absolute superlatives
The suffix **-ísimo/a** is added to adjectives and adverbs to form the absolute superlative.

This form is the equivalent of *extremely* or *very* before an adjective or adverb in English.

malo → malísimo

mucha → muchísima

difícil → dificilísimo

fácil → facilísimo

Adjectives and adverbs with stems ending in **c**, **g**, or **z** change spelling to **qu**, **gu**, and **c** in the absolute superlative.

rico → riquísimo

larga → larguísima

feliz → felicísimo

Adjectives that end in **-n** or **-r** form the absolute superlative by adding **-císimo/a**.

joven → jovencísimo

Práctica

1 **Demasiados gastos** Elena comparte sus inquietudes sobre el dinero con su tía Juana. Completa la conversación con las palabras de la lista.

carísimos	más	menor	muchísimos
como	mejor	menos	que

TALLER DE CONSULTA

MANUAL DE GRAMÁTICA
Más práctica

5.1 Comparatives and superlatives, p. A28

ELENA Tengo (1) __________ gastos y necesito ganar (2) __________ dinero.

JUANA ¿Por qué no tratas de gastar (3) __________ y estudiar un poco más? Tú sabes que la mayoría de los adolescentes no llevan una vida (4) __________ la tuya.

ELENA Bueno, el problema no está en mis gastos, sino en mi salario. Mi hermana (5) __________ trabaja menos horas (6) __________ yo, pero gana más.

JUANA Puede ser, pero recuerda que es (7) __________ asistir a una universidad buena que poder comprar unos zapatos (8) __________.

ELENA Puede ser.

2 **El peor viaje de su vida** Conecta las frases de la izquierda con las correspondientes de la derecha para formar oraciones lógicas.

___ 1. El sábado pasado Alberto y yo hicimos el peor
___ 2. Yo llegué al aeropuerto más temprano
___ 3. Pero él pasó por seguridad más rápido
___ 4. Luego anunciaron que el vuelo estaba retrasado más
___ 5. Por fin salimos, tan cansados
___ 6. De repente, hubo un olor
___ 7. Alberto gritaba tanto
___ 8. Al final pasamos las vacaciones en casa. Lo bueno es que tuvimos más visitas

a. como enojados.
b. como yo hasta que logramos aterrizar (*to land*).
c. de tres horas a causa de un problema mecánico.
d. malísimo. ¡El motor se había prendido fuego!
e. de las que esperábamos.
f. que Alberto y no lo podía encontrar.
g. que yo y por fin nos encontramos en la puerta de embarque.
h. viaje de nuestra vida.

3 **Oraciones** Mira la información del cuadro y escribe cinco oraciones con superlativos y cinco con comparativos. Sigue el modelo.

MODELO *Avengers: End Game* es más popular que *Transformers: El último caballero.*
Avengers: End Game es la película más vista de los últimos años.

Harry Potter	libro	menor
Jessica Alba	actriz	famosa
Mark Zuckerberg	hombre de negocios	rico
El Amazonas	río	largo
Disneyland	lugar	feliz

Comunicación

4 **Un viaje inolvidable**

A. Habla con un(a) compañero/a sobre el viaje más inolvidable de tu vida. Puede ser un viaje buenísimo o un viaje malísimo, e incluso puede ser un viaje imaginario. Debes decir por lo menos siete u ocho oraciones usando comparativos y superlativos, y algunas de las palabras de la lista. Túrnense.

buenísimo/malísimo	**más/menos que**
como	**mejor/peor que**
de los mejores/peores	**tan**

B. Ahora, describe el viaje de tu compañero/a al resto de la clase. La clase trata de adivinar qué viajes son verdaderos y cuáles son ficticios.

5 **Las vacaciones ideales** En grupos de cuatro, imaginen que son miembros de una familia que ganó un viaje de tres semanas a cualquier país del mundo. El único problema es que tienen que ponerse de acuerdo acerca de dónde ir.

A. Primero, cada uno/a debe decidir cuál es el país ideal para sus vacaciones y escribir una descripción breve con las razones para escogerlo. Utiliza comparativos y superlativos en tu descripción.

México

La República Dominicana

Costa Rica

Venezuela

B. Luego, túrnense para presentar sus opiniones y traten de convencer a los demás de que su país ideal es el mejor de todos. Deben usar comparativos y superlativos para comparar las atracciones de cada país. Compartan su decisión final con la clase.

MODELO Es obvio que Venezuela es el mejor país para nuestras vacaciones. Venezuela tiene la catarata más alta del mundo y unas playas tan bonitas como las de la República Dominicana. Además, ¡las arepas venezolanas son más ricas que las tortillas mexicanas! Venezuela tiene más atracciones de las que se pueden imaginar. Ya verán que no me equivoco.

PUEDO comparar viajes inolvidables y opinar sobre lugares ideales para ir de vacaciones.

Objetivo comunicativo: Hablar sobre personas, lugares o cosas utilizando expresiones indefinidas, afirmativas o negativas

5.2 Negative, affirmative, and indefinite expressions

Jamás se me había desaparecido una paciente. ¡Nunca!

TALLER DE CONSULTA

To express contradictions, **pero** and **sino** are also used.

See **Manual de gramática**, 5.4, p. A31.

- The following chart shows negative, affirmative, and indefinite expressions.

algo *something; anything*	**nada** *nothing; not anything*
alguien *someone; somebody; anyone*	**nadie** *no one; nobody; not anyone*
alguno/a(s), algún *some; any*	**ninguno/a, ningún** *no; none; not any*
o... o *either... or*	**ni... ni** *neither... nor*
siempre *always*	**nunca, jamás** *never; not ever*
también *also; too*	**tampoco** *neither; not either*

- In Spanish, double negatives are perfectly acceptable.

¿Dejaste **algo** en la mesa?
Did you leave something on the table?

No, **no** dejé **nada**.
No, I didn't leave anything.

Siempre tuvimos ganas de viajar a Costa Rica.
We always wanted to travel to Costa Rica.

Hasta ahora, **no** tuvimos **ninguna** oportunidad de ir.
Until now, we had no chance to go there.

- Most negative statements use the pattern **no** + [*verb*] + [*negative word*]. When the negative word precedes the verb, **no** is omitted.

No lo extraño **nunca**.
I never miss him.

Nunca lo extraño.
I never miss him.

Su opinión **no** le importa a **nadie**.
His opinion doesn't matter to anyone.

A **nadie** le importa su opinión.
Nobody cares about his opinion.

- Once one negative word appears in an English clause, no other negative word may be used. In Spanish, however, once a negative word is used, all other elements must be expressed in the negative if possible.

No le digas **nada** a **nadie**.
Don't say anything to anyone.

Tampoco hables **nunca** de esto.
Don't ever talk about this either.

No quiero **ni** pasta **ni** pizza.
I don't want pasta or pizza.

Tampoco quiero **nada** para tomar.
I don't want anything to drink either.

- The personal **a** is used before negative and indefinite words that refer to people when they are the direct object of the verb.

  Nadie me comprende. ¿Por qué será?
  No one understands me. Why is that?

  Porque tú no comprendes **a nadie**.
  Because you don't understand anyone.

  Algunos pasajeros prefieren no desembarcar en los puertos.
  Some passengers prefer not to disembark at the ports.

  Pues, no conozco **a ninguno** que se quede en el crucero.
  Well, I don't know of anyone who stays on the cruise ship.

- Before a masculine, singular noun, **alguno** and **ninguno** are shortened to **algún** and **ningún**.

  ¿Ha sufrido **algún** daño en el choque?
  Have you suffered any harm in the accident?

  Me había puesto el cinturón de seguridad, por lo que no sufrí **ningún** daño.
  I had fastened my seatbelt, and so I suffered no injuries.

- **Tampoco** means *neither* or *not either*. It is the opposite of **también**.

  Mi novia no soporta los congestionamientos en el centro, ni yo **tampoco**.
  My girlfriend can't stand the traffic jams downtown, and neither can I.

  Por eso toma el metro, y yo **también**.
  That's why she takes the subway, and so do I.

También tiene
derecho, ¿no?

- The conjunction **o... o** (*either... or*) is used when there is a choice to be made between two options. **Ni... ni** (*neither... nor*) is used to negate both options.

  Debo hablar **o** con el gerente **o** con la dueña.
  I have to speak with either the manager or the owner.

  El precio del pasaje **ni** ha subido **ni** ha bajado en los últimos días.
  The price of the ticket has neither risen nor fallen in the past days.

- The conjunction **ni siquiera** (*not even*) is used to add emphasis.

  Ni siquiera se despidieron antes de salir.
  They didn't even say goodbye before they left.

  La señora Guzmán no viaja nunca, **ni siquiera** para visitar a sus nietos.
  Mrs. Guzmán never travels, not even to visit her grandchildren.

¡ATENCIÓN!

Cualquiera can be used to mean *any, anyone, whoever, whatever, or whichever.* When used before a singular noun (masculine or feminine) the **-a** is dropped.

Cualquiera haría lo mismo.
Anyone would do the same.

Llegarán en cualquier momento.
They will arrive at any moment.

¡ATENCIÓN!

In the conjunction **o... o,** the first **o** can be omitted.
Debo hablar (o) con el gerente o con la dueña.

In the conjunction **ni... ni,** the first **ni** can be omitted when it comes after the verb.
No me interesa (ni) la política ni la economía.

When the first **ni** goes before the verb, **no... ni** can be used instead of **ni... ni.**
El precio no/ni ha subido ni ha bajado.

Práctica

TALLER DE CONSULTA

MANUAL DE GRAMÁTICA
Más práctica

5.2 Negative, affirmative, and indefinite expressions, p. A29

1 **Comidas típicas** Marlene acaba de regresar de un viaje a Madrid y le fascinó la comida española. Completa su conversación con Frank usando las expresiones del recuadro.

alguna	ni... ni	o... o
nadie	ningún	tampoco
	nunca	

MARLENE Frank, ¿(1) ________ vez has probado las tapas españolas?

FRANK No, (2) ________ he probado la comida española.

MARLENE ¿De veras? ¿No has probado (3) ________ la tortilla de patata (4) ________ la paella?

FRANK No, no he comido (5) ________ plato español. (6) ________ conozco los ingredientes típicos de la cocina española.

MARLENE Entonces tenemos que salir a comer juntos. ¿Conoces el restaurante llamado Carmela?

FRANK No, no conozco (7) ________ restaurante con ese nombre.

MARLENE (8) ________ lo conoce. Es nuevo pero es muy bueno. A mí me viene bien que vayamos (9) ________ el lunes (10) ________ el jueves que viene.

FRANK El jueves también me viene bien.

2 **El viajero** Imagina que estás hablando de lo que no te gusta hacer en los viajes. Cambia las oraciones de afirmativas a negativas usando las expresiones correspondientes. Sigue el modelo.

MODELO **Yo siempre como la comida del país.**
Nunca como la comida del país.

1. Cuando voy de viaje, siempre compro algunos regalos típicos.
2. A mí también me gusta visitar todos los lugares turísticos.
3. Yo siempre hablo el idioma del país con todo el mundo.
4. Normalmente, o alquilo un carro o alquilo una motocicleta.
5. Siempre intento visitar a algún conocido de mi familia.
6. Cuando visito un lugar nuevo, siempre hago algunos amigos.

3 **Discusiones** En parejas, escriban las discusiones que provocarían estas respuestas.

¡Yo jamás haría eso!
Nadie lo sabe.
¡Yo nunca iría!
Yo tampoco.
Ni puedo ni quiero verla.

Comunicación

4 

Opiniones En grupos de cuatro, hablen sobre estos enunciados. Cada miembro da su opinión y el resto responde diciendo si está de acuerdo o no. Usen expresiones negativas, afirmativas e indefinidas.

- Nadie tendría que necesitar pasaporte ni visa para entrar a un país extranjero.
- El turismo es siempre conveniente: los turistas favorecen la economía del país.
- Ningún vuelo tendría que retrasarse, incluso cuando hace mal tiempo.
- Está bien que las compañías aéreas cobren por todas las maletas que llevan los pasajeros.
- No hay ningún tipo de turismo mejor que el ecoturismo.
- Siempre es mejor irse de vacaciones a relajarse que a ver museos y monumentos.
- Los turistas siempre deben hablar la lengua del país que visitan.
- Nunca se puede decir: "jamás viviría en otro país", porque nunca se sabe.

5 

Escena

A. En grupos de tres, escriban una conversación entre un(a) adolescente y sus padres usando expresiones negativas, afirmativas e indefinidas.

MODELO

HIJA ¿Por qué siempre desconfían de mí? No soy ninguna mentirosa y mis amigos tampoco lo son. No tienen ninguna razón para preocuparse.
MAMÁ Sí, hija, muy bien, pero recuerda que...
HIJA Por última vez, ¿puedo ir... ?
PAPÁ ...

B. Ahora representen ante la clase la conversación que escribieron.

PUEDO inventar una conversación sobre un(a) adolescente y sus padres.

5.3 The subjunctive in adjective clauses

¡ATENCIÓN!

An adjective clause (**oración subordinada adjetiva**) is one that modifies or describes the noun or direct object in the main clause.

- When an adjective clause describes an antecedent that is known to exist, use the indicative. When the antecedent is uncertain or unknown, use the subjunctive.

MAIN CLAUSE	CONNECTOR	SUBORDINATE CLAUSE
Busco un trabajo	**que**	**pague bien.**

ANTECEDENT CERTAIN → INDICATIVE	ANTECEDENT UNCERTAIN → SUBJUNCTIVE
Necesito el libro que **tiene** información sobre las ruinas mayas. *I need the book that has information about Mayan ruins.*	Necesito un libro que **tenga** información sobre las ruinas mayas. *I need a book that has information about Mayan ruins.*
Buscamos los documentos que **describen** el itinerario del viaje. *We're looking for the documents that describe the itinerary for the trip.*	Buscamos documentos que **describan** el itinerario del viaje. *We're looking for (any) documents that (may) describe the itinerary for the trip.*
Las personas que **van** a Costa Rica todos los años conocen bien la zona. *People who go to Costa Rica every year know the area well.*	Las personas que **vayan** a Costa Rica podrán visitar el nuevo museo. *People going to Costa Rica will be able to visit the new museum.*

- When the antecedent of an adjective clause is a negative pronoun (**nadie, ninguno/a**), the subjunctive is used in the subordinate clause.

¡Quiero ir a un lugar que tenga una hermosa vista para volar mi dron!

¡No conozco a nadie que se queje tanto como tú!

ANTECEDENT CERTAIN → INDICATIVE	ANTECEDENT UNCERTAIN → SUBJUNCTIVE
Elena tiene tres parientes que **viven** en San Salvador. *Elena has three relatives who live in San Salvador.*	Elena no tiene **ningún** pariente que **viva** en La Palma. *Elena doesn't have any relatives who live in La Palma.*
Para su viaje, hay dos países que **requieren** una visa. *For your trip, there are two countries that require visas.*	Para su viaje, no hay **ningún** país que **requiera** una visa. *For your trip, there are no countries that require a visa.*
Hay muchos viajeros que **quieren** quedarse en el hotel. *There are many travelers who want to stay at the hotel.*	No hay **nadie** que **quiera** alojarse en el albergue. *There is nobody who wants to stay at the hostel.*

- Do not use the personal **a** with direct objects that represent hypothetical persons.

ANTECEDENT CERTAIN → INDICATIVE	ANTECEDENT UNCERTAIN → SUBJUNCTIVE
Conozco **a** un guía que **habla** inglés. *I know a guide who speaks English.*	Busco un guía que **hable** inglés. *I'm looking for a guide who speaks English.*

- Use the personal **a** before **nadie, ninguno/a,** and **alguien**, even when their existence is uncertain.

ANTECEDENT CERTAIN → INDICATIVE	ANTECEDENT UNCERTAIN → SUBJUNCTIVE
Yo conozco **a alguien** que **se queja** aún más... ¡la mía! *I know someone who complains even more... mine!*	No conozco **a nadie** que **se queje** tanto como mi abuela. *I don't know anyone who complains as much as my grandmother.*

- The subjunctive is commonly used in questions with adjective clauses when the speaker is trying to find out information about which he or she is uncertain. If the person who responds knows the information, the indicative is used.

ANTECEDENT CERTAIN → INDICATIVE	ANTECEDENT UNCERTAIN → SUBJUNCTIVE
Sí, el hotel Flamingo **está** justo en la playa. *Yes, the Flamingo Hotel is right on the beach.*	¿Me recomienda usted un hotel que **esté** cerca de la costa? *Can you recommend a hotel that is near the coast?*
Vea ésta y, si no, tengo tres más que **son** muy fáciles de usar. *Look at this one, and if not, I have three others that are very easy to use.*	¿Tiene otra brújula que **sea** más fácil de usar? *Do you have another compass that is easier to use?*

Hotel Tucán

En el hotel Tucán su satisfacción es lo más importante. Si hay alguna cosa que podamos hacer para mejorar nuestros servicios, no dude en informarnos.

Práctica

TALLER DE CONSULTA

MANUAL DE GRAMÁTICA
Más práctica

5.3 Negative, affirmative, and indefinite expressions, p. A30

1 **Oraciones** Combina las frases de las dos columnas para formar oraciones lógicas. Recuerda que a veces vas a necesitar el subjuntivo y a veces no.

___ 1. Luis tiene un hermano que	a. sea alta e inteligente.
___ 2. Tengo dos primos que	b. sean respetuosos y estudiosos.
___ 3. No conozco a nadie que	c. canta cuando se ducha.
___ 4. Jorge busca una novia que	d. hablan español.
___ 5. Quiero tener hijos que	e. hable más de cinco lenguas.

2 **El agente de viajes** Carmen va a ir de vacaciones a Montelimar, en Nicaragua, y le escribe un correo electrónico a su agente de viajes explicándole cuáles son sus planes. Completa el correo electrónico con el subjuntivo o el indicativo.

De: Carmen <carmen@micorreo.com>
Para: Jorge <jorge@micorreo.com>
Asunto: Viaje a Montelimar

Querido Jorge:

Estoy muy contenta porque el mes que viene voy a viajar a Montelimar para tomar unas vacaciones. He estado pensando en el viaje y quiero decirte qué me gustaría hacer. Quiero ir a un hotel que (1) ________ (ser) de cinco estrellas y que (2) ________ (tener) vista al mar. Me gustaría hacer una excursión que (3) ________ (durar) varios días y que me (4) ________ (permitir) ver el famoso lago Nicaragua. ¿Qué te parece?

Mi hermano me dice que hay un guía turístico que (5) ________ (conocer) algunos lugares exóticos y que me puede llevar a verlos. También dice que el guía es un hombre que (6) ________ (tener) el pelo muy rubio y (7) ________ (ser) muy alto. ¿Tú lo conoces? Creo que se llama Ernesto Montero.

Espero tu respuesta.
Carmen

3 **El ideal** En parejas, imaginen cómo es el/la compañero/a ideal en cada una de estas situaciones. Si ya conocen a una persona que tiene las características ideales, también pueden hablar de él/ella. Utilicen el subjuntivo o el indicativo de acuerdo a la situación.

MODELO Lo ideal es hablar con alguien que escuche con mucha atención.

- alguien con quien hablar
- alguien con quien estudiar
- alguien con quien ver películas de amor o de aventura
- alguien con quien comprar ropa
- alguien con quien hacer ejercicio
- alguien con quien viajar por el desierto de Atacama

Comunicación

4 **Anuncios** En parejas, imaginen que escriben anuncios para el diario *El País*. El jefe les ha dejado algunos mensajes indicándoles qué anuncios deben escribir. Escriban anuncios detallados sobre lo que se busca usando el indicativo o el subjuntivo. Después inventen dos anuncios originales para enseñárselos a la clase.

La familia Pérez busca a su perro Tomás, que se perdió en el parque. Aquí tienen una foto de él.
Miguel y Carlos Solís buscan un guía turístico para su viaje a los volcanes de Guatemala.

5 **Síntesis** La tormenta tropical Néstor azota (*is hitting*) las costas de Florida. Tú y un(a) compañero/a deben cubrir esta noticia para un programa de televisión. Uno/a de ustedes es el/la corresponsal y la otra persona es el/la conductor(a) del programa. Escriban una conversación sobre este desastre y sus consecuencias. Usen comparativos, superlativos, el subjuntivo en oraciones subordinadas adjetivas y expresiones negativas, afirmativas e indefinidas.

MODELO

CONDUCTOR(A) Cuéntanos, Juan Francisco, ¿cómo es la tormenta?
CORRESPONSAL ¡Nunca he visto una tormenta tan destructiva! ¡No hay casas que puedan soportar vientos tan fuertes!
CONDUCTOR(A) ¡Pero no es posible que el viento sea más fuerte que durante la tormenta Ximena en 1996!
CORRESPONSAL Les aseguro que esta tormenta es la peor...

PUEDO publicar anuncios y hablar sobre noticias recientes.

Objetivo comunicativo: Analizar las reacciones de los personajes de un corto y expresar cuál sería mi reacción

Antes de ver el corto

LA AUTORIDAD

país España
duración 10 minutos
director Xavi Sala
protagonistas padre, madre, niños, policías

Vocabulario

el carné de conducir *driver's license*
denunciar *to report*
descargar *to unload*
jurar *to swear*
¡menuda paliza! *what a hassle! (fig.)*
¿Me permite? *May I?*
la molestia *annoyance*
ni se le ocurra *don't you dare*
el permiso de circulación *car registration*
sin novedad *no news*

1 **Un largo viaje** Completa el diálogo entre Juan y Andrea con las palabras y expresiones del vocabulario.

JUAN Andrea, ¿me ayudas a (1) ____________ el coche? Tengo muchas cosas porque acabo de hacer las compras para mi viaje en coche a Nuevo México.

ANDREA ¡Vaya! ¡A Nuevo México! (2) ____________ ¡Esos son casi dos mil kilómetros! Oye, ¿pero tú tienes todos tus documentos? ¿Tienes (3) ____________?

JUAN Claro, lo tengo desde hace dos años. Y acabo de renovar el (4) ____________ de mi coche. El que no tiene carné es Javier.

ANDREA ¿Ah, no? Oye, ¡pues espero que (5) ____________ ponerse detrás del volante!

JUAN ¡No te preocupes! Él es muy responsable.

2 **Precauciones** En grupos pequeños, contesten estas preguntas. Luego, compartan sus respuestas con la clase.

1. ¿Qué precauciones se deben tener cuando se hace un viaje muy largo en coche?
2. ¿Qué documentos debe llevar el conductor en un viaje en coche?
3. ¿Cuáles son las funciones de las autoridades en las carreteras?
4. ¿Cuál debe ser la actitud de esas autoridades con respecto a los conductores?
5. ¿Y cuál debe ser la actitud de los conductores con respecto a las autoridades? ¿Deben obedecer todo lo que les pidan?

3 **¿Qué está pasando?** En parejas, miren la escena del cortometraje e imaginen quién está dentro del vehículo y qué pasará a continuación.

Primer Premio
Festival Internacional
20 min. max Ingolstadt,
(Alemania) 2010

LA AUTORIDAD

Un cortometraje de Xavi Sala

Una producción de XAVI SALA P.C.
Guión y dirección de XAVI SALA con HWIDAR,
BELÉN LÓPEZ, ADOLFO FERNÁNDEZ,
ESTHER ORTEGA, BADAR BENNAJI,
PRISCILLA DELGADO
Director de fotografía PERE PUEYO
Sonido directo ÓSCAR SEGOVIA
Dirección artística SONIA CASTRO

Escenas

ARGUMENTO Una familia regresa a su casa en España después de un largo viaje de vacaciones en Marruecos, y en la carretera debe responder a algunos requerimientos de las autoridades.

NIÑOS *Mon pare no té nas, mon pare no té nas, ma mare és xata.°*

POLICÍA El permiso de circulación, por favor.
PADRE Sí.
POLICÍA Y el carné de conducir.
PADRE Sí. Ahí tiene.
POLICÍA ¿Sois españoles?

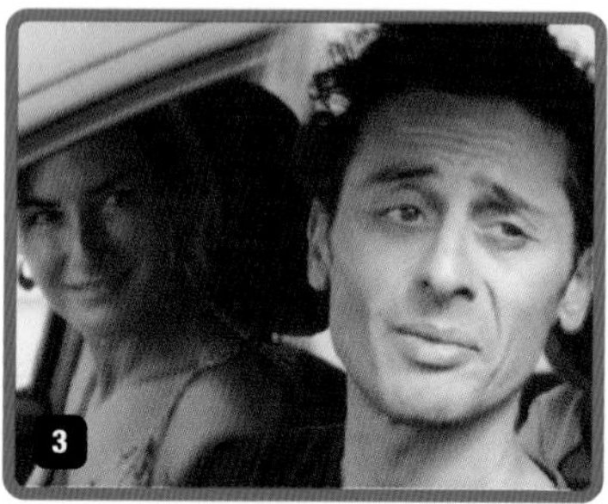

PADRE Venimos de Marruecos, de visitar a la familia.

POLICÍA Le agradecería que lo sacara todo. Pura rutina, ya sabe.
PADRE ¿Todo?
POLICÍA Mejor.

PADRE Le juro que no llevo nada.

MADRE No hay derecho a que nos traten así.
PADRE ¡Sara!
POLICÍA Entiendo que se sienta así, pero ¿qué quiere? ¿Que nos echen?

Mon pare... *Mi padre no tiene nariz, mi padre no tiene nariz, mi madre es chata.*

Después de ver el corto

1 Comprensión Contesta las preguntas con oraciones completas.

1. ¿Quiénes son las personas que van en el coche?
2. ¿Adónde van?
3. ¿Por qué paran el coche en la carretera?
4. ¿De dónde es la familia?
5. ¿Cómo lo sabes?
6. Según el padre, ¿qué llevan encima del coche?
7. Después de que el policía revisa los documentos del conductor, ¿qué le pide que haga?
8. ¿Qué le sugiere la mujer policía a la madre? ¿Por qué?
9. ¿Qué busca la policía en el coche de la familia?
10. ¿Qué pasa cuando la familia continúa su viaje hacia Alicante?

2 Interpretación Responde a las siguientes preguntas sobre el cortometraje.

1. ¿Por qué crees que los policías hacen parar a la familia?
2. El policía se sorprende al comprobar que es una familia española. ¿Por qué?
3. ¿Crees que la familia se sentía segura durante el incidente con la policía? ¿Por qué?
4. En un momento del cortometraje el policía dice: "¿Qué quiere?, ¿que nos echen?" ¿A qué se refiere?
5. Después del incidente con la policía, vemos a la familia comiendo en silencio. ¿Por qué crees que no hablan?

3 Reacciones En el cortometraje la familia debe enfrentarse a los prejuicios y al maltrato de los dos policías. En grupos de tres, discutan sobre los siguientes temas. Luego, compartan sus ideas con la clase.

- ¿Cómo describirían las reacciones de la madre y del padre ante esta situación?
- ¿Son similares o diferentes sus reacciones?
- ¿Qué creen que sintió cada uno?
- ¿Y cómo crees que se sintieron los niños?
- ¿Cómo reaccionarías tú en una situación similar?

4 Antes y después Haz una tabla de dos columnas con los títulos **Antes** y **Después**. En las columnas correspondientes, describe los sentimientos de cada uno de los personajes antes y después de que los policías los detuvieran. Compara tu tabla con la de un(a) compañero/a.

5 ¿Qué harías tú? Al final del cortometraje, el padre se queda paralizado sin saber qué hacer. Escribe un párrafo en el que cuentes qué habrías hecho tú en su situación y por qué. Comparte tu párrafo con un grupo de compañeros/as y discutan sus opiniones.

PUEDO analizar las reacciones de los personajes de un corto y expresar cuál sería mi reacción.

Antes de leer

La luz es como el agua

Sobre el autor

Nacido en 1928 en Aracataca, Colombia, **Gabriel García Márquez** fue criado por sus abuelos entre mitos y leyendas que serán la base de su futura obra narrativa. Abandonó sus estudios de derecho para dedicarse al periodismo. Como corresponsal en Italia, viajó por toda Europa. Vivió en diferentes lugares y escribió guiones *(scripts)* de cine, cuentos y novelas. En 1967 publicó su novela más famosa, *Cien años de soledad,* y en 1982 recibió el Premio Nobel de Literatura. Tras su muerte en 2014, se le recuerda como uno de los narradores contemporáneos más influyentes de la literatura en español, y quizá como el más querido. De su libro *Doce cuentos peregrinos* (al que pertenece el cuento "La luz es como el agua"), dijo que lo escribió porque quería hablar "sobre las cosas extrañas que les suceden a los latinoamericanos en Europa".

Vocabulario

ahogado/a *drowned*	**el faro** *lighthouse*	**la popa** *stern*
la bahía *bay*	**flotar** *to float*	**la proa** *bow*
el bote *boat*	**el muelle** *pier*	**el remo** *oar*
la cascada *cascade; waterfall*	**la pesca** *fishing*	**el tiburón** *shark*

Palabras relacionadas Indica qué palabra no pertenece al grupo.

1. bote–remo–mueble–navegar
2. brújula–balcón–puerto–proa
3. pesca–buceo–tiburones–tigre
4. popa–edificio–cascada–bahía

Conexión personal Responde estas preguntas: Cuando eras niño/a, ¿te gustaba soñar con viajes a lugares imposibles? ¿Sigues soñando o imaginando viajes a lugares fantásticos o imposibles? ¿Alguna vez viviste en un país extranjero? ¿Qué cosas extrañabas?

Análisis literario: el realismo mágico

El realismo mágico es una síntesis entre el realismo y la literatura fantástica. Muchos escritores latinoamericanos, como Gabriel García Márquez y Carlos Fuentes, incorporaron elementos fantásticos al mundo cotidiano de los personajes, que aceptan la magia y la fantasía como normales. En el realismo mágico, lo real se torna mágico, lo maravilloso es parte de lo cotidiano y no se cuestiona la lógica de lo fantástico. Uno de los precursores del género, Alejo Carpentier, explicó que "En América Latina, lo maravilloso se encuentra en vuelta de cada esquina, en el desorden, en lo pintoresco de nuestras ciudades, ... en nuestra naturaleza y... también en nuestra historia". Presta atención a la representación de la realidad en el cuento.

Audio: Dramatic reading

Altamar, 2000
Graciela Rodo Boulanger, Bolivia

La luz es como el agua

Gabriel García Márquez

En Navidad los niños volvieron a pedir un bote de remos.

—De acuerdo —dijo el papá, lo compraremos cuando volvamos a Cartagena.

Totó, de nueve años, y Joel, de siete, estaban más decididos de lo que sus padres creían.

—No —dijeron a coro°—. Nos hace falta ahora y aquí.

—Para empezar —dijo la madre—, aquí no hay más aguas navegables que la que sale de la ducha°.

Tanto ella como el esposo tenían razón. En la casa de Cartagena de Indias había un patio con un muelle sobre la bahía, y un refugio para dos yates grandes. En cambio aquí en Madrid vivían apretados° en el piso quinto del número 47 del Paseo de la Castellana. Pero al final ni él ni ella pudieron negarse, porque les habían prometido un bote de remos con su sextante y su brújula si se ganaban el laurel del tercer año de primaria, y se lo habían ganado. Así que el papá compró todo sin decirle nada a su esposa, que era la más reacia° a pagar deudas de juego. Era un precioso bote de aluminio con un hilo dorado en la línea de flotación.

—El bote está en el garaje —reveló el papá

in unison · *shower* · *cramped* · *reluctant*

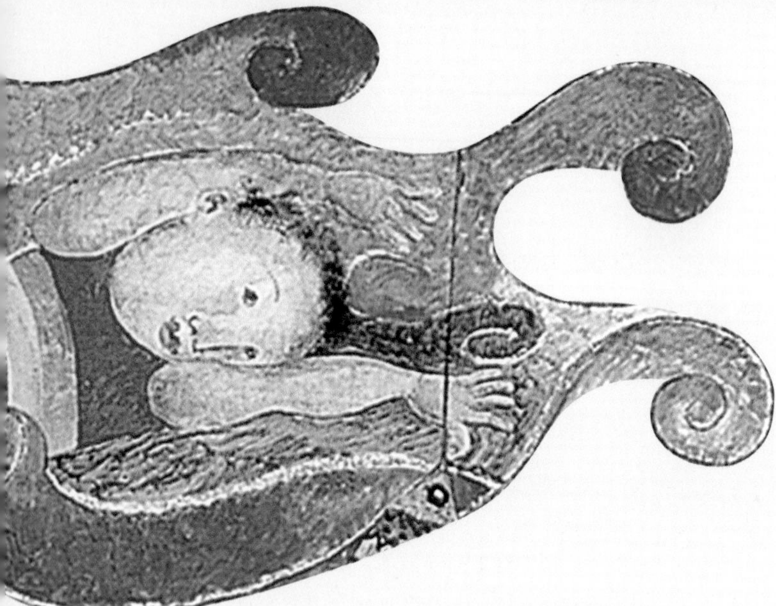

en el almuerzo—. El problema es que no hay cómo subirlo ni por el ascensor ni por la escalera, y en el garaje no hay más espacio disponible.

Sin embargo, la tarde del sábado siguiente los niños invitaron a sus condiscípulos° para subir el bote por las escaleras, y lograron llevarlo hasta el cuarto de servicio.

—Felicitaciones —les dijo el papá—, ¿ahora qué?

—Ahora nada —dijeron los niños—. Lo único que queríamos era tener el bote en el cuarto, y ya está.

La noche del miércoles, como todos los miércoles, los padres se fueron al cine. Los niños, dueños y señores de la casa, cerraron puertas y ventanas, y rompieron la bombilla° encendida de una lámpara de la sala. Un chorro° de luz dorada° y fresca como el agua empezó a salir de la bombilla rota, y lo dejaron correr hasta que el nivel llegó a cuatro palmos. Entonces cortaron la corriente°, sacaron el bote, y navegaron a placer° por entre las islas de la casa.

Esta aventura fabulosa fue el resultado de una ligereza° mía cuando participaba en un seminario sobre la poesía de los utensilios domésticos. Totó me preguntó cómo era que la luz se encendía con sólo apretar un botón, y yo no tuve el valor de pensarlo dos veces.

schoolmates

light bulb

spurt/golden

current

at their pleasure

lightness

—La luz es como el agua —le contesté—: uno abre el grifo°, y sale.

De modo que siguieron navegando los miércoles en la noche, aprendiendo el manejo del sextante y la brújula, hasta que los padres regresaban del cine y los encontraban dormidos como ángeles de tierra firme. Meses después, ansiosos de ir más lejos, pidieron un equipo de pesca submarina. Con todo: máscaras, aletas, tanques y escopetas de aire comprimido.

—Está mal que tengan en el cuarto de servicio un bote de remos que no les sirve para nada —dijo el padre—. Pero está peor que quieran tener además equipos de buceo.

—¿Y si nos ganamos la gardenia de oro del primer semestre? —dijo Joel.

—No —dijo la madre, asustada—. Ya no más.

El padre le reprochó su intransigencia.

—Es que estos niños no se ganan ni un clavo° por cumplir con su deber —dijo ella—, pero por un capricho° son capaces de ganarse hasta la silla del maestro.

Los padres no dijeron al fin ni que sí ni que no. Pero Totó y Joel, que habían sido los últimos en los dos años anteriores, se ganaron en julio las dos gardenias de oro y el reconocimiento público del rector. Esa misma tarde, sin que hubieran vuelto a pedirlos, encontraron en el dormitorio los equipos de buzos en su empaque original. De modo que el miércoles siguiente, mientras los padres veían *El último tango en París*, llenaron el apartamento hasta la altura de dos brazas, bucearon como tiburones mansos° por debajo de los muebles y las camas, y rescataron del fondo° de la luz las cosas que durante años se habían perdido en la oscuridad.

En la premiación° final los hermanos fueron aclamados como ejemplo para la escuela, y les dieron diplomas de excelencia. Esta vez no

faucet

nail

whim

tame

bottom

awards ceremony

tuvieron que pedir nada, porque los padres les preguntaron qué querían. Ellos fueron tan razonables, que sólo quisieron una fiesta en casa para agasajar° a los compañeros de curso. El papá, a solas con su mujer, estaba radiante.

—Es una prueba de madurez —dijo.

—Dios te oiga —dijo la madre.

El miércoles siguiente, mientras los padres veían *La Batalla de Argel*, la gente que pasó por la Castellana vio una cascada de luz que caía de un viejo edificio escondido entre los árboles. Salía por los balcones, se derramaba a raudales° por la fachada°, y se encauzó° por la gran avenida en un torrente dorado que iluminó la ciudad hasta el Guadarrama.

Llamados de urgencia, los bomberos forzaron la puerta del quinto piso, y encontraron la casa rebosada° de luz hasta el techo. El sofá y los sillones forrados° en piel de leopardo flotaban en la sala a distintos niveles, entre las botellas del bar y el piano de cola y su mantón de Manila que aleteaba° a media agua como una mantarraya de oro. Los utensilios domésticos, en la plenitud de su poesía, volaban con sus propias alas° por el cielo de la cocina. Los instrumentos de la banda de guerra, que los niños usaban para bailar, flotaban al garete° entre los peces de colores liberados de la pecera de mamá, que eran los únicos que flotaban vivos y felices en la vasta ciénaga° iluminada. En el cuarto de baño flotaban los cepillos de dientes de todos, los preservativos de papá, los pomos° de cremas y la dentadura de repuesto de mamá, y el televisor de la alcoba° principal flotaba de costado°, todavía encendido en el último episodio de la película de media noche prohibida para niños.

Al final del corredor, flotando entre dos aguas, Totó estaba sentado en la popa del bote, aferrado° a los remos y con la máscara puesta, buscando el faro del puerto hasta donde le alcanzó el aire de los tanques, y Joel flotaba en la proa buscando todavía la altura de la estrella polar con el sextante, y flotaban por toda la casa sus treinta y siete compañeros de clase, eternizados en el instante de hacer pipí° en la maceta° de geranios, de cantar el himno de la escuela con la letra cambiada por versos de burla contra el rector, de beberse a escondidas un vaso de brandy de la botella de papá. Pues habían abierto tantas luces al mismo tiempo que la casa se había rebosado, y todo el cuarto año elemental de la escuela de San Julián el Hospitalario se había ahogado en el piso quinto del número 47 del Paseo de la Castellana. En Madrid de España, una ciudad remota de veranos ardientes y vientos helados, sin mar ni río, y cuyos aborígenes° de tierra firme nunca fueron maestros en la ciencia de navegar en la luz. ■

agasajar to entertain
raudales/fachada/encauzó poured out in abundance/ façade/ channeled
rebosada overflowed
forrados covered
aleteaba fluttered
alas wings
al garete adrift
ciénaga marsh
pomos jars
alcoba/costado bedroom/ sideways
aferrado clinging
pipí/maceta to pee/ flowerpot
aborígenes natives

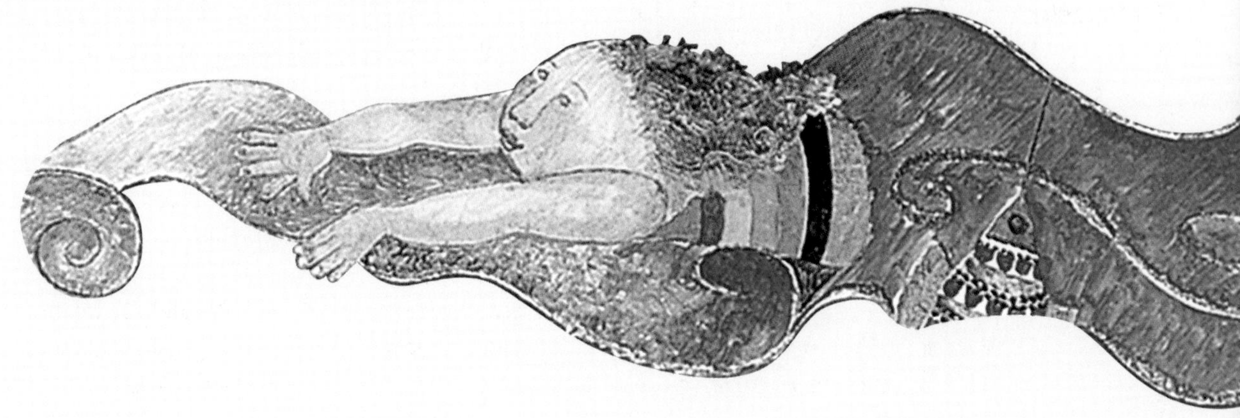

Después de leer

La luz es como el agua

Gabriel García Márquez

1 **Comprensión** Indica si las oraciones son **ciertas** o **falsas**. Corrige las falsas.

1. La acción transcurre en Cartagena.
2. Totó y Joel dicen que quieren el bote para pasear con sus compañeros en el río.
3. Los padres van todos los miércoles por la noche al cine.
4. Los niños inundan la casa con agua de la ducha.
5. Cuando llegaron los bomberos todo flotaba por el aire.
6. El que le sugiere a Totó la idea de que la luz es como el agua es su papá.

2 **Análisis** En parejas, relean la definición de realismo mágico y luego respondan a las preguntas.

1. Los niños navegan "entre las islas de la casa". ¿Qué son las islas del apartamento?
2. ¿Qué significa la frase "rescataron del fondo de la luz las cosas que durante años se habían perdido en la oscuridad"? En la realidad, ¿les parece que la luz tiene fondo? En este relato, ¿cuál es el fondo de la luz?
3. Repasa el significado de *comparación* (**Lección 4**). ¿Se usan comparaciones en este relato? Escríbanlas y expliquen cómo proporcionan mayor expresividad.

3 **Interpretación** Responde a las preguntas con oraciones completas.

1. ¿Por qué te parece que, teniendo una gran casa en Cartagena, viven en Madrid en un pequeño apartamento? ¿Cuáles crees que podrían ser las causas?
2. El narrador señala que toda la aventura de los niños es consecuencia de una "ligereza" suya, porque "no tuvo el valor de pensarlo dos veces". ¿Por qué te parece que dice eso? ¿Qué opinas tú de su respuesta? ¿Crees que él es culpable de lo que ocurre después?
3. Los niños aprovechan que sus padres no están para inundar el apartamento y guardan el secreto; sólo se lo cuentan a sus compañeros. ¿Por qué hacen eso? ¿Puedes establecer algún paralelo entre ir al cine y navegar con la luz?

4 **Entrevista** En grupos de cuatro, preparen una entrevista con el primer bombero que entró en el apartamento inundado. Uno/a de ustedes es el/la reportero/a y el resto son bomberos. Hablen sobre las causas y consecuencias del accidente y usen lenguaje objetivo y preciso. Luego representen la entrevista frente a la clase.

5 **Bitácoras de viaje** Utilizando el realismo mágico, describe un día de un viaje especial. Describe adónde fuiste, qué hiciste, con quién fuiste y por qué fue especial. Describe elementos maravillosos de tu viaje y presenta detalles mágicos como si fueran normales.

PUEDO hablar sobre los personajes del cuento "La luz es como el agua".

Antes de leer

Vocabulario

el apogeo *peak*	**el mito** *myth*
el artefacto *artifact*	**la pared** *wall*
el campo *ball field*	**la piedra** *stone*
el/la dios(a) *god/goddess*	**la pirámide** *pyramid*
el juego de pelota *ball game*	**la ruta maya** *the Mayan Trail*
la leyenda *legend*	

Tikal Completa las oraciones con palabras del vocabulario.

1. Tikal, antiguamente una gran ciudad, es ahora una impresionante colección de ruinas que se encuentra en la ________ de Guatemala.
2. Hay seis ________ en el centro de la ciudad. Son los edificios más grandes de Tikal.
3. En la misma zona hay varios ________ donde se jugaba al ________.
4. Durante sus excavaciones, los arqueólogos han encontrado ________ fascinantes y también esculturas y monumentos de ________.

Conexión personal Responde estas preguntas: ¿Cuál es la ruta más interesante que has recorrido? ¿Fue un viaje organizado o lo planeaste con tu familia?

Contexto cultural

Campo de pelota en Chichén Itzá

En la cultura maya, el deporte era a veces cuestión de vida y muerte. El juego de pelota se jugó durante más de 3.000 años en un campo entre muros (*stone walls*) con una pelota dura y muy pesada: podía llegar a pesar hasta nueve libras, aproximadamente. Este juego se celebraba en la vida cotidiana, pero a veces se jugaba como parte de una ceremonia. Entonces era un juego muy violento que acababa a veces en un sacrificio ritual; posiblemente la decapitación (*beheading*) de algunos jugadores.

Cuenta la leyenda que los hermanos gemelos Ixbalanqué y Hunahpú eran tan aficionados al juego que enojaron a los dioses de la muerte, los señores de Xibalbá, con el ruido (*noise*) que hacían con las pelotas. Los señores de Xibalbá controlaban un mundo subterráneo, al que se llegaba por una cueva (*cave*). Todo individuo que entraba en Xibalbá pasaba por una serie de pruebas terribles como cruzar un río de escorpiones, entrar en una casa llena de cuchillos en movimiento y participar en un juego mortal de pelota.

Los gemelos usaron su habilidad atlética, su inteligencia y la magia para vencer a los dioses y transformarse en el sol y la luna. Por eso, entre los mayas el juego era una competencia entre fuerzas opuestas como el bien y el mal o la luz y la oscuridad.

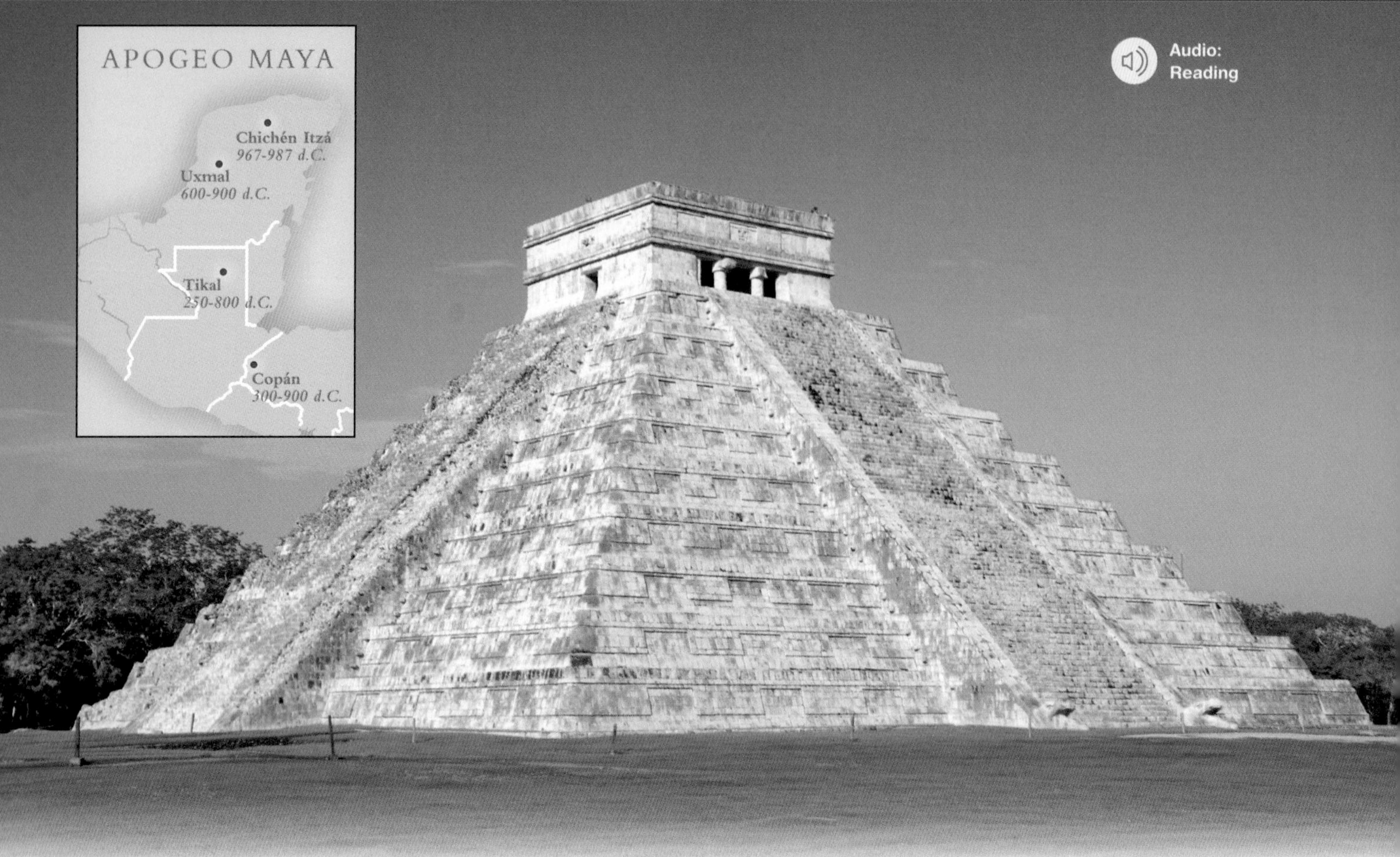

La ruta maya

Los mayas, investigadores de ciencias y matemáticas y destacados° arquitectos de espacios monumentales, han dejado evidencia de un mundo ilustre e intelectual que todavía brilla hoy día. En su momento de mayor extensión, el territorio maya incluía partes de lo que ahora es México, Guatemala, Belice, El Salvador y Honduras. Una imaginaria ruta maya une estos lugares dispersos, atravesando° siglos y países, y revela restos de una gran civilización. La ruta pasa por selva y ciudad, por vegetación exuberante y por

renowned

crossing

ruinas que resisten y también muestran el paso del tiempo. El viajero puede elegir entre múltiples lugares y numerosos caminos. Sin embargo, hay un itinerario particular que conecta la arquitectura, la cultura y el deporte a través del tiempo y el espacio: la ruta de los campos de pelota. Debido al° enorme valor cultural del juego, se construyeron canchas en casi todas las poblaciones importantes, incluyendo las espléndidas construcciones de Copán y Chichén Itzá. La ruta, que pasa por algunos de los 700 campos de pelota, desentierra° maravillas arqueológicas.

Due to; unearths

En la densa selva en el oeste de Honduras, cerca de la frontera con Guatemala, surge° Copán, donde gobernaron varias dinastías de reyes. Entre las ruinas permanece° un elegantísimo campo de pelota, una cancha que tenía hasta vestuarios° para los jugadores. Grandes paredes, adornadas de esculturas de loros°, rodean° el campo más artístico de Mesoamérica. En Copán vivía una élite de artesanos y nobles que esculpían° y escribían en piedra. Por eso, se concentran en Copán la mayor cantidad de esculturas° y estelas° —monumentos de figuras y lápidas° con jeroglíficos— de la ruta maya. En las famosas escalinatas° de la ciudad se pueden examinar jeroglíficos que contienen todo un árbol genealógico y que cuentan la historia de los reyes de Copán. Estas inscripciones forman el texto maya más largo que se preserva hoy día.

springs forth; lies; dressing rooms; parrots/surround; sculpted; sculptures/steles; stone tablets; stairways

Mesoamérica

La región de Mesoamérica empieza en el centro de México y llega hasta la frontera entre Nicaragua y Costa Rica. Aquí vivían sociedades agrarias que se destacaron por sus avances en la arquitectura, el arte y la tecnología en los 3.000 años anteriores a la llegada de Cristóbal Colón al continente americano. Entre las culturas de Mesoamérica se incluyen la maya, la azteca, la olmeca y la tolteca. Los mayas tomaron la escritura y el calendario mesoamericanos y los desarrollaron hasta su mayor grado de sofisticación.

Campo de pelota en Copán

El más impresionante de los campos de pelota se encuentra en Chichén Itzá en Yucatán, México. En su período de esplendor, Chichén Itzá era el centro de poder de Mesoamérica. Actualmente es uno de los sitios arqueológicos más importantes del mundo. La gran pirámide, conocida con el nombre *El Castillo*, era un rascacielos° en su época. Con escaleras que suben a la cumbre° por los cuatro lados, El Castillo sirvió de templo del dios Kukulcán. Hay varias canchas de pelota en Chichén Itzá, pero la más grandiosa y espectacular se llama el Gran Juego de Pelota. A pesar de medir° 166 por 68 metros (181 por 74 yardas), la acústica es tan magnífica que sirve de modelo para teatros: un susurro° se puede oír de un extremo al otro. Mientras competían, los jugadores sentían la presión de las esculturas que adornaban las paredes, las cuales muestran a unos jugadores decapitando a otros. El peligro era un recordatorio° de que el juego era también una ceremonia solemne y el campo, un templo.

skyscraper; peak; measuring; whisper; reminder

Esta ruta maya continúa por campos como el de Uxmal en Yucatán, México, donde se pueden apreciar grandes logros° arquitectónicos. En todos ellos, se oyen las voces lejanas de la civilización maya, ecos que nos hacen viajar por el tiempo y despiertan la imaginación. ■

achievements

Después de leer

La ruta maya

1 Comprensión Decide si las oraciones son **ciertas** o **falsas**. Corrige las falsas.

1. En su momento de mayor extensión, el territorio maya empezaba en lo que hoy se llama México y terminaba en lo que hoy se llama Guatemala.
2. Los mayas construyeron muy pocas canchas de pelota.
3. En Copán vivía una élite de artesanos y nobles que escribían en piedra.
4. Los jeroglíficos de Copán cuentan la leyenda de los gemelos Ixbalanqué y Hunahpú.
5. Chichén Itzá fue el centro de poder de Mesoamérica.
6. El Castillo es la cancha de pelota más grande.

2 Preguntas Contesta las preguntas con oraciones completas.

1. ¿Qué significado tenía el juego de pelota en la cultura maya?
2. ¿Cuáles eran algunos de los peligros del juego?
3. ¿Qué tienen de extraordinario las ruinas de Copán?
4. ¿Qué detalles indican que Chichén Itzá había sido una ciudad importantísima?
5. ¿Cuál es un ejemplo de la importancia de los dioses para los mayas?

3  **Itinerarios** En grupos, preparen el itinerario para un recorrido por una de estas rutas. Luego compartan el itinerario con el resto de la clase.

- la ruta de los campos de béisbol
- Norteamérica de punta a punta
- las mansiones de los famosos en Hollywood

4  **Jeroglíficos**

A. En parejas, inventen un mensaje jeroglífico. Pueden usar letras, números, dibujos, figuras geométricas, etc. Después, intercambien el mensaje con otra pareja para descifrarlo. Pueden dar pistas si es necesario.

(Mar y Pepe: Recién casados)

B. Presenten los mensajes descifrados a la clase. ¿Qué pareja usó el sistema de escritura más original?

PUEDO hablar sobre el itinerario de visita de una ruta turística.

Atando cabos

¡A conversar!

1 **Viajeros interesantes** Trabajen en grupos de cuatro. Imaginen adónde viajaron y qué hicieron allí estas personas.

a

b

c

d

A. Primero, hablen acerca del viaje de cada grupo de personas: ¿adónde fueron? ¿qué cosas empacaron? ¿qué hicieron? ¿por qué eligieron ese lugar? ¿cómo son ellos? ¿lo pasaron bien?

B. Luego, comparen los viajes usando comparativos y expresiones negativas y positivas. Escriban por lo menos tres oraciones.

C. Por último, compartan sus comparaciones con la clase y escuchen las comparaciones de sus compañeros/as. Entre todos, realicen algunas comparaciones sobre todas las parejas usando comparativos y superlativos.

2 **Excursión razonada** En parejas, cada estudiante selecciona el plan de excursión que más le guste.

Planes de excursión

- Acampar en el Parque Nacional Torres del Paine, en Chile (senderos, glaciar)
- Alojarse en un hotel de lujo en Cancún, México (piscinas, masajes)
- Bucear en Roatán, Honduras (nadar, ver tiburones)
- Caminar por el Valle Sagrado de los Incas, en Urubamba, Perú (salir de excursión, viajar en tren)
- Descansar en las playas del Parque Nacional Tortuguero, en Costa Rica (mar, actividades ecológicas)
- Subir a la cima del volcán Chimborazo, en Ecuador (escalar, conocer vicuñas)
- Viajar en crucero por el canal de Panamá (navegación, puertos)
- Visitar las ruinas de Tikal, Guatemala (arquitectura, bosques nativos)

A. Por turnos, cada uno(a) describe el lugar elegido y trata de convencer a su compañero(a) de que vaya al lugar elegido.

B. En clase, hagan una encuesta para saber cuál es el plan que más llamó la atención y por qué fue tan atractivo.

Atando cabos

3 

Viajeros insatisfechos En parejas, escriban una lista de diez sugerencias para pasar unas excelentes vacaciones en cualquier parte del mundo. Después, discutan cada una, inventando excusas creativas para no ir allí.

MODELO **ESTUDIANTE 1** Te recomiendo que vayas a las cataratas de Iguazú en tus vacaciones.
ESTUDIANTE 2 No me parece una buena idea. No hay ningún hotel cinco estrellas cerca.

4

Turismo atípico En grupos de cuatro, reúnanse para mencionar diferentes sitios turísticos del mundo hispano. Después, sugiéranse actividades que podrían hacer en esos sitios. Sean creativos. Al final, compartan con la clase los sitios y las sugerencias más llamativas que hayan considerado en el grupo.

MODELO **Lugar turístico:** Iquique, dunas de arena del cerro Dragón (Chile)
Actividad atípica: Te sugiero que surfees en las dunas de arena.

¡A escribir!

5

Consejos de viaje Sigue el **Plan de redacción** para escribir unos consejos de viaje. Imagina que trabajas en una agencia de viajes y tienes que organizar una excursión para unos/as amigos/as tuyos/as que van a visitar una ciudad o un país que tú conoces bastante bien. Escríbeles un mensaje electrónico con una lista de los lugares y cosas que les recomiendas hacer. Ten en cuenta la personalidad de tus amigos/as y elige bien qué sitios crees que les van a gustar más. Hazles además una o dos preguntas para saber más sobre ellos y ayudarte a planear su viaje.

Plan de redacción

Contenido: Recuerda que tienes que tener en cuenta el clima del lugar, la ropa que deben llevar, el hotel donde pueden alojarse y los espectáculos culturales a los que pueden asistir. También es importante que les recomiendes algún restaurante o alguna comida típica del lugar. No olvides utilizar oraciones con subjuntivo en todas tus recomendaciones. Puedes usar estas expresiones:

- Es importante que...
- Les recomiendo que...
- Busquen un hotel que...
- Es probable que...
- Es mejor que...
- Visiten lugares que...

Conclusión: Termina la lista de consejos deseándoles a tus amigos/as un buen viaje.

PUEDO dar detalles sobre diversos tipos de viajeros y sus actividades.

PUEDO redactar consejos para viajar.

VOCABULARIO

De viaje

la bienvenida	*welcome*
la despedida	*farewell*
el destino	*destination*
el itinerario	*itinerary*
la llegada	*arrival*
el pasaje (de ida y vuelta)	*(round-trip) ticket*
el pasaporte	*passport*
la tarjeta de embarque	*boarding pass*
la temporada alta/baja	*high/low season*
el/la viajero/a	*traveler*
hacer las maletas	*to pack*
hacer transbordo	*to transfer (planes/trains)*
hacer un viaje	*to take a trip*
ir(se) de vacaciones	*to go on vacation*
perder (e:ie) (el vuelo)	*to miss (the flight)*
regresar	*to return*
a bordo	*on board*
retrasado/a	*delayed*
vencido/a	*expired*
vigente	*valid*

El alojamiento

el albergue	*hostel*
el alojamiento	*lodging*
la habitación individual/doble	*single/double room*
la recepción	*front desk*
el servicio de habitación	*room service*
alojarse	*to stay*
cancelar	*to cancel*
estar lleno/a	*to be full*
quedarse	*to stay*
reservar	*to reserve*
de (buena) categoría	*first-rate*
incluido/a	*included*
recomendable	*advisable*

La seguridad y los accidentes

el accidente (automovilístico)	*(car) accident*
el/la agente de aduanas	*customs agent*
el aviso	*notice; warning*
el cinturón de seguridad	*seat belt*
el congestionamiento	*traffic jam*
las medidas de seguridad	*security measures*
la seguridad	*safety; security*
el seguro	*insurance*
aterrizar	*to land*
despegar	*to take off*
ponerse/quitarse el cinturón	*to fasten/to unfasten the seatbelt*
reducir (la velocidad)	*to reduce (speed)*
peligroso/a	*dangerous*
prohibido/a	*prohibited*

Las excursiones

la aventura	*adventure*
el/la aventurero/a	*adventurer*
la brújula	*compass*
el buceo	*scuba diving*
el campamento	*campground*
el crucero	*cruise (ship)*
el (eco)turismo	*(eco)tourism*
la excursión	*outing; tour*
la frontera	*border*
el/la guía turístico/a	*tour guide*
la isla	*island*
las olas	*waves*
el puerto	*port*
las ruinas	*ruins*
la selva	*jungle*
el/la turista	*tourist*
navegar	*to sail*
recorrer	*to tour*
lejano/a	*distant*
turístico/a	*tourist (adj.)*

Más vocabulario

Expresiones útiles	*Ver p. 191*
Estructura	*Ver pp. 198-199, 202-203 y 206-207*

En pantalla

el carné de conducir	*driver's license*
la molestia	*annoyance*
el permiso de circulación	*car registration*
denunciar	*to report*
descargar	*to unload*
jurar	*to swear*
¡menuda paliza!	*what a hassle! (fig.)*
¿Me permite?	*May I?*
ni se le ocurra	*don't you dare*
sin novedad	*no news*

Literatura

la bahía	*bay*
el bote	*boat*
la cascada	*cascade; waterfall*
el faro	*lighthouse*
el muelle	*pier*
la pesca	*fishing*
la popa	*stern*
la proa	*bow*
el remo	*oar*
el tiburón	*shark*
flotar	*to float*
ahogado/a	*drowned*

Cultura

el apogeo	*height; highest level*
el artefacto	*artifact*
el campo	*ball field*
el/la dios(a)	*god/goddess*
el juego de pelota	*ball game*
la leyenda	*legend*
el mito	*myth*
la pared	*wall*
la piedra	*stone*
la pirámide	*pyramid*
la ruta maya	*the Mayan Trail*

A primera vista

- ¿Qué se ve en la foto?
- ¿Dónde crees que se encuentra este lugar? ¿Estará cerca de grandes ciudades?
- ¿Qué actividades se podrán hacer allí?
- ¿Cómo podemos conservarlo?

Essential Questions

1. ¿Qué hace que un sistema sea equilibrado? ¿Qué lo desequilibra?
2. ¿Cuál es la relación entre diversidad y equilibrio natural?
3. ¿Cómo interactúan los seres humanos con la naturaleza en diferentes culturas?

6 La naturaleza

Can Do Goals

By the end of this lesson I will be able to:

- Talk about the environment, natural resources, and natural phenomena
- Talk about actions and events that will happen in the future
- Express purpose, condition, or intent
- Ask and answer questions about environmental protection

Also, I will learn about:

Culture
- Coral reefs and underwater parks in the Caribbean
- **La Caleta** Underwater National Park in the Dominican Republic
- Puerto Rican rain forests
- The island of Vieques, Puerto Rico

Skills
- Reading: Flash fiction in Spanish
- Conversation: Talking about pets and wild animals
- Writing: Writing an article about a World Heritage site

Lesson 6 Integrated Performance Assessment

Context: Your school is sponsoring a chapter of a new environmental organization, and some of the members are asked to record a brief podcast to get the word out. You have volunteered to record a podcast in Spanish persuading listeners to get involved.

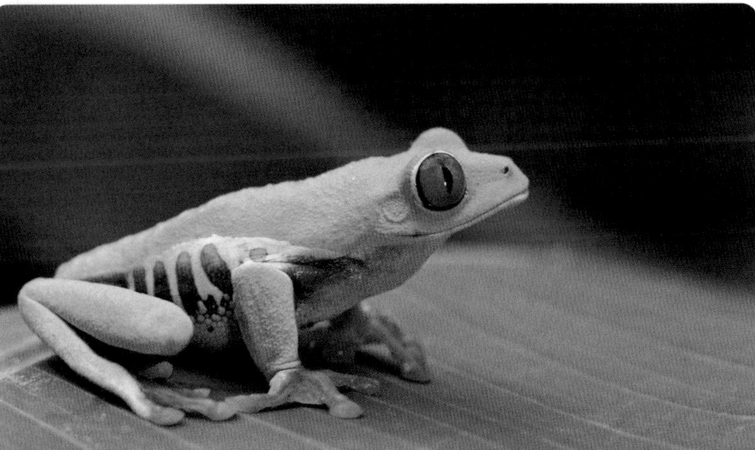

Rana de ojos rojos en el bosque tropical de Costa Rica

Producto: América Latina tiene algunos de los sitios más biodiversos del planeta.

¿Conoces otras reservas naturales? ¿Cuáles? ¿Cómo se protegen las reservas naturales en el estado donde tú vives?

Objetivo comunicativo: Discutir temas medioambientales de manera oral o escrita

La naturaleza

La naturaleza

El Caribe presenta **costas** infinitas con palmeras **a orillas del mar**, aguas cristalinas y extensos **arrecifes** de coral con un **paisaje** submarino sin igual.

el árbol *tree*
el arrecife *reef*
el bosque (lluvioso) *(rain) forest*
el campo *countryside; field*
la cordillera *mountain range*

la costa *coast*
el desierto *desert*
el mar *sea*
la montaña *mountain*
el paisaje *landscape*
la tierra *land*

---

húmedo/a *damp*
seco/a *dry*

---

a orillas de *on the shore of*
al aire libre *outdoors*

Los animales

el ave (*f.*)/el pájaro *bird*
el cerdo *pig*
el conejo *rabbit*
el león *lion*
el mono *monkey*
la oveja *sheep*
el pez *fish*
la rana *frog*

la serpiente *snake*
el tigre *tiger*
la vaca *cow*

---

atrapar *to trap; to catch*
cazar *to hunt*
dar de comer *to feed*
extinguirse *to become extinct*
morder (o:ue) *to bite*

---

en peligro de extinción *endangered*
salvaje *wild*
venenoso/a *poisonous*

Los fenómenos naturales

el huracán *hurricane*
el incendio *fire*
la inundación *flood*
el relámpago *lightning*
la sequía *drought*
el terremoto *earthquake*
la tormenta (tropical) *(tropical) storm*
el trueno *thunder*

El medio ambiente

El **reciclaje** de botellas es muy importante para **proteger** el **medio ambiente** y no **malgastar** plástico.

el calentamiento global *global warming*
la capa de ozono *ozone layer*
el combustible *fuel*
la contaminación *pollution*

la deforestación *deforestation*
el desarrollo *development*
la erosión *erosion*
la fuente de energía *energy source*
el medio ambiente *environment*
los recursos naturales *natural resources*

agotar *to use up*
conservar *to preserve*
contaminar *to pollute*
contribuir (a) *to contribute*
desaparecer *to disappear*
destruir *to destroy*
malgastar *to waste*
proteger *to protect*
reciclar *to recycle*

resolver (o:ue) *to solve*

dañino/a *harmful*
desechable *disposable*
renovable *renewable*
tóxico/a *toxic*

Práctica

1 Escuchar

A. Escucha el informativo de la noche y, después, completa las oraciones con la opción correcta.

1. Hay ____.
   a. una inundación   b. un incendio
2. Las causas de lo que ha ocurrido ____.
   a. se conocen   b. se desconocen
3. En los últimos meses, ha habido ____.
   a. mucha sequía   b. muchas tormentas
4. Las autoridades temen que ____.
   a. los animales salvajes vayan a los pueblos
   b. el incendio se extienda
5. Los pueblos de los alrededores ____.
   a. están en peligro   b. están contaminados

B. Escucha la conversación entre Pilar y Juan. Después, contesta las preguntas con oraciones completas.

1. ¿Dónde hay un incendio?
2. Según lo que escuchó Pilar, ¿qué puede suceder?
3. ¿Qué animales tenían los abuelos de Juan?
4. ¿Dónde pasaba los veranos Pilar?
5. ¿Qué hacía Pilar con los peces que veía?
6. ¿Qué ha pasado con los peces que había antes en la costa?

C. En parejas, hablen de los cambios que han visto ustedes en la naturaleza a lo largo de los años. Hagan una lista y compártanla con la clase.

2 Emparejar

Conecta las palabras de forma lógica.

MODELO **fenómeno natural: terremoto**

____ 1. proteger	a. león
____ 2. tormenta	b. serpiente
____ 3. destrucción	c. incendio
____ 4. campo	d. conservar
____ 5. salvaje	e. trueno
____ 6. venenosa	f. aire libre

Práctica

3 **Definiciones**

A. Escribe la palabra adecuada para cada definición.

1. fenómeno natural en el que se ilumina el cielo cuando hay una tormenta: ___________
2. reptil de cuerpo largo y estrecho (*narrow*) que muchas veces es venenoso: ___________
3. período largo sin lluvias: ___________
4. extensión de tierra donde no suele llover: ___________
5. fenómeno natural que se produce cuando se mueve la tierra bruscamente (*abruptly*): ___________
6. animal feroz considerado el rey de la selva: ___________
7. contrario de "húmedo": ___________
8. ruido producido en las nubes por una descarga eléctrica: ___________
9. serie de montañas: ___________
10. fuego grande que puede destruir casas y campos: ___________

B. Ahora, escribe tres definiciones de otras palabras del vocabulario. Tu compañero/a tendrá que adivinar a qué palabra corresponde cada definición.

4 **¿Qué es la biodiversidad?** Completa el artículo de la revista *Naturaleza* con la palabra o expresión correspondiente.

animales	**costas**	**paisaje**
arrecifes de coral	**mar**	**proteger**
bosques	**medio ambiente**	**recursos naturales**
conservar	**montañas**	**tierra**

La biodiversidad se refiere a la gran variedad de formas de vida — (1) ___________, vegetales y humanas— que conviven en el (2) ___________, no sólo en la tierra sino también en el (3) ___________. Esta interdependencia significa que ninguna especie está aislada o puede vivir por sí sola. A pesar de que el Caribe comprende menos del once por ciento de la superficie total del planeta, su territorio contiene una vasta riqueza de vida silvestre (*wild*) que se encuentra a lo largo de sus (4) ___________ tropicales húmedos, (5) ___________ altas, extensas costas, y del increíble (6) ___________ submarino de los (7) ___________. Se estima que en la actualidad hay más de sesenta y cinco organizaciones ambientalistas que trabajan para (8) ___________ y (9) ___________ los valiosos (10) ___________ de las islas caribeñas.

Comunicación

5 

Preguntas En parejas, túrnense para contestar las preguntas.

1. ¿A dónde prefieres ir de vacaciones, al campo, a la costa o a la montaña? ¿Por qué?
2. ¿Tienes un animal preferido? ¿Cuál es? ¿Por qué te gusta? ¿Qué animales no te gustan? ¿Por qué?
3. ¿Qué opinas de la práctica de cazar animales? ¿Es cruel? ¿Es necesario controlar la población para el bien de la especie?
4. ¿Hay alguna diferencia entre cazar un animal para comerlo y comprar carne?
5. ¿Hay huracanes, sequías o algún otro fenómeno natural donde vives? ¿Qué efectos o consecuencias tienen para el medio ambiente?
6. En tu opinión, ¿cuál es el problema más grave que afecta al medio ambiente? ¿Qué podemos hacer para mejorar la situación?

6

¿Qué es mejor? En parejas, hablen sobre las ventajas y las desventajas de las alternativas de la lista. Consideren el punto de vista práctico y el punto de vista ambiental. Utilicen el vocabulario de **Contextos**.

- **usar servilletas de papel o de tela (*cloth*)**
- **tirar restos de comida a la basura o en el triturador del fregadero (*garbage disposal*)**
- **acampar en un parque nacional o alojarse en un hotel**
- **imprimir el papel de los dos lados o simplemente imprimir menos**

7

Asociaciones En parejas, comparen sus personalidades con las cualidades de estos animales, elementos y fuerzas de la naturaleza. ¿Con cuáles te identificas? ¿Con cuáles crees que se identifica tu compañero/a? ¿Por qué? Comparen sus respuestas.

árbol	**fuente de energía**	**mar**	**relámpago**
bosque	**huracán**	**montaña**	**serpiente**
conejo	**incendio**	**pájaro**	**terremoto**
desierto	**león**	**pez**	**trueno**

MODELO **pájaro**

Yo me identifico con los pájaros. Soy libre y soñador(a).

PUEDO asociar características de animales y fuerzas de la naturaleza con cualidades humanas.

PUEDO conversar sobre problemas medioambientales.

Objetivo comunicativo: Hablar de situaciones y actividades por venir y de entornos naturales

Hasta ahora, en el video...

Lupita se escapa del hospital porque se quiere ir de vacaciones. Por suerte, Marcela y Ricardo encuentran a Lupita y entre toda la familia la convencen para volver al hospital. Luego, Marcela y Ricardo comienzan su viaje a Hierve el Agua. En este episodio verás cómo sigue la historia.

Ricardo llega caminando a Hierve el Agua.

MARCELA Mi trabajo no es sólo traerte, sino también explicarte sobre Hierve el Agua.

RICARDO (*a la defensiva*) ¿En serio?

MARCELA Hierve el Agua es uno de los paisajes naturales más bellos de Oaxaca y de México. Sus cascadas petrificadas…

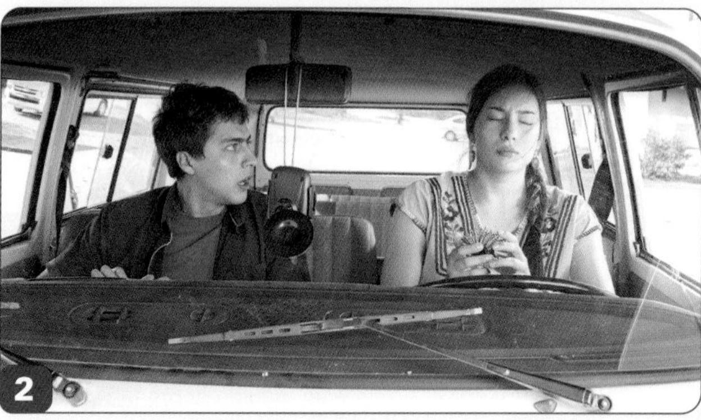

Ricardo se está bajando de la Kombi.

MARCELA ¡Espera! (*Marcela saca el regalo*) ¿Pensabas que lo había olvidado?

Marcela comienza a llorar.

RICARDO No llores, Marcela. ¡Si no te gusta, en cuanto regresemos a la ciudad lo cambiamos!

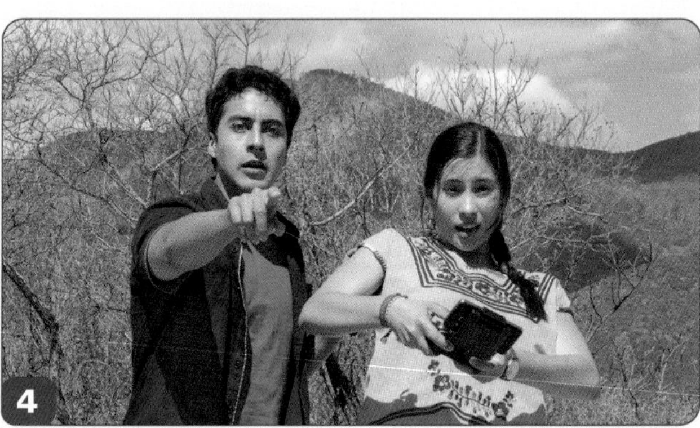

Marcela pilota el dron.

RICARDO ¡Cuidado! ¡Vas hacia el agua!

MARCELA ¡Está completamente fuera de control!

El dron cae al agua.

MARCELA ¡Se quedó sin gasolina!

RICARDO No, más bien sin baterías.

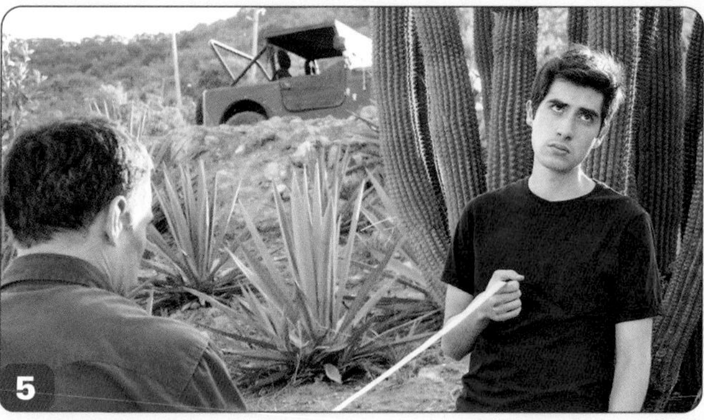

Es otro día…

LORENZO Los cactus pueden adaptarse con facilidad a medio ambientes desérticos.

MANU ¡Los cactus son aburridos!

LORENZO ¡No te quejes! Disfruta del paisaje. La naturaleza es bella, Manu. ¡Relájate!

Personajes

MARCELA

RICARDO

LORENZO

MANU

3

MARCELA No lo quiero cambiar. Este alebrije lo hizo mi mamá. Ella murió hace un año.

RICARDO Yo, yo, no... Yo no sabía que tu...

MARCELA ¡Me encanta! Gracias.

Marcela lo abraza.

RICARDO ¿Te gustaría aprender a volar mi dron?

6

Lorenzo y Manu están perdidos.

MANU ¿No que conocías el camino?

LORENZO Antes de que sigas, en caso de que pienses que estoy perdido, no lo estoy.

MANU (*saca su celular*) Dame un segundito. Estamos rodeados de montañas. El GPS no funciona. Y ahora, ¿qué vamos a hacer?

Expresiones útiles

Talking about the future

Lo cambiaremos sin problemas.
We will exchange it, no problem.

¡Lo haremos!
We will do it!

¿Qué vamos a hacer?
What are we going to do?

Te llevaré a un lugar cerca de aquí.
I will take you to a place close by.

Expressing purpose, condition, or intent

Antes de que sigas, en caso de que pienses que estoy perdido, no lo estoy.
Before you continue, in case you think I am lost, I am not.

No llores. Si no te gusta, en cuanto regresemos a la ciudad, lo cambiamos.
Don't cry. If you don't like it, as soon as we go back to the city, we will exchange it.

¿Te cuento un chiste para que te animes un poco?
Shall I tell you a joke to cheer you up a little?

Expressing movement and direction

¡Cuidado! ¡Vas hacia el agua!
Be careful! You are going towards the water!

Mejor volvamos a casa.
We had better go back home.

Additional vocabulary

la cascada *waterfall*
un detallito *a little something*
merecer *to deserve*
la prisa *rush*
el reino animal *animal kingdom*
rodeado/a de *surrounded by*

Comprensión

1 **Opciones** Completa cada oración con la opción correcta.

1. Marcela llora porque el alebrije ______.
   a. no le gusta b. lo hizo su mamá c. está roto
2. Ricardo le ofrece a Marcela ______.
   a. ir a la piscina b. darle otro regalo c. volar su dron
3. Marcela maneja el dron ______.
   a. llorando b. fatal c. muy bien
4. A Manu ______ los cactus.
   a. le aburren b. le fascinan c. le preocupan
5. Lorenzo le ofrece a Manu ir a ______.
   a. una piscina b. un restaurante c. un concurso de chistes

2 **Preguntas** Contesta las preguntas sobre el episodio con oraciones completas.

1. ¿Qué pensó Marcela del regalo de Ricardo?
2. ¿Qué pasó con el dron cuando lo manejaba Marcela? ¿Por qué?
3. ¿Qué piensa Lorenzo de la naturaleza?
4. ¿Por qué Lorenzo le cuenta a Manu un chiste?
5. ¿Qué opina Manu del chiste?
6. ¿Qué ocurre cuando Manu y Lorenzo se dirigen hacia el restaurante?

3 **¿Quién lo hará?**

A. Escribe qué personaje podría decir cada oración, de acuerdo con lo que aprendiste de ellos en este episodio.

MARCELA MANU LORENZO RICARDO

1. Dentro de dos años, tendré una compañía de servicios turísticos muy exitosa.
2. Algún día, sabré todo acerca de los cactus.
3. Cuando sea mayor, querré una casa en la ciudad, no en el campo.
4. En el futuro, mi dron podrá volar sin batería.
5. Buscaré en Internet sobre las cascadas petrificadas para impresionar a Marcela.

B. Ahora, en parejas, túrnense para hacerse preguntas sobre las oraciones. Sigan el modelo.

MODELO

ESTUDIANTE 1 ¿Quién tendrá una compañía de servicios turísticos muy exitosa?

ESTUDIANTE 2 Marcela tendrá una compañía de servicios turísticos muy exitosa.

Ampliación

4 **¿Te gusta la naturaleza?** En grupos pequeños, conversen sobre las siguientes preguntas.

- ¿Te identificas más con Manu o con Lorenzo? ¿Por qué?
- ¿Cómo preferirías pasar un día en la naturaleza: con Marcela y Ricardo en Hierve el Agua, o con Lorenzo y Manu en el desierto? Explica tu respuesta.

5 **Y ahora, ¿qué vamos a hacer?** Al final del episodio, Lorenzo y Manu están perdidos. Imagina que tú estás con ellos y escribe una conversación entre los tres. Ofréceles consejos.

MODELO

MANU El GPS no funciona. Y ahora, ¿qué vamos a hacer?

"TÚ" ¡Por suerte, yo tengo mucha agua! Caminemos un poco para que encontremos señal.

6 **Apuntes culturales** En parejas, lean los párrafos y contesten las preguntas.

Hierve el Agua, Oaxaca

Marcela y Ricardo hacen una excursión a Hierve el Agua, Oaxaca. Como bien sabe Marcela, Hierve el Agua es un sistema de cascadas petrificadas de entre 12 y 30 metros de altura (40-100 pies) que se formaron de manera natural hace miles de años debido al alto contenido de minerales en el agua. El visitante puede disfrutar de las aguas termales de la piscina que se creó a partir de su manantial (*spring*) o bien contemplar las cascadas desde pozos (*pools*) naturales.

Las tlayudas

Lorenzo quiere llevar a Manu a un restaurante a comer tlayudas con mole. La tlayuda es una tortilla de maíz típica de Oaxaca. Declarada patrimonio cultural inmaterial por la UNESCO en 2010, se caracteriza por su gran tamaño, unos 38 centímetros de diámetro (*15 inches*), y consistencia dura. Normalmente se unta (*is spread*) con manteca de cerdo (*lard*) y se le pueden añadir frijoles, carne, quesillo o mole.

Desierto de Chihuahua

Los desiertos mexicanos

Lorenzo y Manu están perdidos en el desierto. Los principales desiertos mexicanos son el de Sonora y el de Chihuahua. El desierto de Sonora ocupa el noroeste de México y el suroeste de los Estados Unidos. Entre sus cactus habita gran variedad de especies, como coyotes, pumas o tarántulas. El desierto de Chihuahua abarca varios estados del sur de los Estados Unidos y gran parte del estado mexicano de Chihuahua. En este desierto, de inviernos fríos y veranos lluviosos, existen más de 350 especies de cactáceas. ¡Todo un paraíso para Lorenzo!

1. ¿Qué cascadas has visitado? ¿Cómo fue la experiencia? ¿Qué cascadas te gustaría visitar en el futuro?
2. ¿Cuál es tu comida mexicana preferida? ¿Qué ingredientes le pondrías a una tlayuda?
3. ¿Te gustaría pasar una semana en un desierto mexicano? ¿Por qué?

PUEDO conversar sobre eventos en el futuro y sobre diferentes áreas naturales.

Objetivo comunicativo: Hablar sobre varias reservas naturales en el mar Caribe y en Suramérica

En detalle

EL CARIBE

Los bosques DEL MAR

¿Te sumergiste alguna vez en el más absoluto de los silencios para contemplar los majestuosos arrecifes de coral? En el Caribe hay más de 26 mil kilómetros cuadrados (10 mil millas cuadradas) de arrecifes, también llamados *bosques tropicales del mar* por la inmensa biodiversidad que se encuentra en ellos. Sus extravagantes formas de intensos colores proporcionan el ecosistema ideal para las más de cuatro mil especies de peces y miles de especies de plantas que en ellos habitan.

Nuestras vidas también dependen de estas formaciones: los arrecifes del Caribe protegen de los huracanes las costas de Florida y de los países caribeños. Sus inmensas estructuras aplacan° la fuerza de las tormentas antes de que lleguen a las costas, cumpliendo la función de barreras° naturales. También protegen las playas de la erosión y son un refugio para muchas especies animales en peligro de extinción.

3200 km de arrecifes
Cuba
María la Gorda
166 km de arrecifes
237 especies de coral
República Dominicana
Puerto Rico
Parque Nacional Submarino La Caleta

En Cuba se destacan° los arrecifes de María la Gorda, en el extremo occidental de la isla. En esta área altamente protegida, más de veinte especies de corales forman verdaderas cordilleras, grutas° y túneles subterráneos.

Lamentablemente, los arrecifes están en peligro por culpa de la mano del hombre. La construcción desmedida° en las costas y la contaminación de las aguas por los desechos° de las alcantarillas° provocan la sedimentación. Esto enturbia° el agua y mata el coral porque le quita la luz que necesita. La pesca descontrolada, el exceso de turismo y la recolección de coral por parte de los buceadores son otros de sus grandes enemigos. De hecho, algunos expertos dicen que el 70 por ciento del coral desaparecerá en unos 40 años. Así que, si eres uno de los afortunados que pueden visitarlos, cuídalos; no los toques y avisa si ves que alguien los está dañando. Su futuro depende de todos nosotros. ■

Los **arrecifes de coral** son uno de los más antiguos hábitats de la Tierra; algunos de ellos tienen más de 10.000 años. Muchos los confunden con plantas o con rocas, pero los arrecifes de coral son, en realidad, estructuras formadas por pólipos° de coral, unos animales diminutos° que al morir dejan unos residuos de piedra caliza°. Los arrecifes son el refugio ideal para muchos tipos de animales, tales como esponjas, peces y tortugas.

aplacan *placate* **barreras** *barriers* **se destacan** *stand out* **grutas** *caves* **desmedida** *excessive* **desechos** *waste* **alcantarillas** *sewers* **enturbia** *clouds* **pólipos** *polyps* **diminutos** *minute* **piedra caliza** *limestone*

ASÍ LO DECIMOS

Frases de animales

andar como perro sin pulga° (Méx.) *to be carefree*
comer como un chancho *to eat like a pig*
¡el mono está chiflando!° (Cu.) *how windy!*
estar como una cabra° (Esp.) *to be as mad as a hatter*
marca perro (Arg., Chi. y Uru.) *(of an object) by an unknown brand*
¡me pica el bagre!° (Arg.) *I'm getting hungry!*
¡qué búfalo/a! (Nic.) *fantastic!*
¡qué tortuga! (Col.) *(of a person) how slow!*
ser un(a) rata (Esp.) *to be stingy*

EL MUNDO HISPANOHABLANTE

Organizaciones ambientales

Protección de la biosfera El Parque Nacional Yasuní, declarado Reserva Mundial de la Biosfera por la UNESCO en 1989, está ubicado en la Amazonía ecuatoriana. En la actualidad, varias organizaciones ambientales intentan frenar el avance de empresas petroleras que operan en el 60 por ciento del territorio del parque.

Patagonia sin represas En 2011, este movimiento formado por varias asociaciones ecologistas chilenas frenó el plan para la construcción de cinco represas hidroeléctricas° en el sur de Chile. Este plan habría inundado 5.900 hectáreas de reservas naturales.

Protección de aves amenazadas Gracias al Fondo Peregrino de Panamá y a instituciones como el Smithsonian Institute, las aves arpías° están siendo rescatadas y protegidas. Se calcula que Panamá es el único país de América Latina que protege esta ave. El águila arpía es la segunda ave más grande del mundo, después del águila de Filipinas, y es el ave nacional de Panamá.

andar como... *(lit.) to be like a dog without a flea* **el mono...** *(lit.) the monkey is whistling* **estar como...** *(lit.) to be like a goat* **me pica...** *(lit.) my catfish is itching me* **represas...** *hydroelectric dams* **aves arpías** *harpy eagles*

PERFIL

PARQUE NACIONAL SUBMARINO LA CALETA

En 1984, por obra y gracia del Grupo de Investigadores Submarinos, el buque de rescate *Hickory* se hundió en el Parque Nacional Submarino La Caleta, a unos 17 kilómetros de Santo Domingo. No fue un accidente; el objetivo de los especialistas fue sumergir el buque intacto para que sirviera de arrecife artificial a las especies en peligro. Con el paso de los años, el barco se cubrió de esponjas y corales, y por él pasan miles de peces. El *Hickory*, que está a unos 20 metros de profundidad, es hoy día una de las mayores atracciones del Parque. Por cierto, el *Hickory* no es el único atractivo del Parque Nacional. Tiene otro barco-museo hundido para el buceo. En las aguas del parque, que alcanzan una profundidad de 180 metros (590 pies), se pueden contemplar tres terrazas de arrecifes. Los corales forman verdaderas alfombras de tonos rojos, amarillos y anaranjados que impresionan al buceador más exigente.

"El hombre no sólo es un problema para sí, sino también para la biosfera en que le ha tocado vivir."
(Ramón Margalef, ecólogo español)

ENTRE CULTURAS

¿Qué peces habitan los arrecifes de coral del Caribe?

To research this topic go to **vhlcentral.com**.

colibríes *hummingbirds* **buitres** *vultures* **murciélagos** *bats* **sapos** *toads* **arañas** *spiders* **lagartijas** *lizards* **llanura** *plain* **ceiba** *ceiba tree* **roble** *oak tree* **almendro** *almond tree* **higüero** *calabash tree*

¿Qué aprendiste?

1 **¿Cierto o falso?** Indica si estas afirmaciones son **ciertas** o **falsas**. Corrige las falsas.

1. Los arrecifes de coral son unas plantas de intensos colores.
2. Los arrecifes de coral también son conocidos como los *bosques tropicales del mar*.
3. Los huracanes se hacen más fuertes cuando pasan por los arrecifes.
4. Estas estructuras son un ecosistema ideal para las especies en peligro de extinción.
5. Las formaciones de coral necesitan luz.
6. Está permitido que los turistas tomen un poco de coral para llevárselo.
7. María la Gorda se encuentra en el extremo occidental de Puerto Rico.
8. En María la Gorda, los arrecifes forman túneles y cordilleras.
9. La construcción de casas cerca de las playas no afecta al desarrollo de los arrecifes.
10. Los arrecifes de coral son uno de los hábitats más antiguos del planeta.

2 **Opciones** Elige la opción correcta.

1. El Grupo de Investigadores Submarinos hundió el *Hickory* para crear (un parque nacional/un arrecife artificial).
2. En el Parque Nacional Submarino La Caleta los turistas pueden ver (sólo fauna acuática./ tanto fauna acuática como no acuática.)
3. ¿No quieres contribuir para el regalo de Juan? ¡Eres (una rata/un chancho)!
4. Si estás en Argentina y tienes hambre, dices que (te pica el bagre/estás como una cabra).

3 **Preguntas** Contesta las preguntas.

1. ¿Qué quieren frenar las organizaciones ambientales en el Parque Nacional Yasuní?
2. ¿Qué animales protege el Fondo Peregrino de Panamá?
3. ¿Qué busca la organización Patagonia sin represas?

4 **Opiniones** En parejas, respondan las preguntas y compartan su opinión con la clase.

- ¿Les preocupa la contaminación del mar?
- ¿Cuáles de sus hábitos perjudican los mares?
- ¿Qué cambios pueden hacer en su estilo de vida para reducir la contaminación?

PROYECTO

Arrecifes del Caribe

Busquen información sobre los arrecifes de coral de Cuba, Puerto Rico y la República Dominicana. Elijan una zona de arrecifes y preparen una presentación para la clase. La presentación debe incluir:

- datos sobre la ubicación y la extensión
- datos sobre turismo
- datos sobre las especies de coral y otras especies de los arrecifes
- información sobre el estado de los arrecifes. ¿Están en peligro? ¿Alguna organización los protege?

¡No olviden incluir un mapa con la ubicación exacta para presentarlo en la clase!

PUEDO hablar sobre parques naturales y sobre animales en peligro de extinción.

Objetivo comunicativo: Hablar sobre la biodiversidad de los bosques tropicales

Un bosque tropical

Ahora que ya has leído sobre la riqueza del mar del Caribe, mira este episodio de **Flash cultura** para conocer las maravillas del bosque tropical lluvioso de Puerto Rico, con su sorprendente variedad de árboles milenarios.

VOCABULARIO ÚTIL

la brújula *compass*
la caminata *hike*
la cascada *waterfall*
el chapuzón *dip*
la cima *peak*
estar en forma *to be fit*
el/la nene/a *kid*
la lupa *magnifying glass*
subir *to climb*
la torre *tower*

1 **Preparación** Responde estas preguntas: ¿Te gusta estar en contacto con la naturaleza? ¿De qué manera? ¿Has visitado alguno de los bosques nacionales de tu país? ¿Cuál(es)?

2 **Comprensión** Indica si estas afirmaciones son **ciertas** o **falsas**. Después, en parejas, corrijan las falsas.

1. El nombre *Yunque* proviene del español y significa "dios de la montaña".
2. El Yunque es la reserva forestal más antigua del hemisferio occidental.
3. El símbolo de Puerto Rico es el arroz con gandules.
4. Para llegar a la cima es necesario estar en forma y llevar brújula, agua, mapa, etc.
5. Una caminata hasta la cima puede llevar hasta dos días.

3 **Expansión** En parejas, contesten estas preguntas.

- Imagina que sólo puedes llevar tres de los objetos del equipo para llegar a la cima de El Yunque. ¿Cuáles llevarías? ¿Por qué?
- ¿Alguno de los atractivos de El Yunque te anima (*encourages you*) a visitar este bosque en tus próximas vacaciones? ¿Cuál? ¿Por qué?
- ¿Qué tipo de comida llevas cuando vas de excursión? ¿Qué otras cosas llevas en la mochila?

PUEDO conversar sobre el parque El Yunque de Puerto Rico y sobre diversas especies que pueden encontrarse en los bosques tropicales.

Corresponsal: Diego Palacios
País: Puerto Rico

En El Yunque hay más especies de árboles que en ningún otro de los bosques nacionales, muchos de los cuales son cientos de veces más grandes, como el Parque Yellowstone o el Yosemite.

Nadar en los ríos de El Yunque es uno de los pasatiempos favoritos de los puertorriqueños, así como es meterse debajo de las cascadas.

El Yunque es el único bosque tropical lluvioso. del Sistema Nacional de Bosques de los Estados Unidos.

6.1 The future

Te llevaré a un lugar cerca de aquí donde se comen las mejores tlayudas con mole.

En caso de que no te guste, lo cambiaremos sin problemas.

TALLER DE CONSULTA

MANUAL DE GRAMÁTICA
Más práctica

6.1 The future, p. A33

6.2 The subjunctive in adverbial clauses, p. A34

6.3 Prepositions: **a**, **hacia**, and **con**, p. A35

Gramática adicional

6.4 Adverbs, p. A36

¡ATENCIÓN!

Note that all of the future tense endings carry a written accent mark except the **nosotros** form.

- The future tense (**el futuro**) uses the same endings for all **-ar, -er**, and **-ir** verbs. For regular verbs, the endings are added to the infinitive.

The future tense

hablar	deber	abrir
hablaré	deberé	abriré
hablarás	deberás	abrirás
hablará	deberá	abrirá
hablaremos	deberemos	abriremos
hablaréis	deberéis	abriréis
hablarán	deberán	abrirán

- For irregular verbs, the same future endings are added to the irregular stem.

Infinitive	stem	future forms
caber	cabr-	cabré, cabrás, cabrá, cabremos, cabréis, cabrán
haber	habr-	habré, habrás, habrá, habremos, habréis, habrán
poder	podr-	podré, podrás, podrá, podremos, podréis, podrán
querer	querr-	querré, querrás, querrá, querremos, querréis, querrán
saber	sabr-	sabré, sabrás, sabrá, sabremos, sabréis, sabrán
poner	pondr-	pondré, pondrás, pondrá, pondremos, pondréis, pondrán
salir	saldr-	saldré, saldrás, saldrá, saldremos, saldréis, saldrán
tener	tendr-	tendré, tendrás, tendrá, tendremos, tendréis, tendrán
valer	valdr-	valdré, valdrás, valdrá, valdremos, valdréis, valdrán
venir	vendr-	vendré, vendrás, vendrá, vendremos, vendréis, vendrán
decir	dir-	diré, dirás, dirá, diremos, diréis, dirán
hacer	har-	haré, harás, hará, haremos, haréis, harán
satisfacer	satisfar-	satisfaré, satisfarás, satisfará, satisfaremos, satisfaréis, satisfarán

- Most verbs derived from irregular verbs follow the same pattern.

poner ▶ **pondré**
proponer ▶ **propondré**

- In Spanish, as in English, the future tense is one of many ways to express actions or conditions that will happen in the future.

PRESENT INDICATIVE

conveys a sense of certainty that the action will occur

Llegan a la costa mañana.
They arrive at the coast tomorrow.

PRESENT SUBJUNCTIVE

refers to an action that has yet to occur; used after verbs of will and influence

Prefiero que **lleguen** a la costa mañana.
I prefer that they arrive at the coast tomorrow.

ir a + [*infinitive*]

expresses the near future; is commonly used in everyday speech

Van a llegar a la costa mañana.
They are going to arrive at the coast tomorrow.

FUTURE TENSE

expresses an action that will occur; often implies more certainty than **ir a** + [*infinitive*]

Llegarán a la costa mañana.
They will arrive at the coast tomorrow.

- The English word *will* can refer either to future time or to someone's willingness to do something. To express willingness, Spanish uses the verb **querer** + [*infinitive*], not the future tense.

¿**Quieres contribuir** a la protección del medio ambiente?
Will you contribute to the protection of the environment?

Quiero ayudar, pero no sé por dónde empezar.
I'm willing to help, but I don't know where to begin.

- In Spanish, the future tense may be used to express conjecture or probability, even about present events. English expresses this sense in various ways, such as *wonder*, *bet*, *must be*, *may*, *might*, and *probably*.

¿Qué hora **será**?
I wonder what time it is.

¿**Lloverá** mañana?
Do you think it will rain tomorrow?

Ya **serán** las dos de la mañana.
It must be two a.m. by now.

Probablemente **tendremos** un poco de sol y un poco de viento.
It'll probably be sunny and windy.

- When the present subjunctive follows a conjunction of time like **cuando**, **después (de) que**, **en cuanto**, **hasta que**, and **tan pronto como**, the future tense is often used in the main clause of the sentence.

Nos quedaremos lejos de la costa **hasta que pase** el huracán.
We'll stay far from the coast until the hurricane passes.

En cuanto termine de llover, **regresaremos** a casa.
As soon as it stops raining, we'll go back home.

Tan pronto como salga el sol, **iré** a la playa a tomar fotos.
As soon as the sun comes up, I'll go to the beach to take photos.

¡ATENCIÓN!

The future tense is used less frequently in Spanish than in English.

Te llamo mañana.
I'll call you tomorrow.

TALLER DE CONSULTA

For a detailed explanation of the subjunctive with conjunctions of time, see **6.2**, pp. 244–245.

Práctica

TALLER DE CONSULTA

MANUAL DE GRAMÁTICA
Más práctica

6.1 The future, p. A33

1 **Catástrofe** Hay muchas historias que cuentan el fin del mundo. Aquí tienes una de ellas.

A. Primero, lee la historia y subraya las expresiones del futuro. Después cambia esas expresiones por verbos en futuro.

(1) Los videntes (*fortune tellers*) aseguran que van a llegar catástrofes. (2) El clima va a cambiar. (3) Va a haber huracanes y terremotos. (4) Vamos a vivir tormentas permanentes. (5) Una gran niebla va a caer sobre el mundo. (6) El suelo del bosque va a temblar. (7) El mundo que conocemos también va a acabarse. (8) En ese instante, la Tierra va a volver a sus orígenes.

1. ______
2. ______
3. ______
4. ______
5. ______
6. ______
7. ______
8. ______

B. Ahora, en parejas, escriban su propia historia del futuro del planeta. Pueden inspirarse en el párrafo anterior o pueden escribir una versión más optimista.

2 **Horóscopo chino** En el horóscopo chino, cada signo es un animal. Lee las predicciones del horóscopo chino para la serpiente. Conjuga los verbos en paréntesis usando el futuro.

Trabajo: Esta semana (1) ______ (tener) que trabajar duro. (2) ______ (salir) poco y no (3) ______ (poder) divertirte, pero (4) ______ (valer) la pena. Muy pronto (5) ______ (conseguir) el puesto que esperas.

Dinero: (6) ______ (venir) tormentas económicas. No malgastes tus ahorros.

Salud: (7) ______ (resolver) tus problemas respiratorios, pero (8) ______ (deber) cuidarte la garganta.

Amor: (9) ______ (recibir) una noticia muy buena. Una persona especial te (10) ______ (decir) que te ama. (11) ______ (venir) días felices.

3 **El futuro** En parejas, imaginen que uno/a de ustedes es un(a) investigador(a). La otra persona es un(a) estudiante que quiere saber qué sucederá en el futuro. El/La investigador(a) deberá contestar preguntas relacionadas con estos temas.

MODELO
ESTUDIANTE ¿Existirán las bibliotecas en el futuro?
INVESTIGADOR(A) Sí, pero habrá menos debido al desarrollo de la tecnología.

trabajo

estudios

naturaleza

política

Comunicación

4 

Viaje ecológico Tu compañero/a y tú tienen que planear un viaje ecológico. Decidan a qué país irán, en qué fechas y qué harán allí. Usen ocho verbos en futuro.

ECOTURISMO

Puerto Rico

- acampar en la costa y disfrutar de las playas
- visitar el Viejo San Juan
- montar a caballo por la Cordillera Central
- ir en bicicleta por la costa
- viajar en barco por Isla Culebra

República Dominicana

- ir en kayak por los ríos tropicales
- bucear por los arrecifes
- ir de safari por La Descubierta y ver los cocodrilos del Lago Enriquillo
- disfrutar del paisaje de Barahona
- observar las aves en el Parque Nacional del Este

5

¿Qué será de...? En parejas, conversen sobre lo que sucederá en el futuro en relación con estos temas y lugares.

- las ballenas (*whales*) en 2200
- Venecia en 2065
- los libros tradicionales en 2105
- la televisión en 2056
- Internet en 2050
- las hamburguesas en 2080
- los Polos Norte y Sur en 2300
- el Amazonas en 2100
- Los Ángeles en 2245
- el petróleo en 2090

6 

¿Dónde estarán en 20 años? La fama es, en muchas ocasiones, pasajera (*fleeting*). En grupos de tres, hagan una lista de cinco personas famosas y anticipen lo que será de ellas dentro de veinte años.

7 

Situaciones

A. En parejas, seleccionen uno de estos temas e inventen una conversación usando el tiempo futuro.

1. Dos jóvenes han terminado sus estudios y hablan sobre lo que harán para convertirse en millonarios.
2. Dos ladrones acaban de robar todo el dinero de un banco internacional. Piensa en lo que harán para escapar de la policía.
3. Los/as hermanos/as Rondón han decidido convertir su granja (*farm*) en un centro de ecoturismo. Deben planear algunas atracciones para los turistas.

B. Ahora, interpreten su conversación ante la clase. La clase votará por la conversación más creativa.

PUEDO hablar sobre planes y hacer predicciones.

6.2 The subjunctive in adverbial clauses

- In Spanish, adverbial clauses are commonly introduced by conjunctions. Certain conjunctions require the subjunctive, while others can be followed by the subjunctive or the indicative, depending on the context in which they are used.

Si no te gusta, en cuanto regresemos a la ciudad, lo cambiamos.

¡Lo haremos! Tan pronto como sepa salir de aquí!

Conjunctions that require the subjunctive

- Certain conjunctions are always followed by the subjunctive because they introduce actions or states that are uncertain or have not yet happened. These conjunctions commonly express purpose, condition, or intent.

MAIN CLAUSE	CONNECTOR	SUBORDINATE CLAUSE
Se acabará el petróleo en pocos años	**a menos que**	**busquemos energías alternativas.**

Conjunctions that require the subjunctive	
a menos que *unless*	**en caso (de) que** *in case*
antes (de) que *before*	**para que** *so that*
con tal (de) que *provided that*	**sin que** *without; unless*

El gobierno se prepara **en caso de que haya** una gran sequía el verano que viene.
The government is getting ready in case there is a big drought in the coming summer.

A menos que haga mal tiempo, iremos a la montaña el próximo miércoles.
We will go to the mountains next Wednesday unless the weather is bad.

Debemos proteger a los animales salvajes **antes de que se extingan**.
We should protect wild animals before they become extinct.

- If there is no change of subject in the sentence, a subordinate clause is not necessary. Instead, the prepositions **antes de, con tal de, en caso de, para**, and **sin** can be used, followed by the infinitive. Note that the connector **que** is not necessary in this case.

Las organizaciones ecologistas trabajan **para proteger** los arrecifes de coral.
Environmental organizations work to protect coral reefs.

Tienes que pedir permiso **antes de darles de comer** a los monos del zoológico.
You have to ask permission before feeding the monkeys at the zoo.

¡ATENCIÓN!

An adverbial clause (**cláusula adverbial**) is one that modifies or describes verbs, adjectives, or other adverbs. It describes how, why, when, or where an action takes place.

To review the use of adverbs, see **Manual de gramática** 6.4, p. A36.

¡ATENCIÓN!

Adverbial clauses can also go before the main clause. Note that a comma is used in that case.

No iré a la fiesta a menos que me inviten.

A menos que me inviten, no iré a la fiesta.

Conjunctions followed by the subjunctive or the indicative

- If the action in the main clause has not yet occurred, then the subjunctive is used after conjunctions of time or concession.

Conjunctions of time or concession	
a pesar de que *despite*	**hasta que** *until*
apenas *as soon as*	**luego que** *as soon as*
aunque *although; even if*	**mientras que** *while*
cuando *when*	**ni/no bien** *as soon as*
después (de) que *after*	**siempre que** *as long as*
en cuanto *as soon as*	**tan pronto como** *as soon as*

La excursión no saldrá **hasta que estemos** todos.
The tour will not leave until we all are here.

Dejaremos libre al pájaro **en cuanto** el veterinario nos **diga** que puede volar.
We will free the bird as soon as the vet tells us it can fly.

Aunque me **digan** que es inofensivo, no me acercaré al perro.
Even if they tell me he's harmless, I'm not going near the dog.

Cuando Pedro vaya a cazar, tendrá cuidado con las serpientes venenosas.
When Pedro goes hunting, he will be careful of the poisonous snakes.

Te mando un mensaje de texto **apenas lleguemos** al aeropuerto.
I'll text you as soon as we get to the airport.

- If the action in the main clause has already happened, or happens habitually, then the indicative is used in the adverbial clause.

Tan pronto como paró de llover, Matías **salió** a jugar al parque.

As soon as the rain stopped, Matías went out to play in the park.

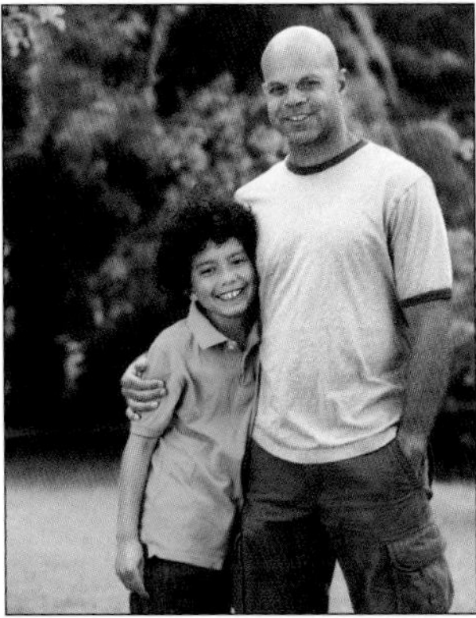

Mi padre y yo **siempre** nos lo pasamos bien **cuando estamos** juntos.

My father and I always have fun when we are together.

¡ATENCIÓN!

A pesar de, **después de**, and **hasta** can also be followed by an infinitive, instead of **que** + [*subjunctive*], when there is no change of subject.

Voy a acostarme después de ver las noticias.

Práctica

TALLER DE CONSULTA

MANUAL DE GRAMÁTICA
Más práctica

6.2 The subjunctive in adverbial clauses, p. A34

1 **Reunión** **Completa las oraciones con el indicativo (presente o pretérito) o el subjuntivo de los verbos entre paréntesis.**

1. Los ecologistas no apoyarán al alcalde (*mayor*) a menos que éste ______ (cambiar) su política de medio ambiente.
2. El alcalde va a hablar con su asesor (*advisor*) antes de que ______ (llegar) los ecologistas.
3. Los ecologistas entraron en la oficina del alcalde tan pronto como ______ (saber) que los esperaban.
4. El alcalde les asegura que siempre piensa en el medio ambiente cuando ______ (dar) permisos para construir edificios nuevos.
5. Los ecologistas van a estar preocupados hasta que el alcalde ______ (responder) a todas sus preguntas.

2 **¿Infinitivo o subjuntivo?** **Completa las oraciones con el verbo en infinitivo o en subjuntivo.**

1. Compraré un carro híbrido con tal de que no ______(ser) muy caro. Compraré un carro híbrido con tal de ______(conservar) los recursos naturales.
2. Los biólogos viajan para ______(estudiar) la biodiversidad. Los biólogos viajan para que la biodiversidad se ______(conocer).
3. Él se preocupará por el calentamiento global después de que los científicos le ______(demostrar) que es una realidad. Él se preocupará por el calentamiento global después de ______(ver) con sus propios ojos lo que ocurre.
4. No podremos continuar sin ______(tener) un mapa. No podremos continuar sin que alguien nos ______(dar) un mapa.

3 **Declaraciones** **Elige la conjunción adecuada para completar la conversación entre un periodista y la señora Corbo, encargada de relaciones públicas de un zoológico.**

PERIODISTA Señora Corbo, ¿qué le parece el artículo que se ha publicado en el que se dice que el zoológico no trata bien a los animales?

SRA. CORBO Lo he leído, y (1) ________ (aunque / cuando) yo no estoy de acuerdo con el artículo, hemos iniciado una investigación. (2) ________ (Hasta que / Tan pronto como) terminemos la investigación, se lo comunicaremos a la prensa. Queremos hablar con todos los empleados (3) ________ (en cuanto / para que) no haya ninguna duda.

PERIODISTA ¿Es verdad que limpian las jaulas sólo cuando va a haber una inspección (4) ________ (para que / sin que) el zoológico no tenga problemas con las autoridades?

SRA. CORBO Le aseguro que todo se limpia diariamente hasta el último detalle. Y si no me cree, lo invito a que nos visite mañana mismo.

PERIODISTA ¿Cuándo cree que sabrán lo que ha ocurrido?

SRA. CORBO (5) ________ (En cuanto / Aunque) termine la investigación.

Comunicación

4 **Instrucciones** Javier va a salir de viaje por el país y le ha dejado una lista de instrucciones a su compañero de casa. En parejas, túrnense para preparar las instrucciones usando oraciones adverbiales con subjuntivo y las conjunciones de la lista.

MODELO No uses mi computadora a menos que sea una emergencia.

a menos que
a pesar de que
con tal de que
cuando
en caso de que
en cuanto
para que
siempre que
tan pronto como

Instrucciones

- Darles de comer a los peces
- Comprar productos ecológicos
- No pasear el perro si hay tormenta
- Usar sólo papel reciclado
- No usar mucha agua excepto para regar (*to water*) las plantas
- Llamarme por cualquier problema

5  **Situaciones** En parejas, túrnense para completar las oraciones.

1. Terminaré mis estudios a tiempo a menos que…
2. Me iré a vivir a otro país en caso de que…
3. Ahorraré (*I will save*) mucho dinero para que…
4. Elegiré una carrera en cuanto…

6 **Huracán** En grupos de cuatro, imaginen que son compañeros/as de casa y que un huracán se acerca a la zona donde viven. Escriban un plan para explicar qué harán en las diferentes situaciones. Usen el subjuntivo y las conjunciones adverbiales.

MODELO **el agua se corta**
Llenaremos muchas botellas en caso de que el agua se corte.

- las bombillas de luz se queman
- las ventanas se rompen
- las líneas de teléfono se cortan
- el sótano se inunda (*flood*)
- los vecinos ya se han ido
- no hay suficiente alimento
- no hay conexión a Internet

PUEDO indicar instrucciones.

PUEDO escribir un plan de acción en caso de un fenómeno natural catastrófico.

6.3 Prepositions: *a*, *hacia*, and *con*

¡ATENCIÓN!

Some verbs require **a** before an infinitive, such as **ir a**, **comenzar a**, **volver a**, **enseñar a**, **aprender a**, **ayudar a**.

Aprendí a manejar.
I learned to drive.

Me ayudó a arreglar el coche.
He helped me fix the car.

The preposition *a*

- The preposition **a** can mean *to*, *at*, *for*, *upon*, *within*, *of*, *from*, or *by*, depending on the context. Sometimes it has no direct translation in English.

  Terminó **a** las doce.
  It ended at midnight.

  Lucy estaba **a** mi derecha.
  Lucy was to/on my right.

  El mar Caribe está **a** doscientas cincuenta millas de aquí.
  The Caribbean Sea is two hundred and fifty miles from here.

  Le compré un pájaro exótico **a** Juan.
  I bought an exotic bird from/for Juan.

  Al llegar **a** casa, me sentí feliz.
  Upon returning home, I felt happy.

  Fui **a** casa de mis padres para ayudarlos después de la inundación.
  I went to my parents' house to help them after the flood.

- The preposition **a** introduces indirect objects.

  Le prometió **a** su hijo que irían a navegar.
  He promised his son they would go sailing.

  Hoy, en el zoo, le di de comer **a** un conejo.
  Today, in the zoo, I fed a rabbit.

- The preposition **a** can be used to give commands or make suggestions.

  ¡**A** comer!
  Let's eat!

  ¡**A** dormir!
  Time for bed!

- When a direct object noun is a person (or a pet), it is preceded by the personal **a**, which has no equivalent in English. The personal **a** is also used with the words **alguien**, **nadie**, **alguno**, and **ninguno**.

  ¿Viste **a** tus amigos en el parque?
  Did you see your friends in the park?

  No, no he visto **a** nadie.
  No, I haven't seen anyone.

- The personal **a** is not used when the person in question is not specific.

  La organización ambiental busca voluntarios.
  The environmental organization is looking for volunteers.

  Sí, necesitan voluntarios para limpiar la costa.
  Yes, they need volunteers to clean the coast.

¡ATENCIÓN!

There is no accent mark on the **i** in the preposition **hacia**. The stress falls on the first **a**. The word **hacía** is a form of the verb **hacer**.

The preposition *hacia*

- With movement, either literal or figurative, **hacia** means *toward* or *to.*

  La actitud de Manuel **hacia** mí fue negativa.
  Manuel's attitude toward me was negative.

  El biólogo se dirige **hacia** Puerto Rico para la entrevista.
  The biologist is headed to Puerto Rico for the interview.

- With time, **hacia** means *approximately*, *around*, *about*, or *toward.*

  El programa que queremos ver empieza **hacia** las 8.
  The show that we want to watch will begin around 8:00.

  La televisión se hizo popular **hacia** la segunda mitad del siglo XX.
  Television became popular toward the second half of the twentieth century.

The preposition *con*

Los cactus pueden adaptarse con facilidad a medio ambientes desérticos.

- The preposition **con** means *with.*

Me gustaría hablar **con** el director del departamento.
I would like to speak with the director of the department.

Es una organización ecológica **con** muchos miembros.
It's an environmental organization with lots of members.

- Many English adverbs can be expressed in Spanish with **con** + [*noun*].

Habló del tema **con** cuidado.
She spoke about the issue carefully.

Hablaba **con** cariño.
He spoke affectionately.

- The preposition **con** is also used rhetorically to emphasize the value or the quality of something or someone, contrary to a given fact or situation. In this case, **con** conveys surprise at an apparent conflict between two known facts. In English, the words *but, even though,* and *in spite of* are used.

Los turistas tiraron los envoltorios al suelo.
The tourists threw wrappers on the ground.

¡**Con** lo limpio que estaba todo!
But the place was so clean!

- If **con** is followed by **mí** or **ti**, it forms a contraction: **conmigo**, **contigo**.

con + mí ▶ **conmigo**
con + ti ▶ **contigo**

¿Quieres venir **conmigo** al campo?
Do you want to come with me to the countryside?

Por supuesto que quiero ir **contigo**.
Of course I want to go with you.

- **Consigo** is the contraction of **con** + **usted/ustedes** or con + **él/ella/ellos/ellas**. **Consigo** is equivalent to the English *with himself/herself/yourself* or *with themselves/yourselves,* and is commonly followed by **mismo**. It is only used when the subject of the sentence is the same person referred to after **con**.

Están satisfechos **consigo mismos**.
They are satisfied with themselves.

Cristina no está feliz **consigo misma**.
Cristina is not happy with herself.

Fui al cine **con él**.
I went to the movies with him.

Prefiero ir al parque **con usted**.
I prefer going to the park with you.

Práctica

TALLER DE CONSULTA

MANUAL DE GRAMÁTICA
Más práctica

6.3 Prepositions: **a**, **hacia**, and **con**, p. A35

1 **¿Cuál es?** Elige entre las preposiciones **a**, **hacia** y **con** para completar cada oración.

1. El león caminaba ____ el árbol.
2. Dijeron que la tormenta empezaría ____ las dos de la tarde.
3. Le prometí que iba ____ ahorrar combustible.
4. Ellos van a tratar de ser responsables ____ el medio ambiente.
5. Contribuyó a la campaña ecológica ____ mucho dinero.
6. El depósito de combustible estaba ____ mi izquierda.

2 **Amigos** Primero, completa los párrafos con las preposiciones **a** y **con**. Marca los casos que no necesitan una preposición con una **X**.

Emilio invitó (1) ___ María (2) ___ ir de excursión. Él quería ir al bosque (3) ___ ella porque quería mostrarle un paisaje donde se podían ver (4) ___ muchos pájaros. Él sabía que (5) ___ ella le gustaba observar (6) ___ las aves.
María le dijo que sí (7) ___ Emilio. Ella no conocía (8) ___ nadie más (9) ___ quien compartir su interés por la naturaleza. Hacía poco que había llegado (10) ___ la ciudad y buscaba (11) ___ amigos (12) ___ sus mismos intereses.

3 **Conversación** Completa la conversación de Emilio y María con la opción correcta de la preposición **con**. Puedes usar las opciones de la lista más de una vez.

con	consigo	con nosotros
conmigo	contigo	con ustedes

EMILIO Gracias por haber venido (1) ________ a correr por el campo. Ha sido una tarde divertida.

MARÍA No, Emilio. Gracias a ti por haberme invitado a venir (2) ________. No conocía este sitio y es maravilloso. ¡(3)________ lo que me gusta el campo!

EMILIO Pues ya lo sabes, puedes venir (4) ________ cuando quieras. ¿Qué te parece si lo repetimos la próxima semana?

MARÍA Me encantaría volver. La próxima vez, vendré (5) ________ mis zapatos de tenis nuevos.

EMILIO A veces, vengo (6) ________ mi hermano pequeño. Tiene once años, seguro que te cae bien. Si quieres, la semana que viene puede venir (7) ________. Él siempre se trae un cronómetro (*stopwatch*) (8) ________. Él dice que va a ser un atleta famoso.

MARÍA Perfecto, la semana que viene venimos los tres. Estoy segura de que lo voy a pasar bien (9) ________.

Comunicación

4 

Safari En parejas, escriban un artículo periodístico breve sobre lo que le sucedió a un grupo de turistas durante un safari. Usen por lo menos cuatro frases de la lista. Sean imaginativos. Después, compartan el informe periodístico con la clase.

a correr	a tomar una foto	hacia el carro
al guía	con la boca abierta	hacia el león
a nadie	con la cámara digital	hacia el tigre

5 

Noticias En grupos de cuatro o cinco, lean los titulares e inventen la noticia. Formen un círculo. El primero debe leer el titular al segundo, añadiendo (*adding*) algo. El estudiante repite la noticia al tercero y añade otra cosa, y así sucesivamente (*and so on*). Las partes que añadan a la noticia deben incluir las preposiciones **a**, **con** o **hacia**.

MODELO **Acusaron a Petrosur de contaminar el río.**

ESTUDIANTE 1: Acusaron a Petrosur de contaminar el río con productos químicos.

ESTUDIANTE 2: Acusaron a Petrosur de contaminar el río con productos químicos. A diario se ven horribles manchas que flotan en el agua.

ESTUDIANTE 3: Acusaron a Petrosur de contaminar el río con productos químicos. A diario se ven horribles manchas que flotan en el agua hacia la bahía.

1. Inventaron un combustible nuevo.
2. El presidente felicitó (*congratulated*) a los bomberos.
3. Inauguran hoy una nueva reserva.
4. Se acerca una tormenta.

6  

Síntesis

A. **En parejas háganse estas preguntas sobre la naturaleza. Deben usar el futuro, el subjuntivo y las preposiciones a, hacia y con en sus respuestas.**

1. ¿Conoces a alguien que contribuya a cuidar el medio ambiente?
2. ¿Te gusta cazar? ¿Conoces a mucha gente que cace?
3. ¿Crees que reciclar es importante? ¿Por qué? ¿Qué sucederá si no reciclamos?
4. ¿Qué actitud tienes hacia el uso de productos desechables?
5. ¿Qué cambios de estilo de vida ayudan a proteger el medio ambiente?

B. **Informen a la clase de lo que han aprendido de su compañero/a usando las preposiciones correspondientes. Sigan el modelo.**

Juana, mi compañera, dice que no conoce a nadie que contribuya a cuidar el medio ambiente. Ella dice que si no reciclamos, tendremos problemas con la cantidad de basura...

PUEDO escribir un artículo sobre el safari de unos turistas.

PUEDO responder preguntas sobre el cuidado del medio ambiente, usando **a**, **hacia** y **con**.

Objetivo comunicativo: Analizar un documental sobre la naturaleza y el significado de algunas expresiones usadas en el video

Antes de ver el video

PLAYA DEL CARMEN: TIBURÓN TORO

país México
duración 7 minutos
directora Tania Escobar
con Luis Lombardo, Luis Leal, Jorge Loria

Vocabulario

el/la aliado/a *ally*
el asombro *astonishment*
el buceo *diving*
el buzo *diver*
dar a luz *to give birth*
darse la vuelta *to turn back*
enfrente (de) *facing*
la hembra *female (animal)*
el manglar *mangrove swamp*
preñada *pregnant*
la veda *closed season, ban (for fishing)*

1 Un anuncio Completa el anuncio con las palabras o expresiones apropiadas.

¿Le gusta el océano? ¿Le interesa practicar el (1) _______ y sumergirse en el mar para admirar la fauna marina? Si es así, lo invitamos a participar en nuestro programa de navegación que lo dejará con los ojos abiertos de (2) _______. Después de navegar cerca a la costa y apreciar los (3) _______ y su diversa vegetación, los participantes podrán nadar en el mar y observar muchas especies marinas, algunas de las cuales vienen a poner sus huevos o a (4) _______ en esta temporada frente a nuestras costas. Si le interesa este programa y quiere más información, acérquese a nuestras oficinas que se encuentran afuera del hotel, (5) _______ de la marina.

2 El buceo En parejas, contesten estas preguntas.

1. ¿Qué opinas del buceo? ¿Alguna vez lo has practicado? ¿O te gustaría practicarlo?
2. ¿Conoces algún lugar del mundo donde sea particularmente interesante bucear? ¿Y algún lugar en tu país?
3. ¿Qué sabes sobre los tiburones? ¿Crees que son animales peligrosos? ¿Por qué?
4. ¿Cómo crees que podemos ayudar a proteger a las especies marinas?
5. ¿Qué características debe tener el turismo responsable? ¿De qué manera el turismo puede reducir los efectos negativos sobre el medio ambiente?

3 ¿De qué tratará? En parejas, describan la siguiente imagen. ¿Qué relación tendrá con el video que van a ver?

PLAYA DEL CARMEN
TIBURÓN TORO
VOCES DEL MAR
Historias de los Mares Mexicanos
www.maresmexicanos.com
ALIANZA WORLD WILDLIFE FUND (WWF) / FUNDACIÓN CARLOS SLIM Y GULF OF CALIFORNIA MARINE PROGRAM PRESENTAN VOCES DEL MAR UNA PRODUCCIÓN
DE MARES MEXICANOS EN ASOCIACIÓN CON CENTRO PARA LA BIODIVERSIDAD MARINA Y LA CONSERVACIÓN Y DEEP EARTH MEDIA
PRODUCCIÓN Y DIRECCIÓN TANIA ESCOBAR PRODUCCIÓN EJECUTIVA OCTAVIO ABURTO POSTPRODUCCIÓN ULISES FIERRO CINEMATOGRAFÍA ALFREDO BARROSO, TANIA
ESCOBAR, THOR MORALES SONIDO RAYNIER HINOJOSA NARRACIÓN MARÍA SANDOVAL GUIÓN DANIEL TAVARES, ALINA MONTERO, GRALIA ACEVEDO
Alianza
GC MARINE PROGRAM
MARES MEXICANOS
DeepEarthMedia

TEMA Un grupo de buzos profesionales cuentan sus experiencias enseñándoles a las personas a tener encuentros cercanos con los tiburones en Playa del Carmen.

Escenas

LOCUTORA Durante el invierno, la costa de Playa del Carmen recibe a un grupo de misteriosos visitantes.

LUIS LOMBARDO Quintana Roo es una zona de manglares, entonces es bien sabido que durante una temporada los tiburones se adentran° al manglar para tener allá sus crías°.

JORGE LORIA Lo que me habían enseñado era que los tiburones comían gente. Entonces, imagínate, cuando veo a este animal de frente a mí, digo: "Ya está, ¡éste es el fin!, ¡me va a comer!".

LUIS LEAL Compartir con otras personas ese gusto, ese cariño por los animales me llena mucho como instructor y como guía de buceo.

JORGE LORIA ¡Y ver los ojos esos, así de este tamaño de asombro de la gente!

JORGE LORIA Y les preguntamos: "¿Cómo te sientes?", y te empiezan a decir "*Rebién*°, yo no pensé que los tiburones eran así; ¡tenía tanto miedo!".

adentrarse *to go deep into* **la cría** *offspring* **rebién** *(colloquial) very well*

Después de ver el video

1 Comprensión Contesta las preguntas con oraciones completas.

1. ¿En dónde está ubicada Playa del Carmen?
2. ¿Quiénes son los "misteriosos visitantes" que llegan a este lugar?
3. ¿En qué época del año llegan esos misteriosos visitantes y para qué?
4. ¿Cómo es el agua donde se encuentran estos animales?
5. ¿Cómo se sienten las personas después de la experiencia de sentir a los tiburones cerca de ellas?
6. ¿Qué ha pasado con los tiburones durante las últimas décadas?
7. ¿De qué depende la conservación de los tiburones?
8. ¿Por qué la veda no está bien planeada?
9. ¿Con qué objetivo se marca a las hembras de tiburón?

2 Interpretación En parejas, respondan las siguientes preguntas.

1. ¿Qué hizo que Jorge Loria cambiara la manera como veía a los tiburones?
2. ¿Qué efecto tiene en la gente la experiencia de buceo con los tiburones?
3. ¿Cuál es la importancia de este buceo?
4. Según Jorge Loria, ¿cuál es la diferencia en la situación de los tiburones entre el presente y hace unos cuarenta años?
5. ¿Qué proponen los instructores de buceo con respecto al buceo y el turismo en la zona?

3 Análisis En grupos pequeños, discutan el significado de las siguientes expresiones tomadas del video.

Estamos cambiándole la manera de pensar a la gente.

Y cuando sale de ahí, sale con el corazón destrozado.

Nos deja mucho más un tiburón vivo vendiéndolo para verlo que vendiéndolo en un plato.

PUEDO analizar un documental sobre la naturaleza y el significado de algunas expresiones usadas en el video.

Objetivo comunicativo: Comentar las características de la pintura *Autorretrato con mono* de Frida Kahlo

"Quien rompe una tela de araña,
a ella y a sí mismo daña."

Anónimo

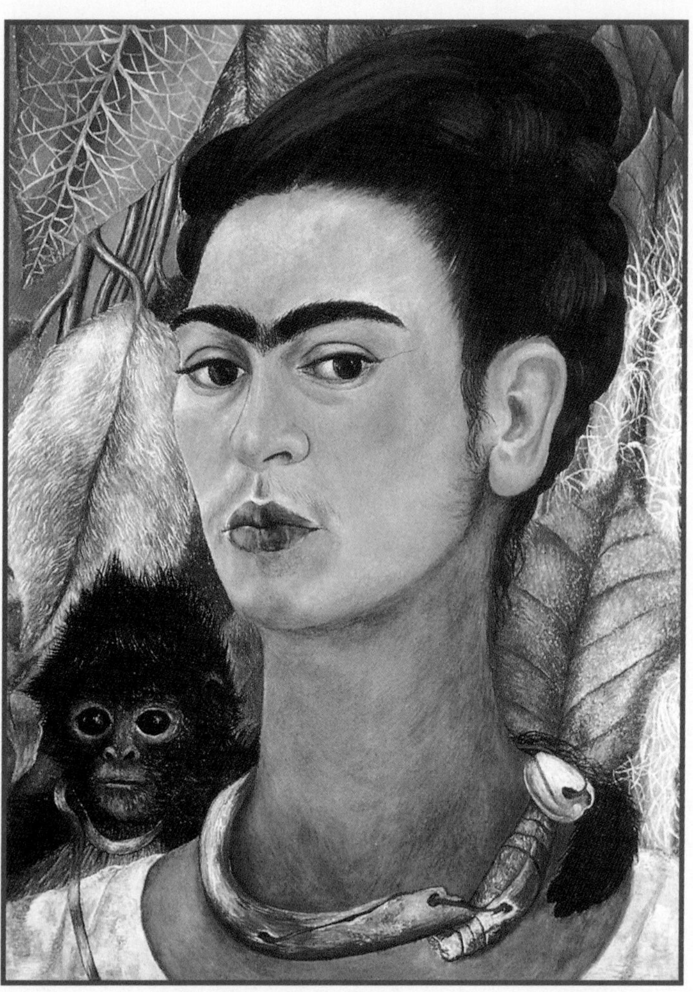

Autorretrato con mono, 1938
Frida Kahlo, México

Interpretar En parejas, respondan estas preguntas.

1. ¿Qué se ve en este cuadro?
2. ¿Reconocen a la mujer? Si no, ¿quién puede ser según la imagen?
3. ¿Qué hace el mono en la escena? ¿Será amigable, peligroso, gracioso?
4. ¿Cómo es el escenario y dónde te parece que está ubicada la escena?
5. ¿Crees que la artista se siente cómoda en medio de la naturaleza? ¿Por qué?

PUEDO opinar sobre lo que representa la obra *Autorretrato con mono* de la artista mexicana Frida Kahlo.

Antes de leer

El eclipse

Sobre el autor

Augusto Monterroso (1921-2003) nació en Honduras, pero pasó su infancia y juventud en Guatemala. En 1944 se radicó (*settled*) en México tras dejar Guatemala por motivos políticos. A pesar de su origen y de haber vivido su vida adulta en México, siempre se consideró guatemalteco. Monterroso tuvo acceso desde pequeño al mundo intelectual de los adultos. Fue prácticamente autodidacta: abandonó la escuela a los once años y con sólo quince fundó una asociación de artistas y escritores. Considerado padre y maestro del microcuento latinoamericano, Monterroso recurre (*resorts to*) en su prosa al humor inteligente con el que presenta su visión de la realidad. Entre sus obras se destacan *La oveja negra y demás fábulas* (1969) y la novela *Lo demás es silencio* (1978). Recibió numerosos premios, entre los que destaca el Príncipe de Asturias en 2000.

Vocabulario

aislado/a *isolated*	**florecer** *to blossom*	**sacrificar** *to sacrifice*
digno/a *worthy*	**oscurecer** *to darken*	**salvar** *to save*
disponerse a *to be about to*	**prever** *to foresee*	**valioso/a** *valuable*
la esperanza *hope*	**la prisa** *hurry*	

Exploradores Completa esta introducción de un cuento con las palabras apropiadas.

Los exploradores salieron rumbo a la ciudad perdida sin (1) ______ ninguno de los peligros de la selva. El viejo mapa indicaba que la ciudad escondía un (2) ______ tesoro. Cuando (3) ______ a iniciar la marcha, se dieron cuenta de que iba a (4) ______ antes de que llegaran, por lo que decidieron avanzar con (5) ______. Tenían la (6) ______ de llegar antes de la medianoche.

Conexión personal Responde estas preguntas: ¿Alguna vez viste un eclipse? ¿Cómo fue la experiencia? ¿Hay algún fenómeno natural al que le tengas miedo? ¿Cuál? ¿Por qué?

Análisis literario: el microcuento

El microcuento es un relato breve, pero no por eso se trata de un relato simple. En estos cuentos, el lector participa activamente porque debe compensar los recursos utilizados (economía lingüística, insinuación, elipsis) a través de la especulación o haciendo uso de sus conocimientos previos. Este género nació en Argentina en la década de 1950 con el escritor Jorge Luis Borges. A medida que lees *El eclipse,* haz una lista de los conocimientos previos y también de las especulaciones que sean necesarias para comprender el relato. Después, compara tu lista con la de tus compañeros/as. ¿Qué elementos de sus listas coinciden?

Audio:
Dramatic reading

EL ECLIPSE

Augusto Monterroso

Cuando fray° Bartolomé Arrazola se sintió perdido, aceptó que ya nada podría salvarlo. La selva poderosa° de Guatemala lo había apresado°, implacable y definitiva. Ante su ignorancia topográfica se sentó con tranquilidad a esperar la muerte. Quiso morir allí, sin ninguna esperanza, aislado, con el pensamiento fijo en la España distante, particularmente en el convento de Los Abrojos, donde Carlos Quinto condescendiera una vez a bajar de su eminencia para decirle que confiaba en el celo° religioso de su labor redentora°.

Al despertar se encontró rodeado° por un grupo de indígenas de rostro° impasible que se disponían a sacrificarlo ante un altar, un altar que a Bartolomé le pareció como el lecho° en que descansaría, al fin, de sus temores°, de su destino, de sí mismo.

Tres años en el país le habían conferido un mediano dominio° de las lenguas nativas. Intentó algo. Dijo algunas palabras que fueron comprendidas.

Entonces floreció en él una idea que tuvo por digna de su talento y de su cultura universal y de su arduo conocimiento de Aristóteles. Recordó que para ese día se esperaba un eclipse total de sol. Y dispuso, en lo más íntimo°, valerse de° aquel conocimiento para engañar° a sus opresores y salvar la vida.

—Si me matáis —les dijo— puedo hacer que el sol se oscurezca en su altura.

Los indígenas lo miraron fijamente y Bartolomé sorprendió la incredulidad en sus ojos. Vio que se produjo un pequeño consejo°, y esperó confiado, no sin cierto desdén°.

Dos horas después el corazón de fray Bartolomé Arrazola chorreaba° su sangre vehemente sobre la piedra de los sacrificios (brillante bajo la opaca luz de un sol eclipsado), mientras uno de los indígenas recitaba sin ninguna inflexión de voz, sin prisa, una por una, las infinitas fechas en que se producirían eclipses solares y lunares, que los astrónomos de la comunidad maya habían previsto y anotado en sus códices sin la valiosa ayuda de Aristóteles. ■

friar
powerful/captured
zeal
redemptive
surrounded
face
bed/fears
command (of a language)
deepest recesses/to take advantage of
to trick
counsel/disdain
was gushing

Después de leer

El eclipse

Augusto Monterroso

1 **Comprensión** Contesta las preguntas con oraciones completas.

1. ¿Dónde se encontraba fray Bartolomé?
2. ¿Conocía el protagonista la lengua de los indígenas?
3. ¿Qué querían hacer los indígenas con fray Bartolomé?
4. ¿Qué les advirtió fray Bartolomé a los indígenas?
5. ¿Qué quería fray Bartolomé que los indígenas creyeran?
6. ¿Qué recitaba un indígena mientras el corazón del fraile sangraba?

2 **Interpretación** Contesta las siguientes preguntas.

1. ¿Por qué crees que fray Bartolomé pensaba en el convento de Los Abrojos antes de morir?
2. ¿Cuál había sido la misión de fray Bartolomé en Guatemala?
3. ¿Quién le había encomendado esa misión?
4. ¿Por qué no le sirvieron a fray Bartolomé sus conocimientos sobre Aristóteles?

3 **Fenómenos naturales** En grupos de tres, investiguen acerca de un fenómeno o desastre natural, o un acontecimiento que haya despertado grandes temores o supersticiones.

A. Investiguen qué predicciones se hicieron de estos eventos y cuáles fueron sus consecuencias reales. Si lo desean, pueden elegir un evento que no esté en la lista. Presenten la investigación ante la clase.

- el cometa Halley
- la llegada del año 2000
- la amenaza nuclear durante la guerra fría
- la erupción del volcán Vesubio en Pompeya

B. Escriban un microcuento sobre uno de los fenómenos o acontecimientos presentados. Lean el microcuento al resto de la clase. Sus compañeros/as deben adivinar de qué fenómeno o acontecimiento se trata.

4 **Escribir** Investiga acerca de la flora y la fauna de la selva guatemalteca. Luego, imagina que eres fray Bartolomé y tienes que escribirle una carta al Rey Carlos V contándole lo que observaste en la selva. Usa el vocabulario de la lección.

MODELO Estimado Rey Carlos V: Como Su Majestad sabe, le escribo desde la selva de Guatemala, adonde llegué hace ya tres años. En esta carta, quiero contarle...

PUEDO compartir predicciones sobre fenómenos naturales y escribir un microcuento

Antes de leer

Vocabulario

ambiental *environmental*	**el monte** *mountain*
el bombardeo *bombing*	**la pureza** *purity*
el ecosistema *ecosystem*	**el refugio** *refuge*
la especie *species*	**el terreno** *land*
el/la manifestante *protester*	**el veneno** *poison*

El Yunque Completa las oraciones con el vocabulario de la tabla.

1. Puerto Rico es una isla de __________ muy variado: hay montañas, playas y hasta un bosque tropical, el Bosque Nacional del Caribe, también llamado El Yunque.
2. El Yunque tiene una diversidad de vegetación impresionante, que incluye casi 250 __________ de árboles.
3. También es un __________ natural para los animales, ya que en el bosque están protegidos de la caza (*hunting*).
4. El __________ más alto de El Yunque es El Toro, con una altura de 1.077 metros (3.533 pies).
5. Hay grupos dedicados a la protección __________ de El Yunque. Buscan preservar la __________ de este paraíso tropical.

Conexión personal Responde estas preguntas: ¿Qué significado tiene la naturaleza para ti? ¿Es una fuente de trabajo o de alimento (*food*)? ¿O es un lugar de diversión y belleza? ¿Qué haces para proteger la naturaleza? ¿Cómo crees que será el mundo natural dentro de cien años? ¿Y dentro de quinientos?

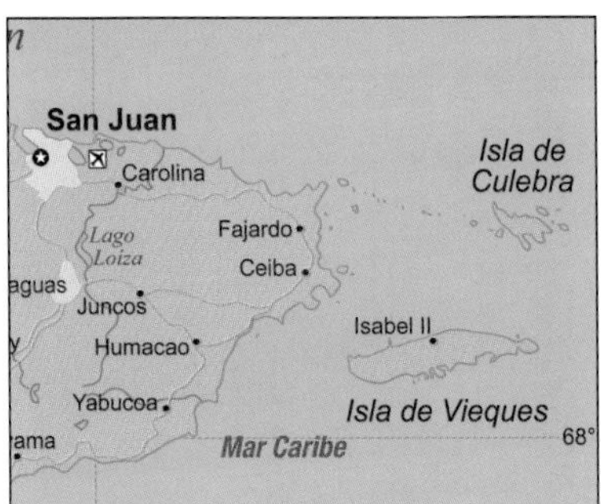

Contexto cultural

Situada en el agua transparente del Mar Caribe, la pequeña **isla de Vieques** es un refugio de lagunas, bahías y playas que forman un hábitat ideal para varias clases de tortugas marinas (*sea turtles*), el manatí y arrecifes de coral. La gente de Vieques comparte los pequeños montes y las aguas cristalinas (*crystal clear*) de la isla con una rica variedad de flora y fauna, entre ellas cinco especies de plantas y diez especies de animales en peligro de extinción. La isla de Vieques, de 33 kilómetros de largo por 7,2 de ancho (20,5 por 4,3 millas), es un municipio de Puerto Rico que tiene más de nueve mil habitantes. Puerto Rico es un Estado Libre Asociado de los Estados Unidos. Los habitantes de Puerto Rico, también llamados *boricuas*, son ciudadanos estadounidenses.

La conservación de Vieques

Vieques — Vista aérea de la zona de maniobras militares

"¡Vieques renace!"° anuncia el gobierno de este municipio puertorriqueño, que busca estimular el turismo de una isla rica en naturaleza, pero golpeada° por devastadores huracanes y pobre en economía. Vieques dispone de° sitios arqueológicos importantes, playas espectaculares, un fuerte° histórico y una bahía bioluminiscente, la Bahía Mosquito, que es una maravilla de la naturaleza. Sus arrecifes de coral contienen un ecosistema de enorme productividad y diversidad biológica. Forman un pequeño paraíso que alberga y protege una inmensa variedad de especies, de plantas y animales acuáticos.

Vieques is reborn!

boasts

fort

Sin embargo, en vez de tener una tradición de alto turismo, la isla ha padecido° graves problemas. Vieques fue utilizada para prácticas de bombardeo desde 1941. En esa época muchas personas fueron desalojadas° cuando la Armada° de los Estados Unidos ocupó dos áreas en los extremos de la isla. Las prácticas continuaron por varias décadas, pero en abril de 1999 un guardia de seguridad murió cuando una bomba cayó fuera de la zona de tiro°. La muerte de David Sanes encolerizó° a los viequenses° y dio origen° a una campaña de desobediencia civil. El presidente Clinton prometió cesar el entrenamiento° de bombardeo en Vieques, pero éste continuó con bombas inertes a pesar de que los viequenses habían exigido "¡Ni una bomba más!". Los manifestantes entraban en la zona de tiro y establecían campamentos; otros se manifestaban° en Puerto Rico y en los Estados Unidos, y pronto captaron° la atención internacional. Robert Kennedy, Jr., Jesse Jackson, Rigoberta Menchú y el Dalai Lama, entre otros, hicieron declaraciones a favor de° Vieques y muchas personas fueron a la cárcel° después de ser arrestadas en la zona de tiro.

> **"La protesta se centró en gran parte en los problemas que las bombas habían causado al medioambiente, a la economía de Vieques y a la salud de los viequenses."**

La protesta se centró en gran parte en los problemas que las bombas habían causado al medioambiente, a la economía de Vieques y a la salud de los viequenses. Las décadas de prácticas de bombardeo dejaron un nivel muy alto de contaminación, que incluye la presencia de uranio reducido (un veneno muy peligroso). Después de una persistente campaña de protesta y lucha°, las prácticas de bombardeo terminaron en 2003 y la Agencia de Protección Ambiental (EPA) declaró en 2005 que la limpieza ambiental de Vieques sería una de las prioridades nacionales. Hoy por hoy esta agencia ejecuta un programa para limpiar y descontaminar completamente, antes del año 2028, las tierras y las áreas marinas afectadas.

En la actualidad, los extremos este y oeste de la isla se convirtieron en uno de los refugios de vida silvestre más grandes del Caribe. Los viequenses esperan que la isla pueda renacer de entre los escombros° dejados por los huracanes Irma y María en 2017, limpiar y descontaminar sus costas después de más de sesenta años de ejercicios de bombardeo y, al mismo tiempo, desarrollar su economía. Vieques sigue siendo un símbolo de resistencia y es un lugar cada vez más popular para el turismo local y extranjero. ■

- padecido: *suffered*
- desalojadas: *evicted*
- Armada: *Navy*
- zona de tiro: *live-fire range*
- encolerizó: *angered*
- viequenses: *inhabitants of Vieques*
- dio origen: *gave rise to*
- entrenamiento: *training*
- se manifestaban: *demonstrated*
- captaron: *captured*
- a favor de: *supporting*
- cárcel: *jail*
- lucha: *struggle*
- escombros: *debris*

¿Qué es la bioluminiscencia?

Es un efecto de fosforescencia verdeazul, causado por unos microorganismos que, al agitarse, dan un brillo extraordinario a las aguas durante la noche. El pez o bañista que se mueve bajo el agua emite una luz radiante. Para que se produzca este fenómeno extraordinario, se requiere una serie de condiciones muy especiales de temperatura, ambiente y poca contaminación.

Después de leer

La conservación de Vieques

1 **Comprensión** Elige la respuesta correcta.

1. Vieques es un municipio de (la República Dominicana/Puerto Rico).
2. Entre los atractivos de la isla se encuentra (un pico altísimo/una bahía bioluminiscente).
3. Los arrecifes de coral son importantes para la biodioversidad porque (albergan una inmensa variedad de especies/protegen la capa de ozono).
4. La protesta en contra de la presencia de la Armada se produjo después (de la muerte de un guardia de seguridad/de que hablara el Dalai Lama).
5. La Agencia de Protección Ambiental realiza en la actualidad un (programa de turismo ecológico/plan para descontaminar tierras y áreas marinas de Vieques).
6. Muchas personas fueron arrestadas (por robar uranio reducido/por ingresar en la zona de prácticas de bombardeo).

2 **Interpretación** Responde a las preguntas.

1. ¿Qué potencial turístico tiene Vieques? Da ejemplos.
2. ¿Qué hacía la Armada en Vieques?
3. ¿Cuál era el deseo de los manifestantes de Vieques?
4. ¿Por qué creen que la Armada de los Estados Unidos estaba autorizada a hacer prácticas de bombardeo en Vieques?
5. ¿Qué ocurre cuando una persona o un pez nada en la bahía bioluminiscente?

3 **Ampliación** En parejas, contesten las preguntas.

1. ¿Por qué es importante conservar una isla como Vieques?
2. ¿Qué efectos puede tener la declaración de la EPA? ¿Cómo puede mejorar la vida de los viequenses si se limpia la contaminación?

4 **Reunión con el presidente** En grupos de cuatro, inventen una conversación sobre las prácticas de la Armada de Estados Unidos. Por una parte hablan dos manifestantes, y por otra el Presidente Clinton y un(a) representante de la Armada. Utilicen los tiempos verbales que conocen, incluyendo el futuro. Después, representen la conversación delante de la clase.

5 **El futuro de Vieques** Imagina que vives en Vieques. Escribe una carta a un(a) amigo/a contándole cómo crees que cambiarán las cosas en tu isla. Explícale cómo se resolverán los problemas de contaminación y cómo se va a promover el turismo.

PUEDO opinar sobre la importancia medioambiental de la isla de Vieques

Atando cabos

¡A conversar!

1 **Mascotas exóticas**

A. En parejas, preparen una conversación. Imaginen que uno/a de ustedes se va de vacaciones y le pide a un(a) amigo/a que le cuide la mascota (*pet*) exótica. Utilicen las formas del futuro y las preposiciones aprendidas en esta lección.

B. Hablen sobre las preguntas y luego compartan sus opiniones con el resto de la clase. Usen las frases y expresiones del recuadro para expresar sus opiniones.

- ¿Creen que está bien tener mascotas exóticas? ¿Por qué?
- ¿Creen que está bien exhibir animales en los zoológicos? ¿Por qué?

No estoy (muy) de acuerdo.	**Para mí, ...**
No es así.	**En mi opinión, ...**
No comparto esa opinión.	**(Yo) creo que...**
No coincido.	**Estoy convencido/a de que...**

2 **Fotografías** En parejas, busquen fotos de distintas reservas naturales de sus países de origen o de los países del mundo hispanohablante. Seleccionen una foto y descríbanla a su compañero/a. Pueden basarse en estas preguntas.

- ¿Cuál es la reserva natural que escogiste?
- ¿En qué país está localizada?
- ¿Qué ves en la foto?
- ¿Se ven animales y plantas en la foto de la reserva? ¿Cuáles?
- ¿Cuáles actividades piensas que se pueden hacer allí?
- ¿Te gustaría ir a ese lugar? ¿Qué precauciones crees que se deben tomar antes y durante el viaje a esa reserva?

Atando cabos

3 **Fenómenos naturales** En parejas, cada estudiante escoge un fenómeno natural de la lista.

huracán	**sequía**
incendio	**terremoto**
inundación	**tormenta**
relámpago	**trueno**

A. Uno/a de los/as dos tratará de descubrir el fenómeno natural que pensó el/la otro/a, mencionando posibles causas. Si la respuesta se relaciona con el fenómeno, el/la otro/a dirá: "caliente". Si no se relaciona, dirá: "frío". Si lo descubre, dirá: "¡Adivinaste!". Cambien de turno varias veces.

MODELO

ESTUDIANTE 1 Es un fenómeno causado por lluvia.
ESTUDIANTE 2 Frío.
ESTUDIANTE 1 Es un fenómeno causado por el aumento de la temperatura.
ESTUDIANTE 2 Caliente.
ESTUDIANTE 1 Es un incendio.
ESTUDIANTE 2 ¡Adivinaste!

B. Hagan una lluvia de ideas sobre otros fenómenos naturales e indiquen sus posibles causas. Compartan sus ideas con la clase.

¡A escribir!

4 **Patrimonio mundial** Investiga sobre uno de estos lugares de Cuba declarados Patrimonio de la Humanidad por la UNESCO. Luego, escribe un artículo de viajes.

Valle de Viñales
Parque Nacional Alejandro de Humboldt
Parque Nacional Desembarco del Granma

A. Usa estas preguntas como guía: ¿Dónde está el lugar que eligieron? ¿Cuáles son sus características? ¿Por qué fue declarado patrimonio mundial? ¿Tiene sólo valor natural o es importante por su cultura e historia?

B. Empieza con una oración expresiva sobre el aspecto principal del lugar. Luego añade detalles en orden de importancia.

C. Cuando hayas terminado, intercambia tu artículo con el de tu compañero/a para corregirlo.

PUEDO expresar mi punto de vista sobre fenómenos naturales y sobre las mascotas.

PUEDO escribir un artículo de viajes.

VOCABULARIO

La naturaleza

el árbol	*tree*
el arrecife	*reef*
el bosque (lluvioso)	*(rain) forest*
el campo	*countryside; field*
la cordillera	*mountain range*
la costa	*coast*
el desierto	*desert*
el mar	*sea*
la montaña	*mountain*
el paisaje	*landscape; scenery*
la tierra	*land; earth*
húmedo/a	*humid; damp*
seco/a	*dry*
a orillas de	*on the shore of*
al aire libre	*outdoors*

Los animales

el ave (f.)/ el pájaro	*bird*
el cerdo	*pig*
el conejo	*rabbit*
el león	*lion*
el mono	*monkey*
la oveja	*sheep*
el pez	*fish*
la rana	*frog*
la serpiente	*snake*
el tigre	*tiger*
la vaca	*cow*
atrapar	*to trap; to catch*
cazar	*to hunt*
dar de comer	*to feed*
extinguirse	*to become extinct*
morder (o:ue)	*to bite*
en peligro de extinción	*endangered*
salvaje	*wild*
venenoso/a	*poisonous*

Los fenómenos naturales

el huracán	*hurricane*
el incendio	*fire*
la inundación	*flood*
el relámpago	*lightning*
la sequía	*drought*
el terremoto	*earthquake*
la tormenta (tropical)	*(tropical) storm*
el trueno	*thunder*

El medio ambiente

el calentamiento global	*global warming*
la capa de ozono	*ozone layer*
el combustible	*fuel*
la contaminación	*pollution*
la deforestación	*deforestation*
el desarrollo	*development*
la erosión	*erosion*
la fuente de energía	*energy source*
el medio ambiente	*environment*
los recursos naturales	*natural resources*
agotar	*to use up*
conservar	*to preserve*
contaminar	*to pollute*
contribuir (a)	*to contribute*
desaparecer	*to disappear*
destruir	*to destroy*
malgastar	*to waste*
proteger	*to protect*
reciclar	*to recycle*
resolver (o:ue)	*to solve*
dañino/a	*harmful*
desechable	*disposable*
renovable	*renewable*
tóxico/a	*toxic*

Más vocabulario

Expresiones útiles	*Ver p. 233*
Estructura	*Ver pp. 240–241, 244–245 y 248–249*

En pantalla

el/la aliado/a	*ally*
el asombro	*astonishment*
el buceo	*diving*
el buzo	*diver*
la hembra	*female (animal)*
el manglar	*mangrove swamp*
la veda	*closed season, ban (for fishing)*
dar a luz	*to give birth*
darse la vuelta	*to turn back*
preñada	*pregnant*
enfrente (de)	*facing*

Literatura

la esperanza	*hope*
la prisa	*hurry*
disponerse a	*to be about to*
florecer	*to blossom*
oscurecer	*to darken*
prever	*to foresee*
sacrificar	*to sacrifice*
salvar	*to save*
aislado/a	*isolated*
digno/a	*worthy*
valioso/a	*valuable*

Cultura

el bombardeo	*bombing*
el ecosistema	*ecosystem*
la especie	*species*
el/la manifestante	*protester*
el monte	*mountain*
la pureza	*purity*
el refugio	*refuge*
el terreno	*land*
el veneno	*poison*
ambiental	*environmental*

Manual de gramática

Supplementary Grammar Coverage

The **Manual de gramática** is an invaluable tool for both students and teachers. For each lesson of **Senderos 4**, the **Manual** provides additional practice of the three core grammar concepts, as well as supplementary grammar instruction and practice.

The **Más práctica** pages of the **Manual** contain additional practice activities for every grammar point in **Senderos 4**. The **Gramática adicional** pages present supplementary grammar concepts and practice. Both sections of the **Manual** are correlated to the core grammar points in **Estructura** by means of **Taller de consulta** sidebars, which provide the exact page numbers for additional practice and supplementary coverage.

This special supplement allows for great flexibility in planning and tailoring this program to suit the needs of all students. It also serves as a useful and convenient reference tool for students who wish to review previously learned material.

Contenido

Más práctica

Gramática adicional

Más práctica

TALLER DE CONSULTA

MÁS PRÁCTICA
To see the explanation corresponding to this additional practice, see p. 28.

1.1 The present tense

1 **Mi nuevo compañero de clase** Completa el párrafo con la forma apropiada de los verbos entre paréntesis.

¿Cómo es mi nuevo compañero de clase? (1) ______ (Ser) muy simpático. Siempre me (2) ______ (presentar) a sus amigos, por lo que yo ya (3) ______ (conocer) a mucha gente en la escuela. Él siempre (4) ______ (parecer) pasarlo bien, hasta cuando nosotros (5) ______ (estar) en la clase de matemáticas. Por la tarde, después de clase, él (6) ______ (proponer) actividades —por ejemplo, a veces (7) ______ (ir) al parque a jugar al fútbol— así que nunca nos aburrimos. Yo ya (8) ______ (saber) que nos vamos a llevar bien durante todo el año. (9) ______ (Pensar) invitarlo a mi casa para las fiestas, así mis padres lo (10) ______ (poder) conocer también.

2 **Tus actividades** Escribe cuatro actividades que realizas normalmente en cada uno de estos momentos del día: la mañana, la tarde y la noche.

Mañana:

Tarde:

Noche:

3 **Diez preguntas** Trabaja con un(a) compañero/a a quien no conozcas muy bien. Primero, cada persona debe escribir diez preguntas para conocer a su compañero/a. Luego, háganse las preguntas. Por último, intercambien sus listas y háganse las preguntas de la otra persona. Compartan sus respuestas con la clase.

Más práctica

1.2 *Ser* and *estar*

1 **Correo** Completa el mensaje de correo electrónico con la forma adecuada de **ser** o **estar**.

De: Susana <susana_cruz@estudiantil.es>
Para: Carlos <carlos_cano@estudiantil.es>
Asunto: Novedades

¡Hola, Carlos!

Yo (1) ________ muy preocupada porque mañana tenemos un examen en la clase de español y el profesor (2) ________ muy exigente. Ahora mismo mi amiga Ana (3) ________ estudiando en la biblioteca y voy a encontrarme con ella para que me ayude. Ella (4) ________ una estudiante muy buena y sus notas siempre (5) ________ excelentes.

Este fin de semana hay un concierto en la escuela. Mis amigos y yo (6) ________ muy contentos porque el grupo que toca (7) ________ muy famoso. Elena también quería ir al concierto, pero no puede porque (8) ________ enferma y debe quedarse en cama.

Bueno, antes de ir a la biblioteca voy a almorzar en la cafetería porque (9) ________ muerta de hambre.

¡Hasta pronto!

Susana

2 **En el parque** Mira la ilustración y contesta las preguntas usando **ser** y **estar**. Puedes inventar las respuestas para algunas de las preguntas.

1. ¿Quién es cada una de estas personas?
2. ¿Qué están haciendo?
3. ¿Cómo están?
4. ¿Cómo son?

3 **Una cita** Mañana vas a tener una cita con una persona maravillosa. Quieres contárselo a tu mejor amigo/a y pedirle consejos. Tu amigo/a es muy curioso/a y te va a hacer muchas preguntas. En parejas, representen la conversación. Éstos son algunos de los aspectos que pueden incluir.

Tu amigo/a quiere saber:
- cómo te sientes antes de la cita
- qué crees que va a pasar
- cómo es el lugar adonde van a ir
- cómo es la persona con quien vas a tener la cita

Tú quieres consejos sobre:
- qué ropa ponerte
- los temas de los que hablar
- adónde ir
- quién debe pagar la cuenta

TALLER DE CONSULTA

MÁS PRÁCTICA
To see the explanation corresponding to this additional practice, see p. 32.

Más práctica

TALLER DE CONSULTA

MÁS PRÁCTICA
To see the explanation corresponding to this additional practice, see p. 36.

1.3 Progressive forms

1 **¿Qué están haciendo?** Escribe cinco oraciones explicando qué está haciendo cada persona. Usa elementos de las tres columnas.

MODELO Miguel Cabrera está jugando al béisbol.

tú		divertirse
el profesor de español		preparar una clase
tus padres		comer en un restaurante
tu mejor amigo/a	(no) estar	asistir a un estreno (*premiere*)
Selena Gomez		bailar en una discoteca
nosotros		hablar por teléfono
yo		estudiar física

2 **Seguimos escribiendo** Vuelve a escribir las oraciones usando los verbos **andar, continuar, ir, llevar, seguir** o **venir**. La oración resultante debe expresar la misma idea.

1. José siempre dice que es tímido, pero no deja de coquetear con las chicas de la escuela.
   ____
2. Los abuelos de Catalina llevan cuarenta años de casados, pero su amor es tan intenso como siempre.
   ____
3. Hace cinco meses que Carlos se pelea con su novia todos los días y todavía habla de ella como si fuera la única mujer del planeta.
   ____
4. Daniel siempre se queja de que los estudios lo agobian y hace meses que su mamá le dice que tiene que relajarse.
   ____
5. Mis padres repiten todos los días que pronto van a mudarse a una casa más pequeña que han visto en otro pueblo.
   ____
6. Conversamos todo el tiempo mientras ellos se marchaban.
   ____

3  **Adivina** En grupos de cuatro, jueguen a las adivinanzas con mímica (*charades*). Túrnense para hacer gestos que representen una acción sencilla. Adivinen cada acción usando el presente progresivo. Sigan el modelo.

MODELO
ESTUDIANTE 1 *(Sin decir nada, hace gestos para mostrar que está manejando un carro.)*
ESTUDIANTE 2 ¿Estás peleando con alguien?
ESTUDIANTE 3 ¿Estás manejando un carro?
ESTUDIANTE 1 ¡Sí! Estoy manejando un carro.

1.4 Nouns and articles

Nouns

- In Spanish, nouns (**sustantivos**) ending in **-o, -or, -l,** and **-s** are usually masculine, and nouns ending in **-a, -ora, -ión, -d,** and **-z** are usually feminine. Some nouns ending in **-ma** are masculine.

Masculine nouns	Feminine nouns
el amigo, el cuaderno	**la amiga, la palabra**
el escritor, el color	**la escritora, la computadora**
el control, el papel	**la relación, la ilusión**
el autobús, el paraguas	**la amistad, la fidelidad**
el problema, el tema	**la luz, la paz**

- Most nouns form the plural by adding **-s** to nouns ending in a vowel, and **-es** to nouns ending in a consonant. Nouns that end in **-z** change to **-c** before adding **-es**.

el hombre → los hombres **la mujer → las mujeres**

la novia → las novias **el lápiz → los lápices**

- If a singular noun ends in a stressed vowel, the plural form ends in **-es.** If the last syllable of a singular noun ending in **-s** is unstressed, the plural form does not change.

el tabú → los tabúes **el lunes → los lunes**

el israelí → los israelíes **la crisis → las crisis**

Articles

- Spanish definite and indefinite articles (**artículos definidos** e **indefinidos**) agree in gender and number with the nouns they modify.

	Definite articles		Indefinite articles	
	singular	**plural**	**singular**	**plural**
MASCULINE	**el compañero**	**los compañeros**	**un compañero**	**unos compañeros**
FEMININE	**la compañera**	**las compañeras**	**una compañera**	**unas compañeras**

- In Spanish, when an abstract noun is the subject of a sentence, a definite article is always used.

El amor es eterno.
Love is eternal.

but

Para ser modelo, necesitas belleza y altura.
In order to be a model, you need beauty and height.

- An indefinite article is not used before nouns that indicate profession or place of origin, unless they are followed by an adjective.

Juan García es profesor.
Juan García is a professor.

Juan García es **un** profesor excelente.
Juan García is an excellent professor.

Ana María es neoyorquina.
Ana María is a New Yorker.

Ana María es **una** neoyorquina orgullosa.
Ana María is a proud New Yorker.

MÁS GRAMÁTICA

This is an additional grammar point for **Lección 1 Estructura.** You may use it for review or as required by your teacher.

¡ATENCIÓN!

Some nouns may be either masculine or feminine, depending on whether they refer to a male or a female.

el/la artista *artist*
el/la estudiante *student*

Occasionally, the masculine and feminine forms have different meanings.

el capital *capital (money)*
la capital *capital (city)*

¡ATENCIÓN!

Accent marks are sometimes dropped or added to maintain the stress in the singular and plural forms.

canción → canciones
margen → márgenes

¡ATENCIÓN!

The prepositions **de** and **a** contract with the article **el**.

de + el = del

a + el = al

¡ATENCIÓN!

Singular feminine nouns that begin with a stressed **a** take **el**.

el alma → las almas
el área → las áreas

Práctica

TALLER DE CONSULTA

These activities correspond to the additional grammar point on the preceding page.

1.4 Nouns and articles

1 **Cambiar** Escribe en plural las palabras que están en singular y viceversa.

1. la compañera ___________
2. unos amigos ___________
3. el novio ___________
4. una crisis ___________
5. unas parejas ___________
6. un corazón ___________
7. las amistades ___________
8. el tabú ___________

2 **Un chiste** Completa el chiste con los artículos apropiados. Recuerda que en algunos casos no debes poner ningún artículo.

(1) ___ pareja se va a casar. Él tiene 90 años. Ella tiene 85. Entran en (2) ___ farmacia y (3) ___ novio le pregunta al farmacéutico (*pharmacist*):
—¿Tiene (4) ___ remedios para (5) ___ corazón?
—Sí —contesta (6) ___ farmacéutico.
—¿Tiene (7) ___ remedios para (8) ___ presión y (9) ___ colesterol?
—Sí —contesta nuevamente (10) ___ farmacéutico.
—¿Y (11) ___ remedios para (12) ___ artritis? y (13) ___ reumatismo?
—Sí. Ésta es (14) ___ farmacia completa. Tenemos de todo.
Entonces (15) ___ novio mira a (16) ___ novia y le dice:
—Querida, ¿qué te parece si hacemos aquí (17) ___ lista de regalos para (18) ___ boda?

3 **La cita** Completa el párrafo con la forma correcta de los artículos definidos e indefinidos.

Ayer tuve (1) ____ cita con Leonardo. Fuimos a (2) ____ restaurante muy romántico que está junto a (3) ____ bonito lago. Desde nuestra mesa, podíamos ver (4) ____ lago y (5) ____ barcos que navegaban por allí. Comimos (6) ____ platos muy originales. (7) ____ pescado que yo pedí estaba delicioso. Nos divertimos mucho, pero al salir tuvimos (8) ____ problema. Una de (9) ____ ruedas (*tires*) del carro estaba pinchada (*punctured*). ¿Puedes creer que tuve que cambiar (10) ____ rueda yo porque Leonardo no sabía hacerlo?

4 **Escribir** Escribe oraciones completas con las siguientes palabras; utiliza los artículos definidos e indefinidos que correspondan y haz los cambios necesarios.

MODELO **Elisa - ser - buena periodista**
Elisa es una buena periodista.

1. revistas del corazón - afirmar - amor -ser - eterno
2. ayer - astrólogo - predecir - desgracia
3. lunes pasado - comprar - flores - tía juanita
4. capital - venezuela - ser - caracas
5. personas optimistas - soñar - mundo mejor
6. Rodrigo - ser - alma - fiesta

1.5 Adjectives

- Spanish adjectives (**adjetivos**) agree in gender and number with the nouns they modify. Most adjectives ending in **-e** or a consonant have the same masculine and feminine forms.

Adjectives

	singular	plural	singular	plural	singular	plural
MASCULINE	**rojo**	**rojos**	**inteligente**	**inteligentes**	**difícil**	**difíciles**
FEMININE	**roja**	**rojas**	**inteligente**	**inteligentes**	**difícil**	**difíciles**

- Descriptive adjectives generally follow the noun they modify. If a single adjective modifies more than one noun, the plural form is used. If at least one of the nouns is masculine, then the adjective is masculine.

un libro **apasionante**
a great book

un carro y una casa **nuevos**
a new car and house

las parejas **contentas**
the happy couples

la literatura y la cultura **ecuatorianas**
Ecuadorean literature and culture

- A few adjectives have shortened forms when they precede a masculine singular noun.

bueno → buen | **alguno → algún** | **primero → primer**
malo → mal | **ninguno → ningún** | **tercero → tercer**

- Some adjectives change their meaning depending on their position. When the adjective follows the noun, the meaning is more literal. When it precedes the noun, the meaning is more figurative.

	after the noun	before the noun
antiguo/a	el edificio **antiguo** *the ancient building*	mi **antiguo** novio *my old/former boyfriend*
cierto/a	una respuesta **cierta** *a right answer*	una **cierta** actitud *a certain attitude*
grande	una ciudad **grande** *a big city*	un **gran** país *a great country*
mismo/a	el artículo **mismo** *the article itself*	el **mismo** problema *the same problem*
nuevo/a	un carro **nuevo** *a (brand) new car*	un **nuevo** profesor *a new/different teacher*
pobre	los estudiantes **pobres** *the students who are poor*	los **pobres** estudiantes *the unfortunate students*
viejo/a	un libro **viejo** *an old book*	una **vieja** amiga *a long-time friend*

MÁS GRAMÁTICA

This is an additional grammar point for **Lección 1 Estructura.** You may use it for review or as required by your teacher.

¡ATENCIÓN!

Adjectives ending in **-án**, **-ín**, **-ón**, and **-or**, like most others, vary in both gender and number.

dormilón → dormilona
dormilones → dormilonas

Adjectives ending in **-ior** and the comparatives **mayor, menor, mejor**, and **peor** do not vary in gender.

el **niño** mayor
la **niña** mayor

Adjectives indicating nationality vary in both gender and number (except those ending in **-a**, **-í**, and **-e**, which vary only in number).

español → española
españoles → españolas
marroquí → marroquí
marroquíes → marroquíes

¡ATENCIÓN!

Before any singular noun (masculine or feminine), **grande** changes to **gran**.

un gran esfuerzo
a great effort

una gran autora
a great author

Práctica

TALLER DE CONSULTA

These activities correspond to the additional grammar point on the preceding page.

1.5 Adjectives

1

Descripciones Completa cada oración con la forma correcta de los adjetivos.

1. Mi mejor amiga es __________ (guapo) y muy __________ (gracioso).
2. Los novios de mis hermanas son __________ (alto) y __________ (moreno).
3. Javier es __________ (bueno) compañero, pero es bastante __________ (antipático).
4. Mi prima Susana es __________ (sincero), pero mi primo Luis es __________ (falso).
5. Sandra es una __________ (grande) amiga, pero ayer tuvimos una pelea muy __________ (fuerte).
6. No sé por qué Marcos y María son tan __________ (inseguro) y __________ (tímido).

2

La vida de Marina Completa cada oración con los cuatro adjetivos.

1. Marina busca una amiga ______________________________.
   (tranquilo, divertido, sincero, puntual)
2. Se lleva bien con las personas ______________________________.
   (sincero, serio, alegre, trabajador)
3. Los padres de Marina son ______________________________.
   (maduro, simpático, inteligente, conservador)
4. Marina quiere ver programas de televisión más ______________________________.
   (emocionante, divertido, dramático, didáctico)
5. Marina tiene un novio ______________________________.
   (talentoso, simpático, creativo, sensible)

Marina

3

Correo sentimental La revista *Ellas y ellos* tiene una sección de anuncios personales. Completa este anuncio con la forma corta o larga de los adjetivos de la lista. Puedes usar los adjetivos más de una vez.

buen	gran	mal	ningún	tercer
bueno/a	grande	malo/a	ninguno/a	tercero/a

Mi perrito y yo buscamos amor

Tengo 43 años y estoy viudo desde hace tres años. Soy un (1) __________ hombre: tranquilo y trabajador. Me gustan las plantas y no tengo (2) __________ problema con mis vecinos. Cocino y plancho. Me gusta ir al cine y no me gusta el fútbol. Tengo (3) __________ humor por las mañanas y mejor humor por las noches. Vivo en un apartamento (4) __________ en el (5) __________ piso de un edificio de Montevideo. Sólo tengo un pequeño problema: mi perro. Algunos dicen que tiene (6) __________ carácter. Otros dicen que es un (7) __________ animal. Yo creo que es (8) __________, pero se siente solo, como su dueño, y nos hacemos compañía. Busco una señora viuda o soltera que también se sienta sola. ¡Si tiene un perrito, mejor!

Más práctica

2.1 Object pronouns

1 **La televisión** Completa la conversación con el pronombre adecuado.

JUANITO Mamá, ¿puedo ver televisión?
MAMÁ ¿Y la tarea? ¿Ya (1) _____ hiciste?
JUANITO Ya casi (2) _____ termino. ¿Puedo ver el programa de dibujos animados (*cartoons*)?
MAMÁ (3) _____ puedes ver hasta las siete.
JUANITO De acuerdo.
MAMÁ Pero antes de que te pongas a ver televisión, tengo algunas preguntas. ¿(4) _____ vas a entregar mi carta a tu profesora?
JUANITO Sí mamá, (5) _____ (6) _____ voy a entregar mañana.
MAMÁ ¿Quién va a trabajar contigo en el proyecto de historia?
JUANITO No sé; nadie (7) _____ quiere hacer conmigo.
MAMÁ Bueno, y antes de ver la tele, ¿me puedes ayudar a poner la mesa?
JUANITO ¡Cómo no, mamá! (8) _____ ayudo ahora mismo.

2 **Confundido** Tu mejor amigo/a va a dar una fiesta este fin de semana, pero no recuerda bien algunos detalles. Contesta sus preguntas con la información que está entre paréntesis. Utiliza pronombres en tus respuestas.

MODELO **¿Quién va a traer las sillas? (Carlos y Pedro)**
Carlos y Pedro las van a traer.

1. ¿Cuándo vamos a comprar la comida? (mañana)
____
2. ¿Quién nos prepara el pastel (*cake*)? (la pastelería de la Plaza Mayor)
____
3. ¿Ya enviamos todas las invitaciones? (sí)
____
4. ¿Quién trae los discos compactos de música latina? (Lourdes y Sara)
____
5. ¿Vamos a decorar el salón? (sí)
____

3 **Tres deseos** En parejas, imaginen que encuentran a un genio (*genie*) en una botella. Él les va a hacer realidad tres deseos a cada uno. Haz una lista de los deseos que le vas a pedir. Después, díselos a tu compañero/a. Háganse preguntas sobre por qué quieren estos deseos. Utilicen por lo menos seis pronombres de complemento directo e indirecto.

MODELO —Yo quiero un jeep cuatro por cuatro.
—¿Para qué lo quieres?
—Lo quiero para manejar en cualquier tipo de terreno.

TALLER DE CONSULTA

MÁS PRÁCTICA
To see the explanation corresponding to this additional practice, see p. 70.

Más práctica

TALLER DE CONSULTA

MÁS PRÁCTICA
To see the explanation corresponding to this additional practice, see p. 74.

2.2 *Gustar* and similar verbs

1 **En otras palabras** Vuelve a escribir las frases subrayadas usando los verbos de la lista.

MODELO **Mis padres adoran las novelas de García Márquez, especialmente *Cien años de soledad.***
A mis padres les encantan las novelas de García Márquez, especialmente *Cien años de soledad.*

aburrir	(no) gustar
caer bien/mal	(no) interesar
(no) doler	molestar
encantar	quedar
faltar	

1. Estoy muy interesado en el cine y por eso veo el programa de espectáculos todas las noches.
2. Necesito ir al médico porque tengo dolor de cabeza desde hace dos días.
3. Pablo y Roberto son muy antipáticos. No soporto hablar con ellos.
4. Nos aburrimos cuando vemos películas románticas.
5. Detesto el boliche.
6. Has gastado casi todo tu dinero. Sólo tienes diez dólares.
7. Carlos está a punto de completar su colección de monedas españolas anteriores al euro. Necesita conseguir tres más.
8. No soporto escuchar música cuando estudio. No puedo concentrarme.

2 **El fin de semana** Escribe ocho oraciones sobre qué te gusta y qué te molesta hacer el fin de semana. Utiliza **gustar** y otros verbos parecidos, como **interesar, importar** y **molestar.**

estar en casa	hacer ejercicio	ir al circo
festejar	hacer un picnic	jugar al billar
hacer cola	ir al cine	salir a comer

3 **Gustos** Utiliza la información suministrada y los verbos parecidos a **gustar** para investigar los gustos de tus compañeros/as de clase. Toma nota de las respuestas de cada compañero/a que entrevistes y comparte la información con la clase.

MODELO **molestar / tener clase a las ocho de la mañana**
—A Juan y a Marcela no les molesta tener clase a las ocho de la mañana. En cambio, a Carlos le molesta porque...

1. encantar / fiestas de cumpleaños
2. fascinar / el mundo de Hollywood
3. disgustar / leer las noticias
4. molestar / conocer a personas nuevas
5. interesar / saber lo que mis amigos piensan de mí
6. aburrir / escuchar música todo el día

Más práctica

2.3 Reflexive verbs

1 **¿Qué hacen estas personas?** Escribe cinco oraciones combinando elementos de las tres columnas.

MODELO Yo me acuesto a las once de la noche.

mis padres	aburrirse	a las 6 de la mañana
yo	acostarse	a las 9 de la mañana
mis amigos y yo	afeitarse	a las 3 de la tarde
tú	divertirse	por la tarde
mi compañero/a de clase	dormirse	el viernes por la noche
ustedes	levantarse	a las once de la noche
mi hermano/a	maquillarse	todos los días

2 **Reflexivos** Algunos verbos cambian de significado cuando se usan en forma reflexiva. Completa las oraciones con la forma adecuada del verbo indicado.

MODELO Yo me acuesto a las once de la noche.

1. Yo siempre ________ (dormir/dormirse) bien cuando estoy en mi casa de verano.
2. Carlos, ¿________ (acordar/acordarse) de cuando fuimos de vacaciones a Cancún hace dos años?
3. Si estamos tan cansados de la ciudad, ¿por qué no ________ (mudar/mudarse) a una casa junto al lago?
4. No me gusta esta fiesta. Quiero ________ (ir/irse) cuanto antes.
5. Cristina y Miguel ________ (llevar/llevarse) tortillas a la fiesta.
6. Mi abuela va a ________ (poner/ponerse) una foto de todos sus nietos en el salón.

3 **Los sábados** Sigue los pasos para determinar si tú y tus compañeros/as participan en actividades parecidas (*similar*) los sábados. Comparte tus conclusiones con el resto de la clase. Usa verbos reflexivos en las preguntas y respuestas.

- **Paso 1** Haz una lista detallada de las cosas que normalmente haces los sábados.
- **Paso 2** Entrevista a un(a) compañero/a para ver si comparten alguna actividad.
- **Paso 3** Compara la información con el resto de la clase. ¿Siguen los estudiantes la misma rutina durante los fines de semana?

TALLER DE CONSULTA

MÁS PRÁCTICA
To see the explanation corresponding to this additional practice, see p. 78.

MÁS GRAMÁTICA

This is an additional grammar point for **Lección 2 Estructura.** You may use it for review or as required by your teacher.

2.4 Demonstrative adjectives and pronouns

- Demonstrative adjectives (**adjetivos demostrativos**) specify to which noun a speaker is referring. They precede the nouns they modify and agree in gender and number.

este torneo *this tournament* | **esa** entrenadora *that coach* | **aquellos** deportistas *those athletes (over there)*

Demonstrative adjectives				
singular		plural		
masculine	**feminine**	**masculine**	**feminine**	
este	esta	estos	estas	*this; these*
ese	esa	esos	esas	*that; those*
aquel	aquella	aquellos	aquellas	*that; those (over there)*

- Spanish has three sets of demonstrative adjectives. Forms of **este** are used to point out nouns that are close to the speaker and the listener. Forms of **ese** modify nouns that are not close to the speaker, though they may be close to the listener. Forms of **aquel** refer to nouns that are far away from both the speaker and the listener.

No me gustan **estos** zapatos.

Prefiero **esos** zapatos.

Aquel carro es de Ana.

- Demonstrative pronouns (**pronombres demostrativos**) are identical to demonstrative adjectives, except that they traditionally carry an accent mark on the stressed vowel. They agree in gender and number with the nouns they replace.

¿Quieres comprar esta **radio**?
Do you want to buy this radio?

No, no quiero **ésta**. Quiero **ésa**.
No, I don't want this one. I want that one.

¿Leíste estos **libros**?
Did you read these books?

No leí **éstos**, pero sí leí **aquéllos**.
I didn't read these, but I did read those (over there).

- There are three neuter demonstrative pronouns: **esto, eso,** and **aquello**. These forms refer to unidentified or unspecified things, situations, or ideas. They do not vary in gender or number and they never carry an accent mark.

¿Qué es **esto**? *What is this?* | **Eso** es interesante. *That's interesting.* | **Aquello** es bonito. *That's pretty.*

Práctica

2.4 Demonstrative adjectives and pronouns

TALLER DE CONSULTA

These activities correspond to the additional grammar point on the preceding page.

1 **En el centro comercial** Completa las oraciones con la forma correcta de los adjetivos entre paréntesis.

1. Quiero comprar _______ (*that*) videojuego.
2. Nosotros queremos comprar _______ (*that over there*) computadora.
3. _______ (*These*) pantalones son muy baratos.
4. Yo voy a escoger _______ (*this*) falda que está a mitad de precio.
5. También quiero comprar alguna de _______ (*those*) películas en DVD.
6. Antes de irnos, vamos a comer algo en _______ (*that over there*) restaurante.

2 **Pronombres** Completa cada oración con la forma correcta de los pronombres demostrativos de acuerdo con la traducción que aparece entre paréntesis.

1. Esta campeona es muy humilde, pero _______ (*that one*) es muy arrogante.
2. Este deportista juega bien, no como _______ (*those*) del otro equipo.
3. Esos dardos no tienen punta; usa _______ (*the ones over there*).
4. No conozco a esta entrenadora, pero sí conozco a _______ (*that one over there*).
5. Aquellos asientos son muy buenos, pero de todas formas, yo prefiero sentarme en _______ (*this one*).
6. Esta cancha de fútbol está muy mojada. ¿Podemos jugar en _______ (*that one*)?

3 **¿Adjetivos o pronombres?**

A. Elige los adjetivos o los pronombres apropiados.

A mi hermano Esteban no le gustan las películas de acción y a mí, sí. (1) ________ (Ese / Ése) es el problema que siempre tenemos cuando queremos ir al cine. (2) ________ (Este / Éste) fin de semana, por ejemplo, estrenan la película *Persecución sin fin* en (3) ________ (ese / ése) cine nuevo que abrió enfrente de (4) ________ (ese / ése) restaurante que tanto me gusta. Cuando le mandé un mensaje de texto a mi hermano, enseguida respondió: "(5) ________ (Esa / Ésa) no la veo ni loco. (6) ________ (Esas / Ésas) películas de acción son siempre iguales. El bueno y el malo pelean y el bueno siempre gana. Por (7) ________ (ese / ése / eso), yo prefiero las películas históricas o los dramas. Por lo menos en (8) ________ (esas / ésas) suele haber diálogos inteligentes y no persecuciones tontas y peleas exageradas". ¡Cómo cambiaron los gustos de mi hermano desde (9) ________ (aquella / aquélla) época en la que íbamos a ver todas las películas de superhéroes!

B. En parejas, imaginen que los dos hermanos hablan por teléfono. El hermano de Esteban todavía tiene esperanzas de convencerlo para ir a ver *Persecución sin fin*. Improvisen la conversación entre los dos hermanos. Usen por lo menos cinco adjetivos o pronombres demostrativos.

MÁS GRAMÁTICA

This is an additional grammar point for **Lección 2 Estructura.** You may use it for review or as required by your teacher.

2.5 Possessive adjectives and pronouns

- Possessive adjectives (**adjetivos posesivos**) are used to express ownership or possession. Spanish has two types: the short, or unstressed, forms and the long, or stressed, forms. Both forms agree in gender, when applicable, and number with the object owned, and not with the owner.

Possessive adjectives

short forms (unstressed)		long forms (stressed)	
mi(s)	*my*	**mío/a(s)**	*my; (of) mine*
tu(s)	*your*	**tuyo/a(s)**	*your; (of) yours*
su(s)	*your; his; her; its*	**suyo/a(s)**	*your; (of) yours; his; (of) his; hers; (of) hers; its; (of) its*
nuestro/a(s)	*our*	**nuestro/a(s)**	*our; (of) ours*
vuestro/a(s)	*your*	**vuestro/a(s)**	*your; (of) yours*
su(s)	*your; their*	**suyo/a(s)**	*your; (of) yours; their; (of) theirs*

- Short possessive adjectives precede the nouns they modify.

En **mi** opinión, esa película es pésima.
In my opinion, that movie is awful.

Nuestras revistas favoritas son *Vanidades* y *Latina*.
Our favorite magazines are Vanidades *and* Latina.

¡ATENCIÓN!

After the verb **ser**, stressed possessives are used without articles.

¿Es tuya la calculadora?
Is the calculator yours?

No, no es mía.
No, it is not mine.

- Stressed possessive adjectives follow the nouns they modify. They are used for emphasis or to express the phrases of mine, of yours, etc. The nouns are usually preceded by a definite or indefinite article.

mi amigo → **el** amigo **mío**
my friend *friend of mine*

tus amigas → **las** amigas **tuyas**
your friends *friends of yours*

- Because **su(s)** and **suyo/a(s)** have multiple meanings (your, his, her, its, their), the construction [article] + [noun] + **de** + [subject pronoun] is commonly used to clarify meaning.

su casa **la casa suya** ▶	**la casa de él/ella**	*his/her house*
	la casa de usted/ustedes	*your house*
	la casa de ellos/ellas	*their house*

¡ATENCIÓN!

The neuter form **lo** + [*singular stressed possessive*] is used to refer to abstract ideas or concepts such as *what is mine* and *what belongs to you.*

Quiero lo mío.
I want what is mine.

- Possessive pronouns (**pronombres posesivos**) have the same forms as stressed possessive adjectives and are preceded by a definite article. Possessive pronouns agree in gender and number with the nouns they replace.

No encuentro mi **libro**. ¿Me prestas **el tuyo**?
I can't find my book. Can I borrow yours?

Si la **fotógrafa** suya no llega, **la nuestra** está disponible.
If your photographer doesn't arrive, ours is available.

Práctica

2.5 Possessive adjectives and pronouns

1 **¿De quién hablan?** En un programa de entrevistas, varias personas famosas hacen comentarios. Completa sus oraciones con los adjetivos posesivos que faltan.

1. La actriz Fernanda Lora habla sobre su esposo: "________ esposo siempre me acompaña a los estrenos, aunque ________ trabajo le exija estar en otro sitio".
2. Los integrantes del famoso dúo Maite y Antonio hablan sobre su hijo: "________ hijo empezó a cantar a los dos años".
3. El actor Saúl Mar habla de su ex esposa, la modelo Serafina: "________ ex ya no es tan guapa como antes, aunque ________ *fans* piensen lo contrario".

2 **¿Es tuyo...?** Escribe preguntas con **ser** y contéstalas usando el pronombre posesivo que corresponde a la(s) persona(s) indicada(s). Sigue el modelo.

MODELO **tú / libro / yo**
—¿Es tuyo este libro?
—Sí, es mío.

1. ustedes / cartas / nosotros
____
____
2. ella / bicicleta / ella
____
____
3. yo / café / tú
____
____
4. nosotros / periódicos / yo
____
____
5. tú / disco compacto / ellos
____
____
6. él / ideas / nosotros
____
____

3 **Durante el almuerzo** Durante la hora del almuerzo, tres compañeros de trabajo tratan de conocerse mejor. Completa la conversación con los posesivos adecuados. Cuando sea necesario, añade también el artículo definido correspondiente.

MANUEL (1) ____________ películas favoritas son las de acción. ¿Y (2) ____________?
JUAN A mí no me gusta el cine.
AGUSTÍN A mí tampoco, pero a (3) ____________ esposa le gustan las películas clásicas. Lo mío es el deporte.
JUAN Yo detesto el deporte. (4) ____________ pasatiempo favorito es la música.
MANUEL ¡Ahh! ¿Es (5) ____________ la guitarra que vi en la oficina?
JUAN Sí, es (6) ____________. Después del trabajo, nos reunimos en la casa de un amigo (7) ____________ y tocamos un poco. A (8) ____________ amigos y a mí nos gusta el rock. (9) ____________ músicos preferidos son...
AGUSTÍN ¡No te molestes en nombrarlos! No sé nada de música.
MANUEL Parece que (10) ____________ gustos son muy distintos.

TALLER DE CONSULTA

These activities correspond to the additional grammar point on the preceding page.

Más práctica

TALLER DE CONSULTA

MÁS PRÁCTICA
To see the explanation corresponding to this additional practice, see p. 112.

3.1 The preterite

1 **Conversación telefónica** La mamá de Andrés lo llama para saber cómo fue su semana. Completa la conversación con el pretérito de los verbos de la lista. Algunos verbos se repiten.

andar	dar	ir	ser
barrer	hacer	quitar	tener

MAMÁ Hola, Andrés, ¿cómo te va?
ANDRÉS Bien, mamá. ¿Y a ti?
MAMÁ También estoy bien. ¿Qué tal las clases?
ANDRÉS En la clase de historia (1) ________ un examen el lunes. En la clase de química, el profesor nos (2) ________ una demostración en el laboratorio.
MAMÁ ¿Y el resto de las clases?
ANDRÉS (3) ________ muy fáciles, pero los profesores nos (4) ________ mucha tarea.
MAMÁ ¿Cómo está tu apartamento? ¿Está muy sucio (*dirty*)?
ANDRÉS ¡Está perfecto! Ayer (5) ________ la limpieza: (6) ________ el piso y (7) ________ el polvo de los muebles.
MAMÁ ¿Qué hiciste con tus amigos el sábado por la noche?
ANDRÉS Nosotros (8) ________ por el centro de la ciudad y (9) ________ a un restaurante. (10) ________ una noche muy divertida.

2 **Vienen los abuelitos** Tus abuelos vienen a tu casa para pasar el fin de semana. Tu mamá quiere saber si ya hiciste todo lo que te pidió, pero tú ya sabes lo que te va a preguntar. Completa sus preguntas y después contéstalas.

MODELO **¿Ya... (conseguir las entradas para el concierto)?**
—¿Ya conseguiste las entradas para el concierto?
—Sí, mamá, ya conseguí las entradas para el concierto.

1. ¿Ya... (lavar los platos)? ________________
2. ¿Ya... (ir al supermercado)? ________________
3. ¿Ya... (pasar la aspiradora)? ________________
4. ¿Ya... (quitar tus cosas de la mesa)? ________________
5. ¿Ya... (hacer las reservaciones en el restaurante)? ________________
6. ¿Ya... (limpiar el baño)? ________________

3 **Un problema** Quieres devolver unos zapatos que te compraste hace dos semanas y pedir un reembolso, pero la zapatería no acepta cambios después de una semana. En parejas, improvisen una conversación en la que el/la cliente trata de convencer al/a la gerente (*manager*) de que le devuelva el dinero.

Más práctica

3.2 The imperfect

1 **Antes** Forma oraciones con estos elementos para explicar qué hacían antes estas personas.

MODELO mi tía / siempre / cocinar / una sopa deliciosa
Antes, mi tía siempre cocinaba una sopa deliciosa.

1. yo / barrer / la escalera de mi casa / a menudo

____

2. mi hermano pequeño / casi nunca / apagar / la luz de su habitación

____

3. la ropa / ser / más barata

____

4. mis amigas / apenas / ir / al centro comercial.

____

5. tú / quitar / el polvo de los muebles / a veces

____

2 **Oraciones incompletas** Termina las oraciones con el imperfecto.

1. Cuando yo era niño/a, ______________________________.
2. Todos los veranos mi familia y yo ______________________________.
3. En la escuela primaria mis maestros nunca ______________________________.
4. Mis hermanos y yo siempre ______________________________.
5. Mi abuela siempre ______________________________.

3 **Un robo** El sábado unos jóvenes le robaron el bolso a una anciana en el parque.
Tú eres uno de los testigos. Contesta las preguntas de la policía usando el imperfecto.

1. ¿Dónde estabas alrededor de las dos de la tarde?

____

2. ¿Qué llevabas puesto (*were you wearing*)?

____

3. ¿Qué hacías en el parque?

____

4. ¿Quiénes estaban contigo?

____

5. ¿Qué otras personas había en el parque? ¿Qué hacían estas personas?

____

4 **¿Cómo ha cambiado tu vida?** En parejas, comparen la escuela primaria con la escuela secundaria. Escriban una lista de las responsabilidades que tienen ahora y las que tenían antes.

MODELO Cuando estaba en la escuela primaria no tenía mucha tarea, pero ahora tengo muchísima.

TALLER DE CONSULTA

MÁS PRÁCTICA
To see the explanation corresponding to this additional practice, see p. 116.

Más práctica

TALLER DE CONSULTA

MÁS PRÁCTICA
To see the explanation corresponding to this additional practice, see p. 120.

3.3 The preterite vs. the imperfect

1 **¿Pretérito o imperfecto?** Indica si normalmente debes usar el pretérito (P) o el imperfecto (I) con estas expresiones de tiempo. Después, escribe cinco oraciones completas que contengan estas expresiones.

__ el año pasado	__ ayer por la noche
__ todos los días	__ el domingo pasado
__ siempre	__ todas las tardes
__ mientras	__ una vez

2 **Distintos significados** Completa las oraciones con el pretérito o el imperfecto de los verbos entre paréntesis. Recuerda que cuando se usan estos verbos en el pretérito tienen un significado distinto al del imperfecto.

1. Cuando yo era niño, nunca ________ (querer) limpiar mi habitación, pero mis padres me obligaban a hacerlo.
2. Mi amigo ya ________ (poder) hablar chino y japonés cuando tenía siete años.
3. Finalmente, después de preguntar por todos lados, Ana ________ (saber) cómo solicitar una tarjeta de crédito.
4. Mis padres ________ (querer) comprarse una aspiradora. Estaban cansados de barrer.
5. Se rompió el timbre. Por suerte, mi amigo Juan Carlos ________ (poder) venir enseguida a arreglarlo.
6. Mi hermano ________ (conocer) a su novia en el centro comercial.
7. Mi abuela ________ (saber) cocinar muy bien.
8. Miguel y Roberto completaron el formulario, pero no ________ (querer) contestar la última pregunta.

3 **Mi mejor año** ¿Cuál fue tu mejor año en la escuela? Escribe una historia breve sobre ese año especial. Recuerda que para narrar series de acciones completas debes usar el pretérito y para describir el contexto o acciones habituales en el pasado debes usar el imperfecto. Comparte tu historia con la clase.

MODELO Creo que mi mejor año fue el segundo grado. Yo vivía con mi familia en Toronto, pero ese año nos mudamos a Vancouver.

4 **Cuentos populares** En grupos de tres, escojan un cuento popular que conozcan. Escríbanlo cambiando completamente el papel (*role*) de los personajes y los hechos. Utilicen el pretérito y el imperfecto. Después, representen una escena de su cuento para la clase.

MODELO Había una vez tres cerditos muy malos que querían atacar a un lobito muy bueno…

3.4 Telling time

- The verb **ser** is used to tell time in Spanish. The construction **es + la** is used with **una,** and **son + las** is used with all other hours.

¿Qué hora es?
What time is it?

Es la una.
It is one o'clock.
Son las tres.
It is three o'clock.

- The phrase **y +** [*minutes*] is used to tell time from the hour to the half-hour. The phrase **menos +** [*minutes*] is used to tell time from the half-hour to the hour, and is expressed by subtracting minutes from the next hour.

Son las once **y veinte.**

Es la una **menos cuarto.**

Son las doce **menos diez.**

- To ask at what time an event takes place, the phrase **¿A qué hora (...)?** is used. To state at what time something takes place, use the construction **a la(s) +** [*time*].

¿**A qué hora** es la fiesta?
(At) what time is the party?

La fiesta es **a las ocho.**
The party is at eight.

- The following expressions are used frequently for telling time.

Son las siete **en punto.**
It's seven o'clock on the dot/sharp.

Son **las doce del mediodía.**/Es **(el) mediodía.**
It's 12 p.m./It's noon.

Son **las doce de la noche**. /Es **(la) medianoche.**
It's 12 a.m./It's midnight.

Son las nueve **de la mañana.**
It's 9 a.m./in the morning.

Son las cuatro y cuarto **de la tarde**.
It's 4:15 p.m./in the afternoon.

Son las once y media **de la noche**.
It's 11:30 p.m./at night.

- The imperfect is generally used to tell time in the past. However, the preterite may be used to describe an action that occurred at a particular time.

¿Qué hora **era** cuando llegaste?
What time was it when you arrived?

Eran las cuatro de la mañana.
It was four o'clock in the morning.

¿A qué hora **fueron** al cine?
At what time did you go to the movies?

Fuimos a las nueve.
We went at nine o'clock.

MÁS GRAMÁTICA

This is an additional grammar point for **Lección 3 Estructura.** You may use it for review or as required by your teacher.

¡ATENCIÓN!

The phrases **y media** (*half past*) and **y/menos cuarto** (*quarter past/of*) are usually used instead of **treinta** and **quince**.

Son las doce y media.
It's 12:30/half past twelve.

Son las nueve menos cuarto.
It's 8:45/quarter to nine.

¡ATENCIÓN!

Note that **es** is used to state the time at which a single event takes place.

Son las dos.
It is two o'clock.

Mi clase es a las dos.
My class is at two o'clock.

Práctica

TALLER DE CONSULTA

These activities correspond to the additional grammar point on the preceding page.

3.4 Telling time

1 **La hora** Escribe la hora que aparece en cada reloj usando oraciones completas.

1. ______________

2. ______________

3. ______________

4. ______________

5. ______________

6. ______________

2 **¿Qué hora es?** Da la hora usando oraciones completas.

1. 1:10 p.m. ______________
2. 6:30 a.m. ______________
3. 8:45 p.m. ______________
4. 11:00 a.m. ______________
5. 2:55 p.m. ______________
6. 12:00 a.m. ______________

3 **Retraso** Hoy tienes un mal día y estás atrasado/a en todo. Usa la información para explicar a qué hora hiciste cada cosa y por qué te retrasaste. Sigue el modelo.

MODELO **ir al centro comercial – 9 a.m. (15 minutos)**
Tenía que ir al centro comercial a las nueve de la mañana, pero llegué a las nueve y cuarto porque el autobús se retrasó.

1. levantarme – 7 a.m. (30 minutos)
2. desayunar – 8 a.m. (2 horas y media)
3. reunirme con la profesora de química – 11 a.m. (1 hora)
4. escribir el ensayo para la clase de literatura – 3 p.m. (2 horas y cuarto)
5. llamar a mis padres – 5 p.m. (3 horas y media)
6. limpiar mi casa – 3 p.m. (¡Todavía no has empezado!)

Más práctica

4.1 The subjunctive in noun clauses

TALLER DE CONSULTA

MÁS PRÁCTICA
To see the explanation corresponding to this additional practice, see p. 154.

1 **El doctor** El doctor González escribe informes con el diagnóstico y las recomendaciones para cada paciente. Completa los informes con el indicativo o el subjuntivo de los verbos entre paréntesis.

Informe 1

Don José, creo que usted (1) ________ (sufrir) de mucho estrés. Usted (2) ________ (trabajar) demasiado y no (3) ________ (cuidarse) lo suficiente. Es necesario que usted (4) ________ (dormir) más horas. No creo que usted (5) ________ (necesitar) tomar medicinas, pero es importante que (6) ________ (controlar) su alimentación y (7) ________ (mantener) una dieta más equilibrada.

Informe 2

Carlitos, no hay duda de que tú (8) ________ (tener) varicela (*chicken pox*). Es una enfermedad muy contagiosa y por eso es necesario que (9) ________ (quedarse) en casa una semana. Como no podrás asistir a la escuela, te recomiendo que (10) ________ (hablar) con uno de tus compañeros y que (11) ________ (hacer) la tarea regularmente. Quiero que (12) ________ (aplicarse) (*to apply*) esta crema si te pica (*itches*) mucho la piel.

Informe 3

Susana y Pedro, es obvio que ustedes (13) ________ (tener) gripe. Para aliviar la tos, les recomiendo que (14) ________ (tomar) este jarabe por la mañana y estas pastillas por la noche. No creo que (15) ________ (necesitar) quedarse en cama. Les recomiendo que (16) ________ (beber) mucho líquido y que (17) ________ (comer) muchas frutas y verduras. Estoy seguro de que en unos días (18) ________ (ir) a sentirse mejor.

2 **¿Cómo terminan?** Escribe un final original para cada oración. Recuerda usar el subjuntivo cuando sea necesario.

1. Es imposible que hoy...
2. Dudo mucho que el profesor...
3. No es cierto que mis amigos y yo...
4. Es muy probable que yo...
5. Es evidente que en el hospital...
6. Los médicos recomiendan que...

3 **Reacciones** En grupos de cinco, digan cómo reaccionarían ante estas situaciones. Deben usar el subjuntivo en sus respuestas para mostrar emoción, incredulidad, alegría, rechazo, insatisfacción, etc.

MODELO **Acabas de ganar un millón de dólares.**
¡Es imposible que sea verdad! No puedo creer que...

1. Un día recibes una llamada de un abogado que dice que una tía a la que no conocías acaba de morir y te dejó una gran herencia.
2. Oyes que el agua que tomas del grifo (*tap*) está contaminada y que todos los habitantes de la ciudad se van a enfermar.
3. Llegas a la escuela el primer día y te dicen que las clases fueron canceladas. Que debes regresar la próxima semana.
4. Tus padres te acaban de decir que como regalo de cumpleaños te darán un viaje a Europa.
5. Uno de tus compañeros de clase te dice que tiene la gripe aviar (*bird flu*). Es muy contagiosa.
6. Acabas de ver a un(a) amigo/a hablando mal de ti enfrente de millones de televidentes.

Más práctica

TALLER DE CONSULTA

MÁS PRÁCTICA
To see the explanation corresponding to this additional practice, see p. 160.

4.2 Commands

1 **Las indicaciones del médico** Lee los problemas de estos pacientes. Luego, completa las órdenes y recomendaciones que su médico les da.

Don Mariano y doña Teresa no duermen bien y sufren de mucha presión en el trabajo.	1. ______ (tomar) té de manzanilla y ______ (acostarse) siempre a la misma hora. 2. No ______ (trabajar) los domingos.
Juan come muchos dulces y tiene caries (*cavities*).	3. (Tú) ______ (cepillarse) los dientes dos veces por día. 4. No ______ (comer) más dulces.
La señora Ortenzo se lastimó jugando al tenis. Le duele el pie derecho.	5. (Usted) ______ (quedarse) en cama dos días. 6. No ______ (mover) el pie y no ______ (caminar) sin muletas (*crutches*).
Carlos y Antonio trasnochan con frecuencia y no llevan una dieta sana.	7. ______ (dormir) por lo menos ocho horas cada noche. 8. No ______ (ir) a clase sin antes comer un desayuno saludable.

2 **Antes y ahora** ¿Te daban órdenes tus padres cuando eras niño/a? ¿Te siguen dando órdenes? Escribe cinco mandatos que te daban cuando eras niño/a y cinco que te dan ahora. Utiliza mandatos informales afirmativos y negativos.

Los mandatos de antes	Los mandatos de ahora
______	______
______	______
______	______
______	______
______	______

3 **El viernes por la noche** Tú y tus amigos están pensando en qué hacer este viernes. Tú sugieres actividades (usa mandatos con **nosotros/as**), pero tus compañeros/as rechazan (*reject*) tus ideas y sugieren otras. En grupos de tres, representen la conversación.

MODELO
ESTUDIANTE 1 Vayamos al cine esta noche.
ESTUDIANTE 2 No quiero porque no tengo dinero. Quedémonos en casa y veamos la tele.
ESTUDIANTE 3 Pues, alquilemos una película entonces...

Más práctica

4.3 *Por* and *para*

1

El viaje de Carla Carla está planeando pasar dos semanas del verano en Colombia para participar en un programa de intercambio con una escuela de Bogotá. Une las frases para completar sus comentarios sobre el viaje.

___ 1. Este verano viajaré a Bogotá	a. para Bogotá.
___ 2. Es un programa de intercambio organizado	b. para estudiar español.
___ 3. Estudiantes de varias escuelas nos reuniremos en Miami y de allí saldremos	c. para la embajada (*embassy*).
___ 4. Extrañaré a mi familia, pero prometen llamarme	d. para tomar cursos avanzados cuando entre a la universidad
___ 5. Quisiera pasar un año allá, pero sólo puedo ir	e. por una organización sin ánimo de lucro (*non-profit*)
___ 6. Antes de volver a mi país, espero viajar	f. por teléfono una vez por semana.
___ 7. Quiero perfeccionar el español	g. por todo el país.
___ 8. En el futuro, espero trabajar	h. por tres meses.

2

Instrucciones para cuidar al perro Este fin de semana te toca cuidar al perro de tus vecinos y ellos están muy preocupados. Completa su lista de instrucciones con **por** o **para**.

1. *Si el perro está muy deprimido, llama al veterinario ________ teléfono.*
2. *Si está un poco triste, haz todo lo que puedas ________ darle ánimo.*
3. *Últimamente tiene problemas de digestión y debe tomar una medicina ________ el estómago.*
4. *________ ver si el perro tiene fiebre, usa este termómetro.*
5. *No es ________ tanto si no te saluda cuando entras en la casa; cuando te conozca mejor y te tenga más confianza comenzará a saludarte.*
6. *Sácalo a pasear todos los días de la semana: el ejercicio es bueno ________ los perros.*
7. *Nuestra rutina es caminar media hora ________ el parque.*
8. *Dale su medicina tres veces ________ día.*

3

Un acontecimiento increíble ¿Alguna vez te ha ocurrido algo inusual o difícil de creer? Cuéntale a tu compañero/a un acontecimiento increíble que te haya ocurrido, o inventa uno. Incluye al menos cuatro expresiones de la lista.

para colmo	no estar para bromas	por casualidad	por más/mucho que
para que sepas	no ser para tanto	por fin	por supuesto

TALLER DE CONSULTA

MÁS PRÁCTICA
To see the explanation corresponding to this additional practice, see p. 164.

MÁS GRAMÁTICA

This is an additional grammar point for **Lección 4 Estructura.** You may use it for review or as required by your teacher.

4.4 The subjunctive with impersonal expressions

- The subjunctive is frequently used in subordinate clauses following impersonal expressions.

IMPERSONAL EXPRESSION	CONNECTOR	SUBORDINATE CLAUSE
Es urgente	**que**	**vayas al hospital.**

- Impersonal expressions that indicate will, desire, or emotion are usually followed by the subjunctive.

es bueno *it's good*	**es necesario** *it's necessary*
es extraño *it's strange*	**es ridículo** *it's ridiculous*
es importante *it's important*	**es terrible** *it's terrible*
es imposible *it's impossible*	**es una lástima** *it's a shame*
es malo *it's bad*	**es una pena** *it's a pity*
es mejor *it's better*	**es urgente** *it's urgent*

Es una lástima que **estés** con gripe.
It's a shame you have the flu.

Es mejor que te **acompañen.**
It's better that they go with you.

- Impersonal expressions that indicate certainty trigger the indicative in the subordinate clause. When they express doubt about the action or condition in the subordinate clause, the subjunctive is used.

indicative	subjunctive
es cierto *it's true*	**no es cierto** *it's untrue*
es obvio *it's obvious*	**no es obvio** *it's not obvious*
es seguro *it's certain*	**no es seguro** *it's not certain*
es verdad *it's true*	**no es verdad** *it's not true*

Es verdad que Juan está triste, pero **no es cierto** que **esté** deprimido.
It's true that Juan is sad, but it's not true that he is depressed.

Es obvio que usted tiene una infección, pero **es improbable** que **sea** contagiosa.
It's obvious that you have an infection, but it's unlikely that it's contagious.

- When an impersonal expression is used to make a general statement or suggestion, the infinitive is used in the subordinate clause. When a new subject is introduced, the subjunctive is used instead.

Es importante hacer ejercicio.
It's important to exercise.

No es seguro caminar solo por la noche.
It's not safe to walk around alone at night.

Es importante que los niños **hagan** ejercicio.
It's important for children to exercise.

No es seguro que **camines** solo por la noche.
It's not safe for you to walk around alone at night.

Práctica

4.4 The subjunctive with impersonal expressions

1 **Pórtate bien** Los padres de Álvaro se van de viaje y le dejan una nota a su hijo con algunas cosas que tiene que hacer. Completa la nota con el presente del subjuntivo de los verbos entre paréntesis.

¡No te olvides!

Sabemos que es imposible que (1) _______ (acostarse) temprano, pero es importante que (2) _______ (levantarse) antes de las 8:00 y que (3) _______ (llevar) el carro al mecánico. El martes es necesario que (4) _______ (ir) a casa de tu tía Julia y le (5) _______ (llevar) nuestro regalo. Como la pastelería queda cerca del mecánico, es mejor que (6) _______ (pasar) a recoger el pastel de cumpleaños cuando vayas a recoger el carro el lunes por la tarde. Y, bueno, hijo, es una lástima que no (7) _______ (poder) venir con nosotros.

¡Cuídate mucho!
Mamá y papá

2 **Obligaciones** Piensa en las obligaciones de los padres para con los hijos y viceversa. Completa el cuadro con frases impersonales que requieran el subjuntivo.

Las obligaciones de los padres y de los hijos

padres	hijos
Es importante que los padres escuchen a sus hijos.	

3 **Pareja ideal** En grupos de cuatro, piensen en su pareja ideal y comenten cómo debe ser. Cada uno/a de ustedes debe escribir por lo menos cinco oraciones con frases impersonales.

es bueno	**es mejor**
es importante	**es necesario**
es malo	**es ridículo**

TALLER DE CONSULTA

These activities correspond to the additional grammar point on the preceding page.

Más práctica

TALLER DE CONSULTA

MÁS PRÁCTICA
To see the explanation corresponding to this additional practice, see p. 198.

5.1 Comparatives and superlatives

1 **Los medios de transporte** Escribe seis oraciones completas para comparar los medios de transporte de la lista. Utiliza por lo menos tres comparativos y tres superlativos. Debes hacer comparaciones con respecto a estos aspectos:

- la rapidez
- la comodidad
- la diversión
- el precio

medios de transporte
autobús, avión, bicicleta, carro, metro, taxi, tren

MODELO Para viajar por la ciudad, el taxi es más caro que el autobús. / El avión es el medio más rápido de todos.

2 **El absoluto** Utiliza el superlativo absoluto (**-ísimo/a**) para escribir oraciones completas. Sigue el modelo.

MODELO **elefantes / animales / grande**
Los elefantes son unos animales grandísimos.

1. diamantes / joyas / caro
2. avión / medio de transporte / rápido
3. Bill Gates / persona / rico
4. el puente de Brooklyn / largo
5. la clase de inglés / fácil
6. Elle Fanning / actriz / joven
7. El F.C. Barcelona / equipo de fútbol español / famoso
8. el Río de la Plata / ancho

3 **Un pariente especial** ¿Hay alguien en tu familia que consideras especial? ¿Te pareces a esa persona? ¿Es mayor o menor que tú? ¿Qué similitudes y diferencias tienen? Trabaja con un(a) compañero/a: dile quién es tu pariente favorito y cuéntale en qué se parecen y en qué se diferencian. Usa comparativos en tu descripción. Incluye algunos de estos aspectos:

altura	**gustos**
apariencia física	**personalidad**
edad	**vida académica**

MODELO Mi primo Juan es mi primo favorito. Es mayor que yo, pero yo soy mucho más alto que él...

Más práctica

5.2 Negative, affirmative, and indefinite expressions

1 **De compras** Has desembarcado de un crucero en una isla remota. Quieres comprar algo típico para tus amigos, pero el empleado te hace mil preguntas sobre lo que quieres. Elige las opciones correctas para completar la conversación.

EMPLEADO ¡Hola! ¿Quieres (1) ________ (algo / nada) extraordinario para tus amigos?

TÚ No, no quiero (2) ________ (algo / nada) extraordinario, quiero (3) ________ (algo / nada) típico de la isla.

EMPLEADO Tenemos unos recuerdos muy especiales por aquí. (4) ________ (Siempre / Nunca) es mejor regalar (5) ________ (algo / nada) que llegar con las manos vacías (empty)…

TÚ Sí, pero (6) ________ (también / tampoco) es bueno comprar cosas que no quepan en la maleta. Necesito un recuerdo que no sea muy grande, pero (7) ________ (también / tampoco) muy pequeño, por favor.

EMPLEADO Es que no tenemos (8) ________ (algo / nada) así. Todo lo que tenemos (9) ________ (o / ni) es muy chiquito (10) ________ (o / ni) es muy grande. No tenemos (11) ________ (algo / nada) de tamaño mediano.

TÚ Bueno, señor, el barco ya se va… Si usted no tiene (12) ________ (algo / nada) que yo pueda comprar ahora mismo, me tendré que ir.

EMPLEADO Lo siento. (13) ________ (Alguien / Nadie) compra recuerdos aquí (14) ________ (siempre / jamás). No entiendo por qué será.

2 **En el avión** Marcos, un viajero, es un poco caprichoso; nada le viene bien. Escribe **o… o, ni… ni,** o **ni siquiera** para completar sus quejas.

1. Le pedí una bebida al asistente de vuelo, pero no me trajo ______ café ______ agua.
2. ¡Qué día fatal! No pude ______ empacar la última maleta ______ despedirme de mis amigos.
3. Por favor, ______ sean puntuales ______ avisen si van a llegar tarde.
4. Hoy me siento enfermo. No puedo ______ dormir ______ hablar. ______ puedo moverme.
5. Me duele la cabeza. No quiero ______ escuchar música ______ ver la tele.

3 **Afirmaciones** En grupos de cuatro, hablen sobre estas afirmaciones y digan si están de acuerdo. Por turnos, expliquen sus razones. Usen expresiones negativas, afirmativas e indefinidas.

1. Es más costoso viajar en primera clase, pero vale la pena.
2. Conocer otros países y culturas es más importante que aprender de un libro.
3. Hacer un intercambio te abre más a otras maneras de pensar.
4. Es mejor ir de vacaciones durante el verano que durante el invierno.
5. Ir de viaje es la mejor manera de gastar los ahorros.
6. Es más peligroso viajar hoy en día. Antes era muchísimo más seguro.

TALLER DE CONSULTA

MÁS PRÁCTICA
To see the explanation corresponding to this additional practice, see p. 202.

Más práctica

TALLER DE CONSULTA

MÁS PRÁCTICA
To see the explanation corresponding to this additional practice, see p. 206.

5.3 The subjunctive in adjective clauses

1 **Unir los elementos** Escribe cinco oraciones lógicas combinando elementos de las tres columnas.

MODELO Juan busca un libro que esté escrito en español.

Juan (estudiante de español)	buscar un tutor	pagar bien
Pedro (tiene un carro viejo)	buscar un libro	ser divertida
Ana (tiene muy poco dinero)	necesitar un carro	ayudarme
mis amigos (están aburridos)	tener que ir a una fiesta	ser nuevo y rápido
yo (tengo problemas con la clase de cálculo)	querer un trabajo	poder ayudarnos
nosotros (no sabemos qué clases tomar el próximo semestre)	necesitar hablar con un consejero	estar escrito en español

2 **En el aeropuerto** Mientras esperas en el aeropuerto, escuchas todo lo que dicen los empleados de la aerolínea y los agentes de seguridad. Usa el subjuntivo para completar las oraciones de manera lógica.

1. Deben pasar por aquí las personas que ______________________________.
2. ¿Tiene usted algo en su bolsa que ______________________________?
3. Debe sacar del bolsillo todo lo que ______________________________.
4. No cuente chistes que ______________________________.
5. Pueden pasar los viajeros que ______________________________.
6. No se pueden llevar maletas que ______________________________.

3 **Anuncio personal** En grupos de tres, escriban un anuncio personal para una persona que busca novio/a. El anuncio debe ser detallado y creativo, y debe usar el subjuntivo y el indicativo. Después, compartan el anuncio con la clase para ver si encuentran a alguien que se parezca a la persona de su anuncio.

5.4 *Pero* and *sino*

Estoy bien, pero, ¿no es recomendable ir un poco más despacio?

No sólo eres un pesado, sino que también eres un llorón!

- In Spanish, both **pero** and **sino** are used to introduce a contrast or a clarification, but the two words are not interchangeable.
- **Pero** means *but* (in the sense of *however*). It may be used after either affirmative or negative clauses.

  Iré contigo a ver las ruinas, **pero** mañana quiero pasar el día entero en la playa.
  I'll go with you to see the ruins, but tomorrow I want to spend the whole day on the beach.

  La habitación del hotel es pequeña, **pero** cómoda.
  The hotel room is small, but comfortable.

- **Sino** also means *but* (in the sense of *but rather* or *on the contrary*). It is used only after negative clauses. **Sino** introduces an idea that clarifies, corrects, or excludes the previous information.

  No me gustan estos zapatos, **sino** los de la otra tienda.
  I don't like these shoes, but rather the ones from the other store.

  La casa **no** está en el centro de la ciudad, **sino** en las afueras.
  The house is not in the center of the city, but rather in the outskirts.

- When **sino** is used before a conjugated verb, the conjunction **que** is added.

  No quiero que vayas a la fiesta, **sino que** hagas tu tarea.
  I want you to do your homework rather than go to the party.

  No iba a casa, **sino que** se quedaba en la capital.
  She was not going home, but instead staying in the capital.

- *Not only... but also* is expressed with the phrase **no sólo... sino (que) también/además**.

  Quiero **no sólo** pastel, **sino también** helado.
  I want not only cake but also icecream.

  No sólo disfruté del viaje, **sino que además** hice nuevos amigos.
  Not only did I enjoy the trip; I also made new friends.

- The phrase **pero tampoco** means *but neither* or *but not either.*

  A Celia no le interesaba la excursión, **pero tampoco** quería quedarse en el crucero.
  Celia wasn't interested in the excursion, but she didn't want to stay on the cruise ship either.

MÁS GRAMÁTICA

This is an additional grammar point for **Lección 5 Estructura.** You may use it for review or as required by your teacher.

¡ATENCIÓN!

To express surprise or admiration, use **pero qué** at the beginning of a sentence.

¡Pero qué turista tan amable!
What a nice tourist!

¡ATENCIÓN!

Pero también (*But also*) is used after affirmative clauses.

Pedro es inteligente, pero también es cabezón.
Pedro is smart, but he is also stubborn.

Práctica

TALLER DE CONSULTA

These activities correspond to the additional grammar point on the preceding page.

5.4 *Pero* and *sino*

1 **Columnas** Completa cada oración con la opción correcta.

1. Sofía no quiere viajar mañana y Marta, ____.
2. Mi nuevo compañero de clase no es de Madrid, ____ de Barcelona.
3. Mis padres quieren que yo cambie de escuela ____ yo prefiero quedarme en ésta.
4. No fui al partido de fútbol, ____ fui al concierto de rock. Tuve que estudiar para un examen.
5. No queremos que usted nos cancele la reservación, ____ nos cambie la fecha de salida.

a. pero
b. pero tampoco
c. sino
d. sino que
e. tampoco

2 **Completar** Completa cada oración con **no sólo, pero, sino (que)** o **tampoco.**

1. Las cartas no llegaron el miércoles, ________ el jueves.
2. Mis amigos no quieren alojarse en el albergue y yo ________.
3. No me gusta manejar por la noche, ________ iré a la fiesta si tú manejas.
4. Carlos no me llamaba por teléfono, ________ me enviaba mensajes de texto.
5. Yo ________ esperaba aprobar el examen, ________ también sacar una A.
6. Quiero aclarar que Juan no llegó temprano, ________ muy tarde.

3 **Oraciones incompletas** Cuando tú y tu familia llegan al lugar donde pasarán sus vacaciones, se dan cuenta de que han dejado en casa a Juan José, tu hermano menor. Utiliza frases con **pero** y **sino** para completar las oraciones.

1. Yo no hablé con Juan José esta mañana ________________.
2. No vamos a poder regresar para buscarlo ________________.
3. No es aconsejable que regresemos ________________.
4. Me gusta la idea de llamar a un vecino ________________.
5. Creo que no debemos ________________.
6. Juan José no tiene cinco años ________________.
7. Si tiene algún problema no va a poder avisarnos ________________.
8. Está claro que Juan José ________________.

4 **Opiniones contrarias** En parejas, imaginen que son dos personas totalmente diferentes. Nunca están de acuerdo en nada. Túrnense para hacer afirmaciones. Uno/a de ustedes debe usar **pero, sino, sino que** y **no sólo... sino** para contradecir lo que dice el/la otro/a. Sigan el modelo.

MODELO

— Creo que hoy hace un día estupendo.
— ¡Estás equivocado! No hace un día estupendo, sino que hace mucho frío.
Y no sólo hace frío, sino que también...

Más práctica

6.1 The future

1 **¿Qué pasará?** Usa el futuro para explicar qué puede estar ocurriendo en cada una de las situaciones. Puedes utilizar las ideas de la lista o inventar otras.

MODELO **Hoy tu carro no arranca (*doesn't start*). Hay algo que no funciona.**
El carro no tendrá gasolina. / La batería estará descargada.

(su gato/su conejo) estar perdido	**tener otros planes**
(él/ella/su perro) estar enfermo/a	**no tener ganas**
haber un huracán	**doler la pierna**

1. María siempre llega a la clase de español puntualmente, pero la clase ya empezó y ella no está.
2. Carlos es el presidente del club ecologista, pero hoy no vino a la reunión.
3. Sara y María son dos personas muy alegres y optimistas, pero hoy están tristes y no quieren hablar con nadie.
4. He invitado a Juan a ir al cine con nosotros, pero no quiere ir.
5. Mañana vas a viajar a una zona tropical. Te acaban de avisar que se canceló tu vuelo.
6. Cristina tiene un partido de fútbol hoy, pero todavía no está aquí.

2 **Campaña informativa** En parejas, imaginen que trabajan para una organización que se dedica a proteger el medio ambiente. Les han pedido que preparen una campaña informativa para concienciar a la gente sobre (*make people aware of*) los problemas ecológicos. Contesten las preguntas y después compartan la información con la clase.

1. ¿Cómo se llamará la campaña?
2. ¿Qué problemas del medio ambiente tratará?
3. ¿Qué actividades harán?
4. ¿Qué consejos darán?
5. ¿Qué harán para distribuir la información?
6. ¿Creen que su campaña tendrá éxito? ¿Por qué?

3  **Horóscopo** En parejas, escriban el horóscopo de su compañero/a para el mes que viene. Utilicen verbos en futuro y algunas frases de la lista. Luego, compártanlo con sus compañeros/as.

decir secretos	**haber sorpresa**	**recibir una visita**
empezar una relación	**hacer daño**	**tener suerte**
festejar	**hacer un viaje**	**venir amigos**
ganar/perder dinero	**poder solucionar problemas**	**viajar al extranjero**

TALLER DE CONSULTA

MÁS PRÁCTICA
To see the explanation corresponding to this additional practice, see p. 240.

Más práctica

TALLER DE CONSULTA

MÁS PRÁCTICA
To see the explanation corresponding to this additional practice, see p. 244.

6.2 The subjunctive in adverbial clauses

1 **En el parque** **Javier quiere leer los carteles (*signs*) del parque nacional, pero Sol no cree que sean importantes. Completa la conversación con el subjuntivo del verbo indicado.**

JAVIER Espera, Sol, quiero leer los carteles.

SOL Es que son muy obvios. No dicen nada que yo no (1) ________ (saber). "Tan pronto como usted (2) ________ (escuchar) un trueno, aléjese de las zonas altas." ¡Qué tontería! ¡Eso es obvio!

JAVIER Sí, pero son importantes para que los visitantes (3) ________ (ser) conscientes de la seguridad.

SOL ¿Y qué tiene que ver este otro cartel con la seguridad? "Para que no (4) ________ (haber) erosión, camine sólo por el sendero."

JAVIER Bueno, es que algunos carteles son para que la gente (5) ________ (ayudar) a cuidar el parque. Por ejemplo, este otro...

SOL Basta, Javier, estoy harta de estos carteles tan obvios. Si realmente quieren cuidar el parque, ¿por qué no ponen cestos (*bins*) para la basura?

JAVIER Bueno, justamente el cartel dice: "No tenemos cestos para la basura para que los visitantes nos (6) ________ (ayudar) llevándose su propia basura del parque."

SOL Bueno, yo no he dicho que todos los carteles (7) ________ (ser) inútiles.

2 **En casa** **Tu hermana insiste en que tu familia colabore para proteger el medio ambiente. Tiene una lista de órdenes que quiere que ustedes cumplan. Escribe cada orden de otra forma, usando el subjuntivo y las palabras que están entre paréntesis. Haz los cambios necesarios.**

MODELO **Usen el aire acondicionado lo mínimo posible. (siempre que)**
Siempre que sea posible, no usen el aire acondicionado.

1. Cierren bien el grifo (*faucet*) y no dejen escapar ni una gota de agua. (para que)
2. Apaguen las luces al salir de un cuarto. (tan pronto como)
3. No boten las botellas. Hay que averiguar primero si se pueden reciclar. (antes de que)
4. Vayan a la escuela en bicicleta. Usen el carro sólo si hace mal tiempo. (a menos que)
5. En lugar de encender la calefacción (*heating*), pónganse otro suéter. (siempre que)

3 **Conversaciones** **En parejas, representen estas dos conversaciones. Usen conjunciones de la lista y recuerden que algunas de estas construcciones exigen un verbo en subjuntivo.**

a menos que	aunque	cuando	hasta que	sin (que)
antes de (que)	con tal de (que)	en caso de (que)	para (que)	tan pronto como

1. Una pareja de recién casados está planeando su luna de miel (*honeymoon*): Ella quiere ir a una isla remota. Él quiere ir a París.
2. Una madre y su hijo: Él tiene su licencia de conducir y quiere una motocicleta.

Más práctica

6.3 Prepositions: *a, hacia,* and *con*

TALLER DE CONSULTA

MÁS PRÁCTICA
To see the explanation corresponding to this additional practice, see p. 248.

1 **Un día horrible** Completa el texto con las preposiciones **a, hacia** o **con.**

Hola, Miguel:

Ayer tuve un día horrible. Casi prefiero no acordarme. Puse el despertador para que sonara (1) ________ las seis de la mañana, pero me dormí y me levanté (2) ________ las siete. Mi clase de ecología empezaba a las ocho, así que iba a llegar tarde. El profesor es bastante estricto y siempre se enoja (3) ________ los estudiantes que no llegan a tiempo.

Mi día había comenzado mal e iba a seguir peor. Salí de casa y comencé (4) ________ correr (5) ________ la escuela. Cuando estaba (6) ________ mitad de camino, algo terrible ocurrió. Una señora que estaba (7) ________ mi izquierda no vio la farola (*streetlight*) y chocó (8) ________ ella. Fue un golpe tremendo. Fui (9) ________ ayudarla, pues se había caído. Tuve que levantarla (10) ________ mucho cuidado porque estaba mareada. Cuando llegó la policía, yo comencé (11) ________ correr otra vez. Entré a clase muy tarde, (12) ________ las ocho y media. ¡Qué locura!

Un abrazo,
Lupe

2 **Carta** Imagina que estás de vacaciones en otro país y le escribes una carta a tu familia contándoles los detalles de tu viaje. Puedes incluir información sobre el horario de las actividades, los lugares que has visitado, las cosas que has hecho y los planes para el resto del viaje. Utiliza por lo menos seis expresiones de la lista.

MODELO Al llegar a San Juan, fui al hotel con Marta.

al llegar	estaba(n) conmigo	con un guía turístico
a veinte (millas)	con cuidado/anticipación	hacia/a las (nueve y media)
ayudar a	con mi cámara	hacia la playa/el bosque

3 **El guardaparques** Trabajen en grupos de cuatro. Una persona es el/la guardaparques (*park ranger*) y las otras tres son turistas. Algunos turistas no respetaron las reglas del parque y el/la guardaparques quiere saber quiénes fueron. Representen la situación usando la información de la lista y las preposiciones **a, hacia** y **con.**

estar / las dos de la tarde	hablar / otras personas
ir / tanta prisa	contaminar / combustible
dar de comer / los animales salvajes	ir / sacar plantas
envenenar / una sustancia tóxica	ir / otra gente
dirigir / la salida	ver / alguien sospechoso

MÁS GRAMÁTICA

This is an additional grammar point for **Lección 6 Estructura.** You may use it for review or as required by your teacher.

6.4 Adverbs

- Adverbs (**adverbios**) describe *how, when,* and *where* actions take place. They usually follow the verbs they modify and precede adjectives or other adverbs.

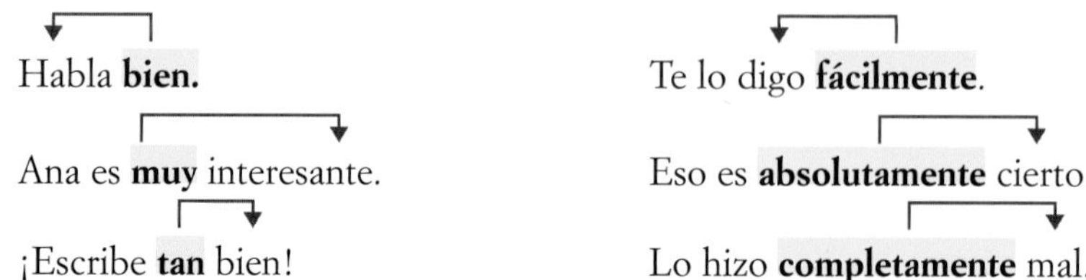

Habla **bien.**

Te lo digo **fácilmente**.

Ana es **muy** interesante.

Eso es **absolutamente** cierto.

¡Escribe **tan** bien!

Lo hizo **completamente** mal.

- Many Spanish adverbs are formed by adding the suffix **-mente** to the feminine singular form of an adjective. The **-mente** ending is equivalent to the English *-ly*.

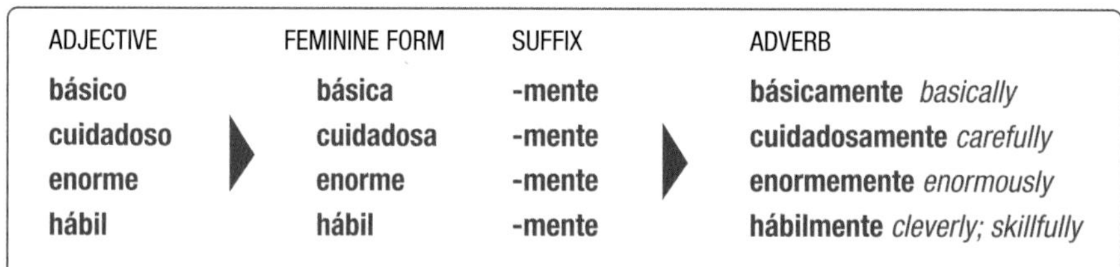

ADJECTIVE	FEMININE FORM	SUFFIX	ADVERB
básico	**básica**	**-mente**	**básicamente** *basically*
cuidadoso	**cuidadosa**	**-mente**	**cuidadosamente** *carefully*
enorme	**enorme**	**-mente**	**enormemente** *enormously*
hábil	**hábil**	**-mente**	**hábilmente** *cleverly; skillfully*

¡ATENCIÓN!

If an adjective has a written accent, it is kept when the suffix **-mente** is added.

If an adjective does not have a written accent, no accent is added to the adverb ending in **-mente**.

- If two or more adverbs modify the same verb, only the final adverb uses the suffix **-mente**.

  Se marchó **lenta** y **silenciosamente**.
  He left slowly and silently.

- The construction **con** + [*noun*] is often used instead of long adverbs that end in **-mente**.

  cuidadosamente → con cuidado **frecuentemente → con frecuencia**

- Here are some common adverbs and adverbial phrases:

a menudo *frequently; often*	**así** *like this; so*	**mañana** *tomorrow*
a tiempo *on time*	**ayer** *yesterday*	**más** *more*
a veces *sometimes*	**casi** *almost*	**menos** *less*
adentro *inside*	**de costumbre** *usually*	**muy** *very*
afuera *outside*	**de repente** *suddenly*	**por fin** *finally*
apenas *hardly; scarcely*	**de vez en cuando** *now and then*	**pronto** *soon*
aquí *here*		**tan** *so*

A veces salimos a tomar un café.
Sometimes we go out for coffee.

Casi terminé el libro.
I almost finished the book.

- The adverbs **poco** and **bien** frequently modify adjectives. In these cases, **poco** is often the equivalent of the English prefix *un-*, while **bien** means *well, very, rather,* or *quite.*

La situación está **poco** clara.
The situation is unclear.

La cena estuvo **bien** rica.
Dinner was very tasty.

¡ATENCIÓN!

Some adverbs and adjectives have the same forms.

ADJ: **bastante dinero** *enough money*
ADV: **bastante difícil** *rather difficult*

ADJ: **poco tiempo** *little time*
ADV: **habla poco** *speaks very little*

Práctica

6.4 Adverbs

1 **Adverbios** Escribe el adverbio que deriva de cada adjetivo.

1. básico ____________
2. feliz ____________
3. fácil ____________
4. inteligente ____________
5. alegre ____________
6. común ____________
7. injusto ____________
8. asombroso ____________
9. insistente ____________
10. silencioso ____________

2 **Instrucciones para ser feliz** Elige el adjetivo apropiado para cada ocasión y después completa la oración, convirtiendo ese adjetivo en el adverbio correspondiente. Hay tres adjetivos que no se usan.

claro	frecuente	malo	triste
cuidadoso	inmediato	tranquilo	último

1. Expresa tus opiniones ______________.
2. Tienes que salir por la noche ______________.
3. Debes gastar el dinero ______________.
4. Si eres injusto/a con alguien, debes pedir perdón ______________.
5. Después de almorzar, disfruta ______________ de la siesta.

3 **Recomendaciones** Los padres de Mario y Paola salieron de viaje por dos semanas. Completa las instrucciones que les dejaron pegadas en el refrigerador.

a menudo	adentro	así	mañana
a tiempo	afuera	de vez en cuando	tan

lunes, 19 de octubre

1. Pasar la aspiradora ______________. (¡Todos los días!)
2. Llegar a la escuela ____________.
3. ____________, llevar a Botitas al veterinario para su cita.
4. Dejar que el gato juegue ______ todos los días si no llueve.
5. Si llueve, meter los muebles del jardín ____________.
6. Sólo ir ____________ al centro comercial.

TALLER DE CONSULTA

These activities correspond to the additional grammar point on the preceding page.

Glossary of Grammatical Terms

ADJECTIVE A word that modifies, or describes, a noun or pronoun.

muchos libros / un hombre **rico**
***many** books* / *a **rich** man*

Demonstrative adjective An adjective that specifies which noun a speaker is referring to.

esta fiesta / **ese** chico
***this** party* / ***that** boy*

aquellas flores
***those** flowers*

Possessive adjective An adjective that indicates ownership or possession.

su mejor vestido / Éste es **mi** hermano.
***her** best dress* / *This is **my** brother.*

Stressed possessive adjective A possessive adjective that emphasizes the owner or possessor.

un libro **mío** / una amiga **tuya**
*a **book of mine*** / *a friend **of yours***

ADVERB A word that modifies, or describes, a verb, adjective, or other adverb.

Pancho escribe **rápidamente**.
*Pancho writes **quickly**.*

Este cuadro es **muy** bonito.
*This picture is **very** pretty.*

ANTECEDENT The noun to which a pronoun or dependent clause refers.

El **libro** que compré es interesante.
The book that I bought is interesting.

Le presté cinco dólares a **Diego**.
I loaned Diego five dollars.

ARTICLE A word that points out a noun in either a specific or a non-specific way.

Definite article An article that points out a noun in a specific way.

el libro / **la** maleta
***the** book* / ***the** suitcase*

los diccionarios / **las** palabras
***the** dictionaries* / ***the** words*

Indefinite article An article that points out a noun in a general, non-specific way.

un lápiz / **una** computadora
***a** pencil* / ***a** computer*

unos pájaros / **unas** escuelas
***some** birds* / ***some** schools*

CLAUSE A group of words that contains both a conjugated verb and a subject, either expressed or implied.

Main (or Independent) clause A clause that can stand alone as a complete sentence.

Pienso ir a cenar pronto.
I plan to go to dinner soon.

Subordinate (or Dependent) clause A clause that does not express a complete thought and therefore cannot stand alone as a sentence.

Trabajo en la cafetería **porque necesito dinero para la escuela.**
*I work in the cafeteria **because I need money for school.***

Adjective clause A dependent clause that functions to modify or describe the noun or direct object in the main clause. When the antecedent is uncertain or indefinite, the verb in the adjective clause is in the subjunctive.

Queremos contratar al candidato **que mandó su currículum ayer.**
*We want to hire the candidate **who sent his résumé yesterday.***

¿Conoce un buen restaurante **que esté cerca del teatro?**
*Do you know of a good restaurant **that's near the theater?***

Adverbial clause A dependent clause that functions to modify or describe a verb, an adjective, or another adverb. When the adverbial clause describes an action that has not yet happened or is uncertain, the verb in the adverbial clause is usually in the subjunctive.

Llamé a mi mamá **cuando me dieron la noticia.**
*I called my mom **when they gave me the news.***

El ejército está preparado **en caso de que haya un ataque.**
*The army is prepared **in case there is an attack.***

Noun clause A dependent clause that functions as a noun, often as the object of the main clause. When the main clause expresses will, emotion, doubt, or uncertainty, the verb in the noun clause is in the subjunctive (unless there is no change of subject).

José sabe **que mañana habrá un examen.**
*José knows **that tomorrow there will be an exam.***

Luisa dudaba **que la acompañáramos.**
*Luisa doubted **that we would go with her.***

COMPARATIVE A grammatical construction used with nouns, adjectives, verbs, or adverbs to compare people, objects, actions, or characteristics.

Tus clases son **menos interesantes** que las mías.
*Your classes are **less interesting** than mine.*

Como **más frutas** que verduras.
*I eat **more fruits** than vegetables.*

CONJUGATION A set of the forms of a verb for a specific tense or mood or the process by which these verb forms are presented.

PRETERITE CONJUGATION OF **CANTAR**:

cant**é**	cant**amos**
cant**aste**	cant**asteis**
cant**ó**	cant**aron**

CONJUNCTION A word used to connect words, clauses, or phrases.

Susana es de Cuba **y** Pedro es de España.
*Susana is from Cuba **and** Pedro is from Spain.*

No quiero estudiar, **pero** tengo que hacerlo.
*I don't want to study, **but** I have to.*

CONTRACTION The joining of two words into one. The only contractions in Spanish are **al** and **del**.

Mi hermano fue **al** concierto ayer.
*My brother went **to the** concert yesterday.*

Saqué dinero **del** banco.
*I took money **from the** bank.*

DIRECT OBJECT A noun or pronoun that directly receives the action of the verb.

Tomás lee **el libro**.	**La** pagó ayer.
*Tomás reads **the book**.*	*She paid **it** yesterday.*

GENDER The grammatical categorizing of certain kinds of words, such as nouns and pronouns, as masculine, feminine, or neuter.

MASCULINE
articles **el, un**
pronouns **él, lo, mío, éste, ése, aquél**
adjective **simpático**

FEMININE
articles **la, una**
pronouns **ella, la, mía, ésta, ésa, aquélla**
adjective **simpática**

IMPERSONAL EXPRESSION A third-person expression with no expressed or specific subject.

Es muy importante.	**Llueve** mucho.
***It's very important**.*	***It's raining** hard.*

Aquí **se habla** español.
*Spanish **is spoken** here.*

INDIRECT OBJECT A noun or pronoun that receives the action of the verb indirectly; the object, often a living being, to or for whom an action is performed.

Eduardo **le** dio un libro **a Linda**.
*Eduardo gave a book **to Linda**.*

La profesora **me** puso una C en el examen.
*The professor gave **me** a C on the test.*

INFINITIVE The basic form of a verb. Infinitives in Spanish end in **-ar**, **-er**, or **-ir**.

hablar	**correr**	**abrir**
to speak	***to run***	***to open***

INTERROGATIVE An adjective or pronoun used to ask a question.

¿**Quién** habla?	¿**Cuántos** compraste?
***Who** is speaking?*	***How many** did you buy?*

¿**Qué** piensas hacer hoy?
***What** do you plan to do today?*

MOOD A grammatical distinction of verbs that indicates whether the verb is intended to make a statement or command, or to express doubt, emotion, or condition contrary to fact.

Imperative mood Verb forms used to make commands.

Di la verdad.	**Caminen** ustedes conmigo.
***Tell** the truth.*	***Walk** with me.*
¡**Comamos** ahora!	¡No lo **hagas**!
***Let's eat** now!*	***Don't do** it!*

Indicative mood Verb forms used to state facts, actions, and states considered to be real.

Sé que **tienes** el dinero.
***I know** that **you have** the money.*

Subjunctive mood Verb forms used principally in subordinate (dependent) clauses to express wishes, desires, emotions, doubts, and certain conditions, such as contrary-to-fact situations.

Prefieren que **hables** en español.
*They prefer that **you speak** in Spanish.*

NOUN A word that identifies people, animals, places, things, and ideas.

hombre	**gato**
man	***cat***
México	**casa**
Mexico	***house***
libertad	**libro**
freedom	***book***

NUMBER A grammatical term that refers to singular or plural. Nouns in Spanish and English have number. Other parts of a sentence, such as adjectives, articles, and verbs, can also have number.

SINGULAR	PLURAL
una cosa *a thing*	**unas** cosas ***some** things*
el profesor ***the** professor*	**los** profesores ***the** professors*

PASSIVE VOICE A sentence construction in which the recipient of the action becomes the subject of the sentence. Passive statements emphasize the thing that was done or the person that was acted upon. They follow the pattern [*recipient*] + **ser** + [*past participle*] + **por** + [*agent*].

ACTIVE VOICE:
Juan **entregó** la tarea.
*Juan **turned in** the assignment.*

PASSIVE VOICE:
La tarea **fue entregada por** Juan.
*The assignment **was turned in by** Juan.*

PAST PARTICIPLE A past form of the verb used in compound tenses. The past participle may also be used as an adjective, but it must then agree in number and gender with the word it modifies.

Han **buscado** por todas partes.
*They have **searched** everywhere.*

Yo no había **estudiado** para el examen.
*I hadn't **studied** for the exam.*

Hay una ventana **abierta** en la sala.
*There is an **open** window in the living room.*

PERSON The form of the verb or pronoun that indicates the speaker, the one spoken to, or the one spoken about. In Spanish, as in English, there are three persons: first, second, and third.

PERSON	SINGULAR	PLURAL
1st	**yo** *I*	**nosotros/as** *we*
2nd	**tú, Ud.** *you*	**vosotros/as, Uds.** *you*
3rd	**él, ella** *he, she*	**ellos, ellas** *they*

PREPOSITION A word or words that describe(s) the relationship, most often in time or space, between two other words.

Anita es **de** California.
*Anita is **from** California.*

La chaqueta está **en** el carro.
*The jacket is **in** the car.*

PRESENT PARTICIPLE In English, a verb form that ends in *-ing*. In Spanish, the present participle ends in **-ndo**, and is often used with **estar** to form a progressive tense.

Está **hablando** por teléfono ahora mismo.
*He is **talking** on the phone right now.*

PRONOUN A word that takes the place of a noun or nouns.

Demonstrative pronoun A pronoun that takes the place of a specific noun.

Quiero **ésta**.
*I want **this one**.*

¿Vas a comprar **ése**?
*Are you going to buy **that one**?*

Juan prefirió **aquéllos**.
*Juan preferred **those** (over there).*

Object pronoun A pronoun that functions as a direct or indirect object of the verb.

Te digo la verdad.
*I'm telling **you** the truth.*

Me lo trajo Juan.
*Juan brought **it** to **me**.*

Possessive pronoun A pronoun that functions to show ownership or possession. Possessive pronouns are preceded by a definite article and agree in gender and number with the nouns they replace.

Perdí mi libro. ¿Me prestas el **tuyo**?
*I lost my book. Will you loan me **yours**?*

Las clases suyas son aburridas, pero **las nuestras** son buenísimas.
*Their classes are boring, but **ours** are great.*

Prepositional pronoun A pronoun that functions as the object of a preposition. Except for **mí, ti,** and **sí**, these pronouns are the same as subject pronouns. The adjective **mismo/a** may be added to express *myself, himself*, etc. After the preposition **con**, the forms **conmigo, contigo,** and **consigo** are used.

¿Es **para mí**?
*Is this **for me**?*

Juan habló **de ella.**
*Juan spoke **about her.***

Iré **contigo**.
*I will go **with you.***

Se lo regaló **a sí mismo.**
*He gave it **to himself.***

Reflexive pronoun A pronoun that indicates that the action of a verb is performed by the subject on itself. These pronouns are often expressed in English with *-self: myself, yourself,* etc.

Yo **me bañé**.
*I **took a bath.***

Elena **se acostó**.
*Elena **went to bed**.*

Relative pronoun A pronoun that connects a subordinate clause to a main clause.

El edificio **en el cual** vivimos es antiguo.
*The building **that** we live in is ancient.*

La mujer **de quien** te hablé acaba de renunciar.
*The woman **(whom)** I told you about just quit.*

Subject pronoun A pronoun that replaces the name or title of a person or thing, and acts as the subject of a verb.

Tú debes estudiar más.
***You** should study more.*

Él llegó primero.
***He** arrived first.*

SUBJECT A noun or pronoun that performs the action of a verb and is often implied by the verb.

María va al supermercado.
***María** goes to the supermarket.*

(Ellos) Trabajan mucho.
***They** work hard.*

Esos libros son muy caros.
***Those books** are very expensive.*

SUPERLATIVE A grammatical construction used to describe the most or the least of a quality when comparing a group of people, places, or objects.

Tina es **la menos simpática** de las chicas.
*Tina is **the least pleasant** of the girls.*

Tu coche es **el más rápido** de todos.
*Your car is **the fastest** one of all.*

Los restaurantes en Calle Ocho son **los mejores** de todo Miami.
*The restaurants on Calle Ocho are **the best** in all of Miami.*

Absolute superlatives Adjectives or adverbs combined with forms of the suffix **ísimo/a** in order to express the idea of extremely or very.

¡Lo hice **facilísimo!**
*I did it **so easily!***

Ella es **jovencísima.**
*She is **very, very young.***

TENSE A set of verb forms that indicates the time of an action or state: past, present, or future.

Compound tense A two-word tense made up of an auxiliary verb and a present or past participle. In Spanish, there are two auxiliary verbs: **estar** and **haber**.

En este momento, **estoy estudiando**.
*At this time, **I am studying**.*

El paquete no **ha llegado** todavía.
*The package **has** not **arrived** yet.*

Simple tense A tense expressed by a single verb form.

María **estaba** mal anoche.
*María **was** ill last night.*

Juana **hablará** con su mamá mañana.
*Juana **will speak** with her mom tomorrow.*

VERB A word that expresses actions or states of being.

Auxiliary verb A verb used with a present or past participle to form a compound tense. **Haber** is the most commonly used auxiliary verb in Spanish.

Los chicos **han** visto los elefantes.
*The children **have** seen the elephants.*

Espero que **hayas** comido.
*I hope you **have** eaten.*

Reflexive verb A verb that describes an action performed by the subject on itself and is always used with a reflexive pronoun.

Me compré un carro nuevo.
***I bought myself** a new car.*

Pedro y Adela **se levantan** muy temprano.
*Pedro and Adela **get (themselves) up** very early.*

Spelling-change verb A verb that undergoes a predictable change in spelling, in order to reflect its actual pronunciation in the various conjugations.

practicar	**c→qu**	practico	practi**qu**é
dirigir	**g→j**	dirigí	diri**j**o
almorzar	**z→c**	almorzó	almor**c**é

Stem-changing verb A verb whose stem vowel undergoes one or more predictable changes in the various conjugations.

entender	**(e:ie)**	ent**ie**ndo
pedir	**(e:i)**	p**i**den
dormir	**(o:ue, u)**	d**ue**rmo, d**u**rmieron

Verb conjugation tables

Guide to the Verb List and Tables

Below you will find the infinitive of the verbs introduced as active vocabulary in **Senderos 4**, as well as other common verbs. Each verb is followed by a model verb conjugated on the same pattern. The number in parentheses indicates where in the verb tables, pages A44–A51, you can find the conjugated forms of the model verb.

abrazar (z:c) like cruzar (37)
aburrir like vivir (3)
acabar like hablar (1)
acariciar like hablar (1)
acentuar (acentúo) like graduar (40)
acercar (c:qu) like tocar (43)
aclarar like hablar (1)
acompañar like hablar (1)
aconsejar like hablar (1)
acordar (o:ue) like contar (24)
acostar (o:ue) like contar (24)
acostumbrar like hablar (1)
actualizar (z:c) like cruzar (37)
adelgazar (z:c) like cruzar (37)
adjuntar like hablar (1)
adorar like hablar (1)
afeitar like hablar (1)
agotar like hablar (1)
ahorrar like hablar (1)
aislar (aíslo) like enviar (39)
alargar (g:gu) like llegar (41)
alojar like hablar (1)
amar like hablar (1)
amenazar (z:c) like cruzar (37)
anotar like hablar (1)
apagar (g:gu) like llegar (41)
aparecer (c:zc) like conocer (35)
aplaudir like vivir (3)
apoyar like hablar (1)
apreciar like hablar (1)
apuntar like hablar (1)
arreglar like hablar (1)
arrepentir (e:ie) like sentir (33)
ascender (e:ie) like entender (27)
asustar like hablar (1)
aterrizar (z:c) like cruzar (37)
atraer like traer (21)
atrapar like hablar (1)
atrever like comer (2)
averiguar like hablar (1)
bailar like hablar (1)
bañar like hablar (1)
barrer like comer (2)
beber like comer (2)
bendecir (e:i) like decir (8)
besar like hablar (1)
borrar like hablar (1)
botar like hablar (1)
brindar like hablar (1)
burlar like hablar (1)
caber (4)
caer (y) (5)
calentar (e:ie) like pensar (30)
cancelar like hablar (1)
cazar (z:c) like cruzar (37)
celebrar like hablar (1)
cepillar like hablar (1)
clonar like hablar (1)
cobrar like hablar (1)
cocinar like hablar (1)
coger (g:j) like proteger (42)
colocar (c:qu) like tocar (43)
colonizar (z:c) like cruzar (37)
comer (2)
comerciar like hablar (1)
componer like poner (15)
comprobar (o:ue) like contar (24)
conducir (c:zc) (6)
conocer (c:zc) (35)
conquistar like hablar (1)
conseguir (e:i) like seguir (32)
conservar like hablar (1)
contagiar like hablar (1)
contaminar like hablar (1)
contar (o:ue) (24)
contentar like hablar (1)
contraer like traer (21)
contratar like hablar (1)
contribuir (y) like destruir (38)
convertir (e:ie) like sentir (33)
coquetear like hablar (1)
correr like comer (2)
crear like hablar (1)
crecer (c:zc) like conocer (35)
creer (y) (36)
criar (crío) like enviar (39)
criticar (c:qu) like tocar (43)
cruzar (z:c) (37)
cuidar like hablar (1)
cumplir like vivir (3)
curar like hablar (1)
dar (7)
deber like comer (2)
decir (e:i) (8)
delatar like hablar (1)
denunciar like hablar (1)
depositar like hablar (1)
derribar like hablar (1)
derrocar (c:qu) like tocar (43)
derrotar like hablar (1)
desafiar (desafío) like enviar (39)
desaparecer (c:zc) like conocer (35)
desarrollar like hablar (1)
descansar like hablar (1)
descargar (g:gu) like llegar (41)
descubrir like vivir (3) *except* past participle is descubierto
descuidar like hablar (1)
desear like hablar (1)
deshacer like hacer (11)
deshojar like hablar (1)
despedir (e:i) like pedir (29)
despegar (g:gu) like llegar (41)
despertar (e:ie) like pensar (30)
destruir (y) (38)
devolver (o:ue) like volver (34)
dibujar like hablar (1)
dirigir (g:j) like proteger (42) for endings only
disculpar like hablar (1)
discutir like vivir (3)
diseñar like hablar (1)
disfrutar like hablar (1)
disgustar like hablar (1)
disparar like hablar (1)
disponer like poner (15)
disputar like hablar (1)
distinguir (gu:g) like seguir (32) for endings only
distraer like traer (21)
divertir (e:ie) like sentir (33)
doler (o:ue) like volver (34) *except* past participle is regular
dormir (o:ue) (25)
duchar like hablar (1)
echar like hablar (1)
editar like hablar (1)
educar (c:qu) like tocar (43)
elegir (e:i) (g:j) like proteger (42) for endings only
embalar like hablar (1)
emigrar like hablar (1)
empatar like hablar (1)
empeorar like hablar (1)
empezar (e:ie) (z:c) (26)
enamorar like hablar (1)
encabezar (z:c) like cruzar (37)
encantar like hablar (1)
encargar (g:gu) like llegar (41)
encender (e:ie) like entender (27)
enfermar like hablar (1)
engañar like hablar (1)
engordar like hablar (1)
ensayar like hablar (1)
entender (e:ie) (27)
enterar like hablar (1)
enterrar (e:ie) like pensar (30)
entretener (e:ie) like tener (20)
enviar (envío) (39)
equivocar like tocar (43)
esclavizar (z:c) like cruzar (37)
escoger (g:j) like proteger (42)
esculpir like vivir (3)
establecer (c:zc) like conocer (35)
estar (9)

exigir (g:j) like proteger (42) for endings only
explotar like hablar (1)
exportar like hablar (1)
expulsar like hablar (1)
extinguir like destruir (38)
fabricar (c:qu) like tocar (43)
faltar like hablar (1)
fascinar like hablar (1)
festejar like hablar (1)
fijar like hablar (1)
financiar like hablar (1)
florecer (c:zc) like conocer (35)
flotar like hablar (1)
formular like hablar (1)
freír (e:i) (frío) like reír (31)
funcionar like hablar (1)
fusilar like hablar (1)
gastar like hablar (1)
gobernar (e:ie) like pensar (30)
grabar like hablar (1)
graduar (gradúo) (40)
guardar like hablar (1)
gustar like hablar (1)
haber (10)
habitar like hablar (1)
hablar (1)
hacer (11)
herir (e: ie) like sentir (33)
hervir (e:ie) like sentir (33)
hojear like hablar (1)
huir (y) like destruir (38)
humillar like hablar (1)
importar like hablar (1)
impresionar like hablar (1)
imprimir like vivir (3)
inscribir like vivir (3)
insistir like vivir (3)
instalar like hablar (1)
integrar like hablar (1)
interesar like hablar (1)
invadir like vivir (3)
inventar like hablar (1)
invertir (e:ie) like sentir (33)
investigar (g:gu) like llegar (41)
ir (12)
jubilar like hablar (1)
jugar (u:ue) (g:gu) (28)
jurar like hablar (1)
lastimar like hablar (1)
latir like vivir (3)
lavar like hablar (1)
levantar like hablar (1)
liberar like hablar (1)
lidiar like hablar (1)
limpiar like hablar (1)
llegar (g:gu) (41)
llevar like hablar (1)
llorar like hablar (1)
lograr like hablar (1)
luchar like hablar (1)
madrugar (g:gu) like llegar (41)
malgastar like hablar (1)
manipular like hablar (1)
maquillar like hablar (1)
meditar like hablar (1)
mejorar like hablar (1)
merecer (c:zc) like conocer (35)
meter like comer (2)
molar like hablar (1)
molestar like hablar (1)
morder (o:ue) like volver (34)
morir (o:ue) like dormir (25) *except* past participle is muerto
mudar like hablar (1)
narrar like hablar (1)
navegar (g:gu) like llegar (41)
necesitar like hablar (1)
obedecer (c:zc) like conocer (35)
ocultar like hablar (1)
odiar like hablar (1)
oír (y) (13)
olvidar like hablar (1)
opinar like hablar (1)
oponer like poner (15)
oprimir like vivir (3)
oscurecer (c:zc) like conocer (35)
parar like hablar (1)
parecer (c:zc) like conocer (35)
parpadear like hablar (1)
pedir (e:i) (29)
peinar like hablar (1)
pensar (e:ie) (30)
permanecer (c:zc) like conocer (35)
pertenecer (c:zc) like conocer (35)
pillar like hablar (1)
pintar like hablar (1)
poblar (o:ue) like contar (24)
poder (o:ue) (14)
poner (15)
preferir (e:ie) like sentir (33)
pregonar like hablar (1)
preocupar like hablar (1)
prestar like hablar (1)
prevenir (e:ie) like venir (22)
prever like ver (23)
probar (o:ue) like contar (24)
producir (c:sz) like conducir (6)
prohibir (prohíbo) like enviar (39) for endings only
proponer like poner (15)
proteger (g:j) (42)
protestar like hablar (1)
publicar (c:qu) like tocar (43)
quedar like hablar (1)
quejar like hablar (1)
querer (e:ie) (16)
quitar like hablar (1)
rascar like hablar (1)
recetar like hablar (1)
rechazar (z:c) like cruzar (37)
reciclar like hablar (1)
reclamar like hablar (1)
recomendar (e:ie) like pensar (30)
reconocer (c:zc) like conocer (35)
recorrer like comer (2)
recuperar like hablar (1)
reducir (c:zc) like conducir (6)
reflejar like hablar (1)
regresar like hablar (1)
rehacer like hacer (11)
reir (e:i) (31)
relajar like hablar (1)
rendir (e:i) like pedir (29)
renunciar like hablar (1)
reservar like hablar (1)
resolver (o:ue) like volver (34)
respirar like hablar (1)
retratar like hablar (1)
reunir like vivir (3)
rezar (z:c) like cruzar (37)
rociar like hablar (1)
rodar (o:ue) like contar (24)
rogar (o:ue) like contar (24) for stem changes; (g:gu) like llegar (41) for endings
romper like comer (2) except past participle is roto
saber (17)
sacrificar (c:qu) like tocar (43)
salir (18)
salvar like hablar (1)
sanar like hablar (1)
secar (c:qu) like tocar (43)
seguir (e:i) (gu:g) (32)
seleccionar like hablar (1)
sentir (e:ie) (33)
señalar like hablar (1)
sepultar like hablar (1)
ser (19)
soler (o:ue) like volver (34)
solicitar like hablar (1)
sonar (o:ue) like contar (24)
soñar (o:ue) like contar (24)
sorprender like comer (2)
suceder like comer (2)
sufrir like vivir (3)
sugerir (e:ie) like sentir (33)
superar like hablar (1)
suponer like poner (15)
suprimir like vivir (3)
suscribir like vivir (3)
tener (e:ie) (20)
tirar like hablar (1)
titular like hablar (1)
tocar (c:qu) (43)
tomar like hablar (1)
torear like hablar (1)
toser like comer (2)
traducir (c:zc) like conducir (6)
traer (21)
transcurrir like vivir (3)
transmitir like vivir (3)
trasnochar like hablar (1)
tratar like hablar (1)
unir like vivir (3)
vacunar like hablar (1)
valer like salir (18) only for endings; imperative is vale
vencer (c:z) (44)
venir (e:ie) (22)
ver (23)
vestir (e:i) like pedir (29)
vivir (3)
volar (o:ue) like contar (24)
volver (o:ue) (34)
votar like hablar (1)

Regular verbs: simple tenses

	INDICATIVE					SUBJUNCTIVE		IMPERATIVE
Infinitive	**Present**	**Imperfect**	**Preterite**	**Future**	**Conditional**	**Present**	**Past**	
1 hablar	hablo	hablaba	hablé	hablaré	hablaría	hable	hablara	
	hablas	hablabas	hablaste	hablarás	hablarías	hables	hablaras	habla tú (no hables)
Participles:	habla	hablaba	habló	hablará	hablaría	hable	hablara	hable Ud.
hablando	hablamos	hablábamos	hablamos	hablaremos	hablaríamos	hablemos	habláramos	hablemos
hablado	habláis	hablabais	hablasteis	hablaréis	hablaríais	habléis	hablarais	hablad (no habléis)
	hablan	hablaban	hablaron	hablarán	hablarían	hablen	hablaran	hablen Uds.
2 comer	como	comía	comí	comeré	comería	coma	comiera	
	comes	comías	comiste	comerás	comerías	comas	comieras	come tú (no comas)
Participles:	come	comía	comió	comerá	comerían	coma	comiera	coma Ud.
comiendo	comemos	comíamos	comimos	comeremos	comeríamos	comamos	comiéramos	comamos
comido	coméis	comíais	comisteis	comeréis	comeríais	comáis	comierais	comed (no comáis)
	comen	comían	comieron	comerán	comerían	coman	comieran	coman Uds.
3 vivir	vivo	vivía	viví	viviré	viviría	viva	viviera	
	vives	vivías	viviste	vivirás	vivirías	vivas	vivieran	vive tú (no vivas)
Participles:	vive	vivía	vivió	vivirá	viviría	viva	viviera	viva Ud.
viviendo	vivimos	vivíamos	vivimos	viviremos	viviríamos	vivamos	viviéramos	vivamos
vivido	vivís	vivíais	vivisteis	viviréis	viviríais	viváis	vivierais	vivid (no viváis)
	viven	vivían	vivieron	vivirán	vivirían	vivan	vivieran	vivan Uds.

All verbs: compound tenses

PERFECT TENSES											
INDICATIVE								SUBJUNCTIVE			
Present Perfect		**Past Perfect**		**Future Perfect**		**Conditional Perfect**		**Present Perfect**		**Past Perfect**	
he		había		habré		habría		haya		hubiera	
has	hablado	habías	hablado	habrás	hablado	habrías	hablado	hayas	hablado	hubieras	hablado
ha	comido	había	comido	habrá	comido	habría	comido	haya	comido	hubiera	comido
hemos	vivido	habíamos	vivido	habremos	vivido	habríamos	vivido	hayamos	vivido	hubiéramos	vivido
habéis		habíais		habréis		habríais		hayáis		hubierais	
han		habían		habrán		habrían		hayan		hubieran	

PROGRESSIVE TENSES					
INDICATIVE				SUBJUNCTIVE	
Present Progressive	**Past Progressive**	**Future Progressive**	**Conditional Progressive**	**Present Progressive**	**Past Progressive**
estoy estás está estamos estáis están } hablando / comiendo / viviendo	estaba estabas estaba estábamos estabais estaban } hablando / comiendo / viviendo	estaré estarás estará estaremos estaréis estarán } hablando / comiendo / viviendo	estaría estarías estaría estaríamos estaríais estarían } hablando / comiendo / viviendo	esté estés esté estemos estéis estén } hablando / comiendo / viviendo	estuviera estuvieras estuviera estuviéramos estuvierais estuvieran } hablando / comiendo / viviendo

Irregular verbs

	Infinitive	INDICATIVE Present	Imperfect	Preterite	Future	Conditional	SUBJUNCTIVE Present	Past	IMPERATIVE
4	caber	**quepo**	cabía	**cupe**	**cabré**	**cabría**	**quepa**	**cupiera**	
		cabes	cabías	**cupiste**	**cabrás**	**cabrías**	**quepas**	**cupieras**	cabe tú (no **quepas**)
	Participles:	cabe	cabía	**cupo**	**cabrá**	**cabría**	**quepa**	**cupiera**	**quepa** Ud.
	cabiendo	cabemos	cabíamos	**cupimos**	**cabremos**	**cabríamos**	**quepamos**	**cupiéramos**	**quepamos**
	cabido	cabéis	cabíais	**cupisteis**	**cabréis**	**cabríais**	**quepáis**	**cupierais**	cabed (no **quepáis**)
		caben	cabían	**cupieron**	**cabrán**	**cabrían**	**quepan**	**cupieran**	**quepan** Uds.
5	caer(se)	**caigo**	caía	caí	caeré	caería	**caiga**	**cayera**	
		caes	caías	**caíste**	caerás	caerías	**caigas**	**cayeras**	cae tú (no **caigas**)
	Participles:	cae	caía	**cayó**	caerá	caería	**caiga**	**cayera**	**caiga** Ud.
	cayendo	caemos	caíamos	**caímos**	caeremos	caeríamos	**caigamos**	**cayéramos**	**caigamos**
	caído	caéis	caíais	**caísteis**	caeréis	caeríais	**caigáis**	**cayerais**	caed (no **caigáis**)
		caen	caían	**cayeron**	caerán	caerían	**caigan**	**cayeran**	**caigan** Uds.
6	conducir (c:zc)	**conduzco**	conducía	**conduje**	conduciré	conduciría	**conduzca**	**condujera**	
		conduces	conducías	**condujiste**	conducirás	conducirías	**conduzcas**	**condujeras**	conduce tú (no **conduzcas**)
		conduce	conducía	**condujo**	conducirá	conduciría	**conduzca**	**condujera**	**conduzca** Ud.
	Participles:	conducimos	conducíamos	**condujimos**	conduciremos	conduciríamos	**conduzcamos**	**condujéramos**	**conduzcamos**
	conduciendo	conducís	conducíais	**condujisteis**	conduciréis	conduciríais	**conduzcáis**	**condujerais**	conducid (no **conduzcáis**)
	conducido	conducen	conducían	**condujeron**	conducirán	conducirían	**conduzcan**	**condujeran**	**conduzcan** Uds.

		INDICATIVE					SUBJUNCTIVE		IMPERATIVE
	Infinitive	**Present**	**Imperfect**	**Preterite**	**Future**	**Conditional**	**Present**	**Past**	
7	dar	**doy**	daba	**di**	daré	daría	**dé**	**diera**	
		das	dabas	**diste**	darás	darías	des	**dieras**	da tú (no des)
	Participles:	da	daba	**dio**	dará	daría	**dé**	**diera**	**dé** Ud.
	dando	damos	dábamos	**dimos**	daremos	daríamos	demos	**diéramos**	demos
	dado	**dais**	dabais	**disteis**	daréis	daríais	**deis**	**dierais**	dad (no **deis**)
		dan	daban	**dieron**	darán	darían	den	**dieran**	den Uds.
8	decir (e:i)	**digo**	decía	**dije**	**diré**	**diría**	**diga**	**dijera**	
		dices	decías	**dijiste**	**dirás**	**dirías**	**digas**	**dijeras**	**di** tú (no **digas**)
	Participles:	**dice**	decía	**dijo**	**dirá**	**diría**	**diga**	**dijera**	**diga** Ud.
	diciendo	decimos	decíamos	**dijimos**	**diremos**	**diríamos**	**digamos**	**dijéramos**	**digamos**
	dicho	decís	decíais	**dijisteis**	**diréis**	**diríais**	**digáis**	**dijerais**	decid (no **digáis**)
		dicen	decían	**dijeron**	**dirán**	**dirían**	**digan**	**dijeran**	**digan** Uds.
9	estar	**estoy**	estaba	**estuve**	estaré	estaría	**esté**	**estuviera**	
		estás	estabas	**estuviste**	estarás	estarias	**estés**	**estuvieras**	**está** tú (no **estés**)
	Participles:	**está**	estaba	**estuvo**	estará	estaría	**esté**	**estuviera**	**esté** Ud.
	estando	estamos	estábamos	**estuvimos**	estaremos	estaríamos	estemos	**estuviéramos**	estemos
	estado	estáis	estabais	**estuvisteis**	estaréis	estaríais	estéis	**estuvierais**	estad (no estéis)
		están	estaban	**estuvieron**	estarán	estarían	**estén**	**estuvieran**	**estén** Uds.
10	haber	**he**	había	**hube**	**habré**	**habría**	**haya**	**hubiera**	
		has	habías	**hubiste**	**habrás**	**habrías**	**hayas**	**hubieras**	
	Participles:	**ha**	había	**hubo**	**habrá**	**habría**	**haya**	**hubiera**	
	habiendo	**hemos**	habíamos	**hubimos**	**habremos**	**habríamos**	**hayamos**	**hubiéramos**	
	habido	habéis	habíais	**hubisteis**	**habréis**	**habríais**	**hayáis**	**hubierais**	
		han	habían	**hubieron**	**habrán**	**habrían**	**hayan**	**hubieran**	
11	hacer	**hago**	hacía	**hice**	**haré**	**haría**	**haga**	**hiciera**	
		haces	hacías	**hiciste**	**harás**	**harías**	**hagas**	**hicieras**	**haz** tú (no **hagas**)
	Participles:	hace	hacía	**hizo**	**hará**	**haría**	**haga**	**hiciera**	**haga** Ud.
	haciendo	hacemos	hacíamos	**hicimos**	**haremos**	**haríamos**	**hagamos**	**hiciéramos**	**hagamos**
	hecho	hacéis	hacíais	**hicisteis**	**haréis**	**haríais**	**hagáis**	**hicierais**	haced (no **hagáis**)
		hacen	hacían	**hicieron**	**harán**	**harían**	**hagan**	**hicieran**	**hagan** Uds.
12	ir	**voy**	**iba**	**fui**	iré	iría	**vaya**	**fuera**	
		vas	**ibas**	**fuiste**	irás	irías	**vayas**	**fueras**	**ve** tú (no **vayas**)
	Participles:	**va**	**iba**	**fue**	irá	iría	**vaya**	**fuera**	**vaya** Ud.
	yendo	**vamos**	**íbamos**	**fuimos**	iremos	iríamos	**vayamos**	**fuéramos**	**vamos** (no **vayamos**)
	ido	**vais**	**ibais**	**fuisteis**	iréis	iríais	**vayáis**	**fuerais**	id (no **vayáis**)
		van	**iban**	**fueron**	irán	irían	**vayan**	**fueran**	**vayan** Uds.
13	oír (y)	**oigo**	oía	oí	oiré	oiría	**oiga**	**oyera**	
		oyes	oías	**oíste**	oirás	oirías	**oigas**	**oyeras**	**oye** tú (no **oigas**)
	Participles:	**oye**	oía	**oyó**	oirá	oiría	**oiga**	**oyera**	**oiga** Ud.
	oyendo	**oímos**	oíamos	**oímos**	oiremos	oiríamos	**oigamos**	**oyéramos**	**oigamos**
	oído	oís	oíais	**oísteis**	oiréis	oiríais	**oigáis**	**oyerais**	**oíd** (no **oigáis**)
		oyen	oían	**oyeron**	oirán	oirían	**oigan**	**oyeran**	**oigan** Uds.

	Infinitive	INDICATIVE Present	Imperfect	Preterite	Future	Conditional	SUBJUNCTIVE Present	Past	IMPERATIVE
14	poder (o:ue)	**puedo**	podía	**pude**	**podré**	**podría**	**pueda**	**pudiera**	
		puedes	podías	**pudiste**	**podrás**	**podrías**	**puedas**	**pudieras**	**puede** tú (no **puedas**)
	Participles:	**puede**	podía	**pudo**	**podrá**	**podría**	**pueda**	**pudiera**	**pueda** Ud.
	pudiendo	podemos	podíamos	**pudimos**	**podremos**	**podríamos**	podamos	**pudiéramos**	podamos
	podido	podéis	podíais	**pudisteis**	**podréis**	**podríais**	podáis	**pudierais**	poded (no podáis)
		pueden	podían	**pudieron**	**podrán**	**podrían**	**puedan**	**pudieran**	**puedan** Uds.
15	poner	**pongo**	ponía	**puse**	**pondré**	**pondría**	**ponga**	**pusiera**	
		pones	ponías	**pusiste**	**pondrás**	**pondrías**	**pongas**	**pusieras**	**pon** tú (no **pongas**)
	Participles:	pone	ponía	**puso**	**pondrá**	**pondría**	**ponga**	**pusiera**	**ponga** Ud.
	poniendo	ponemos	poníamos	**pusimos**	**pondremos**	**pondríamos**	**pongamos**	**pusiéramos**	**pongamos**
	puesto	ponéis	poníais	**pusisteis**	**pondréis**	**pondríais**	**pongáis**	**pusierais**	poned (no **pongáis**)
		ponen	ponían	**pusieron**	**pondrán**	**pondrían**	**pongan**	**pusieran**	**pongan** Uds.
16	querer (e:ie)	**quiero**	quería	**quise**	**querré**	**querría**	**quiera**	**quisiera**	
		quieres	querías	**quisiste**	**querrás**	**querrías**	**quieras**	**quisieras**	**quiere** tú (no **quieras**)
	Participles:	**quiere**	quería	**quiso**	**querrá**	**querría**	**quiera**	**quisiera**	**quiera** Ud.
	queriendo	queremos	queríamos	**quisimos**	**querremos**	**querríamos**	queramos	**quisiéramos**	queramos
	querido	queréis	queríais	**quisisteis**	**querréis**	**querríais**	queráis	**quisierais**	quered (no queráis)
		quieren	querían	**quisieron**	**querrán**	**querrían**	**quieran**	**quisieran**	**quieran** Uds.
17	saber	**sé**	sabía	**supe**	**sabré**	**sabría**	**sepa**	**supiera**	
		sabes	sabías	**supiste**	**sabrás**	**sabrías**	**sepas**	**supieras**	sabe tú (no **sepas**)
	Participles:	sabe	sabía	**supo**	**sabrá**	**sabría**	**sepa**	**supiera**	**sepa** Ud.
	sabiendo	sabemos	sabíamos	**supimos**	**sabremos**	**sabríamos**	**sepamos**	**supiéramos**	**sepamos**
	sabido	sabéis	sabíais	**supisteis**	**sabréis**	**sabríais**	**sepáis**	**supierais**	sabed (no **sepáis**)
		saben	sabían	**supieron**	**sabrán**	**sabrían**	**sepan**	**supieran**	**sepan** Uds.
18	salir	**salgo**	salía	salí	**saldré**	**saldría**	**salga**	saliera	
		sales	salías	saliste	**saldrás**	**saldrías**	**salgas**	salieras	**sal** tú (no **salgas**)
	Participles:	sale	salía	salió	**saldrá**	**saldría**	**salga**	saliera	**salga** Ud.
	saliendo	salimos	salíamos	salimos	**saldremos**	**saldríamos**	**salgamos**	saliéramos	**salgamos**
	salido	salís	salíais	salisteis	**saldréis**	**saldríais**	**salgáis**	salierais	salid (no **salgáis**)
		salen	salían	salieron	**saldrán**	**saldrían**	**salgan**	salieran	**salgan** Uds.
19	ser	**soy**	**era**	**fui**	seré	sería	**sea**	**fuera**	
		eres	**eras**	**fuiste**	serás	serías	**seas**	**fueras**	**sé** tú (no **seas**)
	Participles:	**es**	**era**	**fue**	será	sería	**sea**	**fuera**	**sea** Ud.
	siendo	**somos**	**éramos**	**fuimos**	seremos	seríamos	**seamos**	**fuéramos**	**seamos**
	sido	**sois**	**erais**	**fuisteis**	seréis	seríais	**seáis**	**fuerais**	sed (no **seáis**)
		son	**eran**	**fueron**	serán	serían	**sean**	**fueran**	**sean** Uds.
20	tener	**tengo**	tenía	**tuve**	**tendré**	**tendría**	**tenga**	**tuviera**	
		tienes	tenías	**tuviste**	**tendrás**	**tendrías**	**tengas**	**tuvieras**	**ten** tú (no **tengas**)
	Participles:	**tiene**	tenía	**tuvo**	**tendrá**	**tendría**	**tenga**	**tuviera**	**tenga** Ud.
	teniendo	tenemos	teníamos	**tuvimos**	**tendremos**	**tendríamos**	**tengamos**	**tuviéramos**	**tengamos**
	tenido	tenéis	teníais	**tuvisteis**	**tendréis**	**tendríais**	**tengáis**	**tuvierais**	tened (no **tengáis**)
		tienen	tenían	**tuvieron**	**tendrán**	**tendrían**	**tengan**	**tuvieran**	**tengan** Uds.

	INDICATIVE					SUBJUNCTIVE		IMPERATIVE
Infinitive	**Present**	**Imperfect**	**Preterite**	**Future**	**Conditional**	**Present**	**Past**	
21 traer	**traigo**	traía	**traje**	traeré	traería	**traiga**	**trajera**	
	traes	traías	**trajiste**	traerás	traerías	**traigas**	**trajeras**	trae tú (no **traigas**)
Participles:	trae	traía	**trajo**	traerá	traería	**traiga**	**trajera**	**traiga** Ud.
trayendo	traemos	traíamos	**trajimos**	traeremos	traeríamos	**traigamos**	**trajéramos**	**traigamos**
traído	traéis	traíais	**trajisteis**	traeréis	traeríais	**traigáis**	**trajerais**	traed (no **traigáis**)
	traen	traían	**trajeron**	traerán	traerían	**traigan**	**trajeran**	**traigan** Uds.
22 venir	**vengo**	venía	**vine**	**vendré**	**vendría**	**venga**	**viniera**	
	vienes	venías	**viniste**	**vendrás**	**vendrías**	**vengas**	**vinieras**	**ven** tú (no **vengas**)
Participles:	**viene**	venía	**vino**	**vendrá**	**vendría**	**venga**	**viniera**	**venga** Ud.
viniendo	venimos	veníamos	**vinimos**	**vendremos**	**vendríamos**	**vengamos**	**viniéramos**	**vengamos**
venido	venís	veníais	**vinisteis**	**vendréis**	**vendríais**	**vengáis**	**vinierais**	venid (no **vengáis**)
	vienen	venían	**vinieron**	**vendrán**	**vendrían**	**vengan**	**vinieran**	**vengan** Uds.
23 ver	**veo**	**veía**	**vi**	veré	vería	**vea**	viera	
	ves	**veías**	viste	verás	verías	**veas**	vieras	ve tú (no **veas**)
Participles:	ve	**veía**	**vio**	verá	vería	**vea**	viera	**vea** Ud.
viendo	vemos	**veíamos**	vimos	veremos	veríamos	**veamos**	viéramos	**veamos**
visto	**veis**	**veíais**	visteis	veréis	veríais	**veáis**	vierais	ved (no **veáis**)
	ven	**veían**	vieron	verán	verían	**vean**	vieran	**vean** Uds.

Stem-changing verbs

	INDICATIVE					SUBJUNCTIVE		IMPERATIVE
Infinitive	**Present**	**Imperfect**	**Preterite**	**Future**	**Conditional**	**Present**	**Past**	
24 contar	**cuento**	contaba	conté	contaré	contaría	**cuente**	contara	
(o:ue)	**cuentas**	contabas	contaste	contarás	contarías	**cuentes**	contaras	**cuenta** tú (no **cuentes**)
	cuenta	contaba	contó	contará	contaría	**cuente**	contara	**cuente** Ud.
Participles:	contamos	contábamos	contamos	contaremos	contaríamos	contemos	contáramos	contemos
contando	contáis	contabais	contasteis	contaréis	contaríais	contéis	contarais	contad (no contéis)
contado	**cuentan**	contaban	contaron	contarán	contarían	**cuenten**	contaran	**cuenten** Uds.
25 dormir	**duermo**	dormía	dormí	dormiré	dormiría	**duerma**	**durmiera**	
(o:ue)	**duermes**	dormías	dormiste	dormirás	dormirías	**duermas**	**durmieras**	**duerme** tú (no **duermas**)
	duerme	dormía	**durmió**	dormirá	dormiría	**duerma**	**durmiera**	**duerma** Ud.
Participles:	dormimos	dormíamos	dormimos	dormiremos	dormiríamos	**durmamos**	**durmiéramos**	**durmamos**
durmiendo	dormís	dormíais	dormisteis	dormiréis	dormiríais	**durmáis**	**durmierais**	dormid (no **durmáis**)
dormido	**duermen**	dormían	**durmieron**	dormirán	dormirían	**duerman**	**durmieran**	**duerman** Uds.
26 empezar	**empiezo**	empezaba	**empecé**	empezaré	empezaría	**empiece**	empezara	
(e:ie) (z:c)	**empiezas**	empezabas	empezaste	empezarás	empezarías	**empieces**	empezaras	**empieza** tú (no **empieces**)
	empieza	empezaba	empezó	empezará	empezaría	**empiece**	empezara	**empiece** Ud.
Participles:	empezamos	empezábamos	empezamos	empezaremos	empezaríamos	**empecemos**	empezáramos	**empecemos**
empezando	empezáis	empezabais	empezasteis	empezaréis	empezaríais	**empecéis**	empezarais	empezad (no **empecéis**)
empezado	**empiezan**	empezaban	empezarán	empezarán	empezarían	**empiecen**	empezaran	**empiecen** Uds.

	Infinitive	INDICATIVE					SUBJUNCTIVE		IMPERATIVE
		Present	Imperfect	Preterite	Future	Conditional	Present	Past	
27	entender	**entiendo**	entendía	entendí	entenderé	entendería	**entienda**	entendiera	
	(e:ie)	**entiendes**	entendías	entendiste	entenderás	entenderías	**entiendas**	entendieras	**entiende** tú (no **entiendas**)
		entiende	entendía	entendió	entenderá	entendería	**entienda**	entendiera	**entienda** Ud.
	Participles:	entendemos	entendíamos	entendimos	entenderemos	entenderíamos	entendamos	entendiéramos	entendamos
	entendiendo	entendéis	entendíais	entendisteis	entenderéis	entenderíais	entendáis	entendierais	entended (no entendáis)
	entendido	**entienden**	entendían	entendieron	entenderán	entenderían	**entiendan**	entendieran	**entiendan** Uds.
28	jugar (u:ue)	**juego**	jugaba	**jugué**	jugaré	jugaría	**juegue**	jugara	
	(g:gu)	**juegas**	jugabas	jugaste	jugarás	jugarías	**juegues**	jugaras	**juega** tú (no **juegues**)
		juega	jugaba	jugó	jugará	jugaría	**juegue**	jugara	**juegue** Ud
	Participles:	jugamos	jugábamos	jugamos	jugaremos	jugaríamos	**juguemos**	jugáramos	**juguemos**
	jugando	jugáis	jugabais	jugasteis	jugaréis	jugaríais	**juguéis**	jugarais	jugad (no **juguéis**)
	jugado	**juegan**	jugaban	jugaron	jugarán	jugarían	**jueguen**	jugaran	**jueguen** Uds.
29	pedir (e:i)	**pido**	pedía	pedí	pediré	pediría	**pida**	**pidiera**	
		pides	pedías	pediste	pedirás	pedirías	**pidas**	**pidieras**	**pide** tú (no **pidas**)
	Participles:	**pide**	pedía	**pidió**	pedirá	pediría	**pida**	**pidiera**	**pida** Ud.
	pidiendo	pedimos	pedíamos	pedimos	pediremos	pediríamos	**pidamos**	**pidiéramos**	**pidamos**
	pedido	pedís	pedíais	pedisteis	pediréis	pediríais	**pidáis**	**pidierais**	pedid (no **pidáis**)
		piden	pedían	**pidieron**	pedirán	pedirían	**pidan**	**pidieran**	**pidan** Uds.
30	pensar	**pienso**	pensaba	pensé	pensaré	pensaría	**piense**	pensara	
	(e:ie)	**piensas**	pensabas	pensaste	pensarás	pensarías	**pienses**	pensaras	**piensa** tú (no **pienses**)
		piensa	pensaba	pensó	pensará	pensaría	**piense**	pensara	**piense** Ud.
	Participles:	pensamos	pensábamos	pensamos	pensaremos	pensaríamos	pensemos	pensáramos	pensemos
	pensando	pensáis	pensabais	pensasteis	pensaréis	pensaríais	penséis	pensarais	pensad (no penséis)
	pensado	**piensan**	pensaban	pensaron	pensarán	pensarían	**piensen**	pensaran	**piensen** Uds.
31	reír (e:i)	**río**	reía	reí	reiré	reiría	**ría**	**riera**	
		ríes	reías	**reíste**	reirás	reirías	**rías**	**rieras**	**ríe** tú (no **rías**)
	Participles:	**ríe**	reía	**rió**	reirá	reiría	**ría**	**riera**	**ría** Ud.
	riendo	**reímos**	reíamos	**reímos**	reiremos	reiríamos	**riamos**	**riéramos**	**riamos**
	reído	reís	reíais	**reísteis**	reiréis	reiríais	**riáis**	**rierais**	**reíd** (no **riáis**)
		ríen	reían	**rieron**	reirán	reirían	**rían**	**rieran**	**rían** Uds.
32	seguir (e:i)	**sigo**	seguía	seguí	seguiré	seguiría	**siga**	**siguiera**	
	(gu:g)	**sigues**	seguías	seguiste	seguirás	seguirías	**sigas**	**siguieras**	**sigue** tú (no **sigas**)
		sigue	seguía	**siguió**	seguirá	seguiría	**siga**	**siguiera**	**siga** Ud.
	Participles:	seguimos	seguíamos	seguimos	seguiremos	seguiríamos	**sigamos**	**siguiéramos**	**sigamos**
	siguiendo	seguís	seguíais	seguisteis	seguiréis	seguiríais	**sigáis**	**siguierais**	seguid (no **sigáis**)
	seguido	**siguen**	seguían	**siguieron**	seguirán	seguirían	**sigan**	**siguieran**	**sigan** Uds.
33	sentir (e:ie)	**siento**	sentía	sentí	sentiré	sentiría	**sienta**	**sintiera**	
		sientes	sentías	sentiste	sentirás	sentirías	**sientas**	**sintieras**	**siente** tú (no **sientas**)
	Participles:	**siente**	sentía	**sintió**	sentirá	sentiría	**sienta**	**sintiera**	**sienta** Ud.
	sintiendo	sentimos	sentíamos	sentimos	sentiremos	sentiríamos	**sintamos**	**sintiéramos**	**sintamos**
	sentido	sentís	sentíais	sentisteis	sentiréis	sentiríais	**sintáis**	**sintierais**	sentid (no **sintáis**)
		sienten	sentían	**sintieron**	sentirán	sentirían	**sientan**	**sintieran**	**sientan** Uds.

		INDICATIVE					SUBJUNCTIVE		IMPERATIVE
	Infinitive	**Present**	**Imperfect**	**Preterite**	**Future**	**Conditional**	**Present**	**Past**	
34	volver	**vuelvo**	volvía	volví	volveré	volvería	**vuelva**	volviera	
	(o:ue)	**vuelves**	volvías	volviste	volverás	volverías	**vuelvas**	volvieras	**vuelve** tú (no **vuelvas**)
		vuelve	volvía	volvió	volverá	volvería	**vuelva**	volviera	**vuelva** Ud.
	Participles:	volvemos	volvíamos	volvimos	volveremos	volveríamos	volvamos	volviéramos	volvamos
	volviendo	volvéis	volvíais	volvisteis	volveréis	volveríais	volváis	volvierais	volved (no volváis)
	vuelto	**vuelven**	volvían	volvieron	volverán	volverían	**vuelvan**	volvieran	**vuelvan** Uds.

Verbs with spelling changes only

		INDICATIVE					SUBJUNCTIVE		IMPERATIVE
	Infinitive	**Present**	**Imperfect**	**Preterite**	**Future**	**Conditional**	**Present**	**Past**	
35	conocer	**conozco**	conocía	conocí	conoceré	conocería	**conozca**	conociera	
	(c:zc)	conoces	conocías	conociste	conocerás	conocerías	**conozcas**	conocieras	conoce tú (no **conozcas**)
		conoce	conocía	conoció	conocerá	conocería	**conozca**	conociera	**conozca** Ud.
	Participles:	conocemos	conocíamos	conocimos	conoceremos	conoceríamos	**conozcamos**	conociéramos	**conozcamos**
	conociendo	conocéis	conocíais	conocisteis	conoceréis	conoceríais	**conozcáis**	conocierais	conoced (no **conozcáis**)
	conocido	conocen	conocían	conocieron	conocerán	conocerían	**conozcan**	conocieran	**conozcan** Uds.
36	creer (y)	creo	creía	creí	creeré	creería	crea	**creyera**	
		crees	creías	**creíste**	creerás	creerías	creas	**creyeras**	cree tú (no creas)
	Participles:	cree	creía	**creyó**	creerá	creería	crea	**creyera**	crea Ud.
	creyendo	creemos	creíamos	**creímos**	creeremos	creeríamos	creamos	**creyéramos**	creamos
	creído	creéis	creíais	**creísteis**	creeréis	creeríais	creáis	**creyerais**	creed (no creáis)
		creen	creían	**creyeron**	creerán	creerían	crean	**creyeran**	crean Uds.
37	cruzar (z:c)	cruzo	cruzaba	**crucé**	cruzaré	cruzaría	**cruce**	cruzara	
		cruzas	cruzabas	cruzaste	cruzarás	cruzarías	**cruces**	cruzaras	cruza tú (no **cruces**)
	Participles:	cruza	cruzaba	cruzó	cruzará	cruzaría	**cruce**	cruzara	**cruce** Ud.
	cruzando	cruzamos	cruzábamos	cruzamos	cruzaremos	cruzaríamos	**crucemos**	cruzáramos	**crucemos**
	cruzado	cruzáis	cruzabais	cruzasteis	cruzaréis	cruzaríais	**crucéis**	cruzarais	cruzad (no **crucéis**)
		cruzan	cruzaban	cruzaron	cruzarán	cruzarían	**crucen**	cruzaran	**crucen** Uds.
38	destruir (y)	**destruyo**	destruía	destruí	destruiré	destruiría	**destruya**	**destruyera**	
		destruyes	destruías	destruiste	destruirás	destruirías	**destruyas**	**destruyeras**	**destruye** tú (no **destruyas**)
	Participles:	**destruye**	destruía	**destruyó**	destruirá	destruiría	**destruya**	**destruyera**	**destruya** Ud.
	destruyendo	destruimos	destruíamos	destruimos	destruiremos	destruiríamos	**destruyamos**	**destruyéramos**	**destruyamos**
	destruido	destruís	destruíais	destruisteis	destruiréis	destruiríais	**destruyáis**	**destruyerais**	destruid (no **destruyáis**)
		destruyen	destruían	**destruyeron**	destruirán	destruirían	**destruyan**	**destruyeran**	**destruyan** Uds.
39	enviar	**envío**	enviaba	envié	enviaré	enviaría	**envíe**	enviara	
	(envío)	**envías**	enviabas	enviaste	enviarás	enviarías	**envíes**	enviaras	**envía** tú (no **envíes**)
		envía	enviaba	envió	enviará	enviaría	**envíe**	enviara	**envíe** Ud.
	Participles:	enviamos	enviábamos	enviamos	enviaremos	enviaríamos	enviemos	enviáramos	enviemos
	enviando	enviáis	enviabais	enviasteis	enviaréis	enviaríais	enviéis	enviarais	enviad (no enviéis)
	enviado	**envían**	enviaban	enviaron	enviarán	enviarían	**envíen**	enviaran	**envíen** Uds.

	Infinitive	INDICATIVE					SUBJUNCTIVE		IMPERATIVE
		Present	Imperfect	Preterite	Future	Conditional	Present	Past	
40	graduarse (gradúo)	**gradúo**	graduaba	gradué	graduaré	graduaría	**gradúe**	graduara	
		gradúas	graduabas	graduaste	graduarás	graduarías	**gradúes**	graduaras	**gradúa** tú (no **gradúes**)
		gradúa	graduaba	graduó	graduará	graduaría	**gradúe**	graduara	**gradúe** Ud.
	Participles:	graduamos	graduábamos	graduamos	graduaremos	graduaríamos	graduemos	graduáramos	graduemos
	graduando	graduáis	graduabais	graduasteis	graduaréis	graduaríais	graduéis	graduarais	graduad (no graduéis)
	graduado	**gradúan**	graduaban	graduaron	graduarán	graduarían	**gradúen**	graduaran	**gradúen** Uds.
41	llegar (g:gu)	llego	llegaba	**llegué**	llegaré	llegaría	**llegue**	llegara	
		llegas	llegabas	llegaste	llegarás	llegarías	**llegues**	llegaras	llega tú (no **llegues**)
	Participles:	llega	llegaba	llegó	llegará	llegaría	**llegue**	llegara	**llegue** Ud.
	llegando	llegamos	llegábamos	llegamos	llegaremos	llegaríamos	**lleguemos**	llegáramos	**lleguemos**
	llegado	llegáis	llegabais	llegasteis	llegaréis	llegaríais	**lleguéis**	llegarais	llegad (no **lleguéis**)
		llegan	llegaban	llegaron	llegarán	llegarían	**lleguen**	llegaran	**lleguen** Uds.
42	proteger (g:j)	**protejo**	protegía	protegí	protegeré	protegería	**proteja**	protegiera	
		proteges	protegías	protegiste	protegerás	protegerías	**protejas**	protegieras	protege tú (no **protejas**)
		protege	protegía	protegió	protegerá	protegería	**proteja**	protegiera	**proteja** Ud.
	Participles:	protegemos	protegíamos	protegimos	protegeremos	protegeríamos	**protejamos**	protegiéramos	**protejamos**
	protegiendo	protegéis	protegíais	protegisteis	protegeréis	protegeríais	**protejáis**	protegierais	proteged (no **protejáis**)
	protegido	protegen	protegían	protegieron	protegerán	protegerían	**protejan**	protegieran	**protejan** Uds.
43	tocar (c:qu)	toco	tocaba	**toqué**	tocaré	tocaría	**toque**	tocara	
		tocas	tocabas	tocaste	tocarás	tocarías	**toques**	tocaras	toca tú (no **toques**)
	Participles:	toca	tocaba	tocó	tocará	tocaría	**toque**	tocara	**toque** Ud.
	tocando	tocamos	tocábamos	tocamos	tocaremos	tocaríamos	**toquemos**	tocáramos	**toquemos**
	tocado	tocáis	tocabais	tocasteis	tocaréis	tocaríais	**toquéis**	tocarais	tocad (no **toquéis**)
		tocan	tocaban	tocaron	tocarán	tocarían	**toquen**	tocaran	**toquen** Uds.
44	vencer (c:z)	**venzo**	vencía	vencí	venceré	vencería	**venza**	venciera	
		vences	vencías	venciste	vencerás	vencerías	**venzas**	vencieras	vence tú (no **venzas**)
	Participles:	vence	vencía	venció	vencerá	vencería	**venza**	venciera	**venza** Ud.
	venciendo	vencemos	vencíamos	vencimos	venceremos	venceríamos	**venzamos**	venciéramos	**venzamos**
	vencido	vencéis	vencíais	vencisteis	venceréis	venceríais	**venzáis**	vencierais	venced (no **venzáis**)
		vencen	vencían	vencieron	vencerán	vencerían	**venzan**	vencieran	**venzan** Uds.

Guide to Vocabulary

This glossary contains the words and expressions listed on the **Vocabulario** page found at the end of each lesson in **Senderos 4** and **Senderos 5** as well as other useful vocabulary. A numeral following an entry indicates the volume and lesson where the word or expression was introduced. Check the **Estructura** sections of each lesson for words and expressions related to those grammar topics.

Abbreviations used in this glossary

adj.	adjective	*f.*	feminine	*interj.*	interjection	*p.p.*	past participle	*sing.*	singular
adv.	adverb	*fam.*	familiar	*m.*	masculine	*prep.*	preposition	*v.*	verb
conj.	conjunction	*form.*	formal	*pl.*	plural	*pron.*	pronoun		

Note on alphabetization

For purposes of alphabetization, **ch** and **ll** are not treated as separate letters, but **ñ** follows **n.**

Español–Inglés

A

a punto de *adv.* about (to do something) **4.4**
abogado/a *m., f.* lawyer
abrazar *v.* to hug; to hold **4.1**
abrir(se) *v.* to open; **abrirse paso** to make one's way
abrocharse *v.* to fasten; **abrocharse el cinturón de seguridad** to fasten one's seatbelt **4.5**
abstracto/a *adj.* abstract **5.4**
aburrir *v.* to bore **4.2**
aburrirse *v.* to get bored **4.2**
acantilado *m.* cliff
acariciar *v.* to caress **5.4**
acaso *adv.* perhaps
accidente *m.* accident; **accidente automovilístico** *m.* car accident **4.5**
aceituna *f.* olive **4.2**
acercarse (a) *v.* to approach **4.2**
aclarar *v.* to clarify **5.3**
acoger *v.* to welcome; to take in; to receive
acogido/a *adj.* received; **bien acogido/a** well received **5.2**
acontecimiento *m.* event **5.3**
acordar (o:ue) *v.* to agree **4.2**
acordarse (o:ue) **(de)** *v.* to remember **4.2**
acostarse (o:ue) *v.* to go to bed **4.2**
acostumbrado/a *adj.* accustomed to; **estar acostumbrado/a a** *v.* to be used to
acostumbrarse (a) *v.* to get used to; to grow accustomed (to) **4.3**
activista *m., f.* activist **5.5**
acto: en el acto immediately; on the spot **4.3**
actual *adj.* current **5.3**
actualidad *f.* current events **5.3**
actualizado/a *adj.* up-to-date **5.3**
actualizar *v.* to update **5.1**
actualmente *adv.* currently
acuarela *f.* watercolor **5.4**
adelantado/a *adj.* advanced **5.6**
adelanto *m.* improvement **4.4**
adelgazar *v.* to lose weight **4.4**
adinerado/a *adj.* wealthy
adivinar *v.* to guess
adjuntar *v.* to attach **5.1; adjuntar un archivo** to attach a file **5.1**
administrar *v.* to manage; to run **5.2**
ADN (ácido desoxirribonucleico) *m.* DNA **5.1**
adorar *v.* to adore **4.1**
aduana *f.* customs; **agente de aduanas** customs agent **4.5**
advertencia *f.* warning **5.2**
afeitarse *v.* to shave **4.2**
aficionado/a (a) *adj.* fond of; a fan (of) **4.2**; **ser aficionado/a de** to be a fan of
afligirse *v.* to get upset **4.3**
afortunado/a *adj.* lucky
agenda *f.* datebook **4.3**
agente *m., f.* agent; officer; **agente de aduanas** *m., f.* customs agent **4.5**
agnóstico/a *adj.* agnostic **5.5**
agobiado/a *adj.* overwhelmed **4.1**
agotado/a *adj.* exhausted **4.4**
agotar *v.* to use up **4.6**
agradecimiento *m.* gratitude
¡Aguas! *interj.* Watch out! *(Méx.)*
aguja *f.* needle **4.4**
agujero *m.* hole; **agujero en la capa de ozono** *m.* hole in the ozone layer; **agujero negro** *m.* black hole **5.1**
ahogado/a *adj.* drowned **4.5**
ahogarse *v.* to smother; to drown
ahorrar *v.* to save **5.2**
ahorrarse *v.* to save oneself **5.1**
ahorro *m.* savings **5.2**
aislado/a *adj.* isolated **4.6**
aislar *v.* to isolate **5.3**
ajedrez *m.* chess **4.2, 5.6**
ala *m.* wing
alargar *v.* to drag out **4.3**
alba *f.* dawn; daybreak
albergue *m.* hostel **4.5**
álbum *m.* album **4.2**
alcalde/alcaldesa *m., f.* mayor **5.5**
alcaldía *f.* mayorship **5.5**
alcance *m.* reach **5.1;** **al alcance** within reach **5.4;** **al alcance de la mano** within reach
alcanzar *v.* to reach; to achieve; to succeed in
aldea *f.* village **4.4, 5.6**
alegría *f.* joy **5.5**
alimentación *f.* diet (nutrition) **4.4**
allá *adv.* there
alma (el) *f.* soul **4.1**
almohada *f.* pillow **4.5**
alojamiento *m.* lodging **4.5**
alojarse *v.* to stay **4.5**
alquilar *v.* to rent; **alquilar una película** to rent a movie **4.2**
alterar *v.* to modify; to alter
alternativas *f. pl.* options **4.3**
altiplano *m.* high plateau **5.5**
altoparlante *m.* loudspeaker
alucinar *v.* to hallucinate **5.4**
alumno/a *m., f.* pupil, student **5.5**
alusión *f.* allusion **5.4**
amable *adj.* nice; kind
amado/a *m., f.* loved one; sweetheart **4.1**
amanecer *m.* sunrise; morning
amante *m., f.* lover, fan **5.4**
amar *v.* to love **4.1**
ambiental *adj.* environmental **4.6**
ambos/as *pron., adj.* both
amenaza *f.* threat **5.2**
amenazar *v.* to threaten **4.3**
amor *m.* love; **amor (no) correspondido** (un)requited love
amueblado/a *adj.* furnished
analgésico *m.* painkiller **4.2**
anciano/a *adj.* elderly
anciano/a *m., f.* elderly gentleman/lady
andar *v.* to walk; **andar** + *pres. participle* to be (doing something)
anfitrión/anfitriona *m.* host(ess)
anillo *m.* ring
animado/a *adj.* lively **4.2**
ánimo *m.* spirit **4.1**
anotar (un gol/un punto) *v.* to score (a goal/a point) **4.2**
ansioso/a *adj.* anxious **4.1**
antemano: de antemano *adv.* beforehand
antena *f.* antenna; **antena parabólica** satellite dish
antes que nada first and foremost
antigüedad *f.* antiquity
antiguo/a *adj.* ancient **5.6**
antipático/a *adj.* mean; unpleasant
anuncio *m.* advertisement; commercial **5.3añadir** v. to add
apagado/a *adj.* turned off **5.1**
apagar *v.* to turn off **4.3**
aparecer *v.* to appear **4.1**
apenas *adv.* hardly; scarcely **4.3**
aplaudir *v.* to applaud **4.2**
apogeo *m.* height; highest level **4.5**
aportar *v.* to contribute **5.4**

apostar (o:ue) *v.* to bet
apoyar *v.* to support **5.2, 5.4**
apoyarse (en) *v.* to lean (on)
apuntar *v.* to aim **5.5**
apreciado/a *adj.* appreciated
apreciar *v.* to appreciate **4.1**
aprendizaje *m.* learning **5.6**
aprobación *f.* approval **5.3**
aprobar (o:ue) *v.* to approve; to pass (*a class*); **aprobar una ley** to pass a law **5.5**
aprovechar *v.* to make good use of; to take advantage of
apuesta *f.* bet
apuro: tener apuro *v.* to be in a hurry; to be in a rush
araña *f.* spider **4.6**
árbitro/a *m., f.* referee **4.2**
árbol *m.* tree **4.6**
archivo *m.* file; **bajar un archivo** to download a file
arduo *adj.* hard
arepa *f.* cornmeal cake
argumento *m.* plot **5.4**
árido/a *adj.* arid **5.5**
aristocrático/a *adj.* aristocratic **5.6**
armada *f.* navy **5.5**
armado/a *adj.* armed
arqueología *f.* archaeology
arqueólogo/a *m., f.* archaeologist
arrancar *v.* to start (*a car*) **4.2**
arrastrar *v.* to drag
arrecife *m.* reef **4.6**
arreglar *v.* to fix **5.1**
arreglarse *v.* to get ready **4.3**
arreglárselas (para) *v.* to manage to **4.4**
arrepentirse (de) (e:ie) *v.* to repent **4.2**
arriesgar *v.* to risk
arriesgarse *v.* to risk; to take a risk
arroba *f.* @ symbol **5.1**
arroyo *m.* stream **5.4**
arruga *f.* wrinkle
arruinar *v.* to ruin **4.3**
artefacto *m.* artifact **4.5**
artesanía *f.* handicraft **4.3**
artesano/a *m., f.* artisan **5.4**
asaltar *v.* to rob **5.4**
ascender (e:ie) *v.* to rise; to be promoted **5.2**
asco *m.* revulsion; **dar asco** to be disgusting
asegurar *v.* to assure; to guarantee
asegurarse *v.* to make sure
aseo *m.* cleanliness; hygiene; **aseo personal** *m.* personal care
asesor(a) *m., f.* consultant; advisor **5.2**
así *adv.* like this; so **4.3**
asiento *m.* seat **4.2**
asombrar *v.* to amaze
asombrarse *v.* to be astonished
asombro *m.* amazement; astonishment
asombroso/a *adj.* astonishing
aspecto *m.* appearance; look; **tener buen/mal aspecto** to look healthy/sick **4.4**
aspirina *f.* aspirin **4.4**
astronauta *m., f.* astronaut **5.1**
astrónomo/a *m., f.* astronomer **5.1**
asunto *m.* matter; topic
asustado/a *adj.* frightened; scared
atar *v.* to tie (up)
ataúd *m.* casket
ateísmo *m.* atheism
ateo/a *adj.* atheist **5.5**
aterrizar *v.* to land (an airplane) **4.5**
atletismo *m.* track-and-field events
atónito/a *adj.* astonished **5.3**
atracción *f.* attraction
atraer *v.* to attract **4.1**
atrapar *v.* to trap; to catch **4.6**
atrasado/a *adj.* late **4.3**
atrasar *v.* to delay
atreverse (a) *v.* to dare (to) **4.2**
atropellar *v.* to run over
audiencia *f.* audience
aumento *m.* increase; raise; **aumento de sueldo** *m.* raise in salary **5.2**
auricular *m.* telephone receiver **5.1**
ausente *adj.* absent
auténtico/a *adj.* real; genuine **4.3**
autobiografía *f.* autobiography **5.4**
autoestima *f.* self-esteem **4.4**
autoritario/a *adj.* strict; authoritarian **4.1**
autorretrato *m.* self-portrait **5.4**
auxiliar de vuelo *m., f.* flight attendant
auxilio *m.* help; aid; **primeros auxilios** *m. pl.* first aid **4.4**
avance *m.* advance; breakthrough **5.1**
avanzado/a *adj.* advanced **5.1**
avaro/a *m., f.* miser
ave *f.* bird **4.6**
aventura *f.* adventure **4.5**
aventurero/a *m., f.* adventurer **4.5**
avergonzado/a *adj.* ashamed; embarrassed
avergonzar *v.* to embarrass **5.2**
averiguar *v.* to find out **4.1**
avisar *v.* to inform; to warn
aviso *m.* notice; warning **4.5**
ayer (el) *m.* past **4.3**
azar *m.* chance **5.6**

B

bahía *f.* bay **4.5**
bailar *v.* to dance **4.1**
bailarín/bailarina *m., f.* dancer
bajar *v.* to lower
bajos recursos *m., pl.* low-income **5.2**
balcón *m.* balcony **4.3**
balón *m.* ball
bancario/a *adj.* banking
bancarrota *f.* bankruptcy **5.2**
banda sonora *f.* soundtrack **5.3**
bandera *f.* flag
bañarse *v.* to take a bath **4.2**
barato/a *adj.* cheap; inexpensive **4.3**
barrer *v.* to sweep **4.3**
barrio *m.* neighborhood
barro *m.* mud, clay **5.4**
bastante *adv.* quite; enough **4.3**
basura *f.* trash **5.2**
batalla *f.* battle **4.4, 5.6**
bautismo *m.* baptism **5.3**
beber *v.* to drink **4.1**
bellas artes *f., pl* fine arts **5.4**
belleza *f.* beauty **5.2**
bendecir (e:i) *v.* to bless **5.5**
beneficios *m. pl.* benefits
besar *v.* to kiss **4.1**
biblioteca *f.* library **5.6**
bien acogido/a *adj.* well-received **5.2**
bienestar *m.* well-being **4.4**
bienvenida *f.* welcome **4.5**
bilingüe *adj.* bilingual **5.3**
billar *m.* billiards **4.2**
biografía *f.* biography **5.4**
biólogo/a *m., f.* biologist **5.1**
bioquímico/a *adj.* biochemical **5.1**
bitácora *f.* travel log; weblog **5.1**
blog *m.* blog **5.1**
blogonovela *f.* blognovel **5.1**
blogosfera *f.* blogosphere **5.1**
bobo/a *m., f.* silly, stupid person **5.1**
boca arriba *adj.* face up **5.4**
bocado *m.* bite, mouthful **4.1**
boleto *m.* ticket
boliche *m.* bowling **4.2**
bolsa *f.* bag; sack; stock market; **bolsa de valores** *f.* stock market **5.2**
bombardeo *m.* bombing **4.6**
bondad *f.* goodness; **¿Tendría usted la bondad de** + *inf.*… ? Could you please ...? (*form.*)
boquiabierto/a *adj.* openmouthed **5.5**
bordo: a bordo *adv.* on board **4.5**
borrar *v.* to erase **5.1**
bosque *m.* forest; **bosque lluvioso** *m.* rain forest **4.6**
bostezar *v.* to yawn
botar *v.* to throw… out
botarse *v.* to outdo oneself (*P. Rico; Cuba*)
bote *m.* boat **4.5**
brindar *v.* to make a toast **4.2**
brindis *m.* toast **4.3**
broma *f.* joke **4.3**
bromear *v.* to joke
brújula *f.* compass **4.5**
buceo *m.* scuba diving **4.5**
budista *adj.* Buddhist **5.5**
bueno/a *adj.* good; **estar bueno/a** *v.* to (still) be good (i.e., *fresh*); **ser bueno/a** *v.* to be good (*by nature*); **Buen provecho.** Enjoy your meal.
búfalo *m.* buffalo
burla *f.* mockery
burlar *v.* to outsmart **5.3**
burlarse (de) *v.* to make fun (of) **5.4**
burocracia *f.* bureaucracy
buscador *m.* search engine **5.1**
búsqueda *f.* search
buzón *m.* mailbox

C

cabo *m.* cape; end (*rope, string*); **al fin y al cabo** sooner or later, after all; **llevar a cabo** to carry out (*an activity*)
cabra *f.* goat
cacique *m.* tribal chief **5.6**
cadena *f.* network **5.3; cadena de televisión** *f.* television network
caducar *v.* to expire
caer(se) *v.* to fall **4.1; caer bien/mal** to get along well/badly with **4.2**
caja *f.* coffin **4.1**
cajero/a *m., f.* cashier; **cajero automático** *m.* ATM
calentamiento global *m.* global warming **4.6**
calentar (e:ie) *v.* to warm up **4.3**
callado/a *adj.* quiet/silent
callarse *v.* to be quiet, silent
calmante *m.* tranquilizer **4.4**
calmarse *v.* to calm down; to relax
calzoncillos *m. pl.* underwear (men's)

camarada *m., f.* pal, colleague **4.4**
camarero/a *m., f.* waiter; waitress
cambiar *v.* to change
cambio *m.* change; **a cambio de** in exchange for
camino de vuelta *m.* way back **4.5**
camioneta *f.* pickup truck **5.1**
campamento *m.* campground **4.5**
campaña *f.* campaign **5.5**
campeón/campeona *m., f.* champion **4.2**
campeonato *m.* championship
campo *m.* ball field **4.5**
campo *m.* countryside; field **4.6**
canal *m.* channel **5.3; canal de televisión** *m.* television channel
cancelar *v.* to cancel **4.5**
cáncer *m.* cancer
cancha *f.* field
candidato/a *m., f.* candidate **5.5**
canon literario *m.* literary canon **5.4**
cansancio *m.* exhaustion **4.3**
cansarse *v.* to become tired
cantante *m., f.* singer **4.2**
canto *m.* singing **5.3**
capa *f.* layer; **capa de ozono** *f.* ozone layer 4.6
capaz *adj.* competent; capable **5.2**
capilla *f.* chapel
capitán *m.* captain
capítulo *m.* chapter
caracterización *f.* characterization **5.4**
cariño *m.* affection **4.1**
cariñoso/a *adj.* affectionate **4.1**
carne *f.* meat; flesh
carné de conducir *m.* driver's license **4.5**
caro/a *adj.* expensive **4.3**
carrera *f.* race **4.2**
cartas *f. pl.* (playing) cards **4.2**
casado/a *adj.* married **4.1**
cascada *f.* cascade; waterfall **4.5, 4.6**
cascarrabias *m., f.* grouch, curmudgeon **4.4**
casi *adv.* almost **4.3**
casi nunca *adv.* rarely **4.3**
castigo *m.* punishment
casualidad *f.* chance; coincidence; **por casualidad** by chance **4.3**
catástrofe *f.* catastrophe; disaster; **catástrofe natural** *f.* natural disaster
categoría *f.* category **4.5; de buena categoría** *adj.* high quality **4.5**
católico/a *adj.* Catholic **5.5**
cazar *v.* to hunt **4.6**
ceder *v.* give up **5.5**
ceguera *f.* blindness **4.4**
celda *f.* cell
celebrar *v.* to celebrate **4.2**
celebridad *f.* celebrity **5.3**
celos *m. pl.* jealousy; **tener celos de** to be jealous of **4.1**
celoso/a *adj.* jealous **4.1**
célula *f.* cell **5.1**
cementerio *m.* cemetery **5.6**
censura *f.* censorship **5.3**
centavo *m.* cent
centro comercial *m.* mall **4.3**
cepillarse *v.* to brush **4.2**
cerdo *m.* pig **4.6**
cerro *m.* hill
certeza *f.* certainty
certidumbre *f.* certainty **5.6**
chaval(a) *m., f.* kid, youngster **5.5**
chiripazo *m.* coincidence (*Col.*) **4.4**
chisme *m.* gossip **5.3**
chiste *m.* joke **4.1**
choza *f.* hut **5.6**
cicatriz *f.* scar
ciclo vital *m.* life cycle **4.4**
ciencia ficción *f.* science fiction **5.4**
científico/a *adj.* scientific
científico/a *m., f.* scientist **5.1**
cierto/a *adj.* certain, sure; **¡Cierto!** Sure!; **No es cierto.** That's not so.
cima *f.* height **4.1**
cine *m.* movie theater; cinema **4.2**
cinta *f.* tape **4.3**
cinturón *m.* belt; **cinturón de seguridad** *m.* seatbelt **4.5**; **abrocharse el cinturón de seguridad** *v.* to fasten one's seatbelt; **ponerse (el cinturón)** *v.* to fasten (the seatbelt) **4.5**; **quitarse (el cinturón)** *v.* to unfasten (the seatbelt) 4.5
circo *m.* circus **4.2**
cirugía *f.* surgery **4.4**
cirujano/a *m., f.* surgeon **4.4**
cita *f.* date; quotation; **cita a ciegas** *f.* blind date **4.1**
ciudadano/a *m., f.* citizen **5.5**
civilización *f.* civilization **5.6**
civilizado/a *adj.* civilized
claro *interj.* of course **4.3**
clásico/a *adj.* classic **5.4**
claustro *m.* cloister
clave *f.* key **5.2**
clima *m.* climate
clonar *v.* to clone **5.1**
club *m.* club; **club deportivo** *m.* sports club **4.2**
coartada *f.* alibi **5.4**
cobrador(a) *m., f.* debt collector **5.2**
cobrar *v.* to charge; to cash **5.2**
cocinar *v.* to cook **4.3**
cocinero/a *m., f.* chef; cook
codo *m.* elbow
cohete *m.* rocket **5.1**
cola *f.* line; tail; **hacer cola** to wait in line **4.2**
coleccionar *v.* to collect
coleccionista *m., f.* collector
colgar (o:ue) *v.* to hang (up)
colina *f.* hill
colmena *f.* beehive **5.2**
colocar *v.* to place (*an object*) **4.2**
colonia *f.* colony **5.6**
colonizar *v.* to colonize **5.6**
columnista *m., f.* columnist
combatiente *m., f.* combatant
combustible *m.* fuel **4.6**
comediante *m., f.* comedian **4.1**
comer *v.* to eat **4.1, 4.2**
comerciar *v.* to trade **5.3**
comerciante *m., f.* storekeeper; trader
comercio *m.* commerce; trade **5.2**
comerse *v.* to eat up **4.2**
comestible *adj.* edible; **planta comestible** *f.* edible plant
cometa *m.* comet **5.1**
comida *f.* food **4.6; comida rápida** *f.* fast food **4.4**
cómo *adv.* how; **¡Cómo no!** Of course!; **¿Cómo que son...?** What do you mean they are...?
compañía *f.* company **5.2**
competencia *f.* competition **5.3**
completo/a *adj.* complete; filled up; **El hotel está completo.** The hotel is filled.
componer *v.* to compose **4.1**
compositor(a) *m., f.* composer
comprobar (o:ue) *v.* to prove **5.1**
compromiso *m.* commitment; responsibility **4.1**
computación *f.* computer science
computadora portátil *f.* laptop **5.1**
comunidad *f.* community **4.4**
conciencia *f.* conscience
concierto *m.* concert **4.2**
concursante *m., f.* contestant **5.3**
conducir *v.* to drive **4.1**
conductor(a) *m., f.* announcer
conejo *m.* rabbit **4.6**
conferencia *f.* conference **5.2**
confesar (e:ie) *v.* to confess
confianza *f.* trust; confidence **4.1, 5.4**
confiar *v.* to trust **5.5**
confundido/a *adj.* confused
confundir (con) *v.* to confuse (with)
confuso/a *adj.* blurred **4.1**
congelado/a *adj.* frozen
congelar(se) *v.* to freeze **5.1**
congeniar *v.* to get along
congestionado/a *adj.* congested
congestionamiento *m.* traffic jam **4.5**
conjunto *m.* collection; **conjunto (musical)** *m.* (musical) group, band
conmovedor(a) *adj.* moving
conocer *v.* to know **4.1**
conocimiento *m.* knowledge **5.6**
conquista *f.* conquest **5.6**
conquistador(a) *m., f.* conquistador; conqueror **5.6**
conquistar *v.* to conquer **5.6**
conseguir (e:) **v.** to obtain **5.2; conseguir boletos/entradas** *v.* to get tickets **4.2**
conservador(a) *adj.* conservative **5.5**
conservador(a) *m., f.* curator
conservar *v.* to conserve; to preserve **4.6**
considerar *v.* to consider; **Considero que...** In my opinion, ...
consiguiente *adj.* resulting; consequent; **por consiguiente** consequently; as a result
consulado *m.* consulate
consulta *f.* doctor's appointment **4.4**
consultorio *m.* doctor's office **4.4**
consumo *m.* consumption; **consumo de energía** *m.* energy consumption
contador(a) *m., f.* accountant **5.2**
contagiarse *v.* to become infected **4.4**
contaminación *f.* pollution; contamination **4.6**
contaminar *v.* to pollute; to contaminate **4.6**
contar (o:ue) *v.* to tell; to count **4.2; contar con** to count on
contemporáneo/a *adj.* contemporary **5.4**
contentarse con *v.* to be contented/satisfied with **4.1**
continuación *f.* sequel
contra *prep.* against; **en contra** *prep.* against
contraer *v.* to contract **4.1**
contraseña *f.* password **5.1**
contratar *v.* to hire **4.5, 5.2**

contrato *m.* contract **5.2**
contribuir (a) *v.* to contribute **4.6**
controvertido/a *adj.* controversial **5.3**
convertirse (en) (e:ie) *v.* to become **4.2**
copa *f.* (drinking) glass **4.3; Copa del mundo** World Cup
coquetear *v.* to flirt **4.1**
coraje *m.* courage
corazón *m.* heart **4.1**
cordillera *f.* mountain range **4.6**
cordura *f.* sanity **4.4**
coro *m.* choir; chorus
corrector ortográfico *m.* spell-checker **5.1**
corresponsal *m., f.* correspondent **5.3**
corrida *f.* bullfight **4.2**
corrido (de) *adv.* non-stop **5.3**
corriente *f.* movement **5.4**
corrupción *f.* corruption
corte *m.* cut; **de corte ejecutivo** of an executive nature
corto *m.* short film
cortometraje *m.* short film
cosecha *f.* harvest
costa *f.* coast **4.6**
costoso/a *adj.* costly; expensive
costumbre *f.* custom; habit **4.3**
cotidiano/a *adj.* everyday **4.3; vida cotidiana** *f.* everyday life
crear *v.* to create **5.1**
creatividad *f.* creativity
crecer *v.* to grow **4.1**
crecimiento *m.* growth
creencia *f.* belief **5.5**
creer (en) *v.* to believe (in) **5.5; No creas.** Don't you believe it.
creyente *m., f.* believer **5.5**
criarse *v.* to grow up **4.1**
cristiano/a *adj.* Christian **5.5**
crítico/a *m., f.* critic; *adj.* critical **crítico/a de cine** movie critic **5.3**
crucero *m.* cruise (ship) **4.5**
cruzar *v.* to cross
cuadro *m.* painting **4.3, 5.4**
cubismo *m.* cubism **5.4**
cuenta *f.* calculation, sum; bill; account; **a final de cuentas** after all **5.1; cuenta corriente** *f.* checking account **5.2; cuenta de ahorros** *f.* savings account **5.2; tener en cuenta** to keep in mind
cuento *m.* short story
cuerpo *m.* body; **cuerpo y alma** heart and soul
cueva *f.* cave
cuidar *v.* to take care of **4.1**
cuidarse *v.* to take care of oneself
culpa *f.* guilt **5.4**
culpable *adj.* guilty
cultivar *v.* to grow
culto *m.* worship
culto/a *adj.* cultured; educated; refined **5.6**
cultura *f.* culture; **cultura popular** *f.* pop culture
cumbre *f.* summit; peak
cumplir *v.* to carry out **5.2**
cumpleañero/a *m., f.* birthday boy/girl **4.1**
curarse *v.* to be cured **4.4**
curativo/a *adj.* healing **4.4**
currículum vitae *m.* résumé **5.2**

D

dañino/a *adj.* harmful **4.6**
dar *v.* to give; **dar a** to look out upon; **dar asco** to be disgusting; **dar de comer** to feed **4.6**; **dar el alta** to discharge (from the hospital) **4.5**; **dar el primer paso** to take the first step; **dar la gana** to feel like **5.3**; **dar la vuelta (al mundo)** to go around (the world); **dar paso a** to give way to; **dar un paseo** to take a stroll/walk **4.2**; **dar una vuelta** to take a walk/stroll; **darse cuenta** to realize **4.2, 5.3**; **darse por aludido/a** to realize/assume that one is being referred to **5.3**; **darse por vencido** to give up
dardos *m. pl.* darts **4.2**
dato *m.* piece of data
de ninguna manera *expr.* No way! **5.5**
de repente *adv.* suddenly **4.3**
de terror *adj.* horror (*story/novel*) **5.4**
de vez en cuando *adv.* every once in a while **4.1**
deber *m.* duty; *v.* to owe **5.2**
deber + inf. *v.* ought + *inf.*
década *f.* decade **5.6**
decir (e:i) *v.* to say **4.1**
deforestación *f.* deforestation **4.6**
dejar *v.* to leave; to allow; **dejar a alguien** to leave someone **4.1; dejar en paz** to leave alone **5.2**
delatar *v.* to denounce **4.3**
demás: los/las demás *pron.* others; other people
demasiado/a *adj., adv.* too; too much
demora *f.* delay **5.6**
demorar *v.* to delay
denunciar *v.* to report **4.5**
deportista *m., f.* athlete **4.2**
depositar *v.* to deposit **5.2**
depresión *f.* depression **4.4**
deprimido/a *adj.* depressed **4.1**
derecho *m.* law; right; **derechos civiles** *m.* civil rights **5.5**; **derechos humanos** *m.* human rights **5.5**
derramar *v.* to spill
derretir(se) (e:i) *v.* to melt **5.1**
derribar *v.* to bring down; to overthrow **5.6**
derrocar *v.* to overthrow **5.6**
derrota *f.* defeat **5.5**
derrotado/a *adj.* defeated **5.6**
derrotar *v.* to defeat **5.6**
desafiante *adj.* challenging **4.4**
desafiar *v.* to challenge **4.2**
desafío *m.* challenge **5.1**
desanimado/a *adj.* discouraged
desanimarse *v.* to get discouraged
desánimo *m.* the state of being discouraged **4.1**
desaparecer *v.* to disappear **4.1, 4.6**
desarrollado/a *adj.* developed **5.6**
desarrollarse *v.* to take place **5.4**
desarrollo *m.* development **4.6; país en vías de desarrollo** *m.* developing country
desatar *v.* to untie
descansar *v.* to rest **4.4**
descanso *m.* rest **5.2**
descarado/a *adj.* rude **5.3**
descargar *v.* to download **5.1;** to unload **4.5**
descendiente *m., f.* descendent **5.6**
descongelar(se) *v.* to defrost **5.1**
desconocido/a *m., f.* stranger; *adj.* unknown
descubridor(a) *m., f.* discoverer
descubrimiento *m.* discovery **5.1**
descubrir *v.* discover
desear *v.* to desire; to wish **4.4**
desechable *adj.* disposable **4.6**
desempleado/a *adj.* unemployed **5.2**
desempleo *m.* unemployment **5.2**
desenlace *m.* ending
deseo *m.* desire; wish **4.1**
deshacer *v.* to undo **4.1**
deshecho/a *adj.* devastated
deshojar *v.* to pull out petals **4.3**
desierto *m.* desert **4.6**
desigual *adj.* unequal **5.5**
desilusión *f.* disappointment
desmayarse *v.* to faint **4.4**
despacho *m.* office
despedida *f.* farewell **4.5**
despedido/a *adj.* fired
despedir (e:i) *v.* to fire **5.2**
despegar *v.* to take off **4.5**
despertarse (e:ie) *v.* to wake up **4.2**
despreocupado/a *adj.* carefree **5.5**
destacado/a *adj.* prominent **5.3**
destacar *v.* to emphasize; to point out
destino *m.* destination **4.5**
destrozar *v.* to destroy
destruir *v.* to destroy **4.6**
detallito *m.* a little something **4.6**
detener(se) *v.* to stop **4.4**
detestar *v.* to detest
deuda *f.* debt **5.2**
devolver (o:ue) *v.* to return (*items*) **4.3**
devoto/a *adj.* pious
día *m.* day; **estar al día con las noticias** to keep up with the news
diamante *m.* diamond
diario *m.* newspaper **5.3**
diario/a *adj.* daily **4.3**
dibujar *v.* to draw **5.4**
dictador(a) *m., f.* dictator **5.6**
dictadura *f.* dictatorship
didáctico/a *adj.* educational **5.4**
dieta *f.* diet; **estar a dieta** to be on a diet **4.4**
digestión *f.* digestion
digital *adj.* digital **5.1**
digno/a *adj.* worthy **4.6**
diluvio *m.* heavy rain
dinero *m.* money; **dinero en efectivo** cash **4.3**
Dios *m.* God **5.5**
dios(a) *m., f.* god/goddess **4.5**
diputado/a *m., f.* representative **5.5**
disculpa *f.* apology **4.3**
disparar *v.* to shoot **5.5**
disputar *v.* to play **5.6**
dirección de correo electrónico *f.* e-mail address **5.1**
directo/a *adj.* direct; **en directo** *adj.* live **5.3**
director(a) *m., f.* director
dirigir *v.* to direct; to manage **4.1**
discoteca *f.* discotheque; dance club **4.2**
discriminación *f.* discrimination
discriminado/a *adj.* discriminated
disculpar *v.* to excuse
discurso *m.* speech; **pronunciar un discurso** to give a speech **5.5**
discutir *v.* to argue **4.1**

diseñar *v.* to design **5.4**
disfraz *m.* costume
disfrazado/a *adj.* disguised; in costume
disfrutar (de) *v.* to enjoy **4.2**
disgustado/a *adj.* upset **4.1**
disgustar *v.* to upset **4.2**
disminuir *v* to decrease
disponer (de) *v.* to have; to make use of **4.3**
disponerse a *v.* to be about to **4.6**
disponible *adj.* available
distinguido/a *adj.* honored
distinguir *v.* to distinguish **4.1**
distraer *v.* to distract **4.1**
distraído/a *adj.* distracted
disturbio *m.* riot **5.2**
diversidad *f.* diversity **4.4**
divertido/a *adj.* fun **4.2**
divertirse (e:ie) *v.* to have fun **4.2**
divorciado/a *adj.* divorced **4.1**
divorcio *m.* divorce **4.1**
doblado/a *adj.* dubbed **5.3**
doblaje *m.* dubbing (film)
doblar *v.* to dub (film); to fold; to turn (*a corner*)
documental *m.* documentary **5.3**
dolencia *f.* illness; condition
doler (o:ue) *v.* to hurt; to ache **4.2**
dominio *m.* rule **5.6**
dominó *m.* dominoes
dondequiera *adv.* wherever **4.4**
dormir (o:ue) *v.* to sleep **4.2**
dormirse (o:ue) *v.* to go to sleep, to fall asleep **4.2**
dramaturgo/a *m., f.* playwright **5.4**
ducharse *v.* to take a shower **4.2**
dueño/a *m., f.* owner **5.2**
duro/a *adj.* hard; difficult **5.1**

E

echar *v.* to throw away; **echar un vistazo** to take a look; **echar a correr** to take off running; **echar de menos** *v.* to miss someone **4.1**
ecosistema *m.* ecosystem **4.6**
ecoturismo *m.* ecotourism **4.5**
Edad Media *f.* Middle Ages
editar *v.* to publish **5.4**
educar *v.* to raise; to bring up **4.1**
efectivo *m.* cash
efectos especiales *m., pl.* special effects **5.3**
efectos secundarios *m. pl.* side effects **4.4**
eficiente *adj.* efficient
ejecutivo/a *m., f.* executive **5.2; de corte ejecutivo** of an executive nature **5.2**
ejercer *v.* to exercise **5.5**
ejército *m.* army **5.5, 5.6**
electoral *adj.* electoral
electrónico/a *adj.* electronic
elegido/a *adj.* chosen; elected
elegir (e:i) *v.* to elect; to choose **5.5**
embajada *f.* embassy
embajador(a) *m., f.* ambassador **5.5**
embalarse *v.* to go too fast **5.3**
embarcar *v.* to board
emigrar *v.* to emigrate **5.5**
emisión *f.* broadcast; **emisión en vivo/directo** *f.* live broadcast
emisora *f.* (radio) station
emocionado/a *adj.* excited **4.1**
empatar *v.* to tie (*games*) **4.2**
empate *m.* tie (*game*) **4.2**
empeorar *v.* to deteriorate; to get worse **4.4**
emperador *m* emperor **5.6**
emperatriz *f.* empress **5.6**
empezar (e:ie) *v.* to begin
empleado/a *adj.* employed **5.2**
empleado/a *m., f.* employee **5.2**
empleo *m.* employment; job **5.2**
empresa *f.* company; **empresa multinacional** *f.* multinational company **5.2**
empresario/a *m., f.* entrepreneur **5.2**
empujar *v.* to push
en línea *adj.* online **5.1**
enamorado/a (de) *adj.* in love (with) **4.1**
enamorarse (de) *v.* to fall in love (with) **4.1**
encabezar *v.* to lead **5.6**
encantar *v.* to like very much **4.2**
encarcelado/a *adj.* imprisoned/incarcerated **5.5**
encender (e:ie) *v.* to turn on **4.1, 4.3**
encogerse *v.* shrink; **encogerse de hombros** to shrug
energía *f.* energy; **energía eólica** *f.* wind energy; wind power; **energía nuclear** *f.* nuclear energy
enérgico/a *adj.* energetic
enfermarse *v.* to get sick **4.4**
enfermedad *f.* disease; illness **4.4**
enfermero/a *m., f.* nurse **4.4**
engordar *v.* to gain weight **4.4**
¡enhorabuena! *exp.* congratulations! **4.1**
enlace *m.* link **5.1**
enojo *m.* anger
enrojecer *v.* to turn red; to blush
ensayar *v.* to rehearse **5.3**
ensayista *m., f.* essayist **5.4**
ensayo *m.* essay; rehearsal
enseguida *adv.* right away **4.3**
enseñanza *f.* teaching; lesson **5.4, 5.6**
entender (e:ie) *v.* to understand
enterarse (de) *v.* to become informed (about) **5.3**
enterrado/a *adj.* buried
enterrar (e:ie) *v.* to bury **4.1**
entonces *adv.* then; **en aquel entonces** at that time **4.3**
entorno *m.* surroundings **5.4**
entrada *f.* admission ticket
entrega *f.* delivery
entrenador(a) *m., f.* coach; trainer **4.2**
entretener(se) (e:ie) *v.* to entertain, to amuse (oneself); to be held up **4.1, 4.2**
entretenido/a *adj.* entertaining **4.2**
entrevista *f.* interview; **entrevista de trabajo** *f.* job interview **5.2**
enviar *v.* to send
envolver *v.* to wrap **4.2**
eólico/a *adj.* related to the wind; **energía eólica** *f.* wind energy; wind power
epidemia *f.* epidemic **4.4**
episodio *m.* episode **5.3; episodio final** *m.* final episode **5.3**
época *f.* season **4.1;** era; epoch; historical period **5.6**
equipaje *m.* luggage
equipo *m.* team **4.2**
erosión *f.* erosion **4.6**
erudito/a *adj.* learned **5.6**
esbozar *v.* to sketch
esbozo *m.* outline; sketch
escalada *f.* climb (*mountain*)
escalador(a) *m., f.* climber
escalera *f.* staircase **4.3**
escena *f.* scene
escenario *m.* scenery; stage **4.2**
esclavitud *f.* slavery **5.6**
esclavizar *v.* enslave **5.6**
esclavo/a *m., f.* slave **5.6**
escoba *f.* broom
escoger *v.* to choose **4.1**
escritura *f.* writing **5.3**
esculpir *v.* to sculpt **5.4**
escultor(a) *m., f.* sculptor **5.4**
escultura *f.* sculpture **5.4**
esfuerzo *m.* effort
espacial *adj.* related to space; **transbordador espacial** *m.* space shuttle **5.1**
espacio *m.* space **5.1**
espacioso/a *adj.* spacious
espalda *f.* back; **estar de espaldas a** to have one's back to
espantar *v.* to scare
especialista *m., f.* specialist
especializado/a *adj.* specialized **5.1**
especie *f.* species **4.6; especie en peligro de extinción** *f.* endangered species
espectáculo *m.* show **4.2, 5.4**
espectador(a) *m., f.* spectator **4.2**
espejo retrovisor *m.* rearview mirror
espera *f.* wait
esperanza *f.* hope **4.6**
espía *m., f.* spy **4.1**
espiritual *adj.* spiritual **5.5**
estabilidad *f.* stability **5.6**
establecer(se) *v.* to establish (oneself) **5.6**
estado de ánimo *m.* mood **4.4**
estallido *m.* explosion **5.5**
estar *v.* to be; **estar al día** to be up-to-date **5.3; estar bajo presión** to be under stress/pressure; **estar bueno/a** to be good (i.e., *fresh*); **estar a cargo de** to be in charge of; **estar harto/a (de)** to be fed up (with); to be sick (of) **4.1**; **estar lleno** to be full **4.5**; **estar al tanto** to be informed **5.3**; **estar resfriado/a** to have a cold **4.4**
estatal *adj.* public; pertaining to the state
estereotipo *m.* stereotype **5.4**
estético/a *adj.* aesthetic **5.4**
estibador de puerto *m.* longshoreman **4.4**
estilo *m.* style; **al estilo de...** in the style of ... **5.4**
estrecho/a *adj.* narrow
estrella *f.* star; **estrella fugaz** *f.* shooting star; **estrella** *f.* (movie) star [m/f]; **estrella pop** *f.* pop star [m/f] **5.3**
estrellar(se) *v.* to crash **4.1, 5.1**
estreno *m.* premiere; debut **4.2**
estribor *m.* starboard **4.4**
estrofa *f.* stanza **5.4**
estudio *m.* studio; **estudio de grabación** *m.* recording studio
etapa *f.* stage; phase
eterno/a *adj.* eternal
ético/a *adj.* ethical **5.1; poco ético/a** unethical
etiqueta *f.* label; tag
excitante *adj.* exciting
excursión *f.* excursion; tour **4.5**
exigir *v.* to demand **4.1, 4.4, 5.2**

exilio político *m.* political exile **5.5**
éxito *m.* success
exitoso/a *adj.* successful **5.2**
exótico/a *adj.* exotic
experiencia *f.* experience **5.2**
experimentar *v.* to experience; to feel
experimento *m.* experiment **5.1**
exploración *f.* exploration
explorar *v.* to explore
explotación *f.* exploitation
explotar *v.* to exploit **5.6**
exportaciones *f., pl.* exports
exportar *v.* to export **5.2**
exposición *f.* exhibition
expresionismo *m.* expressionism **5.4**
expulsar *v.* to expel **5.6**
extinguir *v.* to extinguish
extinguirse *v.* to become extinct **4.6**
extrañar *v.* to miss; **extrañar a (alguien)** to miss (someone); **extrañarse de algo** to be surprised about something
extraterrestre *m., f.* alien **5.1**

F

fábrica *f.* factory
fabricar *v.* to manufacture; to make **5.1**
factor *m.* factor; **factores de riesgo** *m. pl.* risk factors
factura *f.* bill **5.2**
falda *f.* skirt
fallecer *v.* to die **4.1**
falso/a *adj.* insincere **4.1**
faltar *v.* to lack; to need **4.2**
fama *f.* fame **5.3; tener buena/mala fama** to have a good/bad reputation **5.3**
familiar *m., f.* relative **4.2**
famoso/a *adj.* famous **5.3; hacerse famoso** *v.* to become famous **5.3**
faro *m.* lighthouse; beacon **4.5**
fascinar *v.* to fascinate; to like very much **4.2**
fatiga *f.* fatigue; weariness **5.2**
fatigado/a *adj.* exhausted **4.3**
favor *m.* favor; **hacer el favor** to do someone the favor
fe *f.* faith **5.5**
fecha *f.* date **5.6**
felicidad *f.* happiness; **¡Felicidades a todos!** Congratulations to all!
feliz *adj.* happy
feria *f.* fair **4.2**
festejar *v.* to celebrate **4.2**
festival *m.* festival **4.2**
fiabilidad *f.* reliability
fiebre *f.* fever **4.4**
fijarse *v.* to notice **5.3; fijarse en** to take notice of **4.2**
fijo/a *adj.* permanent; fixed **5.2**
fin *m.* end; **al fin y al cabo** sooner or later; after all
final: al final de cuentas after all
financiar *v.* to finance **5.2**
financiero/a *adj.* financial **5.2**
finanza(s) *f.* finance(s)
firma *f.* signature
firmar *v.* to sign
físico/a *m., f.* physicist **5.1**
flexible *adj.* flexible
florecer *v.* to flower **4.6**
flotar *v.* to float **4.5**
fondo *m.* bottom; **a fondo** *adv.* thoroughly
forma *f.* form; shape; **mala forma física** *f.* bad physical shape; **ponerse en forma** *v.* to get in shape **4.4**
formación *f.* training; preparation **5.4**
formular *v.* to formulate **5.1**
fortaleza *f.* strength **5.4**
forzado/a *adj.* forced **5.6**
fraile *m.* friar
frasco *m.* flask
freír (e:i) *v.* to fry **4.3**
frontera *f.* border **4.5**
fuente *f.* fountain; source; **fuente de energía** energy source **4.6**
fuerza *f.* force; power; **fuerza de voluntad** will power **4.4**; **fuerzas armadas** *f., pl.* armed forces **5.6**
fulano/a *m., f.* so-and-so **5.3**
función *f.* show (*theater/movie*) **4.2**
funcionar *v.* to work **5.1**
fusil *m.* rifle **5.5**
fusilar *v.* shoot, execute by firing squad **5.6**
futurístico/a *adj.* futuristic

G

gana *f.* desire; **sentir/tener ganas de** to want to; to feel like
ganador/a *m., f.* winner **4.2**
ganar *v.* to win; **ganarse la vida** to make a living **5.2**; **ganar bien/mal** to be well/ poorly paid **5.2**; **ganar las elecciones** to win an election **5.5**; **ganar un partido** to win a game **4.2**
ganga *f.* bargain **4.3**
gastar *v.* to spend **5.2**
gen *m.* gene **5.1**
generar *v.* to produce; to generate
generoso/a *adj.* generous
genética *f.* genetics
gerente *m, f.* manager **5.2**
gesto *m.* gesture
gimnasio *m.* gymnasium
globalización *f.* globalization
gobernador(a) *m., f.* governor **5.5**
gobernante *m., f.* ruler **5.6**
gobernar (e:ie) *v.* to govern **5.5**
golpiza *f.* beating **4.1**
gorro de lana *m.* wool cap **4.2**
grabar *v.* to record **5.3**
gracioso/a *adj.* funny; pleasant **4.1**
graduarse *v.* to graduate
gravedad *f.* gravity **5.1**
gripe *f.* flu **4.4**
gritar *v.* to shout
grupo *m.* group; **grupo musical** *m.* musical group, band
guaraní *m.* Guarani **5.3**
guardar *v.* to save **5.1**
guardarse (algo) *v.* to keep (something) to yourself **4.1**
guerra *f.* war; **guerra civil** civil war; **guerra mundial** world war **5.5**
guerrero/a *m., f.* warrior **5.6**
guía turístico/a *m.,f.* tour guide **4.5**
guita *f.* cash; dough (*Arg.*) **5.1**
gusanos *m. pl.* worms **4.4 gustar** v. to like 4.2, **4.4**; **¡No me gusta nada…!** I don't like ... at all!
gusto *m.* taste **5.4 con mucho gusto** gladly; **de buen/mal gusto** in good/bad taste **5.4**

H

habilidad *f.* skill
hábilmente *adv.* skillfully
habitación *f.* room **4.5; habitación individual/doble** *f.* single/double room **4.5**
habitante *m., f.* inhabitant **5.6**
habitar *v.* to inhabit **5.6**
hablante *m., f.* speaker **5.3**
hablar *v.* to speak **4.1**
hacer *v.* to do; to make **4.1, 4.4**; **hacer algo a propósito** to do something on purpose; **hacer clic** to click **5.1**; **hacer cola** to wait in line **4.2**; **hacerle caso a alguien** to pay attention to someone **4.1**; **hacerle daño a alguien** to hurt someone; **hacer el favor** do someone the favor; **hacerle gracia a alguien** to be funny to someone; **hacerse daño** to hurt oneself; **hacer las maletas** to pack **4.5**; **hacer mandados** to run errands **4.3**; **hacer trampa** to cheat **4.2**; **hacer transbordo** *v.* to change (pains, trains) **4.5**; **hacer un viaje** to take a trip **4.5**
hallazgo *m.* finding; discovery **4.4**
hambriento/a *adj.* hungry
haragán/haragana *adj.* lazy; idle **5.2**
harto/a *adj.* tired; fed up (with); **estar harto/a (de)** to be fed up (with); to be sick (of) **4.1**
harto (tiempo) *adj.* for a long time **4.1**
hasta *adv.* until; **hasta la fecha** up until now
hecho *m.* fact **4.3; de hecho** in fact **4.4**
helar (e:ie) *v.* to freeze
heredar *v.* to inherit
herencia *f.* heritage; **herencia cultural** cultural heritage **5.6**
herida *f.* wound **4.4**
herido/a *adj.* injured
herir (e:ie) *v.* to hurt **4.1**
heroico/a *adj.* heroic **5.6**
herramienta *f.* tool **5.1**
hervir (e:ie) *v.* to boil **4.3**
hierba *f.* grass
higiénico/a *adj.* hygienic
hindú *adj.* Hindu **5.5**
hipoteca *f.* mortgage **5.2**
historia *f.* history **5.6**
historiador(a) *m., f.* historian **5.6**
histórico/a *adj.* historic **5.6**
histórico/a *adj.* historical **5.4**
hogar *m.* home; fireplace **4.3**
hojear *v.* to skim **5.4**
hombre de negocios *m.* businessman **5.2**
hombro *m.* shoulder; **encogerse de hombros** to shrug
hondo/a *adj.* deep **4.2**
hora *f.* hour; **horas de visita** *f., pl.* visiting hours
horario *m.* schedule **4.3**
hormiga *f.* ant **4.6**
hospedarse *v.* to stay; to lodge
huelga *f.* strike (*labor*) **5.2**
huella *f.* trace; mark
huerto *m.* orchard
huir *v.* to flee; to run away **4.3**
humanidad *f.* humankind **5.6**
húmedo/a *adj.* humid; damp **4.6**
humilde *adj.* humble **4.3**
humillar *v.* to humiliate **5.2**

humorístico/a *adj.* humorous **5.4**
hundir *v.* to sink **4.2**
huracán *m.* hurricane **4.6**

I

ideología *f.* ideology **5.5**
idioma *m.* language **5.3**
iglesia *f.* church **5.5**
igual *adj.* equal **5.5**
igualdad *f.* equality
ilusión *f.* illusion; hope
imagen *f.* image; picture **4.2**
imaginación *f.* imagination
imparcial *adj.* unbiased **5.3**
imperio *m.* empire **5.6**
importaciones *f., pl.* imports
importante *adj.* important **4.4**
importar *v.* to be important (to); to matter **4.2, 4.4**; to import **5.2**
impostergable *adj.* impossible to put off **5.6**
imprenta *f.* printer **4.1**
impresionismo *m.* impressionism **5.4**
imprevisto/a *adj.* unexpected **4.3**
imprimir *v.* to print **5.3**
improviso: de improviso *adv.* unexpectedly
impuesto *m.* tax; **impuesto de ventas** *m.* sales tax **5.2**
inalámbrico/a *adj.* wireless **5.1**
incapaz *adj.* incompetent; incapable **5.2**
incendio *m.* fire **4.6**
incertidumbre *f.* uncertainty **5.6**
incluido/a *adj.* included **4.5**
inconcluso/a *adj.* unfinished **5.6**
independencia *f.* independence **5.6**
índice *m.* index; **índice de audiencia** *m.* ratings
indígena *adj.* indigenous **5.3**; *m., f.* indigenous person
industria *f.* industry
inesperado/a *adj.* unexpected **4.3**
inestabilidad *f.* instability **5.6**
infancia *f.* childhood
inflamado/a *adv.* inflamed **4.4**
inflamarse *v.* to become inflamed
inflexible *adj.* inflexible
influyente *adj.* influential **5.3**
informarse *v.* to get information
informática *f.* computer science **5.1**
informativo *m.* news bulletin
ingeniero/a *m., f.* engineer **5.1**
ingresar *v.* to enter; to enroll in; to become a member of; **ingresar datos** to enter data
injusto/a *adj.* unjust **5.5**
inmaduro/a *adj.* immature **4.1**
inmigración *f.* immigration **5.5**
inmoral *adj.* immoral **5.5**
innovador(a) *adj.* innovative **5.1**
inquietante *adj.* disturbing; unsettling **5.4**
inscribirse *v.* to register **5.5**
inseguro/a *adj.* insecure **4.1**
insensatez *f.* folly **4.4**
inspirado/a *adj.* inspired
instituto *m.* high school **5.5**
instrucción *f.* education **5.2**
integrarse (a) *v.* to become part (of) **5.6**
inteligente *adj.* intelligent
interesar *v.* to be interesting to; to interest **4.2**
Internet *m., f.* Internet **5.1**
interrogante *m.* question; doubt **5.1**
intrigante *adj.* intriguing **5.4**
inundación *f.* flood **4.6**
inundar *v.* to flood
invadir *v.* to invade **5.6**
inventar *v.* to invent **5.1**
invento *m.* invention **5.1**
inversión *f.* investment; **inversión extranjera** *f.* foreign investment **5.2**
inversor(a) *m., f.* investor
invertir (e:ie) *v.* to invest **5.2**
investigador(a) *m., f.* researcher
investigar *v.* to investigate; to research **5.1**
ir *v.* to go **4.1, 4.2**; **¡Qué va!** Of course not!; **ir de compras** to go shopping **4.3**; **irse (de)** to go away (from) **4.2**; **ir(se) de vacaciones** to take a vacation **4.5**
irresponsable *adj.* irresponsible
isla *f.* island **4.5**
itinerario *m.* itinerary **4.5**

J

jarabe *m.* syrup **4.4**
jaula *f.* cage
jornada *f.* (work) day
jubilación *f.* retirement
jubilarse *v.* to retire **5.2**
judío/a *adj.* Jewish **5.5**
juego *m.* game **4.2**; **juego de mesa** board game **4.2**; **juego de pelota** *m.* ball game **4.5**
juez(a) *m., f.* judge **5.5**
jugada *f.* move **5.6**
jugar (u:ue) *v.* to play
juicio *m.* trial; judgment
jurar *v.* to swear **4.5**
justo/a *adj.* just **5.5**

L

laboratorio *m.* laboratory; **laboratorio espacial** *m.* space lab
ladrillo *m.* brick
ladrón/ladrona *m., f.* thief
lágrimas *f. pl.* tears
laico/a *adj.* secular, lay **5.5**
lanzar *v.* to throw; to launch
largo/a *adj.* long; **a lo largo de** along; beside; **a largo plazo** long-term
largometraje *m.* full length film
lastimar *v.* to injure
lastimarse *v.* to get hurt **4.4**
latir *v.* to beat **4.4**
lavar *v.* to wash **4.3**
lavarse *v.* to wash (oneself) **4.2**
lealtad *f.* loyalty **5.6**
lector(a) *m., f.* reader **5.3**
lejano/a *adj.* distant **4.5**
lengua *f.* language; tongue **5.3**
león *m.* lion **4.6**
lesión *f.* wound
levantar *v.* to pick up
levantarse *v.* to get up **4.2**
ley *f.* law; **aprobar una ley** to approve a law; to pass a law; **proyecto de ley** *m.* bill **5.5**
leyenda *f.* legend **4.5**
liado/a (inf.) *adj.* busy **4.1**
liberal *adj.* liberal **5.5**
liberar *v.* to liberate **5.6**
libertad *f.* freedom **5.5**; **libertad de prensa** freedom of the press **5.3**
libre *adj.* free; **al aire libre** outdoors **4.6**
líder *m., f.* leader **5.5**
lidiar *v.* to fight bulls **4.2**
límite *m.* border **5.5**
limpiar *v.* to clean **4.3**
limpieza *f.* cleaning **4.3**
literatura *f.* literature **5.4**; **literatura infantil/juvenil** *f.* children's literature **5.4**
llamativo/a *adj.* striking **5.4**
llanto *m.* weeping; crying
llegada *f.* arrival **4.5**
llegar *v.* to arrive
llevar *v.* to carry **4.2**; **llevar a cabo** to carry out (*an activity*); **llevar... años de (casados)** to be (married) for... years **4.1**; **llevarse** to carry away **4.2**; **llevarse bien/mal** to get along well/poorly **4.1**
llorar *v.* to cry
locura *f.* madness; insanity
locutor(a) *m., f.* announcer
locutor(a) de radio *m., f.* radio announcer **5.3**
lograr *v.* to manage; to achieve **4.3**
loro *m.* parrot
lotería *f.* lottery
lucha *f.* struggle; fight
luchar *v.* to fight; to struggle **5.2, 5.5**; **luchar por** to fight (for)
lucir *v.* to wear, to display **5.3**
lugar *m.* place
lujo *m.* luxury; **de lujo** luxurious
luminoso/a *adj.* bright **5.4**
luna *f.* moon; **luna llena** *f.* full moon
luz *f.* light **4.1**

M

macho *m.* male
madera *f.* wood
madre soltera *f.* single mother
madriguera *f.* burrow; den **4.3**
madrugar *v.* to wake up early **4.4**
maduro/a *adj.* mature **4.1**
magia *f.* magic
maldición *f.* curse
malestar *m.* discomfort **4.4**
maleta *f.* suitcase **4.5**; **hacer las maletas** to pack **4.5**
maletero *m.* trunk **5.3**
malgastar *v.* to waste **4.6**
malhumorado/a *adj.* ill tempered; in a bad mood
manantial *m.* spring
mancha *f.* stain
manchar *v.* to stain
manejar *v.* to drive
manga *f.* sleeve
manifestación *f.* protest; demonstration **5.5**
manifestante *m., f.* protester **4.6**
manipular *v.* to manipulate
mano de obra *f.* labor
manta *f.* blanket
mantener *v.* to maintain; to keep; **mantenerse en contacto** *v.* to keep in touch **4.1**; **mantenerse en forma** to stay in shape **4.4**
manuscrito *m.* manuscript

mañana (el) *m.* future **4.3**
maquillaje *m.* make-up
maquillarse *v.* to put on makeup **4.2**
mar *m.* sea **4.6**
maratón *m.* marathon
marca *f.* brand
marcar *v.* to mark; **marcar (un gol/ punto)** to score (a goal/point) **4.2**
marcharse *v.* to leave
marco *m.* frame
mareado/a *adj.* dizzy **4.4**
marido *m.* husband
marinero *m.* sailor
mariposa *f.* butterfly
marítimo/a *adj.* maritime
más *adj., adv.* more; **más allá de** beyond; **más bien** rather
masticar *v.* to chew
matador/a *m., f.* bullfighter who kills the bull **4.2**
matemático/a *m., f.* mathematician **5.1**
matiz *m.* subtlety
matrimonio *m.* marriage
mayor *m.* elder **5.6**
mayor de edad *adj.* of age
mayoría *f.* majority **5.5**
mecánico/a *adj.* mechanical
mecanismo *m.* mechanism
medicina alternativa *f.* alternative medicine
medida *f.* means; measure; **medidas de seguridad** *f. pl.* security measures **4.5**
medio *m.* half; middle; means; **medio ambiente** *m.* environment **4.6**; **medios de comunicación** *m. pl.* media **5.3**
medir (e:i) *v.* to measure **5.6**
meditar *v.* to meditate **5.5**
mejilla *f.* cheek **5.4**
mejor *adj.* better, best; **a lo mejor** *adv.* maybe **4.3**
mejorar *v.* to improve **4.4**
mendigo/a *m., f.* beggar
mensaje *m.* message; **mensaje de texto** *m.* text message **5.1**
¡menuda paliza! *(Esp.)* what a hassle! *(fig.)* **4.5**
menudo: a menudo *adv.* frequently; often **4.3**
¿Me permite? May I? **4.5**
mercado *m.* market **5.2**
mercado al aire libre *m.* open-air market
mercancía *f.* merchandise
merecer *v.* to deserve **4.6**
mesero/a *m., f.* waiter; waitress
mestizo/a *m., f.* person of mixed ethnicity (part indigenous) **5.6**
meta *f.* goal **5.4**
meterse *v.* to break in (*to a conversation*) **4.1**
mezcla *f.* mixture
mezquita *f.* mosque **5.5**
miel *f.* honey **5.2**
milagro *m.* miracle
milpa *f.* vegetable garden **4.1**
ministro/a *m., f.* minister; **ministro/a protestante** *m., f.* Protestant minister
minoría *f.* minority **5.5**
mirada *f.* gaze **4.1**
misa *f.* mass
mismo/a *adj.* same; **Lo mismo digo yo.** The same here.; **él/ella mismo/a** himself; herself
mitad *f.* half
mito *m.* myth **4.5**

moda *f.* fashion; trend; **de moda** *adj.* popular; in fashion **5.3**; **moda pasajera** *f.* fad **5.3**
modelo *m., f.* model (*fashion*)
moderno/a *adj.* modern
modificar *v.* to modify; to reform
modo *m.* means; manner
mojar *v.* to moisten
mojarse *v.* to get wet
molestar *v.* to bother; to annoy **4.2**
molestia *f.* annoyance **4.5**
momento *m.* moment; **de último momento** *adj.* up-to-the-minute **5.3**; **noticia de último momento** *f.* last-minute news
monarca *m., f.* monarch **5.6**
monja *f.* nun
mono *m.* monkey **4.6**
monolingüe *adj.* monolingual **5.3**
montaña *f.* mountain **4.6**
monte *m.* mountain **4.6**
montón *m.* a lot **5.1**
moral *adj.* moral **5.5**
morder (o:ue) *v.* to bite **4.6**
morirse (o:ue) **de** *v.* to die of **4.2**
moroso/a *m., f.* debtor **5.2**
mosca *f.* fly **4.4, 4.6**
motosierra *f.* power saw **5.1**
móvil *m.* cell phone **5.1**
movimiento *m.* movement **5.4**
mudar *v.* to change **4.2**
mudarse *v.* to move (*change residence*) **4.2**
mueble *m.* furniture **4.3**
muelle *m.* pier **4.5**
muerte *f.* death **4.1**
muestra *f.* sample; example
mujer *f.* woman; wife; **mujer de negocios** *f.* businesswoman **5.2**
mujeriego *m.* womanizer
multa *f.* fine
multinacional *f.* multinational company
multitud *f.* crowd
Mundial *m.* World Cup
muralista *m., f.* muralist **5.4**
museo *m.* museum
músico/a *m., f.* musician **4.2**
musulmán/musulmana *adj.* Muslim **5.5**

N

naipes *m. pl.* playing cards **4.2**
narrador(a) *m., f.* narrator **5.4**
narrar *v.* to narrate **5.4**
narrativa *f.* narrative work **5.4**
nativo/a *adj.* native
naturaleza muerta *f.* still life **5.4**
nave espacial *f.* spaceship
navegante *m., f.* navigator **5.1**
navegar *v.* to sail **4.5**; **navegar en Internet** to surf the web; **navegar en la red** to surf the web **5.1**
necesario *adj.* necessary **4.4**
necesidad *f.* need **4.5; de primerísima necesidad** of utmost necessity **4.5**
necesitar *v.* to need **4.4**
necio/a *adj.* stupid
negocio *m.* business
nervioso/a *adj.* nervous
ni… ni… *conj.* neither… nor… **ni se le ocurra** don't you dare **4.5**

nido *m.* nest
niebla *f.* fog
nítido/a *adj.* sharp
nivel *m.* level; **nivel del mar** *m.* sea level
nombrar *v.* to name
nombre artístico *m.* stage name **4.1**
¡No me diga! *(expr.)* You must be kidding! **5.4**
nominado/a *m., f.* nominee
noticia *f.* news; **noticias locales/nacionales/ internacionales** *f. pl.* local/domestic/ international news **5.3**
novedad (sin) no news **5.5**
novela rosa *f.* romance novel **5.4**
novelista *m., f.* novelist **5.1, 5.4**
nuca *f.* nape **5.3**
nutritivo/a *adj.* nutritious **4.4**

O

o… o… *conj.* either… or…
obedecer *v.* to obey **4.1**
obesidad *f.* obesity **4.4**
obra *f.* work; **obra de arte** *f.* work of art **5.4**; **obra de teatro** *f.* play (*theater*) **4.2, 5.4**; **obra literaria** *f.* literay play **5.4**; **obra maestra** *f.* masterpiece **4.3**
ocio *m.* leisure
ocultarse *v.* to hide **4.3**
ocurrírsele a alguien *v.* to occur to someone
odiar *v.* to hate **4.1**
oferta *f.* offer; proposal
oficio *m.* trade **5.3**
ofrecerse (a) *v.* to offer (to)
oír *v.* to hear **4.1**
ola *f.* wave **4.5**
óleo *m.* oil painting **5.4**
Olimpiadas *f. pl.* Olympics
olvidadizo/a *adj.* forgetful **5.5**
olvidarse (de) *v.* to forget (about) **4.2**
olvido *m.* forgetfulness; oblivion **4.1**
ombligo *m.* navel **4.4**
onda *f.* wave
operación *f.* operation **4.4**
operar *v.* to operate
opinar *v.* to think; to be of the opinion; **Opino que es fea/o.** In my opinion, it's ugly.
oponerse a *v.* to oppose **4.4**
oportunidad *f.* chance **5.2**
oprimir *v.* to oppress **5.6**
organismo público *m.* government agency
orgulloso/a *adj.* proud **4.1; estar orgulloso/a de** to be proud of
orilla *f.* shore; **a orillas de** on the shore of **4.6**
ornamentado/a *adj.* ornate
oro *m.* gold **4.4**
oscurecer *v.* to darken **4.6**
oso *m.* bear
oveja *f.* sheep **4.6**
ovni *m.* UFO **5.1**
oyente *m., f.* listener **5.3**

P

pacífico/a *adj.* peaceful **5.6**
padre soltero *m.* single father
página *f.* page; **página web** *f.* web page **5.1**
país en vías de desarrollo *m.* developing country

paisaje *m.* landscape; scenery **4.6**
pájaro *m.* bird **4.6**
pálido/a *adj.* pale **4.3**
palmera *f.* palm tree
panfleto *m.* pamphlet
pantalla *f.* screen **4.2; pantalla de computadora** *f.* computer screen; **pantalla de televisión** *f.* television screen **4.2**; **pantalla líquida** *f.* LCD screen **5.1**
pañuelo *m.* headscarf **5.5**
para *prep.* for **Para mí, …** In my opinion, …; **para nada** not at all
paradoja *f.* paradox
parar el carro *v.* to hold one's horses **5.3**
parcial *adj.* biased **5.3**
parcialidad *f.* bias **5.3**
parecer *v.* to seem **4.2**
parecerse *v.* to look like **4.2**
pared *f.* wall **4.5**
pareja *f.* couple; partner **4.1**
parque *m.* park; **parque de atracciones** *m.* amusement park **4.2**
parroquia *f.* parish **5.6**
parte *f.* part; **de parte de** on behalf of
particular *adj.* private; personal; particular
partida *f.* game **5.6**
partido *m.* party (*politics*); game (*sports*); **partido político** *m.* political party **5.5**; **ganar/perder un partido** to win/lose a game **4.2**
pasado/a de moda *adj.* out-of-date; no longer popular **5.3**
pasaje (de ida y vuelta) *m.* (round-trip) ticket **4.5**
pasajero/a *adj.* fleeting; passing
pasaporte *m.* passport **4.5**
pasar *v.* to pass; to make pass (*across, through, etc.*); **pasar la aspiradora** to vacuum **4.3**; **pasarlo bien/mal** to have a good/bad/horrible time **4.1**; **Son cosas que pasan.** These things happen. **5.5**
pasarse *v.* to go too far
pasatiempo *m.* pastime **4.2**
paseo *m.* stroll
paso *m.* passage; pass; step; **abrirse paso** to make one's way
pastilla *f.* pill **4.4**
pasto *m.* grass
pata *f.* foot/leg of an animal
patente *f.* patent **5.1**
payaso/a *m., f.* clown **5.2**
paz *f.* peace
pecado *m.* sin
pececillo de colores *m.* goldfish
pecho *m.* chest **5.4**
pedir (e:i) *v* to ask **4.1, 4.4**; **pedir prestado/a** to borrow **5.2**
pegar *v.* to stick
pegar *v.* to hit **5.5**
peinarse *v.* to comb (one's hair) **4.2**
pejerrey *m.* kingfish **4.2**
pelear *v.* to fight
película *f.* film
peligro *m.* danger; **en peligro de extinción** endangered **4.6**
peligroso/a *adj.* dangerous **4.5**
pena *f.* sorrow **4.4; ¡Qué pena!** What a pity!
pensar (e:ie) *v.* to think **4.1**
pensión *f.* bed and breakfast inn

perder (e:ie) *v.* to miss; to lose; **perder el conocimiento** *v.* to pass out **5.4**; **perder un vuelo** to miss a flight **4.5**; **perder las elecciones** to lose an election **5.5**; **perder un partido** to lose a game **4.2**
pérdida *f.* loss **5.5**
perdonar *v.* to forgive; **Perdona.** (*fam.*)/ **Perdone.** (*form.*) Pardon me.; Excuse me.
perfeccionar *v.* to improve; to perfect
periódico *m.* newspaper **5.3**
periodista *m., f.* journalist
permanecer *v.* to remain; to last **4.4**
permisivo/a *adj.* permissive; easy-going **4.1**
permiso. *m.* permission; **Con permiso** Pardon me.; Excuse me.; **permiso de circulación** *m.* car registration **4.5**
perseguir (e:i) *v.* to pursue; to persecute
personaje *m.* character **5.4; personaje principal/secundario** *m.* main/secondary character
pertenecer (a) *v.* to belong (to) **4.3, 5.6**
pesadilla *f.* nightmare **5.4**
pesca *f.* fishing **4.5**
peso *m.* weight
petate *m.* straw mat **4.1**
pez *m.* fish (*live*) **4.6**
picadura *f.* insect bite **4.4**
picar *v.* to sting, to peck
picnic *m.* picnic
pico *m.* peak, summit
piedad *f.* mercy **5.2**
piedra *f.* stone **4.5**
pillar(se) *v.* to get (*catch*) **5.3**
piloto *m., f.* pilot
pincel *m.* paintbrush **5.4**
pintar *v.* to paint **4.3**
pintor(a) *m., f.* painter **4.3, 5.4**
pintura *f.* paint; painting **5.4**
pique *m.* bite **4.2**
pirámide *f.* pyramid **4.5**
plancha *f.* iron
planear *v.* to plan
planeta *m.* planet **5.1**
planeta *m.* planet **5.1**
plata *f.* money (*L. Am.*) **5.1**
plaza de toros *f.* bullfighting stadium **4.2**
plazo: a corto/largo plazo short/long-term **5.2**
población *f.* population
poblador(a) *m., f.* settler; inhabitant
poblar (o:ue) *v.* to settle; to populate **5.6**
pobreza *f.* poverty **5.2**
poder (o:ue) *v.* to be able to **4.1**
poderoso/a *adj.* powerful **5.6**
poesía *f.* poetry **5.4**
poeta *m., f.* poet **5.4**
polémica *f.* controversy **5.5**
polen *m.* pollen **5.2**
policíaco/a *adj.* detective (*story/novel*) **5.4**
política *f.* politics
político/a *m., f.* politician **5.5**
polvo *m.* dust **4.3; quitar el polvo** to dust **4.3**
poner *v.* to put; to place **4.1, 4.2; poner a prueba** to test; to challenge; **poner cara (de hambriento/a)** to make a (hungry) face; **poner la mesa** to set the table **4.3**; **poner un disco compacto** to play a CD **4.2**; **poner una inyección** to give a shot **4.4**

ponerse *v.* to put on (*clothing*) **4.2; ponerse a dieta** to go on a diet **4.4**; **ponerse bien/mal** to get well/ill **4.4**; **ponerse bueno** *v.* to get better **4.4**; **ponerse el cinturón** to fasten the seatbelt **4.5**; **ponerse en forma** to get in shape **4.4**; **ponerse pesado/a** to become annoying **4.3**
popa *f.* stern **4.5**
porquería *f.* garbage; poor quality **5.4**
portada *f.* front page; cover **5.3**
portarse bien *v.* to behave well
portátil *adj.* portable
posible *adj.* possible; **en todo lo posible** as much as possible
pozo *m.* well; **pozo petrolero** *m.* oil well
precinto *m.* security seal **4.2**
precioso/a *adj.* lovely **4.3**
precolombino/a *adj.* pre-Columbian
preferir *(e:ie) v.* to prefer **4.4**
pregonar *v.* to hawk **5.3**
prehistórico/a *adj.* prehistoric **5.6**
prensa *f.* press **5.3; prensa sensacionalista** *f.* tabloid(s) **5.3**
preocupado/a (por) *adj.* worried (about) **4.1**
preocupar *v.* to worry **4.2**
preocuparse (por) *v.* to worry (about) **4.2**
presentador(a) de noticias *m., f.* news reporter
presentir (e:ie) *v.* to foresee
presión *f.* (blood) pressure **4.4**
presionar *v.* to pressure; to stress
prestar *v.* to lend **5.2**
presupuesto *m.* budget **5.2**
prevenido/a *adj.* cautious
prevenir *v.* to prevent **4.4**
prever *v.* to foresee **4.6**
previsto/a *adj., p.p.* planned **4.3**
primer(a) ministro/a *m., f.* prime minister **5.5**
primeros auxilios *m. pl.* first aid **4.4**
prisa *f.* hurry; rush **4.6**
privilegio *m.* privilege
proa *f.* bow **4.5**
probador *m.* dressing room **4.3**
probar (o:ue) **(a)** *v.* to try **4.3**
probarse (o:ue) *v.* to try on **4.3**
procesión *f.* procession **5.6**
producir *v.* to produce **4.1**
profundo/a *adj.* deep
programa (de computación) *m.* software **5.1**
programador(a) *m., f.* programmer
prohibido/a *adj.* prohibited **4.5**
prohibir *v.* to prohibit **4.4**
promover (o:ue) *v.* to promote
pronunciar *v.* to pronounce; **pronunciar un discurso** to give a speech **5.5**
propaganda *f.* advertisement
propensión *f.* tendency
propietario/a *m., f.* (property) owner
propio/a *adj.* own **4.1**
proponer *v.* to propose **4.1, 4.4**; **proponer matrimonio** to propose (marriage) **4.1**
proporcionar *v.* to provide; to supply
propósito: a propósito *adv.* on purpose **4.3**
propuesta *f.* proposal **5.2**
prosa *f.* prose **5.4**
protagonista *m., f.* protagonist; main character **5.4**
proteger *v.* to protect **4.1, 4.6**
protestar *v.* to protest **5.5**

proveniente (de) *adj.* originating (in); coming from
provenir (de) *v.* to come from; to originate from
proyecto *m.* project; **proyecto de ley** *m.* bill **5.5**
prueba *f.* proof
publicar *v.* to publish **5.3**
publicidad *f.* advertising **5.3**
público *m.* public; audience **5.3**
pueblo *m.* people
puente *m.* bridge **5.6**
puerto *m.* port **4.5**
puesto *m.* position; job **5.2**
punto *m.* period **4.2**
punto de vista *m.* point of view **5.4**
pureza *f.* purity **4.6**
puro/a *adj.* pure; clean

Q

quedar *v.* to be left over; to fit (clothing) **4.2**
quedarse *v.* to stay **4.5; quedarse callado/a** to remain silent **4.1**; **quedarse sordo/a** to go deaf **4.4**; **quedarse viudo/a** to become widowed
quehacer *m.* chore **4.3**
queja *f.* complaint
quejarse (de) *v.* to complain (about) **4.2**
querer (e:ie) *v.* to love; to want **4.4**
químico/a *adj.* chemical **5.1**
químico/a *m., f.* chemist **5.1**
quirúrgico/a *adj.* surgical
quitar *v.* to take away; to remove **4.2; quitar el polvo** to dust **4.3**; **quitar la mesa** to clear the table **4.3**
quitarse *v.* to take off (*clothing*) **4.2; quitarse (el cinturón)** to unfasten (the seatbelt) **4.5**

R

rabino/a *m., f.* rabbi
radiación *f.* radiation
radio *f.* radio
radioemisora *f.* radio station **5.3**
raíz *f.* root
rana *f.* frog **4.6**
raro/a *adj.* weird **5.5**
rascarse *v.* to scratch (oneself) **4.4**
rasgo *m.* trait; characteristic
rata *f.* rat
rato *m.* a while **4.1, 5.5**
ratos libres *m. pl.* free time **4.2**
raza *f.* race **5.6**
reactor *m.* reactor
realismo *m.* realism **5.4**
realista *adj.* realistic; realist **5.4**
rebeldía *f.* rebelliousness
rebuscado/a *adj.* complicated
recado *m.* message **4.1**
recepción *f.* front desk **4.5**
receta *f.* prescription **4.4**
recetar *v.* prescribe
rechazar *v.* to turn down; to reject **4.1, 5.5**
rechazo *m.* refusal; rejection
recibo *m.* receipt **5.4**
reciclable *adj.* recyclable
reciclar *v.* to recycle **4.6**
recital *m.* recital
reclamar *v.* to claim; to demand **5.5**
recomendable *adj.* recommendable; advisable **4.5; poco recomendable** not advisable; inadvisable
recomendar (e:ie) *v.* to recommend **4.4**
reconocer *v.* to recognize **4.1, 4.5**
reconocimiento *m.* recognition
recordar (o:ue) *v.* to remember
recorrer *v.* to visit; to go around **4.5**
recuerdo *m.* memory
recuperarse *v.* to recover **4.4**
recurso natural *m.* natural resource **4.6**
red *f.* network **5.2**
redactor(a) *m., f.* editor **5.3; redactor(a) jefe** *m., f.* editor-in-chief
redondo/a *adj.* round **4.2**
reducir (la velocidad) *v.* to reduce (speed) **4.5**
reembolso *m.* refund **4.3**
reflejar *v.* to reflect; to depict **5.4**
reforma *f.* reform; **reforma económica** *f.* economic reform
refugiarse *v.* to take refuge
refugio *m.* refuge **4.6**
regalar *v.* to give (as a present) **5.4**
regar (las plantas) *v.* to water the garden; watering **4.1**
regla *f.* rule **5.5**
regocijo *m.* joy **4.4**
regresar *v.* to return **4.5**
regreso *m.* return (trip)
rehacer *v.* to re-make; to re-do **4.1**
reina *f.* queen
reino *m.* reign; kingdom **5.6**
reírse (e:i) *v.* to laugh
relacionado/a *adj.* related; **estar relacionado/a** to have good connections
relajarse *v.* to relax **4.4**
relámpago *m.* lightning **4.6**
relato *m.* story; account **5.4**
religión *f.* religion
religioso/a *adj.* religious **5.5**
reloj *m.* clock **5.6**
remitente *m.* sender
remo *m.* oar **4.5**
remordimiento *m.* remorse
rendimiento *m.* performance
rendirse (e:i) *v.* to surrender **5.6**
renovable *adj.* renewable **4.6**
renunciar *v.* to quit **5.2; renunciar a un cargo** to resign a post
reñido/a *adj.* hard-fought **5.5**
repaso *m.* revision; review **5.4**
repertorio *m.* repertoire
reportaje *m.* news report **5.3**
reportero/a *m., f.* reporter **5.3**
reposo *m.* rest; **estar en reposo** to be at rest
repostería *f.* pastry
represa *f.* dam
reproducirse *v.* to reproduce
reproductor de CD/DVD/MP3 *m.* CD/DVD/MP3 player **5.1**
resbalar *v.* to slip
rescatar *v.* to rescue
reservación *f.* reservation
reservar *v.* to reserve **4.5**
resfriado *m.* cold **4.4**
residir *v.* to reside
resolver (o:ue) *v.* to solve **4.6**
respaldo *m.* support **5.4**
respeto *m.* respect
respiración *f.* breathing **4.4**
respirar *v.* to breath **4.3**
responsable *adj.* responsible
resucitar *v.* to resuscitate, to revive **4.1**
resumidas cuentas (en) in a nutshell **4.3**
retar *v.* to challenge **4.2**
retrasado/a *adj.* delayed **4.5**
retrasar *v.* to delay
retrasarse *v.* to be delayed/late **4.3**
retraso *m.* delay
retratar *v.* to portray **4.3**
retrato *m.* portrait **4.3**
reunión *f.* meeting **5.2**
reunirse (con) *v.* to get together (with) **4.2**
revista *f.* magazine **5.3; revista electrónica** *f.* online magazine **5.3**
revolucionario/a *adj.* revolutionary **5.1**
revolver (o:ue) *v.* to stir; to mix up
rey *m.* king **5.6**
rezar *v.* to pray **5.5**
riesgo *m.* risk
rima *f.* rhyme **5.4**
rincón *m.* corner; nook
río *m.* river
riqueza *f.* wealth **5.2**
rodaja *f.* slice **4.2**
rodar (o:ue) *v.* to film **5.3**
rodeado/a *adj.* surrounded **4.6**
rodear *v.* to surround
rogar (o:ue) *v.* to beg; to plead **4.2, 4.4**
romanticismo *m.* romanticism **5.4**
romper (con) *v.* to break up (with) **4.1**
rozar *v.* to brush against; to touch lightly
ruedo *m.* bull ring **4.2**
ruido *m.* noise
ruina *f.* ruin **4.5**
ruta maya *f.* Mayan Trail **4.5**
rutina *f.* routine **4.3**

S

saber *v.* to know; to taste like/of **4.1; ¿Cómo sabe?** How does it taste? **4.4**; **Sabe a ajo/menta/limón.** It tastes like garlic/mint/lemon. **4.4**
sabiduría *f.* wisdom **5.6**
sabio/a *adj.* wise
sacar provecho *v.* to benefit from **5.4**
sacerdote *m.* priest
saciar *v.* to satisfy; to quench
sacrificar *v.* to sacrifice **4.6**
sacrificio *m.* sacrifice
sacristán *m.* sexton **5.5**
sagrado/a *adj.* sacred; holy **5.5**
sala *f.* room; hall; **sala de conciertos** *f.* concert hall; **sala de emergencias** *f.* emergency room **4.4**
salir *v.* to leave; to go out **4.1; salir (a comer)** to go out (to eat) **4.2**; **salir con** to go out with **4.1**
salto *m.* jump
salud *f.* health **4.4**
saludable *adj.* healthy; nutritious **4.4**
salvaje *adj.* wild **4.6**
salvar *v.* to save **4.6**
sanar *v.* to cure **4.4**
sangre *f.* blood **5.5**
sano/a *adj.* healthy **4.4**
¡sarta de chismosos! *n.* bunch of gossips! **4.1**

satélite *m.* satellite
sátira *f.* satire
satírico/a *adj.* satirical **5.4; tono satírico/a** *m.* satirical tone
secarse *v.* to dry off **4.2**
sección *f.* section **5.3; sección de sociedad** *f.* lifestyle section **5.3**; **sección deportiva** *f.* sports page/section **5.3**
seco/a *adj.* dry **4.6**
secuestro *m.* hijacking
seguir (i:e) *v.* to follow
seguridad *f.* safety; security **4.5; cinturón de seguridad** *m.* seatbelt **4.5**; **medidas de seguridad** *f. pl.* security measures **4.5**
seguro *m.* insurance **4.5**
seguro/a *adj.* sure; confident **4.1, 5.5**
seleccionar *v.* to select; to pick out **4.3**
sello *m.* seal; stamp
selva *f.* jungle **4.5**
semana *f.* week
semanal *adj.* weekly
semilla *f.* seed
senador(a) *m., f.* senator **5.5**
sensato/a *adj.* sensible **4.1**
sensible *adj.* sensitive **4.1**
sentido *m.* sense; **en sentido figurado** figuratively; **sentido común** *m.* common sense
sentimiento *m.* feeling; emotion **4.1**
sentirse (e:ie) *v.* to feel **4.1**
señal *f.* sign **5.1**
señalar *v.* to point to; to signal **4.2**
señuelo *m.* lure **4.2**
separado/a *adj.* separated **4.1**
sepultar *v.* to bury **5.6**
sequía *f.* drought **4.6**
ser *v.* to be **4.1**
serpiente *f.* snake **4.6**
servicio de habitación *m.* room service **4.5**
servicios *m., pl.* facilities
servidumbre *f.* servants; servitude **4.3**
sesión *f.* showing
siglo *m.* century **5.6**
silbar *v.* to whistle
sillón *m.* armchair
simpático/a *adj.* nice
sin *prep.* without; **¡Sin duda!** *expr.* Definitely! **5.5; sin querer** *adv.* unintentionally **5.2; sin ti** without you (*fam.*); **sin novedad** no news **4.5**
sinagoga *f.* synagogue **5.5**
sincero/a *adj.* sincere
sindicato *m.* labor union **5.2**
síntoma *m.* symptom
sintonía *f.* tuning; synchronization **5.3**
sintonizar *v.* to tune into (radio or television)
sitio web *m.* website **5.1**
situado/a *adj.* situated; located; **estar situado/a en** to be set in
soberanía *f.* sovereignty **5.6**
soberano/a *m., f.* sovereign; ruler **5.6**
sobre *m.* envelope
sobrevivencia *f.* survival
sobrevivir *v.* to survive
sociable *adj.* sociable
sociedad *f.* society
socio/a *m., f.* business partner; member **5.2**
solar *adj.* solar
soldado *m.* soldier **5.6**
soledad *f.* solitude; loneliness **4.3**
soler (o:ue) *v.* to tend to do something; to be used to **4.3**
solicitar *v.* to apply for **5.2**
solo/a *adj.* alone; lonely **4.1**
soltero/a *adj.* single **4.1; madre soltera** *f.* single mother; **padre soltero** *m.* single father
sonar (o:ue) *v.* to ring **5.1**
soñar (o:ue) **(con)** *v.* to dream (about) **4.1**
soplar *v.* to blow
soportar *v.* to support; **soportar a alguien** to put up with someone **4.1**
sordo/a *adj.* deaf; **quedarse sordo/a** to go deaf *v.* **4.4**
sorprender *v.* to surprise **4.2**
sorprenderse (de) *v.* to be surprised (about) **4.2**
sortija *f.* ring
sospecha *f.* suspicion
sospechar *v.* to suspect
sostener *v.* to hold; to support **5.4**
sótano *m.* basement **4.3**
suavidad *f.* smoothness
subdesarrollo *m.* underdevelopment
subida *f.* ascent
subirse *v.* to get in **4.5**
subtítulos *m., pl.* subtitles **5.3**
suburbio *m.* suburb
suceder *v.* to happen **4.1**
sucursal *f.* branch
sueldo *m.* salary; **aumento de sueldo** raise in salary *m.* **5.2; sueldo fijo** *m.* base salary **5.2; sueldo mínimo** *m.* minimum wage **5.2**
suelo *m.* floor
suelto/a *adj.* loose
sueños *m. pl.* dreams **4.1**
sufrimiento *m.* pain; suffering
sufrir (de) *v.* to suffer (from) **4.4**
superar *v.* to exceed, to overcome **4.1; superar (algo)** to get over (something) **4.4**
superficie *f.* surface
supermercado *m.* supermarket **4.3**
supervivencia *f.* survival
suponer *v.* to suppose **4.1**
suprimir *v.* to abolish; to suppress **5.6**
supuesto/a *adj.* false; so-called; supposed; **Por supuesto.** Of course.
surrealismo *m.* surrealism **5.4**
suscribirse (a) *v.* to subscribe (to) **5.3**

T

tablero *m.* chessboard **5.6**
tacaño/a *adj.* cheap; stingy **4.1**
tal como *conj.* just as
taller *m.* workshop
tapa *f.* lid, cover
tapón *m.* traffic jam
taquilla *f.* box office **4.2**
tardar *v.* to be late, to take (time) **5.6**
tarjeta *f.* card; **tarjeta de crédito/débito** *f.* credit/debit card **4.3; tarjeta de embarque** *f.* boarding card **4.5**
teatro *m.* theater
tebeo *m.* comic book **4.4**
teclado *m.* keyboard
tejer *v.* to knit **4.2**
tela *f.* canvas **5.4**
teléfono celular *m.* cell phone **5.1**
telenovela *f.* soap opera **5.3**
telescopio *m.* telescope **5.1**
televidente *m., f.* television viewer **5.3**
televisión *f.* television **4.2**
televisor *m.* television set **4.2**
telón *m.* curtain **5.4**
templo *m.* temple **5.5**
temporada *f.* season **5.3 temporada alta/baja** *f.* high/low season **4.5**
tendencia *f.* trend **5.3; tendencia izquierdista/derechista** *f.* left-wing/right-wing bias
tener (e:ie) *v.* to have **4.1; tener buen/mal aspecto** to look healthy/sick **4.4; tener buena/mala fama** to have a good/bad reputation **5.3; tener celos (de)** to be jealous (of) **4.1; tener derecho a** *v.* to have the right to **4.5; tener fiebre** to have a fever **4.4; tener prisa** *v.* to be in a hurry **4.1; tener vergüenza (de)** to be ashamed (of) **4.1**
tensión (alta/baja) *f.* (high/low) blood pressure **4.4**
teoría *f.* theory **5.1**
terapia intensiva *f.* intensive care **4.4**
térmico/a *adj.* thermal
terremoto *m.* earthquake **4.6**
terreno *m.* land **4.6**
territorio *m.* territory **5.5**
terrorismo *m.* terrorism **5.5**
testigo *m., f.* witness **5.4**
testimonio de defunción *m.* death certificate **4.2**
tiburón *m.* shark **4.5**
tiempo *m.* time; **tiempo libre** *m.* free time **4.2**
tierra *f.* land; earth **4.6**
tigre *m.* tiger **4.6**
timbre *m.* doorbell; tone; tone of voice **4.3; tocar el timbre** to ring the doorbell **4.3**
timidez *f.* shyness
tímido/a *adj.* shy **4.1**
típico/a *adj.* typical; traditional
tira cómica *f.* comic strip **5.3**
tirar *v.* to throw **5.2**
titular *m.* headline **5.3**
tocar el timbre to ring the doorbell **4.3; tocar (un instrumento)** to play **5.2**
tomar *v.* to take; **tomar en cuenta** *v.* to take into consideration **4.1; tomar en serio** to take seriously
toparse con *v.* to run into (somebody) **4.1**
torear *v.* to fight bulls in the bullring **4.2**
toreo *m.* bullfighting **4.2**
torero/a *m., f.* bullfighter **4.2**
tormenta *f.* storm; **tormenta tropical** *f.* tropical storm **4.6**
torneo *m.* tournament **4.2**
tos *f.* cough **4.4**
toser *v.* to cough **4.4**
tóxico/a *adj.* toxic **4.6**
tozudo/a *adj.* stubborn **5.2**
trabajador(a) *adj.* industrious; hard-working **5.2**
tradicional *adj.* traditional **4.1**
traducir *v.* to translate **4.1**
traer *v.* to bring **4.1**
tráfico de esclavos *m.* slave trade **4.4**
tragar *v.* to swallow
trágico/a *adj.* tragic **5.4**

traición *f.* betrayal **5.6**
traidor(a) *m., f.* traitor **5.6**
traje de luces *m.* bullfighter's outfit (*lit.* costume of lights) **4.2**
trama *f.* plot **5.4**
tranquilo/a *adj.* calm **4.1**; **Tranquilo/a.** Be calm.; Relax.
transbordador espacial *m.* space shuttle **5.1**
transcurrir *v.* to take place **5.4**
tránsito *m.* traffic
transmisión *f.* transmission
transmitir *v.* to broadcast **5.3**
transplantar *v.* to transplant
transporte público *m.* public transportation
trasnochar *v.* to stay up all night **4.4**
trastorno *m.* disorder
tratado *m.* treaty
tratamiento *m.* treatment **4.4**
tratar *v.* to treat **4.4**; **tratar (sobre/acerca de)** to be about; to deal with **4.4**
tratarse de *v.* to be about; to deal with **5.4**
trayectoria *f.* path; history **4.1**
trazar *v.* to trace
tribu *f.* tribe **5.6**
tribunal *m.* court
trinchera *f.* trench **4.4**
tropical *adj.* tropical; **tormenta tropical** *f.* tropical storm **4.6**
trotamundos *m., f.* globetrotter **4.1**
truco *m.* trick **4.2**
trueno *m.* thunder **4.6**
trueque *m.* barter; exchange
turbio/a *adj.* murky **4.3**
turismo *m.* tourism **4.5**
turista *m., f.* tourist **4.5**
turístico/a *adj.* tourist **4.5**

U

ubicar *v.* to put in a place; to locate
ubicarse *v.* to be located
ujier *m., f.* doorman **5.3**
único/a *adj.* unique
unirse *v.* to join **5.5**
uña *f.* fingernail
urbano/a *adj.* urban
urgente *adj.* urgent **4.4**
usuario/a *m., f.* user **5.1**
útil *adj.* useful

V

vaca *f.* cow **4.6**
vacuna *f.* vaccine **4.4**
vacunar(se) *v.* to vaccinate/to get vaccinated **4.4**
vago/a *m., f.* slacker **5.1**
vagón *m.* carriage; coach **5.1**
valer *v.* to be worth **4.1**
valiente brave **5.4**
valioso/a *adj.* valuable **4.6**
valor *m.* bravery; value
vasija *f.* vessel; pot **5.4**
vanguardia *f.* vanguard; **a la vanguardia** at the forefront **5.1**
vedado/a *adj.* forbidden **4.3**
vela *f.* candle
velar (a un muerto) *v.* to hold a vigil/wake **4.1**
venado *m.* deer
vencer *v.* to conquer; to defeat **4.2, 5.3**
vencido/a *adj.* expired **4.5**
venda *f.* bandage **4.4**
vendedor(a) *m., f.* salesperson **5.2**
veneno *m.* poison **4.6**
venenoso/a *adj.* poisonous **4.6**
venir (e:ie) *v.* to come **4.1**
venta *f.* sale
ventaja *f.* advantage **4.2**
ver *v.* to see **4.1**
vergüenza *f.* shame; embarrassment; **tener vergüenza (de)** to be ashamed (of) **4.1**
verse *v.* to look; to appear; **Se ve tan feliz.** He/She looks so happy. **4.6**; **¡Qué guapo/a te ves!** How attractive you look! (*fam.*) **4.6**; **¡Qué elegante se ve usted!** How elegant you look! (*form.*) **4.6**
verso *m.* line (*of poetry*) **5.4**
vestidor *m.* fitting room
vestirse (e:i) *v.* to get dressed **4.2**
vez *f.* time; **a veces** *adv.* sometimes **4.3**; **de vez en cuando** now and then; once in a while **4.3**; **por primera/última vez** for the first/last time **4.2**; **érase una vez** once upon a time
viaje *m.* trip **4.5**; **hacer un viaje** to take a trip **4.5**
viajero/a *m., f.* traveler **4.5**
victoria *f.* victory
victorioso/a *adj.* victorious **5.6**
vida *f.* life; **vida cotidiana** *f.* everyday life
video musical *m.* music video **5.3**
videojuego *m.* video game **4.2**
vigente *adj.* valid **4.5**
vigilar *v.* to watch
virus *m.* virus **4.4**
vistazo *m.* glance; **echar un vistazo** to take a look
viudo/a *adj.* widowed **4.1**
viudo/a *m., f.* widower/widow
vivir *v.* to live **4.1**
vivo: en vivo *adj.* live **5.3**
volador(a) *adj.* flying **4.1**
volar (o:ue) *v.* to fly **5.2**
volver (o:ue) *v.* to come back
votar *v.* to vote **5.5**
vuelo *m.* flight
vuelta *f.* return (trip)

W

web *f.* (the) web **5.1**

Y

yeso *m.* cast **4.4**

Z

zaguán *m.* entrance hall; vestibule **4.3**
zoológico *m.* zoo **4.2**

English–Spanish

A

@ symbol arroba *f.* 5.1
abolish suprimir *v.* 5.6
about (to do something) a punto de *adv.* 4.4
absent ausente *adj.*
abstract abstracto/a *adj.* 5.4
accident accidente *m.*; **car accident** accidente automovilístico *m.* 4.5
account cuenta *f.*; **(story)** relato *m.* 5.4; **checking account** cuenta corriente *f.* 5.2; **savings account** cuenta de ahorros *f.*
accountant contador(a) *m., f.* 5.2
accustomed to acostumbrado/a *adj.*; **to grow accustomed (to)** acostumbrarse (a) *v.* 4.3
ache doler (o:ue) *v.* 4.2
achieve lograr *v.* 4.3; alcanzar *v.*
activist activista *m., f.* 5.5
add añadir *v.*
admission ticket entrada *f.*
adore adorar *v.* 4.1
advance avance *m.* 5.1
advanced adelantado/a; avanzado/a *adj.* 5.1, 5.6
advantage ventaja *f.* 4.2; **to take advantage of** aprovechar *v.*
adventure aventura *f.* 4.5
adventurer aventurero/a *m., f.* 4.5
advertising publicidad *f.* 5.3
advertisement anuncio *m.*, propaganda *f.*
advisable recomendable *adj.* 4.5; **not advisable, inadvisable** poco recomendable *adj.*
advisor asesor(a) *m., f.* 5.2
aesthetic estético/a *m., f.* 5.4
affection cariño *m.* 4.1
affectionate cariñoso/a *adj.* 4.1
after all al final de cuentas; al fin y al cabo
against contra *prep.*; **against** en contra *prep.* 4.1
age: of age mayor de edad
agent agente *m., f.*; **customs agent** agente de aduanas *m., f.* 4.5
agnostic agnóstico/a *adj.* 5.5
agree acordar (o:ue) *v.* 4.2
aid auxilio *m.*; **first aid** primeros auxilios *m. pl.* 4.4
aim apuntar *v.* 5.5
album álbum *m.* 4.2
alibi coartada *f.* 5.4
alien extraterrestre *m., f.* 5.1
a little something detallito *expr.* 4.6
a lot montón *m.* 5.1
allusion alusión *f.* 5.4
almost casi *adv.* 4.3
alone solo/a *adj.* 4.1
alternative medicine medicina alternativa *f.*
amaze asombrar *v.*
amazement asombro *m.*
ambassador embajador(a) *m., f.* 5.5
amuse (oneself) entretener(se) (e:ie) *v.* 4.2
ancient antiguo/a *adj.* 5.6
anger enojo *m.*
announcer conductor(a) *m., f.*; locutor(a) *m., f.*
annoy molestar *v.* 4.2
annoyance molestia *f.* 4.5
ant hormiga *f.* 4.6
antenna antena *f.*
antiquity antigüedad *f.*
anxious ansioso/a *adj.* 4.1
apology disculpa *f.* 4.3
appear aparecer *v.* 4.1
appearance aspecto *m.*
applaud aplaudir *v.* 4.2
apply for solicitar *v.* 5.2
appreciate apreciar *v.* 4.1
appreciated apreciado/a *adj.*
approach acercarse (a) *v.* 4.2
approval aprobación *f.* 5.3
approve aprobar (o:ue) *v.*
archaeologist arqueólogo/a *m., f.*
archaeology arqueología *f.*
argue discutir *v.* 4.1
arid árido/a *adj.* 5.5
aristocratic aristocrático/a *adj.* 5.6
armchair sillón *m.*
armed armado/a *adj.*
army ejército *m.* 5.5, 5.6
arrival llegada *f.* 4.5
arrive llegar *v.*
artifact artefacto *m.* 4.5
artisan artesano/a *m., f.* 5.4
ascent subida *f.*
ashamed avergonzado/a *adj.*; **to be ashamed (of)** tener vergüenza (de) *v.* 4.1
ask pedir (e:i) *v.* 4.1, 4.4
aspirin aspirina *f.* 4.4
assure asegurar *v.*
astonished: be astonished asombrarse *v.*; atónito/a *adj.* 5.3
astonishing asombroso/a *adj.*
astonishment asombro *m.*
astronaut astronauta *m., f.* 5.1
astronomer astrónomo/a *m., f.* 5.1
atheism ateísmo *m.*
atheist ateo/a *adj.* 5.5
athlete deportista *m., f.* 4.2
ATM cajero automático *m.*
attach adjuntar *v.* 5.1; **to attach a file** adjuntar un archivo *v.* 5.1
attract atraer *v.* 4.1
attraction atracción *f.*
audience audiencia *f.*
audience público *m.* 5.3
authoritarian autoritario/a *adj.* 4.1
autobiography autobiografía *f.* 5.4
available disponible *adj.*

B

back espalda *f.*; **to have one's back to** estar de espaldas a
bag bolsa *f.*
balcony balcón *m.* 4.3
ball balón *m.*
ball field campo *m.* 4.5
ball game juego de pelota *m.* 4.5
band conjunto (musical) *m.*
bandage venda *f.* 4.4
banking bancario/a *adj.*
bankruptcy bancarrota *f.* 5.2
baptism bautismo *m.* 5.3
bargain ganga *f.* 4.3
barter trueque *m.*
base salary sueldo fijo *m.* 5.2
basement sótano *m.* 4.3
battle batalla *f.* 4.4, 5.6
bay bahía *f.* 4.5
be able to poder (o:ue) *v.* 4.1
be about (deal with) tratarse de *v.* 5.4 tratar (sobre/acerca de) *v.* 4.4
be about to disponerse a *v.* 4.6
be delayed/late retrasarse *v.* 4.3
be held up entretenerse *v.* 4.3
be late, to take (time) tardar *v.* 5.6
be promoted ascender (e:ie) *v.* 5.2
bear oso *m.*
beat latir *v.* 4.4
beating golpiza *f.* 4.1
beauty belleza *f.* 5.2
become convertirse (en) (e:ie) *v.* 4.1; **to become annoying** ponerse pesado/a *v.* 4.3; **to become extinct** extinguirse *v.* 4.6; **to become infected** contagiarse *v.* 4.4; **to become inflamed** inflamarse *v.*; **to become informed (about)** enterarse (de) *v.* 5.3; **to become part (of)** integrarse (a) *v.* 5.6; **to become tired** cansarse *v.*
bed and breakfast inn pensión *f.*
beehive colmena *f.* 5.2
beforehand de antemano *adv.*
beg rogar *v.* 4.4
beggar mendigo/a *m., f.*
begin empezar (e:ie) *v.*
behalf: on behalf of de parte de
behave well portarse bien *v.*
belief creencia *f.* 5.5
believe (in) creer (en) *v.* 5.5; **Don't you believe it.** No creas.
believer creyente *m., f.* 5.5
belong (to) pertenecer (a) *v.* 4.3, 5.6
belt cinturón *m.*; **seatbelt** cinturón de seguridad *m.* 4.5
benefit (from) sacar provecho *v.* 5.4
benefits beneficios *m. pl.*
bet apuesta *f.*
bet apostar (o:ue) *v.*
betrayal traición *f.* 5.6
better mejor *adj.*; **maybe** a lo mejor *adv.* 4.3
beyond más allá de
bias parcialidad *f.* 5.3; **left-wing/right-wing bias** tendencia izquierdista/derechista *f.*
biased parcial *adj.* 5.3
bilingual bilingüe *adj.* 5.3
bill factura 5.2; proyecto de ley *m.* 5.5
billiards billar *m.* 4.2
biochemical bioquímico/a *adj.* 5.1
biography biografía *f.* 5.4
biologist biólogo/a *m., f.* 5.1
bird ave *f.* 4.6; pájaro *m.* 4.6
birthday boy/girl cumpleañero/a *m., f.* 4.1
bite morder (o:ue) *v.* 4.6; bocado, pique *m.* 4.1, 4.2
blanket manta *f.*
bless bendecir *v.* 5.5
blindness ceguera *f.* 4.4
blog blog *m.* 5.1
blognovel blogonovela *f.* 5.1
blogosphere blogosfera *f.* 5.1
blood sangre *f.* 4.4, 5.5; **(high/low) blood pressure** tensión (alta/baja) *f.* 4.4
blow soplar *v.*
blurred confuso/a *adj.* 4.1
blush enrojecer *v.*

board embarcar *v.;* **on board** a bordo *adj.* 4.5
board game juego de mesa *m.* 4.2
boat bote *m.* 4.5
body cuerpo *m.*
boil hervir (e:ie) *v.* 4.3
bombing bombardeo *m.* 4.6
border frontera *f.* 4.5
border límite *m.* 5.5
bore aburrir *v.* 4.2
borrowed prestado/a *adj.* 4.2
both ambos/as *pron., adj.*
bother molestar *v.* 4.2
bottom fondo *m.*
bow proa *f.* 4.5
bowling boliche *m.* 4.2
box caja *f.*
box office taquilla *f.* 4.2
branch sucursal *f.*
brand marca *f.*
brave valiente *adj.* 4.5, 5.4
bravery valor *m.*
break in (to a conversation) meterse *v.* 4.1
break up (with) romper (con) *v.* 4.1
breakthrough avance *m.* 5.1
breath respirar *v.* 4.3
breathing respiración *f.* 4.4
brick ladrillo *m.*
bridge puente *m.* 5.6
bright luminoso/a *adj.* 5.4
bring traer *v.* 4.1; **to bring down** derribar *v.*; **to bring up (raise)** educar *v.* 4.1
broadcast emisión *f.;* **live broadcast** emisión en vivo/directo *f.*
broadcast transmitir *v.* 5.3
broom escoba *f.*
brush cepillarse *v.* 4.2; **to brush against** rozar *v.*
Buddhist budista *adj.* 5.5
budget presupuesto *m.* 5.2
buffalo búfalo *m.*
bull ring ruedo *m.* 4.2
bullfight corrida *f.* 4.2
bullfighter torero/a *m., f.* 4.2; **bullfighter who kills the bull** matador/a *m., f.* 4.2; **bullfighter's outfit** traje de luces *m.* 4.2
bullfighting toreo *m.* 4.2; **bullfighting stadium** plaza de toros *f.* 4.2
bunch (of people) sarta *f.* *(despective)* 4.1
bureaucracy burocracia *f.*
buried enterrado/a *adj.*
burrow madriguera *f.* 4.3
bury enterrar (e:ie), sepultar *v.* 4.1
business negocio *m.*
businessman hombre de negocios *m.* 5.2
businesswoman mujer de negocios *f.* 5.2
butterfly mariposa *f.*

C

cage jaula *f.*
calculation, sum cuenta *f.*
calm tranquilo/a *adj.* 4.1
calm down calmarse *v.;* **Calm down.** Tranquilo/a.
campaign campaña *f.* 5.5
campground campamento *m.* 4.5
cancel cancelar *v.* 4.5
cancer cáncer *m.*
candidate candidato/a *m., f.* 5.5
candle vela *f.*
canon canon *m.* 5.4
canvas tela *f.* 5.4
capable capaz *adj.* 5.2
cape cabo *m.*
captain capitán *m.*
car registration permiso de circulación *m.* 4.5
card tarjeta *f.;* **boarding card** tarjeta de embarque *f.* 4.5; **credit/debit card** tarjeta de crédito/débito *f.* 4.3; **(playing) cards** cartas, *f. pl.* 4.2, naipes *m. pl.* 4.2
care cuidado *m.* 4.1; **personal care** aseo personal *m.*
carefree despreocupado/a *adj.* 5.5
caress acariciar *v.* 5.4
carriage vagón *m.* 5.1
carry llevar *v.* 4.2; **to carry away** llevarse *v.* 4.2; **to carry out (an activity)** llevar a cabo *v.* 5.2
cascade cascada *f.* 4.5
cash dinero en efectivo *m.;* *(Arg.)* guita *f.* 5.1
cash cobrar *v.* 5.2
cashier cajero/a *m., f.*
casket ataúd *m.*
cast yeso *m.* 4.4
catastrophe catástrofe *f.*
catch atrapar *v.* 4.6
catch pillar *v.* 5.3
category categoría *f.* 4.5
Catholic católico/a *adj.* 5.5
cautious prevenido/a *adj.*
cave cueva *f.*
celebrate celebrar, festejar *v.* 4.2
celebrity celebridad *f.* 5.3
cell célula *f.* 5.1; celda *f.*
cell phone móvil *m.* 5.1, teléfono celular *m.* 5.1
cemetery cementerio *m.* 5.6
censorship censura *f.* 5.3
cent centavo *m.*
century siglo *m.* 5.6
certain cierto/a *adj.*
certainty certeza *f.* certidumbre *f.* 5.6
challenge desafío *m.* 5.1; desafiar *v.* 4.2; poner a prueba *v.*
challenging desafiante *adj.* 4.4
champion campeón/campeona *m., f.* 4.2
championship campeonato *m.*
chance azar, *m.* 5.6 casualidad *f.*; oportunidad *f.* 5.2; **by chance** por casualidad 4.3
change cambio *m.;* cambiar; mudar *v.* 4.2; **to change (plains, trains)** hacer transbordo *v.* 4.5
channel canal *m.* 5.3; **television channel** canal de televisión *m.*
chapel capilla *f.*
chapter capítulo *m.*
character personaje *m.* 5.4; **main/secondary character** personaje principal/secundario *m.*
characteristic (trait) rasgo *m.*
characterization caracterización *f.* 5.4
charge cobrar *v.* 5.2
cheap (stingy) tacaño/a *adj.* 4.1; **(inexpensive)** barato/a *adj.* 4.3
cheat hacer trampa *v.* 4.2
cheek mejilla *f.* 5.4
chef cocinero/a *m., f.*
chemical químico/a *adj.* 5.1
chemist químico/a *m., f.* 5.1
chess ajedrez *m.* 4.2, 5.6
chessboard tablero *m.* 5.6
chest pecho *m.* 5.4
chew masticar *v.*
childhood infancia *f.*
choir coro *m.*
choose elegir (e:i) *v.;* escoger *v.* 4.1
chore quehacer *m.* 4.3
chorus coro *m.*
chosen elegido/a *adj.*
Christian cristiano/a *adj.* 5.5
church iglesia *f.* 5.5
cinema cine *m.* 4.2
circus circo *m.* 4.2
cistern cisterna *f.* 4.6
citizen ciudadano/a *m., f.* 5.5
civilization civilización *f.* 5.6
civilized civilizado/a *adj.*
claim reclamar *v.* 5.5
clarify aclarar *v.* 5.3
classic clásico/a *adj.* 5.4
clean limpiar *v.* 4.3
clean (pure) puro/a *adj.*
cleanliness aseo *m.*
clear (the table) quitar (la mesa) *v.* 4.3
clearing limpieza *f.* 4.3
click hacer clic *v.* 5.1
cliff acantilado *m.*
climate clima *m.*
climb (mountain) escalada *f.*
climber escalador(a) *m., f.*
clock reloj *m.* 5.6
cloister claustro *m.*
clone clonar *v.* 5.1
clown payaso/a *m., f.* 5.2
club club *m.;* **sports club** club deportivo *m.* 4.2
coach (train) vagón *m.* 5.1; **coach (trainer)** entrenador(a) *m., f.* 4.2
coast costa *f.* 4.6
coffin caja *f.* 4.1
coincidence casualidad *f.*; **chiripazo** *m.* *(Col.)* 4.4
cold resfriado *m.* 4.4; **to have a cold** estar resfriado/a *v.* 4.4
collect coleccionar *v.*
colonize colonizar *v.* 5.6
colony colonia *f.* 5.6
columnist columnista *m., f.*
comb one's hair peinarse *v.* 4.2
combatant combatiente *m., f.*
come venir *v.* 4.1; **to come back** volver (o:ue) *v.*; **to come from** provenir (de) *v.*
comedian comediante *m., f.* 4.1
comet cometa *m.* 5.1
comic book tebeo *m.* 4.4
comic strip tira cómica *f.* 5.3
commerce comercio *m.* 5.2
commercial anuncio *m.* 5.3
commitment compromiso *m.* 4.1
community comunidad *f.* 4.4
company compañía *f.,* empresa *f.* 5.2; **multinational company** empresa multinacional *f.,* multinacional *f.* 5.2
compass brújula *f.* 4.5
competent capaz *adj.* 5.2
competition competencia *f.* 5.3
complain (about) quejarse (de) *v.* 4.2

complaint queja *f.*
complicated rebuscado/a *adj.*
compose componer *v.* **4.1**
composer compositor(a) *m., f.*
computer science informática *f.* **5.1;** computación *f.*
concert concierto *m.* **4.2**
condition (illness) dolencia *f.*
conference conferencia *f.* **5.2**
confess confesar (e:ie) *v.*
confidence confianza *f.* **4.1**
confident seguro/a *adj.* **4.1, 5.4**
confuse (with) confundir (con) *v.*
confused confundido/a *adj.*
congested congestionado/a *adj.*
Congratulations! ¡Felicidades!; *interj.* **Congratulations to all!** ¡Felicidades a todos!
connection conexión *f.;* **to have good connections** estar relacionado *v.*
conquer conquistar, *v.* vencer *v.* **4.2, 5.3, 5.6**
conqueror conquistador(a) *m., f.* **5.6**
conquest conquista *f.* **5.6**
conscience conciencia *f.*
consequently por consiguiente *adj.*
conservative conservador(a) *adj.* **5.5**
conserve conservar *v.* **4.6**
consider considerar *v.*
consulate consulado *m.*
consultant asesor(a) *m., f.* **5.2**
consumption consumo *m.;* **energy consumption** consumo de energía *m.*
contaminate contaminar *v.* **4.6**
contamination contaminación *f.* **4.6**
contemporary contemporáneo/a *adj.* **5.4**
contented: be contented with contentarse con *v.* **4.1**
contestant concursante *m., f.* **5.3**
contract contrato *m.* **5.2;** contraer *v.* **4.1**
contribute contribuir (a) *v.* **4.6, 5.4**
controversial controvertido/a *adj.* **5.3**
controversy polémica *f.* **5.5**
cook cocinero/a *m., f.*
cook cocinar *v.* **4.3**
corner rincón *m.*
cornmeal cake arepa *f.*
correspondent corresponsal *m., f.* **5.3**
corruption corrupción *f.*
costly costoso/a *adj.*
costume disfraz *m.;* **in costume** disfrazado/a *adj.*
cough tos *f.* **4.4**
cough toser *v.* **4.4**
count contar (o:ue) *v.* **4.2; to count on** contar con *v.*
countryside campo *m.* **4.6**
couple pareja *f.* **4.1**
courage coraje *m.*
course: of course claro *interj.* **4.3;** por supuesto; ¡cómo no!
court tribunal *m.*
cover portada *f.* **5.3** tapa *f.*
cow vaca *f.* **4.6**
crash choque *m.* **4.1, 5.1**
create crear *v.* **5.1**
creativity creatividad *f.*
critic crítico/a *m., f.;* **movie critic** crítico/a de cine *m., f.* **5.3**
critical crítico/a *adj.*
cross cruzar *v.*
crowd multitud *f.*
cruise (ship) crucero *m.* **4.5**
cry llorar *v.*
crying llanto *m.*
cubism cubismo *m.* **5.4**
culture cultura *f.;* **pop culture** cultura popular *f.*
cultured culto/a *adj.* **5.6**
currently actualmente *adv.*
curse maldición *f.*
curtain telón *m.* **5.4**
custom costumbre *f.* **4.3**
customs aduana *f.;* **customs agent** agente de aduanas *m., f.* **4.5**
cut corte *m.*

D

daily diario/a *adj.* **4.3**
dam represa *f.*
damp húmedo/a *adj.* **4.6**
dance bailar *v.* **4.1**
dance club discoteca *f.* **4.2**
dancer bailarín/bailarina *m., f.*
danger peligro *m.*
dangerous peligroso/a *adj.* **4.5**
dare (to) atreverse (a) *v.* **4.2**
darken oscurecer *v.* **4.6**
darts dardos *m. pl.* **4.2**
data datos *m.;* **piece of data** dato *m.*
date cita *f.;* **blind date** cita a ciegas *f.* **4.1**
date fecha *f.* **5.6**
datebook agenda *f.* **4.3**
dawn alba *f.*
day día *m.*
daybreak alba *f.*
deaf sordo/a *adj.;* **to go deaf** quedarse sordo/a *v.* **4.4**
deal with (be about) tratarse de *v.* **5.4**
death muerte *f.* **4.1; death certificate** testimonio de defunción *m.* **4.2**
debt deuda *f.* **5.2**
debt collector cobrador(a) *m., f.* **5.2**
debtor moroso/a *m., f.* **5.2**
debut (premiere) estreno *m.* **4.2**
decade década *f.* **5.6**
decrease disminuir *v.*
deep hondo/a *adj.* **4.2;** profundo/a *adj.*
deer venado *m.*
defeat vencer *v.* **4.2, 5.3**
defeat derrota *f.;* derrotar *v.* **5.6**
defeated derrotado/a *adj.* **5.6**
Definitely! ¡Sin duda! *expr.* **5.5**
deforestation deforestación *f.* **4.6**
defrost descongelar(se) *v.* **5.1**
delay demora *f.* **5.6;** retraso *m.;* atrasar *v.;* demorar *v.;* retrasar *v.*
delayed retrasado/a *adj.* **4.5**
delivery entrega *f.*
demand reclamar *v.* **5.5;** exigir *v.* **4.1, 4.4, 5.2**
demonstration manifestación *f.* **5.5**
den madriguera *f.* **4.3**
denounce delatar *v.* **4.3**
depict reflejar *v.* **5.4**
deposit depositar *v.* **5.2**
depressed deprimido/a *adj.* **4.1**
depression depresión *f.* **4.4**
descendent descendiente *m., f.* **5.6**
desert desierto *m.* **4.6**
deserve merecer *v.* **4.6**
design diseñar *v.* **5.4**
desire deseo *m.;* gana *f.*
desire desear *v.* **4.4**
destination destino *m.* **4.5**
destroy destruir *v.* **4.6**
detective (story/novel) policíaco/a *adj.* **5.4**
deteriorate empeorar *v.* **4.4**
detest detestar *v.*
devastated deshecho *adj.*
developed desarrollado/a *adj.* **5.6**
developing en vías de desarrollo *adj.;* **developing country** país en vías de desarrollo *m.*
development desarrollo *m.* **4.6**
diamond diamante *m.*
dictator dictador(a) *m., f.* **5.6**
dictatorship dictadura *f.*
die fallecer *v.* **4.1; to die of** morirse (o:ue) de *v.* **4.2**
diet (nutrition) alimentación *f.* **4.4;** dieta *f.;* **to be on a diet** estar a dieta *v.* **4.4; to go on a diet** ponerse a dieta *v.* **4.4**
difficult duro/a *adj.* **5.1**
digestion digestión *f.*
digital digital *adj.* **5.1**
direct dirigir *v.* **4.1**
director director(a) *m., f.*
disappear desaparecer *v.* **4.1, 4.6**
disappointment desilusión *f.*
disaster catástrofe *f.;* **natural disaster** catástrofe natural *f.*
discharge (from the hospital) dar el alta *v.* **4.5**
discomfort malestar *m.* **4.4**
discotheque discoteca *f.* **4.2**
discouraged desanimado/a *adj.* **to get discouraged** desanimarse *v.;* **the state of being discouraged** desánimo *m.* **4.1**
discover descubrir *v.*
discoverer descubridor(a) *m., f.*
discovery descubrimiento *m.* **5.1;** hallazgo *m.* **4.4**
discriminated discriminado/a *adj.*
discrimination discriminación *f.*
disease enfermedad *f.* **4.4**
disguised disfrazado/a *adj.*
disgusting: to be disgusting dar asco *v.*
disorder (condition) trastorno *m.*
display lucir *v.*
disposable desechable *adj.* **4.6**
distant lejano/a *adj.* **4.5**
distinguish distinguir *v.* **4.1**
distract distraer *v.* **4.1**
distracted distraído/a *adj.*
disturbing inquietante *adj.* **5.4**
diversity diversidad *f.* **4.4**
divorce divorcio *m.* **4.1**
divorced divorciado/a *adj.* **4.1**
dizzy mareado/a *adj.* **4.4**
DNA ADN (ácido desoxirribonucleico) *m.* **5.1**
do hacer *v.* **4.1, 4.4; to be (doing something)** andar + *pres. participle v.;* **to do someone the favor** hacer el favor *v.;* **to do something on purpose** hacer algo a propósito *v.*
doctor's appointment consulta *f.* **4.4**
doctor's office consultorio *m.* **4.4**
documentary documental *m.* **5.3**
dominoes dominó *m.*
don't you dare ni se le ocurra **4.5**
doorbell timbre *m.;* **to ring the doorbell** tocar el timbre *v.*
doorman ujier *m., f.* **5.3**

doubt interrogante *m.* **5.1; to be no doubt** no caber duda *v.*
download descargar *v.* **5.1**
drag arrastrar *v.*; **drag out** alargar *v.* **4.3**
draw dibujar *v.* **5.4**
dream (about) soñar (o:ue) (con) *v.* **4.1**
dreams sueños *m.* **4.1**
dressing room probador *m.* **4.3**
drink beber *v.* **4.1**
drinking glass copa *f.* **4.3**
drive conducir *v.* **4.1;** manejar *v.*
driver's license carné de conducir *m.* **4.5**
drought sequía *f.* **4.6**
drown ahogarse *v.*
drowned ahogado/a *adj.* **4.5**
dry seco/a *adj.* **4.6**; secar *v.*; **to dry off** secarse *v.* **4.2**
dub (*film*) doblar *v.*
dubbed doblado/a *adj.* **5.3**
dubbing doblaje *m.*
dust polvo *m.* **4.3; to dust** quitar el polvo *v.* **4.3**
duty deber *m.* **5.2**

E

earn ganar *m.;*
earth tierra *f.* **4.6**
earthquake terremoto *m.* **4.6**
easy-going (*permissive*) permisivo/a *adj.* **4.1**
eat comer *v.* **4.1, 4.2**; **to eat up** comerse *v.* **4.2**
ecosystem ecosistema *m.* **4.6**
ecotourism ecoturismo *m.* **4.5**
edible comestible *adj.*; **edible plant** planta comestible *f.*
editor redactor(a) *m., f.* **5.3**
editor-in-chief redactor(a) jefe *m., f.*
educate educar *v.*
educated (*cultured*) culto/a *adj.* **5.6**
education instrucción *f.* **5.2**
educational didáctico/a *adj.* **5.4**
efficient eficiente *adj.*
effort esfuerzo *m.*
either... or... o... o... *conj.*
elbow codo *m.*
elder mayor *m.* **5.6**
elderly anciano/a *adj.;* **elderly gentleman/lady** anciano/a *m., f.*
elect elegir (e:i) *v.* **5.5**
elected elegido/a *adj.*
electoral electoral *adj.*
electricity luz *f.* **5.1**
electronic electrónico/a *adj.*
e-mail address dirección de correo electrónico *f.* **5.1**
embarrass avergonzar *v.* **5.2**
embarrassed avergonzado/a *adj.*
embarrassment vergüenza *f.*
embassy embajada *f.*
emigrate emigrar *v.* **5.5**
emotion sentimiento *m.* **4.1**
emperor emperador *m* **5.6**
emphasize destacar *v.*
empire imperio *m.* **5.6**
employed empleado/a *adj.* **5.2**
employee empleado/a *m., f.* **5.2**
employment empleo *m.* **5.2**
empress emperatriz *f.* **5.6**
encourage animar *v.*
end fin *m.*; **(*rope, string*)** cabo *m.*
endangered en peligro de extinción *adj.;* **endangered species** especie en peligro de extinción *f.*
ending desenlace *m.*
energetic enérgico/a *adj.*
energy energía *f.*; **nuclear energy** energía nuclear *f.*; **wind energy** energía eólica *f.*
engineer ingeniero/a *m., f.* **5.1**
enjoy disfrutar (de) *v.* **4.2**
enough bastante *adv.* **4.3**
enslave esclavizar *v.* **5.6**
enter ingresar *v.;* **to enter data** ingresar datos *v.*
entertain (oneself) entretener(se) (e:ie) *v.* **4.2**
entertaining entretenido/a *adj.* **4.2**
entrance hall zaguán *m.* **4.3**
entrepreneur empresario/a *m., f.* **5.2**
envelope sobre *m.*
environment medio ambiente *m.* **4.6**
environmental ambiental *adj.* **4.6**
epidemic epidemia *f.* **4.4**
episode episodio *m.* **5.3; final episode** episodio final *m.* **5.3**
equal igual *adj.* **5.5**
equality igualdad *f.*
era época *f.* **5.6**
erase borrar *v.* **5.1**
erosion erosión *f.* **4.6**
errands mandados *m. pl.* **4.3; to run errands** hacer mandados *v.* **4.3**
essay ensayo *m.*
essayist ensayista *m., f.* **5.4**
establish (oneself) establecer(se) *v.* **5.6**
eternal eterno/a *adj.*
ethical ético/a *adj.* **5.1; unethical** poco ético/a *m., f.*
even siquiera *conj.*
event acontecimiento *m.* **5.3**
everyday cotidiano/a *adj.* **4.3; everyday life** vida cotidiana *f.*
example (*sample*) muestra *f.*
exchange: in exchange for a cambio de
excited emocionado/a *adj.* **4.1**
exciting excitante *adj.*
excursion excursión *f.* **4.5**
excuse disculpar *v.;* **Excuse me; Pardon me** Perdona (*fam.*)/Perdone (*form.*); Con permiso.
executive ejecutivo/a *m., f.* **5.2; of an executive nature** de corte ejecutivo **5.2**
exercise ejercer *v.* **5.5**
exhausted agotado/a *adj.* **4.4;** fatigado/a *adj.* **4.4**
exhaustion cansancio *m.* **4.3**
exhibition exposición *f.*
exile exilio *m.;* **political exile** exilio político *m.* **5.5**
exotic exótico/a *adj.*
expel expulsar *v.* **5.6**
expensive caro/a *adj.* **4.3;** costoso/a *adj.*
experience experiencia *f.* **5.2;** experimentar *v.*
experiment experimento *m.* **5.1**
expire caducar *v.*
expired vencido/a *adj.* **4.5**
exploit explotar *v.* **5.6**
exploitation explotación *f.*
exploration exploración *f.*
explore explorar *v.*
explosion estallido *m.* **5.5**
export exportar *v.* **5.2**
exports exportaciones *f., pl.*
expressionism expresionismo *m.* **5.4**
extinct: become extinct extinguirse *v.* **4.6**
extinguish extinguir *v.*

F

face up boca arriba *adj.* **5.4**
facilities servicios *m., pl.*
fact hecho *m.* **4.3; in fact** de hecho **4.4**
factor factor *m.;* **risk factors** factores de riesgo *m. pl.*
factory fábrica *f.*
fad moda pasajera *f.* **5.3**
faint desmayarse *v.* **4.4**
fair feria *f.* **4.2**
faith fe *f.* **5.5**
fall caer *v.* **4.1; to fall in love (with)** enamorarse (de) *v.* **4.1**
fame fama *f.* **5.3**
famous famoso/a *adj.* **5.3; to become famous** hacerse famoso *v.* **5.3**
fan (of) aficionado/a (a) *adj.* **4.2; to be a fan of** ser aficionado/a de *v.*
farewell despedida *f.* **4.5**
fascinate fascinar *v.* **4.2**
fashion moda *f.;* **in fashion, popular** de moda *adj.* **5.3**
fasten abrocharse *v.;* **to fasten one's seatbelt** abrocharse el cinturón de seguridad *v.*; **to fasten (the seatbelt)** ponerse (el cinturón de seguridad) *v.* **4.5**
fatigue fatiga *f.* **5.2**
fault culpa *f.* **5.4**
favor favor *m.;* **to do someone the favor** hacer el favor *v.*
fed up (with) harto/a *adj.;* **to be fed up (with); to be sick (of)** estar harto/a (de) *v.* **4.1**
feed dar de comer *v.* **4.6**
feel sentirse (e:ie) *v.* **4.1; (experience)** experimentar *v.;* **to feel like** dar la gana *v.* **5.3**; sentir/tener ganas de *v.*
feeling sentimiento *m.* **4.1**
festival festival *m.* **4.2**
fever fiebre *f.* **4.4; to have a fever** tener fiebre *v.* **4.4**
field campo *m.* **4.6**; cancha *f.*
fight lucha *f.*; pelear, luchar *v.* **5.2**; **to fight (for)** luchar por *v.*; **to fight bulls** lidiar *v.* **4.2**; **to fight bulls in the bullring** torear *v.* **4.2**
figuratively en sentido figurado *m.*
file archivo *m.;* **to download a file** bajar un archivo *v.*
filled up completo/a *adj.;* **The hotel is filled.** El hotel está completo.
film película *f.;* rodar (o:ue) *v.* **5.3**
finance(s) finanzas *f. pl.;* financiar *v.* **5.2**
financial financiero/a *adj.* **5.2**
find out averiguar *v.* **4.1**
finding hallazgo *m.* **4.4**
fine multa *f.*
fine arts bellas artes *f., pl.* **5.4**
fingernail uña *f.*
finish line meta *f.*
fire incendio *m.* **4.6**; despedir (e:i) *v.* **5.2**
fired despedido/a *adj.*
fireplace hogar *m.* **4.3**
first aid primeros auxilios *m., pl.* **4.4**

first and foremost antes que nada
fish pez *m.* **4.6**
fishing pesca *f.* **4.5**
fit (clothing) quedar *v.* **4.2**
fitting room vestidor *m.*
fix arreglar *v.* **5.1**
flag bandera *f.*
flask frasco *m.*
flee huir *v.* **4.3**
fleeting pasajero/a *adj.*
flexible flexible *adj.*
flight vuelo *m.*
flight attendant auxiliar de vuelo *m., f.*
flirt coquetear *v.* **4.1**
float flotar *v.* **4.5**
flood inundación *f.* **4.6**; inundar *v.*
floor suelo *m.*
flower florecer *v.* **4.6**
flu gripe *f.* **4.4**
fly mosca *f.* **4.4, 4.6**; volar (o:ue) *v.* **5.2**
flying volador(a) *adj.* **4.1**
fog niebla *f.*
fold doblar *v.*
follow seguir (e:i) *v.*
folly insensatez *f.* **4.4**
fond of aficionado/a (a) *adj.* **4.2**
food comida *f.* **4.6**; alimento *m.*; **fast food** comida rápida *f.* **4.4**
foot (*of an animal*) pata *f.*
for a long time harto (tiempo) *adj.* **4.1**
forbidden vedado/a *adj.* **4.3**
force fuerza *f.*; **armed forces** fuerzas armadas *f., pl.* **5.6**
forced forzado/a *adj.* **5.6**
forefront: at the forefront a la vanguardia
foresee presentir (e:ie); prever *v.*
forest bosque *m.*
forget (about) olvidarse (de) *v.* **4.2**
forgetful olvidadizo/a *adj.* **5.5**
forgetfulness; olvido *m.* **4.1**
forgive perdonar *v.*
form forma *f.*
formulate formular *v.* **5.1**
fountain fuente *f.*
frame marco *m.*
free time tiempo libre *m.* **4.2;** ratos libres *m. pl.* **4.2**
freedom libertad *f.* **5.5; freedom of the press** libertad de prensa *f.* **5.3**
freeze helar (e:ie), congelarse *v.* **5.1**
frequently a menudo *adv.* **4.3**
friar fraile *m.*
frightened asustado/a *adj.*
frog rana *f.* **4.6**
front desk recepción *f.* **4.5**
front page portada *f.* **5.3**
frozen congelado/a *adj.*
fry freír (e:i) *v.* **4.3**
fuel combustible *m.* **4.6**
full lleno/a *adj.*; **full-length film** largometraje *m.*
fun divertido/a *adj.* **4.2**
funny gracioso/a *adj.* **4.1; to be funny (to someone)** hacerle gracia (a alguien)
furnished amueblado/a *adj.*
furniture mueble *m.* **4.3**
future mañana (el) *m.* **4.3**
futuristic futurístico/a *adj.*

G

gain weight engordar *v.* **4.4**
game juego *m.* **4.2; ball game** juego de pelota *m.* **4.5**; **board game** juego de mesa *m.* **4.2**; partida *f.* **5.6**; **(*sports*)** partido *m.*; **to win/lose a game** ganar/perder un partido *v.* **4.2**
gaze mirada *f.* **4.1**
gene gen *m.* **5.1**
generate generar *v.*
generous generoso/a *adj.*
genetics genética *f.*
genuine auténtico/a *adj.* **4.3**
gesture gesto *m.*
get obtener *v.*; **to get a movie** alquilar una película *v.* **4.2**; **to get a shot** poner(se) una inyección *v.* **4.4**;
to get along congeniar *v.*;
to get along well/poorly llevarse bien/mal *v.* **4.1**; **to get better** mejorarse, ponerse bueno *v.* **4.4**
to get bored aburrirse *v.* **4.2**;
to get discouraged desanimarse *v.*;
to get dressed vestirse (e:i) *v.* **4.2**;
to get hurt lastimarse *v.* **4.4**;
to get in subirse *v.* **4.5**;
to get in shape ponerse en forma *v.* **4.4**;
to get information informarse *v.*;
to get over (something) superar (algo) *v.* **4.4**; **to get ready** arreglarse *v.* **4.3**;
to get sick enfermarse *v.* **4.4**;
to get tickets conseguir (e:i) boletos/entradas *v.* **4.2**; **to get together (with)** reunirse (con) *v.* **4.2**; **to get up** levantarse *v.* **4.2**; **to get used to** acostumbrarse (a) *v.* **4.3**;
to get vaccinated vacunarse *v.* **4.4**;
to get well/ill *v.* ponerse bien/mal **4.4**;
to get wet mojarse *v.*;
to get worse empeorar *v.* **4.4**
give dar *v.*;
to give a prize premiar *v.*;
to give a shot poner una inyección *v.* **4.4**;
to give up darse por vencido *v.* **4.6**; ceder **5.5**; **to give way to** dar paso a *v.*
gladly con mucho gusto **5.4**
glance vistazo *m.*
global warming calentamiento global *m.* **4.6**
globalization globalización *f.*
go ir *v.* **4.1, 4.2; to go across** recorrer *v.* **4.5**; **to go around (the world)** dar la vuelta (al mundo) *v.*; **to go away (from)** irse (de) *v.* **4.2; to go out** salir *v.* **4.1**; **to go out (to eat)** salir (a comer) *v.* **4.2**; **to go out with** salir con *v.* **4.1**; **to go shopping** ir de compras *v.* **4.3**; **go to bed** acostarse (o:ue) *v.* **4.2**; **go to sleep** dormirse (o:ue) *v.* **4.2**; **go too far** pasarse *v.*; **go too fast** embalarse *v.* **5.3**
goal meta *f.* **5.4**
goat cabra *f.*
God Dios *m.* **5.5**
god/goddess dios(a) *m., f.* **4.5**
gold oro *m.* **4.4**
goldfish pececillo de colores *m.*
good bueno/a *adj.* **to be good (i.e. *fresh*)** estar bueno *v.*; **to be good (*by nature*)** ser bueno *v.*
goodness bondad *f.*
gossip chisme *m.* **5.3**
govern gobernar (e:ie) *v.* **5.5**
government gobierno *m.*; **government agency** organismo público *m.*
governor gobernador(a) *m., f.* **5.5**
grass hierba *f.*; **pasto** *m.*
gratitude agradecimiento *m.*
gravity gravedad *f.* **5.1**
grouch, curmudgeon cascarrabias *m. f.* **4.4**
group grupo *m.*; **musical group** grupo musical *m.*
grow crecer *v.* **4.1**; cultivar *v.* **to grow accustomed to;** acostumbrarse (a) *v.* **4.3**; **grow up** criarse *v.* 4.1
growth crecimiento *m.*
Guarani guaraní *m.* **5.3**
guarantee asegurar *v.*
guess adivinar *v.*
guilt culpa *f.*
guilty culpable *adj.*
gymnasium gimnasio *m.*

H

habit costumbre *f.* **4.3**
habit: be in the habit of soler (o:ue) *v.* **4.3**
half mitad *f.*
hall sala *f.* **concert hall** sala de conciertos *f.*
hallucinate alucinar *v.* **5.4**
handicraft artesanía *f.* **4.3**
hang (up) colgar (o:ue) *v.*
happen suceder *v.* **4.1; These things happen.** Son cosas que pasan. **5.5**
happiness felicidad *f.*
happy feliz *adj.*
hard arduo *adj.*; duro/a *adj.*
hard-fought reñido/a *adj.* **5.5**
hardly apenas *adv.* **4.3**
hard-working trabajador(a) *adj.* **5.2**
harmful dañino/a *adj.* **4.6**
harvest cosecha *f.*
hate odiar *v.* **4.1**
have tener, disponer (de) *v.* **4.1, 4.3**; **to have fun** divertirse (e:ie) *v.* **4.2**
hawk pregonar *v.* **5.3**
headline titular *m.* **5.3**
headscarf pañuelo *m.* **5.5**
heal curarse; sanar *v.* **4.4**
healing curativo/a *adj.* **4.4**
health salud *f.* **4.4**
healthy saludable, sano/a *adj.* **4.4**
hear oír *v.* **4.1**
heart corazón *m.* **4.1; heart and soul** cuerpo y alma
heavy rain diluvio *m.*
height cima *f.* **4.1**; ***(highest level)*** apogeo *m.* **4.5**
help (aid) auxilio *m.*
heritage herencia *f.*; **cultural heritage** herencia cultural *f.* **5.6**
heroic heroico/a *adj.* **5.6**
hide ocultarse *v.* **4.3**
highest level apogeo *m.* **4.5**
high school instituto *m.* **5.5**
hill cerro *m.*; colina *f.*
Hindu hindú *adj.* **5.5**
hire contratar *v.* **5.2**
historian historiador(a) *m., f.* **5.6**
historic histórico/a *adj.* **5.6**
historical histórico/a *adj.* **5.4; historical period** era *f.* **5.6**

history historia *f.* 5.6
hit pegar *v.* 5.5
hold (*hug*) abrazar *v.* 4.1; **hold a vigil/ wake** velar *v.* 4.1; **hold your horses** parar el carro *v.* 5.3
hole agujero *m.;* **black hole** agujero negro *m.* 5.1; **hole in the ozone layer** agujero en la capa de ozono *m.*
holy sagrado/a *adj.* 5.5
home hogar *m.* 4.3
honey miel *f.* 5.2
honored distinguido/a *adj.*
hope esperanza *f.* 4.6; ilusión *f.*
horror (*story/novel*) de terror *adj.* 5.4
host(ess) anfitrión/anfitriona *m., f.*
hostel albergue *m.* 4.5
hour hora *f.*
how cómo *adv.*
hug abrazar *v.* 4.1
humankind humanidad *f.* 5.6
humble humilde *adj.* 4.3
humid húmedo/a *adj.* 4.6
humiliate humillar *v.* 5.2
humorous humorístico/a *adj.* 5.4
hungry hambriento/a *adj.*
hunt cazar *v.* 4.6
hurricane huracán *m.* 4.6
hurry prisa *f.* 4.6; **to be in a hurry** tener apuro *v.*
hurt herir (e: ie) *v.* 4.1; doler (o:ue) *v.* 4.2; **to get hurt** lastimarse *v.* 4.4; **to hurt oneself** hacerse daño; **to hurt someone** hacerle daño a alguien
husband marido *m.*
hut choza *f.* 5.6
hygiene aseo *m.*
hygienic higiénico/a *adj.*

I

ideology ideología *f.* 5.5
illness dolencia *f.*; enfermedad *f.*
ill-tempered malhumorado/a *adj.*
illusion ilusión *f.*
image imagen *f.* 4.2
imagination imaginación *f.*
immature inmaduro/a *adj.* 4.1
immediately en el acto 4.3
immigration inmigración *f.* 5.5
immoral inmoral *adj.* 5.5
import importar *v.* 5.2
important importante *adj.* 4.4; **be important (to); to matter** importar *v.* 4.2, 4.4
imports importaciones *f., pl.*
impossible (to put off) impostergable *adj.* 5.6
impressionism impresionismo *m.* 5.4
imprisoned (incarcerated) encarcelado/a *adj.* 5.5
improve mejorar *v.* 4.4; perfeccionar *v.*
improvement adelanto *m.* 4.4
in love (with) enamorado/a (de) *adj.* 4.1
inadvisable poco recomendable *adj.* 4.5
incapable incapaz *adj.* 5.2
included incluido/a *adj.* 4.5
incompetent incapaz *adj.* 5.2
increase aumento *m.*
independence independencia *f.* 5.6
index índice *m.*
indigenous indígena *adj.* 5.3
indigenous person indígena *m., f.*
industrious trabajador(a) *adj.* 5.2
industry industria *f.*
inexpensive barato/a *adj.* 4.3
infected: become infected contagiarse *v.* 4.4
inflamed inflamado/a *adv.* 4.4; **become inflamed** inflamarse *v.*
inflexible inflexible *adj.*
influential influyente *adj.* 5.3
inform avisar *v.;* **to be informed** estar al tanto *v.* 5.3; **to become informed (about)** enterarse (de) *v.* 5.3
inhabit habitar *v.* 5.6
inhabitant habitante *m., f.* 5.6; poblador(a) *m., f.*
inherit heredar *v.*
injure lastimar *v.*
injured herido/a *adj.*
innovative innovador(a) *adj.* 5.1
insanity locura *f.*
insect bite picadura *f.* 4.4
insecure inseguro/a *adj.* 4.1
insincere falso/a *adj.* 4.1
inspired inspirado/a *adj.*
instability inestabilidad *f.* 5.6
insurance seguro *m.* 4.5
intelligent inteligente *adj.*
intensive care terapia intensiva *f.* 4.4
interest interesar *v.* 4.2
interesting interesante *adj.;* **to be interesting** interesar *v.* 4.2
Internet Internet *m., f.* 5.1
interview entrevista *f.*; entrevistar *v.;* **job interview** entrevista de trabajo *f.* 5.2
intriguing intrigante *adj.* 5.4
invade invadir *v.* 5.6
invent inventar *v.* 5.1
invention invento *m.* 5.1
invest invertir (e:ie) *v.* 5.2
investigate investigar *v.* 5.1
investment inversión *f.*; **foreign investment** inversión extranjera *f.* 5.2
investor inversor(a) *m., f.*
iron plancha *f.*
irresponsible irresponsable *adj.*
island isla *f.* 4.5
isolate aislar *v.* 5.3
isolated aislado/a *adj.* 4.6
itinerary itinerario *m.* 4.5

J

jealous celoso/a *adj.*; **to be jealous of** tener celos de *v.* 4.1
jealousy celos *m. pl.*
Jewish judío/a *adj.* 5.5
job empleo *m.* 5.2; **(*position*)** puesto *m.* 5.2; **job interview** entrevista de trabajo *f.* 5.2
join unirse *v.* 5.5
joke broma *f.* 4.1, 4.3; chiste *m.* 4.1
joke bromear *v.*
journalist periodista *m., f.*
joy regocijo *m.* 4.4; alegría *f.* 5.5
judge juez(a) *m., f.* 5.5
judgment juicio *m.*
jump salto *m.*
jungle selva *f.* 4.5
just justo/a *adj.* 5.5
just as tal como *conj.*

K

keep mantener *v.*; guardar *v.;* **to keep in mind** tener en cuenta *v.;* **to keep in touch** mantenerse en contacto *v.* 4.1; **to keep (something) to yourself** guardarse (algo) *v.* 4.1; **to keep up with the news** estar al día con las noticias *v.*
key clave *f.* 5.2
keyboard teclado *m.*
kid, youngster chaval(a) *m., f.* 5.5
kind amable *adj.*
king rey *m.* 5.6
kingdom reino *m.* 5.6
kingfish pejerrey *m.* 4.2
kiss besar *v.* 4.1
knit tejer *v.* 4.2
know conocer *v.;* saber *v.* 4.1
knowledge conocimiento *m.* 5.6

L

label etiqueta *f.*
labor mano de obra *f.*
labor union sindicato *m.* 5.2
laboratory laboratorio *m.;* **space lab** laboratorio espacial *m.*
lack faltar *v.* 4.2
land tierra *f.* 4.6; terreno *m.* 4.6
land (*an airplane*) aterrizar *v.* 4.5
landscape paisaje *m.* 4.6
language idioma *m.* 5.3; lengua *f.* 5.3
laptop computadora portátil *f.* 5.1
late atrasado/a *adj.* 4.3
laugh reír(se) (e:i) *v.*
launch lanzar *v.*
law derecho *m.;* ley *f.*; **to approve a law; to pass a law** aprobar (o:ue) una ley *v.*
lawyer abogado/a *m., f.*
layer capa *f.;* **ozone layer** capa de ozono *f.* 4.6
lazy haragán/haragana *adj.* 5.2
lead encabezar *v.* 5.6
leader líder *m., f.* 5.5
lean (on) apoyarse (en) *v.*
learned erudito/a *adj.* 5.6
learning aprendizaje *m.* 5.6
leave marcharse *v.* ; dejar *v.*; **to leave someone** dejar a alguien *v.*; **leave alone** dejar en paz *v.* 5.2
left over: to be left over quedar *v.* 4.2
leg (*of an animal*) pata *f.*
legend leyenda *f.* 4.5
leisure ocio *m.*
lend prestar *v.* 5.2
lesson (*teaching*) enseñanza *f.* 5.6
level nivel *m.;* **sea level** nivel del mar *m.*
liberal liberal *adj.* 5.5
liberate liberar *v.* 5.6
library biblioteca *f.* 5.6
lid tapa *f.*
life vida *f.;* **everyday life** vida cotidiana *f.*; **life cycle** ciclo vital *m.* 4.4
light luz *f.* 4.1
lighthouse faro *m.* 4.5
lightning relámpago *m.* 4.6
lightning rayo *m.*
like gustar *v.* 4.2, 4.4; **I don't like ...at all!** ¡No me gusta nada... !; **to like very much** encantar, fascinar *v.* 4.2

like this; so así *adv.* 4.3
line cola *f.*; **to wait in line** hacer cola *v.* 4.2
line (*of poetry*) verso *m.* 5.4
link enlace *m.* 5.1
lion león *m.* 4.6
listener oyente *m., f.* 5.3
literature literatura *f.* 5.4; **children's literature** literatura infantil/juvenil *f.* 5.4
live en vivo, en directo *adj.* 5.3; **live broadcast** emisión en vivo/directo *f.*
live vivir *v.* 4.1
lively animado/a *adj.* 4.2
locate ubicar *v.*
located situado/a *adj.*; **to be located** ubicarse *v.*
lodge hospedarse *v.*
lodging alojamiento *m.* 4.5
loneliness soledad *f.* 4.3
lonely solo/a *adj.* 4.1
long largo/a *adj.*; **long-term** a largo plazo
longshoreman estibador de puerto *m.* 4.4
look aspecto *m.*; **to take a look** echar un vistazo *v.*
look verse *v.*; **to look healthy/sick** tener buen/mal aspecto *v.* 4.4; **to look like** parecerse *v.* 4.2; **to look out upon** dar a *v.*
loose suelto/a *adj.*
lose perder (e:ie) *v.*; **to lose an election** perder las elecciones *v.* 5.5; **to lose a game** perder un partido *v.* 4.2; **to lose weight** adelgazar *v.* 4.4
loss pérdida *f.* 5.5
lottery lotería *f.*
loudspeaker altoparlante *m.*
love amor *m.*; amar; querer (e:ie) *v.* 4.1; **(un)requited love** amor (no) correspondido *m.*
lovely precioso/a *adj.* 4.3
lover (fan) amante *m., f.* 5.4
lower bajar *v.*
low-income bajos recursos *m., pl.* 5.2
loyalty lealtad *f.* 5.6
lucky afortunado/a *adj.*
luggage equipaje *m.*
lure señuelo *m.* 4.2
luxury lujo *m.*

M

madness locura *f.*
magazine revista *f.* 5.3; **online magazine** revista electrónica *f.* 5.3
magic magia *f.*
mailbox buzón *m.*
majority mayoría *f.* 5.5
make hacer *v.* 4.1, 4.4; **to make a (hungry) face** poner cara (de hambriento/a) *v.*; **to make a toast** brindar *v.* 4.2; **to make a living** ganarse la vida *v.* 5.2; **to make a wish** pedir un deseo *v.* 5.2; **to make fun of** burlarse (de) *v.*; **to make good use of** aprovechar *v.*; **to make one's way** abrirse paso *v.*; **to make sure** asegurarse *v.*; **to make use of** disponer (de) *v.* 4.3
make-up maquillaje *f.*
male macho *m.*
mall centro comercial *m.* 4.3
manage administrar *v.* 5.2; dirigir *v.* 4.1; lograr; *v.* 4.3
manage to arreglárselas (para) *v.* 4.4
manager gerente *m, f.* 5.2
manipulate manipular *v.*
manufacture fabricar *v.* 5.1
manuscript manuscrito *m.*
marathon maratón *m.*
maritime marítimo/a *adj.*
market mercado *m.* 5.2
marriage matrimonio *m.*
married casado/a *adj.* 4.1
mass misa *f.*
masterpiece obra maestra *f.* 4.3
mathematician matemático/a *m., f.* 5.1
matter asunto *m.*; importar *v.* 4.2, 4.4
mature maduro/a *adj.* 4.1
May I? ¿Me permite? 4.5
Mayan Trail ruta maya *f.* 4.5
mayor alcalde/alcaldesa *m., f.* 5.5
mayorship alcaldía *f.* 5.5
mean antipático/a *adj.*; tener la intención *v.*
means medio *m.*; **media** medios de comunicación *m. pl.* 5.3
measure medida *f.*; medir (e:i) *v.* 5.6; **security measures** medidas de seguridad *f. pl.* 4.5
mechanical mecánico/a *adj.*
mechanism mecanismo *m.*
meditate meditar *v.* 5.5
meeting reunión *f.* 5.2
melt derretir(se) (e:i) *v.* 5.1
member socio/a *m., f.* 5.2
memory recuerdo *m.*
merchandise mercancía *f.*
mercy piedad *f.* 5.2
mess desorden *m.* 5.1
message mensaje, recado *m.* 4.1; **text message** mensaje de texto *m.* 5.1
middle medio *m.*
Middle Ages Edad Media *f.*
minister ministro/a *m., f.*; **Protestant minister** ministro/a protestante *m., f.*
minority minoría *f.* 5.5
minute minuto *m.*; **last-minute news** noticia de último momento *f.*; **up-to-the-minute** de último momento *adj.* 5.3
miracle milagro *m.*
miser avaro/a *m., f.*
miss extrañar *v.*; perder (e:ie) *v.*; **to miss (someone)** extrañar a (alguien) *v.*; **to miss a flight** perder un vuelo *v.* 4.5
mixed: person of mixed ethnicity (*part indigenous*) mestizo/a *m., f.* 5.6
mixture mezcla *f.*
mock burlarse *v.* 5.4
mockery burla *f.*
model (*fashion*) modelo *m., f.*
modern moderno/a *adj.*
modify modificar, alterar *v.*
moisten mojar *v.*
moment momento *m.*
monarch monarca *m., f.* 5.6
money dinero *m.*; (*L. Am.*) plata *f.* 5.1; **cash** dinero en efectivo *m.* 4.3
monkey mono *m.* 4.6
monolingual monolingüe *adj.* 5.3
mood estado de ánimo *m.* 4.4; **in a bad mood** malhumorado/a *adj.*
moon luna *f.*; **full moon** luna llena *f.*
moral moral *adj.* 5.5
mortgage hipoteca *f.* 5.2
mosque mezquita *f.* 5.5
mountain montaña *f.* 4.6; monte *m.*; **mountain range** cordillera *f.* 4.6
move jugada *f.* 5.6; **(*change residence*)** mudarse *v.* 4.2
movement corriente *f.*; movimiento *m.* 5.4
movie theater cine *m.* 4.2
moving conmovedor(a) *adj.*
mud barro *m.* 5.4
muralist muralista *m., f.* 5.4
murky turbio/a *adj.* 4.3
museum museo *m.*
music video video musical *m.* 5.3
musician músico/a *m., f.* 4.2
Muslim musulmán/musulmana *adj.* 5.5
myth mito *m.* 4.5

N

name nombrar *v.*
nape nuca *f.* 5.3
narrate narrar *v.* 5.4
narrative work narrativa *f.* 5.4
narrator narrador(a) *m., f.* 5.4
narrow estrecho/a *adj.*
native nativo/a *adj.*
natural resource recurso natural *m.* 4.6
navel ombligo *m.* 4.4
navigator navegante *m., f.* 5.1
navy armada *f.* 5.5
necessary necesario *adj.* 4.4
necessity necesidad *f.* 4.5; **of utmost necessity** de primerísima necesidad 4.5
need necesidad *f.* 4.5; necesitar *v.* 4.4
needle aguja *f.* 4.4
neighborhood barrio *m.*
neither... nor... ni... ni... *conj.*
nervous nervioso/a *adj.*
nest nido *m.*
network red *f.* 5.2; cadena *f.* 5.3; **cadena de televisión** television network *f.*
news noticia *f.*; **local/domestic/ international news** noticias locales/ nacionales/internacionales *f. pl.* 5.3; **news bulletin** informativo *m.*; **news report** reportaje *m.* 5.3; **news reporter** presentador(a) de noticias *m., f.*; **no news** novedad (sin) 5.5
newspaper periódico *m.*; **diario** *m.* 5.3
nice simpático/a, amable *adj.*
nightmare pesadilla *f.* 5.4
no news sin novedad 4.5
noise ruido *m.*
nominee nominado/a *m., f.*
non-stop corrido (de) *adv.* 5.3
nook rincón *m.*
notice aviso *m.* 4.5; fijarse *v.* 5.3 **to take notice of** fijarse en *v.* 4.2
novelist novelista *m., f.* 5.1, 5.4
now and then de vez en cuando 4.3
nun monja *f.*
nurse enfermero/a *m., f.* 4.4
nutritious nutritivo/a *adj.* 4.4; **(*healthy*)** saludable *adj.* 4.4
nutshell (in a) resumidas cuentas (en) *adv.* 4.3

O

oar remo *m.* 4.5
obesity obesidad *f.* 4.4
obey obedecer *v.* 4.1
oblivion olvido *m.* 4.1
occur (to someone) ocurrírsele (a alguien) *v.*

Of course not! ¡Claro que no! *(expr.)* 4.5
offer oferta *f.*; ofrecerse (a) *v.*
office despacho *m.*
officer agente *m., f.*
often a menudo *adv.* 4.3
oil painting óleo *m.* 5.4
olive aceituna *f.* 4.2
Olympics Olimpiadas *f. pl.*
on purpose a propósito *adv.* 4.3
once in a while de vez en cuando *adv.* 4.3
online en línea *adj.* 5.1
open abrir(se) *v.*
open-air market mercado al aire libre *m.*
openmouthed boquiabierto/a *adj.* 5.5
operate operar *v.*
operation operación *f.* 4.4
opinion opinión *f.*; **In my opinion, ...** A mi parecer, ...; Considero que..., Opino que...; **to be of the opinion** opinar *v.*
oppose oponerse a *v.* 4.4
oppress oprimir *v.* 5.6
options alternativas *f. pl.* 4.3
orchard huerto *m.*
originating (in) proveniente (de) *adj.*
ornate ornamentado/a *adj.*
others; other people los/las demás *pron.*
ought to deber + *inf.* *v.*
outdo oneself *(P. Rico; Cuba)* botarse *v.*
outline esbozo *m.*
out-of-date pasado/a de moda *adj.* 5.3
outsmart burlar *v.* 5.3
overcome superar *v.*
overthrow derribar *v.*; **derrocar** *v.* 5.6
overwhelmed agobiado/a *adj.* 4.1
owe deber *v.* 5.2
own propio/a *adj.* 4.1
owner dueño/a *m., f.* 5.2; propietario/a *m., f.*

P

pack hacer las maletas *v.* 4.5
page página *f.*; **web page** página web 5.1
paid pagado *adj.*
pain (*suffering*) sufrimiento *m.*
painkiller analgésico *m.* 4.4
paint pintura *f.* 5.4; pintar *v.* 4.3
paintbrush pincel *m.* 5.4
painter pintor(a) *m., f.* 4.3, 5.4
painting cuadro *m.* 4.3, 5.4; pintura *f.* 5.4
pal, colleague camarada *m., f.* 4.4
pale pálido/a *adj.* 4.3
palm tree palmera *f.*
pamphlet panfleto *m.*
paradox paradoja *f.*
parish parroquia *f.* 5.6
park parque *m.*; estacionar *v.*; **amusement park** parque de atracciones *m.* 4.2
parrot loro *m.*
part parte *f.*; **to become part (of)** integrarse (a) *v.* 5.6
partner (*couple*) pareja *f.* 4.1; **business partner** socio/a *m., f.* 5.2
party (*politics*) partido *m.*; **political party** partido político *m.* 5.5
pass (*a class, a law*) aprobar (o:ue) *v.*; **to pass a law** aprobar una ley *v.* 5.5
pass out perder el conocimiento *v.* 5.4
passing pasajero/a *adj.*
passport pasaporte *m.* 4.5
password contraseña *f.* 5.1
past ayer (el) *m.* 4.3
pastime pasatiempo *m.* 4.2
pastry repostería *f.*
patent patente *f.* 5.1
path (*history*) trayectoria *f.* 4.1; prestarle atención a alguien *v.*
pay pagar *v.*; **to be well/poorly paid** ganar bien/mal *v.* 5.2; **to pay attention to someone** hacerle caso a alguien *v.* 4.1; prestarle atención a alguien *v.*
peace paz *f.*
peaceful pacífico/a *adj.* 5.6
peak cumbre *f.*; pico *m.*
peck picar *v.*
people pueblo *m.*
performance rendimiento *m.*
perhaps acaso *adv.*
period punto *m.* 4.2
permanent fijo/a *adj.* 5.2
permission permiso *m.*
permissive permisivo/a *adj.* 4.1
persecute perseguir (e:i) *v.*
personal (*private*) particular *adj.*
phase etapa *f.*
physicist físico/a *m. f.* 5.1
pick out seleccionar *v.* 4.3
pick up levantar *v.*
pickup truck camioneta *f.* 5.1
picnic picnic *m.*
picture imagen *f.* 4.2, 5.1
pier muelle *m.* 4.5
pig cerdo *m.* 4.6
pill pastilla *f.* 4.4
pillow almohada *f.* 4.5
pilot piloto *m., f.*
pious devoto/a *adj.*
pity pena *f.*; **What a pity!** ¡Qué pena!
place lugar *m.*
place poner *v.* 4.1, 4.2
place (*an object*) colocar *v.* 4.2
plan planear *v.*
planet planeta *m.* 5.1
planned previsto/a *adj., p.p.* 4.3
plateau: high plateau altiplano *m.* 5.5
play jugar *v.*; **(*theater*) obra** de teatro *f.* 5.4; **(*literary*)** obra literaria *f.* 5.4; **(an instrument)** tocar (un instrumento) *v.* 5.2; **to play a CD** poner un disco compacto *v.* 4.2; disputar *v.* 5.6
player (CD/DVD/MP3) reproductor (de CD/DVD/MP3) *m.* 5.1
playing cards cartas *f. pl.* 4.2; naipes *m. pl.* 4.2
playwright dramaturgo/a *m., f.* 5.4
plead rogar *v.* 4.4
pleasant (*funny*) gracioso/a *adj.* 4.1
please: Could you please...? ¿Tendría usted la bondad de + inf.... ? *(form.)*
plot trama *f.* 5.4; argumento *m.* 5.4
plumbing (*piping*) tubería *f.* 4.6
poet poeta *m., f.* 5.4
poetry poesía *f.* 5.4
point (to) señalar *v.* 4.2; **to point out** destacar *v.*
point of view punto de vista *m.* 5.4
poison veneno *m.* 4.6
poisonous venenoso/a *adj.* 4.6
politician político/a *m., f.* 5.5
politics política *f.*
pollen polen *m.* 5.2
pollute contaminar *v.* 4.6
pollution contaminación *f.* 4.6
populate poblar *v.* 5.6
population población *f.*
port puerto *m.* 4.5
portable portátil *adj.*
portrait retrato *m.* 4.3
portray retratar *v.* 4.3
position puesto *m.* 5.2; cargo *m.* 4.1
possible posible *adj.*; **as much as possible** en todo lo posible
pot vasija *f.* 5.4
poverty pobreza *f.* 5.2
power fuerza *f.*; **will power** fuerza de voluntad 4.4
power saw motosierra *f.* 5.1
powerful poderoso/a *adj.* 5.6
pray rezar *v.* 5.5
pre-Columbian precolombino/a *adj.*
prefer preferir *v.* 4.4
prehistoric prehistórico/a *adj.* 5.6
premiere estreno *m.* 4.2
prescribe recetar *v.*
prescription receta *f.* 4.4
preserve conservar *v.* 4.6
press prensa *f.* 5.3
pressure (stress) presión *f.*; presionar *v.*; **to be under stress/pressure** estar bajo presión
prevent prevenir *v.* 4.4
prime minister primer(a) ministro/a *m., f.* 5.5
print imprimir *v.* 5.3
private particular *adj.*
privilege privilegio *m.*
procession procesión *f.* 5.6
produce producir *v.* 4.1; **(*generate*)** generar *v.*
programmer programador(a) *m., f.*
prohibit prohibir *v.* 4.4
prohibited prohibido/a *adj.* 4.5
prominent destacado/a *adj.* 5.3
promote promover (o:ue) *v.*
pronounce pronunciar *v.*
proof prueba *f.*
proposal oferta *f.* 5.2
propose proponer *v.* 4.1, 4.4; **to propose marriage** proponer matrimonio *v.* 4.1
prose prosa *f.* 5.4
protagonist protagonista *m., f.* 4.1, 5.4
protect proteger *v.* 4.1, 4.6
protest manifestación *f.* 5.5; protestar *v.* 5.5
protester manifestante *m., f.* 4.6
proud orgulloso/a *adj.* 4.1; **to be proud of** estar orgulloso/a de
prove comprobar (o:ue) *v.* 5.1
provide proporcionar *v.*
public público *m.* 5.3; **(pertaining to the state)** estatal *adj.*
public transportation transporte público *m.*
publish editar *v.* 5.4; publicar *v.* 5.3
pull halar *v.*; **to pull out petals** deshojar *v.* 4.3
punishment castigo *m.*
pupil alumno/a *m., f.* 5.5
pure puro/a *adj.*
purity pureza *f.* 4.6
pursue perseguir (e:i) *v.*
push empujar *v.*
put poner *v.* 4.1, 4.2; **to put in a place** ubicar *v.*; **to put on (*clothing*)** ponerse *v.*; **to put on makeup** maquillarse *v.* 4.2
pyramid pirámide *f.* 4.5

Q

quality calidad *f.*; **high quality** de buena categoría *adj.* **4.5**
queen reina *f.*
quench saciar *v.*
question interrogante *m.*
quiet callado/a *adj.*; **be quiet** callarse *v.*
quit renunciar *v.* **5.2**
quite bastante *adv.* **4.3**
quotation cita *f.*

R

rabbi rabino/a *m., f.*
rabbit conejo *m.* **4.6**
race carrera *f.* **4.2**; raza *f.* **5.6**
radiation radiación *f.*
radio radio *f.*
radio announcer locutor(a) de radio *m., f.* **5.3**
radio station (radio)emisora *f.* **5.3**
raise aumento *m.*; **raise in salary** aumento de sueldo *m.* **5.2**; criar *v.*; educar *v.* **4.1**
rarely casi nunca *adv.* **4.3**
rat rata *f.*
rather bastante *adv.*; más bien *adv.*
ratings índice de audiencia *m.*
ray rayo *m.*
reach alcance *m.* **5.1**; **within reach** al alcance **5.4**; al alcance de la mano **5.1**; alcanzar *v.*
reactor reactor *m.*
reader lector(a) *m., f.* **5.3**
real auténtico/a *adj.* **4.3**
realism realismo *m.* **5.4**
realist realista *adj.* **5.4**
realistic realista *adj.* **5.4**
realize darse cuenta *v.* **4.2, 5.3**; **to realize/assume that one is being referred to** darse por aludido/a *v.* **5.3**
rearview mirror espejo retrovisor *m.*
rebelliousness rebeldía *f.*
receipt recibo *m.* **5.4**
recital recital *m.*
recognition reconocimiento *m.*
recognize reconocer *v.* **4.1, 4.5**
recommend recomendar *v.* **4.4**
recommendable recomendable *adj.* **4.5**
record grabar *v.* **5.3**
recover recuperarse *v.* **4.4**
recyclable reciclable *adj.*
recycle reciclar *v.* **4.6**
redo rehacer *v.* **4.1**
reduce (speed) reducir (velocidad) *v.* **4.5**
reef arrecife *m.* **4.6**
referee árbitro/a *m., f.* **4.2**
refined (*cultured*) culto/a *adj.* **5.6**
reflect reflejar *v.* **5.4**
reform reforma *f.*; **economic reform** reforma económica *f.*
refuge refugio *m.* **4.6**
refund reembolso *m.* **4.3**
refusal rechazo *m.*
register inscribirse *v.* **5.5**
rehearsal ensayo *m.*
rehearse ensayar *v.* **5.3**
reign reino *m.* **5.6**
reject rechazar *v.* **5.5**
rejection rechazo *m.*
relative familiar *m., f.* **4.2**
relax relajarse *v.* **4.4**; **Relax.** Tranquilo/a.
reliability fiabilidad *f.*
religion religión *f.*
religious religioso/a *adj.* **5.5**
remain permanecer *v.* **4.4**
remake rehacer *v.* **4.1**
remember recordar (o:ue); acordarse (o:ue) (de) *v.* **4.2**
remorse remordimiento *m.*
renewable renovable *adj.* **4.6**
rent alquilar *v.*; **to rent a movie** alquilar una película *v.* **4.2**
repent arrepentirse (de) (e:ie) *v.* **4.2**
repertoire repertorio *m.*
report denunciar *v.* **4.5**
reporter reportero/a *m., f.* **5.3**
representative diputado/a *m., f.* **5.5**
reproduce reproducirse *v.*
reputation reputación *f.*; **to have a good/bad reputation** tener buena/mala fama *v.* **5.3**
rescue rescatar *v.*
research investigar *v.* **5.1**
researcher investigador(a) *m., f.*
reservation reservación *f.*
reserve reservar *v.* **4.5**
reside residir *v.*
respect respeto *m.*
responsible responsable *adj.*
rest descanso *m.* **5.2**; reposo *m.*; **to be at rest** estar en reposo *v.*
rest descansar *v.* **4.4**
resulting consiguiente *adj.*
résumé currículum vitae *m.* **5.2**
resuscitate, revive resucitar *v.* **4.1**
retire jubilarse *v.* **5.2**
retirement jubilación *f.*
return regresar *v.* **4.5**; **to return (items)** devolver (o:ue) *v.* **4.3**; **return (trip)** vuelta *f.*; regreso *m.*
review (revision) repaso *m.* **5.4**
revision (review) repaso *m.* **5.4**
revolutionary revolucionario/a *adj.* **5.1**
revulsion asco *m.*
rhyme rima *f.* **5.4**
rifle fusil *m.* **5.5**
right derecho *m.*; **civil rights** derechos civiles *m. pl.* **5.5**; **human rights** derechos humanos *m. pl.* **5.5**
right away enseguida *adv.* **4.3**
ring anillo *m.*; sortija *f.*; sonar (o:ue) *v.* **5.1**; **to ring the doorbell** tocar el timbre *v.* **4.3**
riot disturbio *m.* **5.2**
rise ascender (e:ie) *v.* **5.2**
risk riesgo *m.*; arriesgar *v.*; arriesgarse; **to take a risk** arriesgarse *v.*
river río *m.*
rocket cohete *m.* **5.1**
rob asaltar *v.* **5.4**
romance novel novela rosa *f.* **5.4**
romanticism romanticismo *m.* **5.4**
room habitación *f.* **4.5**; **emergency room** sala de emergencias *f.* **4.4**; **single/double room** habitación individual/doble *f.* **4.5**; **room service** servicio de habitación *m.* **4.5**
root raíz *f.*
round redondo/a *adj.* **4.2**
round-trip ticket pasaje de ida y vuelta *m.* **4.5**
routine rutina *f.* **4.3**
rude descarado/a *adj.* **5.3**
ruin arruinar *v.* **4.3**; ruina *f.* **4.5**
rule regla *f.* **5.5**; dominio *m.* **5.6**
ruler gobernante *m., f.* **5.6**; **(*sovereign*)** soberano/a *m., f.* **5.6**
run correr *v.*; **to run away** huir *v.* **4.3**; **to run into (somebody)** toparse con *v.* **4.1**; **to run over** atropellar *v.*
rush prisa *f.* **4.6**; **to be in a rush** tener apuro

S

sacred sagrado/a *adj.* **5.5**
sacrifice sacrificio *m.*; sacrificar *v.* **4.6**
safety seguridad *f.* **4.5**
sail navegar *v.* **4.5**
sailor marinero *m.*
salary sueldo *m.*; **raise in salary** aumento de sueldo *m.* **5.2**; **minimum wage** sueldo mínimo *m.* **5.2**
sale venta *f.*; **to be for sale** estar a la venta *v.* **5.4**
salesperson vendedor(a) *m., f.* **5.2**
same mismo/a *adj.*; **The same here.** Lo mismo digo yo.
sample muestra *f.*
sanity cordura *f.* **4.4**
satellite satélite *m.*; **satellite dish** antena parabólica *f.*
satire sátira *f.*
satirical satírico/a *adj.* **5.4**; **satirical tone** tono satírico/a *m.*
satisfied: be satisfied with contentarse con *v.* **4.1**
satisfy (*quench*) saciar *v.*
save ahorrar *v.* **5.2**; guardar *v.* **5.1**; salvar *v.* **4.6**; **save oneself** ahorrarse *v.* **5.1**;
savings ahorros *m.* **5.2**
say decir *v.* **4.1**
scar cicatriz *f.*
scarcely apenas *adv.* **4.3**
scared asustado/a *adj.*
scene escena *f.* **4.1**
scenery paisaje *m.* **4.6**; escenario *m.* **4.2**
schedule horario *m.* **4.3**
science fiction ciencia ficción *f.* **5.4**
scientific científico/a *adj.*
scientist científico/a *m., f.* **5.1**
score (a goal/a point) anotar (un gol/un punto) *v.* **4.2**; marcar (un gol/punto) *v.*
scratch rascar *v.*; **to scratch (oneself)** rascarse *v.* **4.4**
screen pantalla *f.* **4.2**; **computer screen** pantalla de computadora *f.*; **LCD screen** pantalla líquida *f.* **5.1**; **television screen** pantalla de televisión *f.* **4.2**
scuba diving buceo *m.* **4.5**
sculpt esculpir *v.* **5.4**
sculptor escultor(a) *m., f.* **5.4**
sculpture escultura *f.* **5.4**
sea mar *m.* **4.6**
seal sello *m.*
search búsqueda *f.*; **search engine** buscador *m.* **5.1**
season temporada *f.* **5.3**; **high/low season** temporada alta/baja *f.* **4.5**
seat asiento *m.* **4.2**
seatbelt cinturón de seguridad *m.* **4.5**; **to fasten (the seatbelt)** abrocharse/ponerse (el cinturón de seguridad) *v.* **4.5**; **to unfasten (the seatbelt)** quitarse (el cinturón de seguridad) *v.* **4.5**

section sección *f.* 5.3; **lifestyle section** sección de sociedad *f.* 5.3; **sports page/section** sección deportiva *f.* 5.3
secular, lay laico/a *adj.* 5.5
security seguridad *f.* 4.5; **security measures** medidas de seguridad *f. pl.* 4.5 **security seal** precinto *m.* 4.2
see ver *v.* 4.1
seed semilla *f.*
seem parecer *v.* 4.2
select seleccionar *v.* 4.3
self-esteem autoestima *f.* 4.4
self-portrait autorretrato *m.* 5.4
senator senador(a) *m., f.* 5.5
send enviar *v.*; mandar *v.*
sender remitente *m.*
sense sentido *m.*; **common sense** sentido común *m.*
sensible sensato/a *adj.* 4.1
sensitive sensible *adj.* 4.1
separated separado/a *adj.* 4.1
sequel continuación *f.*
servants servidumbre *f.* 4.3
servitude servidumbre *f.* 4.3
set (the table) poner (la mesa) *v.* 4.3
settle poblar *v.* 5.6
settler poblador(a) *m., f.*
sexton sacristán *m.* 5.5
shame vergüenza *f.*
shape forma *f.*; **bad physical shape** mala forma física *f.*; **to get in shape** *v.* ponerse en forma 4.4; **to stay in shape** mantenerse en forma *v.* 4.4
shark tiburón *m.* 4.5
sharp nítido/a *adj.*
shave afeitarse *v.* 4.2
sheep oveja *f.* 4.6
shoot disparar *v.* 5.5; fusilar *v.* 5.6
shore orilla *f.*; **on the shore of** a orillas de 4.6
short film corto, cortometraje *m.* 4.1
short story cuento *m.*
short/long-term a corto/largo plazo 5.2
shot (injection) inyección *f.*; **to give a shot** poner una inyección *v.* 4.4
shoulder hombro *m.*
shout gritar *v.*
show espectáculo *m.*; (*theater; movie*) función *f.* 4.2, 5.4
showing sesión *f.*
shrink encogerse *v.*
shrug encogerse de hombros *v.*
shy tímido/a *adj.* 4.1
shyness timidez *f.*
sick enfermo *adj.*; **to be sick (of); to be fed up (with)** estar harto/a (de) 4.1; **to get sick** enfermarse *v.* 4.4
sign señal *f.*; firmar *v.*
signal señalar *v.* 4.2
signature firma *f.* 5.1
silent callado/a *adj.* 5.1; **to be silent** callarse *v.*; **to remain silent** quedarse callado 4.1
silly person bobo/a *m., f.* 5.1
sin pecado *m.*
sincere sincero/a *adj.*
singer cantante *m., f.* 4.2
singing canto *m.* 5.3
single soltero/a *adj.* 4.1; **single mother** madre soltera *f.*; **single father** padre soltero *m.*
sink hundir *v.* 4.2
situated situado/a *adj.*
sketch esbozo *m.*; esbozar *v.*
skill habilidad *f.*
skillfully hábilmente *adv.*
skim hojear *v.* 5.4
skirt falda *f.*
slacker vago/a *m., f.* 5.1
slave esclavo/a *m., f.* 5.6; **slave trade** tráfico de esclavos *m.* 4.4
slavery esclavitud *f.* 5.6
sleep dormir *v.* 4.2
sleeve manga *f.*
slice rodaja *f.* 4.2
slip resbalar *v.*
smoothness suavidad *f.*
snake serpiente *f.* 4.6; culebra *f.*
so-and-so fulano/a *m., f.* 5.3
soap opera telenovela *f.* 5.3
sociable sociable *adj.*
society sociedad *f.*
software programa (de computación) *m.* 5.1
solar solar *adj.*
soldier soldado *m.* 5.6
solitude soledad *f.* 4.3
solve resolver (o:ue) *v.* 4.6
sometimes a veces *adv.* 4.3
sorrow pena *f.* 4.4
soul alma *f.* 4.1
soundtrack banda sonora *f.* 5.3
source fuente *f.*; **energy source** fuente de energía *f.* 4.6
sovereign soberano/a *m., f.* 5.6
sovereignty soberanía *f.* 5.6
space espacial *adj.*; **space shuttle** transbordador espacial *m.* 5.1
space espacio *m.* 5.1
spaceship nave espacial *f.*
spacious espacioso/a *adj.*
speak hablar *v.* 4.1
speaker hablante *m., f.* 5.3
special effects efectos especiales *m., pl.* 5.3
specialist especialista *m., f.*
specialized especializado/a *adj.* 5.1
species especie *f.* 4.6; **endangered species** especie en peligro de extinción *f.*
spectator espectador(a) *m., f.* 4.2
speech discurso *m.*; **to give a speech** pronunciar un discurso *v.* 5.5
spell-checker corrector ortográfico *m.* 5.1
spend gastar *v.* 5.2
spider araña *f.* 4.6
spill derramar *v.*
spirit ánimo *m.* 4.1
spiritual espiritual *adj.* 5.5
spot: on the spot en el acto 4.3
spring manatial *m.*
spy espía *m., f.* 4.1
stability estabilidad *f.* 5.6
stage (*theater*) escenario *m.* 4.2; **(*phase*)** etapa *f.*; **stage name** nombre artístico *m.* 4.1
stain mancha *f.*; manchar *v.*
staircase escalera *f.* 4.3
stamp sello *m.*
stanza estrofa *f.* 5.4
star estrella *f.*; **shooting star** estrella fugaz *f.*; **(movie) star** [m/f] estrella *f.*; **pop star** [m/f] estrella pop *f.* 5.3
starboard estribor *m.* 4.4
start (a car/race) arrancar *v.* 4.2
stay alojarse *v.* 4.5; hospedarse; quedarse *v.* 4.5; **stay up all night** trasnochar *v.* 4.4
step paso *m.*; **to take the first step** dar el primer paso *v.*
stereotype estereotipo *m.* 5.4
stern popa *f.* 4.5
stick pegar *v.*
still life naturaleza muerta *f.* 5.4
sting picar *v.*
stingy tacaño/a *adj.* 4.1
stir revolver (o:ue) *v.*
stock market bolsa de valores *f.* 5.2
stone piedra *f.* 4.5
stop detenerse *v.* 4.4
storekeeper comerciante *m., f.*
storm tormenta *f.*; **tropical storm** tormenta tropical *f.* 4.6
story (account) relato *m.* 5.4
stranger desconocido/a *adj.*
straw mat petate *m.* 4.1
stream arroyo *m.* 5.4
strength fortaleza *f.* 5.4
strict autoritario/a *adj.* 4.1
strike (*labor*) huelga *f.* 5.2
striking llamativo/a *adj.* 5.4
stroll paseo *m.*
struggle lucha *f.*; luchar *v.* 5.5
stubborn tozudo/a *adj.* 5.2
studio estudio *m.*; **recording studio** estudio de grabación *f.*
stunned boquiabierto/a *adj.* 5.5
stupid necio/a *adj.*
stupid person bobo/a *m., f.* 5.1
style estilo *m.*; **in the style of ...** al estilo de... 5.4
subscribe (to) suscribirse (a) *v.* 5.3
subtitles subtítulos *m., pl.* 5.3
subtlety matiz *m.*
suburb suburbio *m.*
succeed in (*reach*) alcanzar *v.*
success éxito *m.*
successful exitoso/a *adj.* 5.2
suddenly de repente *adv.* 4.3
suffer (from) sufrir (de) *v.* 4.4
suffering sufrimiento *m.*
suitcase maleta *f.* 4.5
summit cumbre *f.*
sunrise amanecer *m.*
supermarket supermercado *m.* 4.3
supply proporcionar *v.*
support soportar; apoyar *v.* 5.2, 5.4; **to put up with someone** soportar a alguien *v.* 4.1
suppose suponer *v.* 4.1
suppress suprimir *v.* 5.6
sure (*confident*) seguro/a *adj.* 4.1, 5.5; **(*certain*)** cierto/a *adj.*; **Sure!** ¡Cierto!
surf the web navegar en la red *v.* 5.1; navegar en Internet
surface superficie *f.*
surgeon cirujano/a *m., f.* 4.4
surgery cirugía *f.* 4.4
surgical quirúrgico/a *adj.*
surprise sorprender *v.* 4.2
surprised sorprendido *adj.* 4.2; **be surprised (about)** sorprenderse (de) *v.* 4.2
surrealism surrealismo *m.* 5.4
surrender rendirse (e:i) *v.* 5.6
surround rodear *v.*
surrounded rodeado/a *adj.* 4.6
surroundings entorno *m.* 5.4
survival supervivencia *f.*; sobrevivencia *f.*

survive sobrevivir *v.*
suspect sospechar *v.*
suspicion sospecha *f.*
swallow tragar *v.*
swear jurar *v.* 4.5
sweep barrer *v.* 4.3
sweetheart amado/a *m., f.* 4.1
symptom síntoma *m.*
synagogue sinagoga *f.* 5.5
syrup jarabe *m.* 4.4

T

tabloid(s) prensa sensacionalista *f.* 5.3
tag etiqueta *f.*
take tomar *v.;* **to take a bath** bañarse *v.* 4.2; **to take a look** echar un vistazo *v.*; **to take a trip** hacer un viaje *v.* 4.5; **to take a vacation** ir(se) de vacaciones *v.* 4.5; **to take away (remove)** quitar *v.* 4.2; **to take care of** cuidar *v.* 4.1; **to take care of oneself** cuidarse *v.*; **to take into consideration** tomar en cuenta *v.* 4.1; **to take off** despegar *v.* 4.5; **to take off (clothing)** quitarse *v.* 4.2; **to take off running** echar a correr *v.;* **to take place** desarrollarse, transcurrir *v.* 5.4; **to take refuge** refugiarse *v.;* **to take seriously** tomar en serio *v.*
tape cinta *f.* 4.3
taste gusto *m.* 5.4; **in good/bad taste** de buen/mal gusto 5.4; sabor *m.;* **It has a sweet/sour/bitter/pleasant taste.** Tiene un sabor dulce/agrio/amargo/agradable. 4.4 taste like/of *saber* v. 4.1; **How does it taste?** ¿Cómo sabe? 4.4; **It tastes like garlic/mint/lemon.** Sabe a ajo/menta/limón. 4.4
tax impuesto *m.;* **sales tax** impuesto de ventas *m.* 5.2
teaching enseñanza *f.* 5.6, 5.4
team equipo *m.* 4.2
tears lágrimas *f. pl.*
telephone receiver auricular *m.* 5.1
telescope telescopio *m.* 5.1
television televisión *f.* 4.2; **television set** televisor *m.* 4.2; **television viewer** televidente *m., f.* 4.2
temple templo *m.* 5.5
tend tender (e:ie) a *v.;* **to tend to do something** soler (o:ue) *v.* 4.3
tendency propensión *f.*
territory territorio *m.* 5.5
terrorism terrorismo *m.* 5.5
test (*challenge*) poner a prueba *v.*
theater teatro *m.*
then entonces *adv.* 4.3
theory teoría *f.* 5.1
there allá *adv.*
thermal térmico/a *adj.*
thief ladrón/ladrona *m., f.*
thoroughly a fondo *adv.*
threat amenaza *f.* 5.2
threaten amenazar *v.* 4.3
throw tirar *v.* 5.2; **throw away** echar *v.*; **throw out** botar *v.*
thunder trueno *m.* 4.6
ticket boleto *m.*
tie (game) empate *m.* 4.2; **tie (up)** atar *v.;* **(*games*)** empatar *v.* 4.2
tiger tigre *m.* 4.6
time tiempo *m.;* vez *f.;* **at that time** en aquel entonces; **for the first/last time** por primera/última vez 4.2; **once upon a time** érase una vez; **to have a good/bad/horrible time** pasarlo bien/mal 4.1
tired cansado/a *adj.;* **to become tired** cansarse *v.*
toast brindis *m.* 4.3
tone of voice timbre *m.* 4.3
tongue lengua *f.* 5.3
too; too much demasiado/a *adj., adv.*
tool herramienta *f.* 5.1
toolbox caja de herramientas *f.* 4.2
topic asunto *m.*
touch lightly rozar *v.*
tour excursión *f.* 4.5; **tour guide** guía turístico/a *m., f.* 4.5
tourism turismo *m.* 4.5
tourist turista *m., f.* 4.5; turístico/a *adj.* 4.5
tournament torneo *m.* 4.2
toxic tóxico/a *adj.* 4.6
trace huella *f.*; trazar *v.*
track-and-field events atletismo *m.*
trade comercio *m.* 5.2; oficio *m.*; comerciar *v.* 5.3
trader comerciante *m., f.*
traditional tradicional *adj.* 4.1; **(typical)** típico/a *adj.*
traffic tránsito *m.*; **traffic jam** congestionamiento, tapón *m.*
tragic trágico/a *adj.* 5.4
trainer entrenador(a) *m., f.* 4.2
training formación *f.* 5.4
trait rasgo *m.*
traitor traidor(a) *m., f.* 5.6
tranquilizer calmante *m.* 4.4
translate traducir *v.* 4.1
transmission transmisión *f.*
transplant transplantar *v.*
trap atrapar *v.* 4.6
trash basura *f.* 5.2
travel log bitácora *f.* 5.1
traveler viajero/a *m., f.* 4.5
treat tratar *v.* 4.4
treatment tratamiento *m.* 4.4
treaty tratado *m.*
tree árbol *m.* 4.6
trench trinchera *f.* 4.4
trend moda *f.;* tendencia *f.* 5.3
trial juicio *m.*
tribal chief cacique *m.* 5.6
tribe tribu *f.* 5.6
trick truco *m.* 4.2
trip viaje *v.* 4.5; **to take a trip** hacer un viaje *v.* 4.5
tropical tropical *adj.;* **tropical storm** tormenta tropical *f.* 4.6
trunk maletero *m.* 5.3
trust confianza *f.* 4.1; confiar *v.* 5.5
try probar (o:ue) (a) *v.* 4.3; **try on** probarse (o:ue) *v.* 4.3
tune into (*radio or television*) sintonizar *v.*
tuning sintonía *f.* 5.3
turn (*a corner*) doblar *v.;* **to turn down** rechazar *v.* 4.1 **to turn off** apagar *v.* 4.3; **to turn on** encender (e:ie) *v.* 4.3; **to turn red** enrojecer *v.*
turned off apagado/a *adj.* 5.1

U

UFO ovni *m.* 5.1
unbiased imparcial *adj.* 5.3
uncertainty incertidumbre *f.* 5.6
underdevelopment subdesarrollo *m.*
understand entender (e:ie) *v.*
underwear (*men's*) calzoncillos *m. pl.*
undo deshacer *v.* 4.1
unemployed desempleado/a *adj.* 5.2
unemployment desempleo *m.* 5.2
unequal desigual *adj.* 5.5
unexpected imprevisto/a *adj.;* inesperado/a *adj.* 4.3
unexpectedly de improviso *adv.*
unfinished inconcluso/a *adj.* 5.6
unique único/a *adj.*
unintentionally sin querer *adv. expr.* 5.2
unjust injusto/a *adj.* 5.5
unload descargar *v.* 4.5
unpleasant antipático/a *adj.*
unsettling inquietante *adj.* 5.4
untie desatar *v.*
until hasta *adv.;* **up until now** hasta la fecha
update actualizar *v.* 5.1
upset disgustado/a *adj.* 4.1; disgustar *v.* 4.2
up-to-date actualizado/a *adj.* 5.3; **to be up-to-date** estar al día *v.* 5.3
urban urbano/a *adj.*
urgent urgente *adj.* 4.4
use up agotar *v.* 4.6
used: to be used to estar acostumbrado/a a; **I used to... (*was in the habit of*)** solía; **to get used to** acostumbrarse (a) *v.* 4.3
useful útil *adj.*
user usuario/a *m., f.* 5.1

V

vacation vacaciones *f. pl.;* **to take a vacation** ir(se) de vacaciones *v.* 4.5
vaccinate vacunar(se) *v.* 4.4
vaccine vacuna *f.* 4.4
vacuum pasar la aspiradora *v.* 4.3
valid vigente *adj.* 4.5
valuable valioso/a *adj.* 4.6
value valor *m.*
vegetable garden milpa *f.* 4.1
vestibule zaguán *m.* 4.3
victorious victorioso/a *adj.* 5.6
victory victoria *f.*
video game videojuego *m.* 4.2
village aldea *f.* 4.4, 5.6
virus virus *m.* 4.4
visit recorrer *v.* 4.5
visiting hours horas de visita *f., pl.*
vote votar *v.* 5.5

W

wage: minimum wage sueldo mínimo *m.* 5.2
wait espera *f.;* esperar *v.* **to wait in line** hacer cola *v.* 4.2
waiter/waitress camarero/a *m., f.;* mesero/a *m., f.*
wake up despertarse (e:ie) *v.* 4.2; **wake up early** madrugar *v.* 4.4
walk andar *v.;* **to take a stroll/walk** dar un paseo *v.* 4.2; **to take a stroll/walk** *v.* dar una vuelta

wall pared *f.* **4.5**
want querer (e:ie) *v.* **4.1, 4.4**
war guerra *f.;* **civil war** guerra civil *f.* **5.5**; **world war** guerra mundial *f.* **5.5**
warm up calentar (e:ie) *v.* **4.3**
warn avisar *v.*
warning advertencia *f.* **5.2**; aviso *m.* **4.5**
warrior guerrero/a *m., f.* **5.6**
wash lavar *v.* **4.3**; **wash oneself** lavarse *v.* **4.2**
waste malgastar *v.* **4.6**
watch vigilar *v.*
Watch out! ¡Aguas! (Mex.) *interj.*
water the garden regar las plantas *v.* **4.1**
watercolor acuarela *f.* **5.4**
waterfall cascada *f.* **4.5**
wave ola *f.* **4.5**; onda *f.*
way back camino de vuelta *m.* **4.5**
wealth riqueza *f.* **5.2**
wealthy adinerado/a *adj.*
wear llevar; lucir *v.* **5.3**
weariness fatiga *f.* **5.2**
web (the) web *f.* **5.1**; red *f.*
weblog bitácora *f.* **5.1**
website sitio web *m.* **5.1**
week semana *f.*
weekend fin de semana
weekly semanal *adj.*
weeping llanto *m.*
weight peso *m.*
weird raro/a *adj.* **5.5**
welcome bienvenida *f.* **4.5**
welcome (*take in; receive*) acoger *v.*
well pozo *m.;* **oil well** pozo petrolero *m.*
well-being bienestar *m.* **4.4**
What a hassle! ¡Menuda paliza! (*Esp.*) **4.5**
wherever dondequiera *adv.* **4.4**
while (*a moment*) rato *m.* **5.5**
whistle silbar *v.*
widowed viudo/a *adj.* **4.1**; **to become widowed** quedarse viudo/a *v.*
widower/widow viudo/a *m., f.*
wild salvaje *adj.* **4.6**; silvestre *adj.*
win ganar *v.;* **to win an election** ganar las elecciones *v.* **5.5**; **to win a game** ganar un partido *v.* **4.2**
wind power energía eólica *f.*
wine vino *m.*
wing ala *m.*
winner ganador/a *m., f.* **4.2**
wireless inalámbrico/a *adj.* **5.1**
wisdom sabiduría *f.* **5.6**
wise sabio/a *adj.*
wish deseo *m.* **4.1**; desear *v.* **4.4**; **to make a wish** pedir un deseo *v.* **5.2**
without sin *prep.;* **without you** sin ti (*fam.*)
witness testigo *m., f.* **5.4**
woman mujer *f.;* **businesswoman** mujer de negocios *f.* **5.2**
womanizer mujeriego *m.*
wood madera *f.*
wool cap gorro de lana *m.* **4.2**
work obra *f.;* **work of art** obra de arte *f.* **5.4**; trabajar;
work day jornada *f.*
workshop taller *m.*
World Cup Copa del Mundo *f.,* Mundial *m.*
worms gusanos *m. pl.* **4.4**
worried (about) preocupado/a (por) *adj.* **4.1**
worry preocupar *v.* **4.2**; **to worry (about)** preocuparse (por) *v.* **4.2**
worship culto *m.*
worth: be worth valer *v.* **4.1**
worthy digno/a *adj.* **4.6**
wound herida *f.* **4.4**
wrap envolver *v.* **4.2**
wrinkle arruga *f.*
writing escritura *f.* **5.3**

Y

yawn bostezar *v.*

Z

zoo zoológico *m.* **4.2**

Index

R

S

T

Every effort has been made to trace the copyright holders of the works published herein. If proper copyright acknowledgment has not been made, please contact the publisher and we will correct the information in future printings.

Text Credits

46: "Poema 20", *Veinte poemas de amor y una canción desesperada.* © Pablo Neruda, 1924 and Fundación Pablo Neruda.; **88:** © Fundaciòn Mario Benedetti. c/o Schavelzon, Graham Agencia Literaria, www.schavelzongraham.com; **130:** "Autorretrato", poema incluido en *Obras II, Poesía, teatro y ensayo*, de Rosario Castellanos, pp. 187-189. D. R. © 1998, Fondo de Cultura Económica, Carretera Picacho Ajusco 227, 14738 Ciudad de México.; **174:** © 1992, Ángeles Mastretta; **215:** "La luz es como el agua", *Doce cuentos peregrinos.* © Gabriel García Márquez, 1992 and Herederos de Gabriel García Márquez.; **258:** © 1998, Augusto Monterroso. Reimpreso por permiso de International Editors' Co.

Video Credits

41: With the kind permission of Network Ireland Television Ltd.; **83:** Director: Juan Fernández Gebauer; **125:** Copyright Premium Films; **169:** Tania Balastegui/Fran Casanova; **211:** Xavi Sala Camarena, Screenwriter, Director and Producer; **253:** Mares Mexicanos/Deep Earth Media/Centro para la Biodiversidad Marina y la Conservación A.C.

Photography and Art Credits

All images © by Vista Higher Learning unless otherwise noted. Special contribution by photographer Carlos Muñoz.

Cover: José Antonio Moreno Castellano/ImageBroker/Alamy.

Front Matter (SE): xviii: (l) Corbis Historical/Getty Images; (r) Florian Biamm/123RF; **xix:** (l) Lawrence Manning/Corbis; (r) Kelly Redinger/Design Pics Inc/Alamy; **xx:** José Blanco; **xxi:** (l) Digital Vision/Getty Images; (r) ESB Professional/Shutterstock; **xxii:** Fotolia IV/Fotolia; **xxiii:** (l) Duel/Cultura/AGE Fotostock; (r) Eli Asenova/iStockphoto; **xxiv:** Shelly Wall/Shutterstock.

Front Matter (TE): T12: Teodor Cucu/500px; **T14:** PeopleImages/iStockphoto; **T18:** Asiseeit/iStockphoto; **T39:** SimmiSimons/iStockphoto; **T43:** Monkeybusiness/Deposit Photos.

Preliminary Lesson: 0–1: Kamira/Shutterstock; **1:** Gregory Rec/Portland Press Herald/Getty Images; **6:** Linda Lucía Santana; **7:** (t) Foto de Mauricio Velez; (m) *Dignatario Manteña* (2000), Nadín Ospina. Cerámica, 27 x 7 x 12 cm. Nadín Ospina; (b) Vanessa Bertozzi; **12:** Antonio Diaz/123RF; **13:** Skynesher/E+/Getty Images.

Lesson 1: 14–15: Matt Henry Gunther/Photodisc/Getty Images; **15:** David Ramos/Getty Images; **16:** (tl) Nora y Susana/Fotocolombia; (tr) Nancy Ney/Digital Vision/Getty Images; (bl, br) Martín Bernetti; **17:** (t) Martín Bernetti; (m) Tomeu Ozonas/Masterfile; (b) Corbis; **23:** (m) GDA/El Universal de México/Newscom; (b) Gilc/123RF; **24:** *Saint George and the Dragon* (c. 1432/1435), Rogier van der Weyden. Oil on panel, painted surface: 14.3 x 10.5 cm (5 5/8 x 4 1/8 in.). Ailsa Mellon Bruce Fund/National Gallery of Art; **25:** (t) © Lori Barra; (bl) Diego Grandi/Alamy; (br) Courtesy of Penguin Random House; **26:** Stockbyte/Getty Images; **34:** Janet Dracksdorf; **35:** (tl) Ali Burafi; (tm) Janet Dracksdorf; (tr) José Blanco; (bl) Paola Ríos-Schaaf; (bm) Oscar Artavia Solano; (br) Robert Fried/Alamy; **44:** *Los enamorados* (1923), Pablo Picasso. © 2021 Estate of Pablo Picasso/Artists Rights Society (ARS), New York; **45:** Jean-Régis Roustan/Roger-Viollet/Getty Images; **46:** Triff/Shutterstock; **49:** (t) Bernard Bisson/Sygma/Getty Images; (b) Win McNamee/Getty Images; **50:** (t) J. Scott Applewhite/AFP/Getty Images; (b) White House Press Office/ZUMA Press/Newscom; **51:** Jared Wickerham/Getty Images Sport/Getty Images; **53:** (t, bml, br) Kakigori Studio/Shutterstock; (bl, bmr) NotionPic/Shutterstock; **54:** Martín Bernetti.

Lesson 2: 56–57: Christian Vinces/Shutterstock; **57:** Nichola Chapman/Shutterstock; **58:** (tl) Rasmus Rasmussen/iStockphoto; (tr) Divine Images/Plush Studios/Media Bakery; (bl) José Blanco; (br) Tom Pennington/Getty Images Sport/Getty Images; **59:** (t) Corbis; (m) John Lund/Drew Kelly/AGE Fotostock; (b) Juan Silva/Corbis; **65:** (m) Morenovel/Deposit Photos; (b) Photosphere/Shutterstock; **66:** (l) Vera Anderson/WireImage/Getty Images; (r) David Fisher/Shutterstock; **67:** (t) Allstar Picture Library/Alamy; (bl) Juan Medina/Reuters/Newscom; (br) Amazon Studios/Album/Newscom; **68:** Lipnitzki/Roger Viollet/Getty Images; **75:** Carlos Dominique/Alamy; **76:** (t) Denise Bernadette/iStockphoto; (ml, mr, br) Martín Bernetti; (mm) John Lund/Annabelle Breakey/Media Bakery; (bl) Paula Díez; (bm) Reed Kaestner/Corbis; **78:** (r) Martín Bernetti; **86:** *Minué o Tertulia en Casa de Francisco Antonio de Escalada* (1831), Carlos Enrique Pellegrini. Watercolor. Oronoz/Album/SuperStock; **87:** Mariana Silvia Eliano/Cover/Getty Images; **88:** BrAt82/Shutterstock; **91:** Alfredo Dagli Orti/Shutterstock; **92:** Motmot/Shutterstock.

Lesson 3: 98–99: John Giustina/The Image Bank/Getty Images; **99:** Lunov Mykola/Shutterstock; **100:** (l) Nancy Camley; (r) Monkey Business Images/Shutterstock; **101:** (t) Simone Van Den Berg/123RF; (b) Dmitrijs Dmitrijevs/iStockphoto; **108:** (t) Patrick van Katwijk/Picture-Alliance/DPA/AP Images; (bl) Belen Diaz/DYDPPA/REX/Shutterstock; (br) I. Zorstan/DYDPPA/REX/Shutterstock; **109:** (t) Ian Waldie/Getty Images; (bl) Maria Eugenia Corbo; (br) Chema Moya/EPA-EFE/REX/Shutterstock; **110:** Mark Shenley/Alamy; **115:** JGI/Jamie Grill/Media Bakery; **117:** James W. Porter/The Image Bank/Getty Images; **118:** David C. Tomlinson/The Image Bank/Getty Images; **128:** *La Siesta* (2010), Oscar Sir Avendaño. Técnica: mixta, 1 metro x 1,50 cmtrs. © 2010 Oscar Sir Avendaño; **129:** Agencia el Universal GDA Photo Service/Newscom; **130:** *Autorretrato con pelo cortado* (1940), Frida Kahlo. Oil on canvas, 15 3/4 x 11" (40 x 27.9 cm). Digital Image © The Museum of Modern Art/Licensed by SCALA/Art Resource, NY/© 2021 Banco de México Diego Rivera Frida Kahlo Museums Trust, Mexico, D.F./Artists Rights Society (ARS), New York; **133:** (t) *Guernica* (1937), Pablo Picasso. Oil on canvas, 349.3 x 776.6 cm. Museo Nacional Centro de Arte Reina Sofia, Madrid, Spain. Castrovilli/123RF/© 2021 Estate of Pablo Picasso/Artists Rights Society (ARS), New York; (b) *Niños comiendo uvas y un melón* (1645-1646), Bartolomé Esteban Murillo. Oil on canvas, 145.9 x 103.6 cm. BPK, Berlin/Art Resource, NY; **134:** *Vieja friendo huevos* (1618), Diego Rodríguez Velázquez. Oil on canvas, 100.50 x 119.50 cm (framed: 148.00 x 128.60 x 7.60 cm). Erich Lessing/Art Resource, NY; **135:** (t) *El triunfo de Baco (Los borrachos)* (1628-1629), Diego Rodríguez Velázquez. Oil on canvas, 165 x 225 cm. Scala/Art Resource, NY; (b) *Las Meninas* (Ca. 1656), Diego Rodríguez Velázquez. Oil on canvas, 276 x 318 cm. Erich Lessing/Art Resource, NY; **137:** Basque Country/Mark Baynes/Alamy.

Lesson 4: 140–141: Aldomurillo/E+/Getty Images; **141:** Caroline Fink/Look/AGE Fotostock; **142:** (t) Martín Bernetti; (b) Marco Lensi/Fotolia; **143:** (t, m) Martín Bernetti; (b) Radius Images/Alamy; **149:** (b) José de Jesus Churion Del/Shutterstock; **150:** Martín Bernetti; **151:** (t) Ivan Sabo/Shutterstock; (m) JPC-PROD/Shutterstock; (b) Paula Díez; **152:** Fuse/Corbis/Getty Images; **166:** Jesse Kraft/123RF; **167:** Lisa Peardon/Media Bakery; **172:** *Autorretrato con el Dr. Arrieta* (1820), Francisco José de Goya y Lucientes. Oil on canvas, 45 1/8 x 30 1/8 in. (114.62 x 76.52 cm). Minneapolis Institute of Arts, MN, USA/The Ethel Morrison Van Derlip Fund/Bridgeman Images; **173:** Jose Caruci/AP Images; **174:** Marina Dyakonova/Media Bakery; **177:** Andrey Gontarev/Shutterstock; **178:** Eliana Aponte/Reuters/Newscom.

Lesson 5: 184–185: Dimarik/iStockphoto/Getty Images; **185:** Patrick Escudero/Hemis.fr/Alamy; **186:** (tl, b) Martín Bernetti; (tr) Monkeybusiness/Deposit Photos; **187:** (t) TallyPic/Deposit Photos; (b) 24BY36/Alamy; **189:** Mike Cohen/Shutterstock; **193:** (t) KidStock/Blend Images/Getty Images; (b) Paul Christian Gordon/Alamy; **194:** Atlantide Phototravel/The Image Bank Unreleased/Getty Images; **195:** (t) Dinodia Photo/LBRF/MaXx Images; (m) YinYang/iStockphoto; (b) Lauren Krolick; **196:** Juan Carlos Ulate/Reuters; **201:** (l) William Berry/Shutterstock; (ml) María Eugenia Corbo; (mr) Mayskyphoto/Shutterstock; (r) Vladimir Melnik/Shutterstock; **205:** SW Productions/Getty Images; **207:** Masterfile; **214:** Mario Guzman/EPA/Shutterstock; **215:** *Altamar* (2000), Graciela Rodo Boulanger. Photo by Sandra Boulanger; **216:** Detail of *Altamar* (2000), Graciela Rodo Boulanger. Courtesy of Sandra Boulanger; **217:** Detail of *Altamar* (2000), Graciela Rodo Boulanger. Courtesy of Sandra Boulanger; **219**: Igor Dymov/123RF; **220:** Carolina Zapata; **221:** Sergio Pitamitz; **222:** (l) Christopher/123RF; (m) Michael Urmann/123RF; (r) Barry King/WireImage/Getty Images.

Lesson 6: 226–227: Bisual Studio/Offset; **227:** Ondrej Prosicky/Shutterstock; **228:** (tl) Peter Adams Photography Ltd/Alamy; (tm) Oscar Artavia Solano; (tr) María Eugenia Corbo; (bl) Kathryn Alena Korf; (bm) Martín Bernetti; (br) Lauren Krolick; **229:** (t) Wavebreak Media Ltd/123RF; (b) Caroline Beecham/iStockphoto; **230:** Georgette Douwma/Stone/Getty Images; **235:** (m) Ariadna126/Deposit Photos; (b) DEA/G. SIOEN/De Agostini/Getty Images; **236:** Global Pics/E+/Getty Images; **237:** (t) Stephen Frink/Corbis Historical/Getty Images; (bl) David Tipling/Alamy; (br) Vilainecrevette/123RF; **238:** Corel/Corbis; **243**: Andre Nantel/Shutterstock; **245**: (l) PhotoEuphoria/iStockphoto; (r) Digital Media Pro/Shutterstock; **250:** Val Thoermer/Deposit Photos; **256:** *Autorretrato con mono* (1938), Frida Kahlo. Oil on Masonite, support: 16 x 12" (40.64 x 30.48 cm). Albright-Knox Art Gallery/Art Resource, NY/© 2021 Banco de México Diego Rivera Frida Kahlo Museums Trust, Mexico, D.F./Artists Rights Society (ARS), New York; **257:** Toni Albir/AFP/Getty Images; **258:** Pere Sanz/123RF; **261:** Maps.com; **262:** John and Tina Reid/Moment/Getty Images; **263:** Paul Zahl/Science Source.

Manual de Gramática: A10: Martín Bernetti; **A14:** (all) Martín Bernetti; **A27:** Martín Bernetti.